D0943129

Théories des relations internationales

SCIENCES PO
Mondes

Théories des relations internationales

Dario Battistella

4e édition mise à jour et augmentée

Catalogage Électre-Bibliographie (avec le concours de la bibliothèque de Sciences Po)
Théories des relations internationales / Dario Battistella - 4e éd. mise à jour et augmentée - Paris : Presses de Sciences Po, 2012.
ISBN / 978-2-7246-1259-2 - ISBN numérique / 978-2-7246-8553-4

RAMEAU :
- Relations internationales : philosophie

DEWEY :
- 327 : Relations internationales

La loi de 1957 sur la propriété intellectuelle interdit expressément la photocopie à usage collectif sans autorisation des ayants droit (seule la photocopie à usage privé du copiste est autorisée).
Nous rappelons donc que toute reproduction, partielle ou totale, du présent ouvrage est interdite sans autorisation de l'éditeur ou du Centre français d'exploitation du droit de copie (CFC, 3, rue Hautefeuille, 75006 Paris).

© 2012. PRESSES DE LA FONDATION NATIONALE DES SCIENCES POLITIQUES

« C'est la théorie qui décide de ce que nous pouvons observer. »
Albert Einstein, cité dans W. Heisenberg, Physics and Beyond : Encounters and Conversations, *Londres, Allen and Unwin, 1971, p. 77.*

SOMMAIRE

Troisième partie
Débats sectoriels

Quatrième partie
Les Relations internationales face au monde contemporain

Remerciements

Cet ouvrage est issu d'un enseignement assuré à l'Université de Bordeaux. Il a bénéficié des encouragements que m'ont prodigués mes étudiants, ainsi que des nombreuses remarques, souvent judicieuses, qu'ils ont émises.

La chance que j'ai de pouvoir enseigner à l'Université, je la dois à Jacques Chevallier, qui a dirigé ma thèse et sans qui je ne serais jamais devenu professeur. En m'ouvrant les portes des Presses de Sciences Po, Bertrand Badie a été à l'origine du projet de ce livre, et sa confiance m'a été renouvelée par Marie-Geneviève Vandesande depuis son arrivée à la direction des Presses.

L'accueil favorable réservé aux trois premières éditions par les étudiants et les collègues internationalistes, en France et au-delà, m'a convaincu du bien-fondé de cette quatrième édition, mise à jour et augmentée d'un chapitre sur les Relations internationales en France.

Que toutes les personnes citées *supra* soient vivement remerciées. Bien entendu, les insuffisances persistantes de ce livre relèvent de ma seule responsabilité.

Première partie

Les Relations internationales comme science sociale

Chapitre 1 / THÉORIE ET RELATIONS INTERNATIONALES

« L'anarchie est le trait fondamental de la vie internationale et le point de départ de toute réflexion théorique sur celle-ci. »
Hedley Bull[1]

Considérer les Relations internationales[2] comme une science sociale ne va pas de soi[3]. Non pas tellement parce que les Relations internationales comme discipline appartiennent à l'univers des discours savants, alors que les relations internationales comme objet appartiennent à celui des pratiques politiques qui, en permanence, viennent tout à la fois enrichir et gêner l'analyse scientifique, comme le rappelle l'actualité de ces vingt-cinq dernières années, de la chute du mur de Berlin, qu'aucun paradigme cognitif n'a su prévoir, aux attentats du 11 septembre 2001 qui interpellent toutes les théories existantes, sans oublier l'opération *Iraqi Freedom* qui, fait suffisamment rare pour mériter d'être souligné, a vu se mobiliser, en vain certes, la fine fleur des internationalistes américains, réalistes en tête[4]. En effet, un tel positionnement n'est pas propre aux seules Relations internationales, mais à l'ensemble des sciences sociales, de la sociologie aux sciences économiques en passant par

1. *H. Bull, « Society and Anarchy in International Relations », dans H. Butterfield et M. Wight (eds),* Diplomatic Investigations, *Londres, Allen and Unwin, 1966, p. 35-60.*
2. *L'expression « relations internationales » désignant à la fois l'objet d'étude que sont les relations « entre nations » et la discipline qui étudie ces relations, nous utiliserons, conformément à l'usage, « Relations internationales » en majuscules lorsqu'il s'agit de la discipline et « relations internationales » en minuscules lorsqu'il s'agit de l'objet.*
3. *Cela est particulièrement vrai en France. On va y revenir dans le chapitre 18.*
4. *Nous reviendrons dans le chapitre 16 sur cette problématique des rapports entre théorie et pratique des relations internationales.*

la science politique. Si la légitimité des Relations internationales fait débat, c'est parce que toute science sociale, et toute science d'ailleurs, se définit d'abord par un domaine d'étude délimité et une démarche scientifique reconnue, autrement dit par l'existence d'un degré d'entente relativement élevé sur « quoi étudier ? » – consensus ontologique – et « comment l'étudier ? » – accord épistémologique[5] : or, en Relations internationales plus qu'ailleurs, cette double identification ne fait pas l'unanimité.

Pour ce qui est de la délimitation de l'objet d'étude des Relations internationales, le terme « international » pose à lui tout seul de redoutables problèmes. Ne serait-ce que parce que « international » est un adjectif dérivé de l'adjectif « national » : comment ne pas en déduire que ce qui se rapporte aux relations entre nations, entre États, entre sociétés, a une valeur, sinon négative, du moins résiduelle, par rapport aux relations se déroulant « à l'intérieur » d'une nation, d'un État, d'une société ?

Telle est la position adoptée par Yale Ferguson et Richard Mansbach qui n'hésitent pas, à partir du constat de la nature dérivée du terme « international », à conclure à l'impossibilité d'une discipline Relations internationales autonome : « La notion même d'"international" ne peut être comprise que par rapport à ce qui n'est pas "national" ou "interne". Même chose pour "transnational", "interétatique", politique "étrangère". Un champ dont les concepts ne peuvent être définis que négativement ne saurait

5. *Une science existe aussi si, et tant que, ceux qui la pratiquent sont d'accord pour dire qu'elle existe et la faire vivre. Pour une sociologie des Relations internationales comme discipline scientifique s'auto-reproduisant, voir O. Waever, « Still a Discipline After All These Debates ? », dans T. Dunne, M. Kurki et S. Smith (eds),* International Relations Theories : Discipline and Diversity, *Oxford, Oxford University Press, 2006, p. 288-308.*

prétendre au statut de discipline[6]. » Davantage, et comme l'indique le titre révélateur de leur ouvrage *The Elusive Quest. Theory and International Relations*, ils affirment que les Relations internationales, dont l'objet d'étude n'est pas reproductible en laboratoire, ne sauraient prétendre énoncer des lois et répondre à l'impératif de réfutabilité qui caractérise une théorie scientifique, ce qui les amène d'emblée à qualifier d'illusoire toute théorie des Relations internationales.

Une telle position mérite discussion. En établissant une relation de synonymie entre activité théorique et conception que se font de la démarche théorique les sciences naturelles, Ferguson et Mansbach oublient qu'il existe non pas une, mais – au moins – deux conceptions de ce qu'est une théorie en sciences sociales, et donc en Relations internationales. Une mise au point de la notion de théorie s'impose donc ; jointe à une tentative de délimitation positive du champ couvert par les Relations internationales, cette clarification conceptuelle permettra de montrer que la théorie des relations internationales non seulement existe, mais se porte bien.

Relations internationales, études internationales, affaires internationales, politique internationale, politique mondiale, politique globale : les dénominations multiples auxquelles recourent les internationalistes pour désigner leur discipline et/ou leur objet ne permettent guère de se faire une idée de ce sur quoi porte l'étude savante de ce qui se passe sur la scène internationale... ou mondiale. Plutôt que de tenter un délicat exercice de

---

6. *Y. Ferguson et R. Mansbach,* The Elusive Quest. Theory and International Relations, *Columbia (S. C.), University of South Carolina Press, 1988, p. 111-112.*

différenciation entre ces diverses désignations[7], il semble plus judicieux, lorsqu'il s'agit de définir « la spécificité et la cohérence[8] » des Relations internationales, de partir de l'origine du mot « international ».

L'adjectif « international », introduit en France en 1801, a été forgé par le philosophe utilitariste britannique Jeremy Bentham dans son ouvrage *Introduction to the Principles of Morals and Legislation*, publié en 1781. Désireux de dresser une typologie des différentes sortes de droits, Bentham note que, selon la qualité politique des personnes dont le droit régule la conduite, il faut distinguer entre le droit national et le droit international : lorsque les personnes dont le droit règle la conduite relèvent d'un même État, il s'agit du droit interne ; à l'inverse, lorsqu'il s'agit de réguler la conduite de « membres d'États différents », c'est la « jurisprudence internationale[9] » qui est concernée. À vrai dire, et il est le premier

---

7. *C'est une telle discrimination qu'a proposée A. P. Reynolds,* Theory and Explanation in International Relations, *Londres, M. Robertson, 1973, qui distingue la politique internationale (« comportements des États et interactions entre États »), les relations internationales (« transactions transfrontalières de toute nature entre acteurs quels qu'ils soient »), et les études internationales qui incluent, au-delà des relations internationales et de la politique internationale, « tous les domaines qui ont un impact sur les relations internationales et la politique internationale ou qui peuvent les éclairer ». Pour un plaidoyer en faveur d'études internationales interdisciplinaires, voir P. Forest, M. Tremblay et P. Le Prestre, « Des Relations internationales aux Études internationales. Éléments de construction d'un champ de recherche et d'action interdisciplinaire »,* Études internationales, *40 (3), septembre 2009, p. 417-440.*

8. *F. Dunn, « The Scope of International Relations »,* World Politics, *1 (1), octobre 1948, p. 142-146.*

9. *J. Bentham,* Introduction to the Principles of Morals and Legislation *(1781), Londres, The Athlone Press, 1970, p. 296-297.*

à le reconnaître, Bentham ne fait que proposer le remplacement de l'ancienne dénomination « droit des gens » : « Le mot "international", j'en conviens, est nouveau ; bien que, j'espère, clair et explicite. Il est calculé pour exprimer d'une façon plus significative ce que l'on appelle communément le "droit des gens", expression si peu caractéristique que, n'était l'usage coutumier que l'on en fait, elle renverrait plutôt au droit interne. Le chancelier d'Aguesseau a déjà fait une remarque similaire : il dit que ce qui est communément appelé "droit des gens" devrait plutôt être appelé "droit entre les gens"[10]. » Mais le succès du mot "international" est tel[11] que l'on peut supposer que la portée de l'invention de Bentham a largement dépassé son intention initiale.

En effet, s'il est exact qu'un néologisme se diffuse rapidement parce qu'il capte un changement important et que donc une nouvelle idée est nécessaire pour décrire cette nouvelle donne, alors Bentham a en quelque sorte été le premier à prendre conscience du changement important que représentent, à partir du XVIIIe siècle, l'essor des États-nations et la multiplication des transactions transfrontalières entre eux. Exprimé autrement, des transactions

---

10. Ibid., *p. 296. Le chancelier d'Aguesseau à qui fait allusion Bentham a été chancelier sous Louis XV. L'expression* « ius inter gentes » *avait été proposée dès la première moitié du XVIe siècle par le jusnaturaliste espagnol Francisco de Vitoria (« On appelle droit des gens ce que la raison naturelle a établi entre toutes les nations »), avant d'être reprise dans le titre d'un livre par le juriste anglais Richard Zouch qui en 1650 parle du* « jus inter gentes » *comme du droit réglant les relations « entre souverains ». Je remercie P. Lemoine de m'avoir apporté ces précisions.*

11. Dans une édition du même ouvrage publiée en 1823, Bentham remarque dans une note de bas de page que le terme « international » s'est rapidement imposé dans le langage courant, et en Grande-Bretagne et en France, où son ouvrage a été traduit dès 1802.

transfrontalières ont certes existé avant 1781, et donc aussi un ensemble de règles – le droit des gens – pour les réguler, mais ce n'est qu'à partir de la deuxième moitié du XVIIIe siècle que ces transactions, exceptionnelles par le passé, sont devenues régulières, et cette régularité a provoqué l'innovation linguistique.

Le changement important ne s'arrête cependant pas à la banalisation des relations « internationales » : par rapport au passé, la nouvelle donne consiste aussi et surtout dans la nature inédite de ces transactions transfrontalières. Bentham suggère lui-même cette hypothèse. Dans une note de bas de page, il donne un exemple concret pour mieux illustrer le champ concerné par le droit international : « À l'époque de Jacques Ier d'Angleterre et de Philippe III d'Espagne, certains marchands londoniens avaient des créances envers Philippe que l'ambassadeur de ce dernier, Gondemar, refusait de rembourser. Ils se sont [...] adressés à la Cour [...], et Gondemar finit par payer les dettes. Nous avons affaire ici à de la jurisprudence interne ; si la dispute avait opposé Philippe et Jacques eux-mêmes, la jurisprudence aurait été internationale[12] ». D'après Bentham, relèvent du droit international – et sont donc des relations internationales – les relations qui mettent aux prises les chefs d'États eux-mêmes, « les "transactions mutuelles" entre souverains en tant que tels[13] ». C'est dans cet emploi du terme « souverain » que se situe la raison principale de la nouvelle dénomination : si l'on ne peut plus parler de droit des gens, ni même de droit entre les gens, c'est parce qu'à l'origine le droit des gens réglait les rapports entre sujets intégrés, comme ce fut le cas au sein de l'entité hiérarchiquement organisée qu'était

---

12. *J. Bentham,* Introduction to the Principles of Morals and Legislation, op. cit., *p. 296-297.*

13. Ibid., *p. 296.*

l'Empire romain où le *jus gentium* s'appliquait aux conflits opposant les citoyens romains aux Pérégrins, hommes libres mais non-citoyens habitant les provinces conquises par Rome ; s'il faut parler de relations internationales, c'est parce que les interactions transfrontalières concernent dorénavant des entités souveraines, inexistantes ou presque par le passé.

Certes, les relations entre entités politiques ne datent pas de la fin du XVIIIe siècle : entre entités politiques, des accords formels ont émergé dès l'Antiquité sumérienne, des alliances dès l'Antiquité égyptienne, et des relations diplomatiques dès l'Antiquité perse ; par ailleurs, il existait un proto-système international au moment de l'Antiquité grecque, avec des délégations se rendant d'une cité-État à une autre, en vue de résoudre une dispute, de présenter une requête, de négocier un traité de commerce, et même avec un début de régulation, lorsque les différentes *polis* recouraient aux oracles de Delphes pour arbitrer un différend ; enfin, les villes-États (*signorie*) de la pentarchie italienne au moment de la Renaissance, à l'origine de la diplomatie, au sens moderne de système d'ambassades permanentes, entretenaient entre elles des relations conflictuelles au point de pratiquer une politique de maintien de l'équilibre des puissances avant la lettre[14]. Mais il s'agissait d'exceptions qui venaient confirmer la règle prévalant avant la guerre de Trente Ans, relative à la primauté de l'empire comme forme d'organisation politique. Système politique centralisé acquis par la violence au profit d'un centre et maintenu par la coercition au détriment de la périphérie conquise par la force[15],

---

14. *Voir à ce sujet la relation qu'en fait un contemporain de N. Machiavel : F. Guichardin,* Histoire d'Italie. 1492-1534 *(1561), Paris, Laffont-Bouquins, 1996.*

15. *Sur la notion d'empire, voir l'étude classique de M. Doyle,* Empires, *Ithaca (N. Y.), Cornell University Press,*

l'empire organisait la quasi-exclusivité des relations en son sein : les rapports qui s'y déroulaient n'étaient pas des relations horizontales entre entités indépendantes, mais des relations verticales entre entités intégrées. Quant aux éventuelles relations internationales, au sens de relations entre entités indépendantes, en l'occurrence entre empires, elles se réduisaient au minimum : les empires, lorsqu'ils étaient en relations entre eux, ne l'étaient que de façon sporadique, soit aux marches des territoires qu'ils contrôlaient, soit au moment de la conquête et de l'absorption de l'un d'entre eux par un autre. Autrement dit, avant les traités de Westphalie, de Sumer au Saint Empire romain de nation germanique[16], ou bien on était en présence d'entités indépendantes, mais celles-ci n'entretenaient pas de relations régulières entre elles, ou bien il y avait effectivement des relations régulières, mais celles-ci s'établissaient entre entités intégrées hiérarchiquement au sein d'une unité impériale.

1986, la synthèse récente de J. Burbank et F. Cooper, Empires. De la Chine ancienne à nos jours, *Paris, Payot, 2011, ainsi que D. Battistella, « La notion d'empire en théorie des relations internationales »,* Questions internationales, *26, juillet-août 2007, p. 27-32.*

16. *Pour une réflexion d'ensemble sur ces systèmes internationaux pré-westphaliens, voir les écrits de l'École anglaise, dans l'ordre chronologique : M. Wight, « De systematibus civitatum », dans M. Wight,* Systems of States, *Leicester, Leicester University Press, 1977, p. 21-45 ; A. Watson,* The Evolution of International Society, *Londres, Routledge, 1992 ; B. Buzan et R. Little,* International Systems in World History, *Oxford, Oxford University Press, 2000.*

La donne change à partir des XVIIe et XVIIIe siècles[17], lorsque naît en Europe de l'Ouest[18] un véritable système international, au sens d'ensemble d'États souverains entretenant des interactions suffisamment régulières pour que le comportement de tout un chacun soit un facteur nécessaire dans le calcul présidant au comportement de tous les autres. C'est de cette réalité que rend compte le qualificatif « international », plus d'un siècle après que cette réalité avait commencé à prendre forme, à la suite de « la paix de Westphalie [qui] marque la fin d'une époque et le début d'une nouvelle[19] » en

---

17. *Certains auteurs font remonter la naissance du système interétatique contemporain à la fin du XVe siècle : la multiplication de relations régulières entre entités étatiques daterait de l'immixtion de la France dans les guerres inter-italiennes et au cycle de guerres qui s'en est suivi avec les deux branches des Habsbourg. Voir par exemple W. Grewe,* The Epochs of International Law, *Berlin, de Gruyter, 2000, p. 13 et suiv., ou bien J. Levy,* Wars in the Modern Great Power System. 1495-1975, *Lexington (Ky.), University Press of Kentucky, 1983. L'argument est valable à condition de faire abstraction de l'idée que se faisaient de la période qu'ils vivaient la plupart des témoins de l'époque : les écrits de Machiavel ou de Bodin ne raisonnent pas encore en termes de séparation stricte entre ordre politique interne centralisé et sphère politique internationale décentralisée, et il en va* a fortiori *ainsi des discours non-sécularisés des dirigeants de la principale puissance de l'époque qu'est l'Espagne. Cela revient à dire que la forme moderne de l'État n'en est aux XVe et XVIe siècles encore qu'à un stade embryonnaire, et qu'il faut donc attendre sa légitimation explicite par la reconnaissance du principe de souveraineté en 1648 pour voir apparaître un système interétatique* stricto sensu.

18. *Pour une critique de l'eurocentrisme qui sous-tend toute analyse voyant dans les traités de Westphalie le point de départ des relations internationales modernes, voir T. Kayaoglu, « Westphalian Eurocentrism in International Relations Theory »,* International Studies Review, *12 (2), 2010, p. 193-217.*

19. *L. Gross, « The Peace of Westphalia. 1648-1948 »,* American Journal of International Law, *42 (1), janvier 1948, p. 20-41.*

mettant fin à la guerre de Trente Ans 1618-1648 due à la volonté de la dynastie des Habsbourg d'étendre son *imperium* à l'ensemble d'une Europe qui n'avait plus rien à voir avec l'*Universalis Christiana* du Moyen Âge, vu à la fois la division entre catholiques et protestants[20] et l'émergence des premiers États territoriaux *de facto* indépendants du double pouvoir spirituel du Pape et temporel de l'Empereur. Plus précisément, Westphalie consacre le triomphe de l'État comme forme privilégiée d'organisation politique des sociétés caractérisée par les deux principes de la souveraineté externe (*rex est imperator in regno suo* : aucun État ne reconnaît d'autorité au-dessus de lui et tout État reconnaît tout autre État comme son égal) et de la souveraineté interne (*cujus regio, ejus religio* : tout État dispose de l'autorité exclusive sur son territoire et la population qui s'y trouve et aucun État ne s'immisce dans les affaires internes d'un autre État)[21].

D'où un premier critère de délimitation des relations internationales. Pour que l'on puisse parler de relations internationales, il

---

20. *Sur le rôle de la réforme protestante dans l'émergence du système international moderne, voir D. Philpott,* Revolutions in Sovereignty : How Ideas Shaped Modern International Relations, *Princeton (N. J.), Princeton University Press, 2001, ainsi que D. Nexon,* The Struggle for Power in Early Modern Europe : Religious Conflicts, Dynastic Empires and International Change, *Princeton (N. J.), Princeton University Press, 2009.*

21. *Pour une critique d'inspiration marxiste voyant dans les Traités de Westphalie le point de départ de relations interdynastiques entre monarchies absolues plutôt que le point de départ de relations internationales entre États territoriaux, voir B. Teschke,* The Myth of 1648 : Class, Geopolitics and the Making of Modern International Relations, *Londres, Verso, 2003. Selon B. Teschke, les relations internationales au sens moderne du terme n'ont émergé qu'au* XVIII*e siècle, à la suite de la domination, concomitante de la naissance du capitalisme, du premier État moderne qu'a été la Grande-Bretagne.*

faut que l'on soit en présence de relations horizontales régulières entre des groupes sociaux basés territorialement et délimités politiquement les uns par rapport aux autres ; et comme, dans l'histoire, les unités entretenant entre elles des relations régulières ont pris la forme d'États souverains, l'objet des Relations internationales porte sur les relations régulières entre États souverains : « Le point de départ des relations internationales est l'existence d'États, ou de communautés politiques indépendantes, avec à leur tête un gouvernement revendiquant la souveraineté sur une portion particulière de la surface terrestre et un segment particulier de la population humaine[22]. »

Cette idée de souveraineté, définie à la veille de la guerre de Trente Ans par Jean Bodin comme « la puissance perpétuelle et absolue d'une République[23] », peut également être exprimée d'une autre façon. Le fait pour les États – les Républiques de Bodin – d'être souverains, de ne reconnaître au-dessus d'eux aucune autorité comme légitime, revient à affirmer qu'ils sont en état de nature entre eux, et à la suite de Thomas Hobbes, définissant au lendemain de la Paix de Westphalie l'état de nature comme l'absence de « pouvoir commun » tenant les États indépendants en respect[24], les philosophes unanimes soulignent l'état de nature dans lequel se déroulent les relations entre États, à l'image de John Locke

---

22. *H. Bull,* The Anarchical Society *(1977), Basingstoke, Palgrave-Macmillan, 2002 [3e éd.], p. 8. Pour une critique de l'État territorial comme point de départ de la discipline, voir J. Agnew, « The Territorial Trap : The Geographical Assumptions of International Relations »,* Review of International Political Economy, *1 (1), printemps 1994, p. 53-80.*

23. *J. Bodin,* Les Six Livres de la République *(1576), Paris, Fayard-Corpus, 1986, Livre I, p. 179.*

24. *T. Hobbes,* Léviathan *(1651), Paris, Sirey, 1971, p. 126.*

affirmant que « les États sont dans l'état de nature les uns au regard des autres[25] » (cf. chap. 2). Si alors on se place non plus dans la perspective des États à l'origine des relations internationales, mais dans celle de l'état de nature dans lequel se déroulent ces relations internationales, alors sont considérées comme relations internationales les relations qui se déroulent à l'état de nature ou, pour reprendre un terme plus moderne, en état d'anarchie.

Due à l'Anglais G. Lowes Dickinson, qui l'utilise dans les titres de ses deux ouvrages *The European Anarchy* et *The International Anarchy*[26], la notion d'anarchie, au sens premier d'absence d'autorité centrale au-dessus des États[27], s'est progressivement imposée comme le critère de délimitation des Relations internationales depuis leur création en 1919 (cf. chap. 3) : de Raymond Aron, voyant dans cet « "état de nature" [...] le trait spécifique du système international » caractérisé par « l'absence d'une instance qui détienne le monopole de la violence légitime[28] », à Kenneth Waltz opposant « les systèmes internationaux [...] décentralisés et anarchiques » aux « systèmes politiques internes [...] centralisés et

---

25. *J. Locke,* Traité du gouvernement civil *(1690), Paris, Garnier-Flammarion, 1984, p. 321.*

26. *G. Lowes Dickinson,* The European Anarchy, *Londres, Allen and Unwin, 1916 ; G. Lowes Dickinson,* The International Anarchy, *Londres, Swarthmore, 1926.*

27. *Le terme « anarchie » provient du grec* anarkhia, *synonyme d'absence de chef* (arkhos) *ou d'absence d'autorité* (arkhé).

28. *R. Aron, « Qu'est-ce qu'une théorie des relations internationales ? »,* Revue française de science politique, *17 (5), octobre 1967, p. 837-861. À vrai dire, chez Aron, la spécificité des relations internationales réside tout autant dans la nature violente des relations internationales que dans leur structure anarchique : « J'ai cherché ce qui constituait la spécificité des relations internationales [...] et j'ai cru trouver ce trait dans la légitimité et la légalité du recours à la force de la part des acteurs. Dans les civilisations supérieures, ces relations sont les*

hiérarchiques[29] », « l'anarchophilie[30] » caractérise l'ensemble – ou presque – des internationalistes, d'accord pour proclamer, sur la base du postulat de la « différence radicale entre le milieu interne et le milieu international[31] », que l'anarchie est tout à la fois « le trait fondamental de la vie internationale et le point de départ de toute réflexion théorique sur celle-ci[32] ».

Reste que si la délimitation de la discipline des Relations internationales se fait moins par rapport à l'État souverain que par

---

seules, parmi toutes les relations sociales, qui admettent la violence comme normale ». Mais cette lecture aronienne de l'état d'anarchie ne vient qu'interpréter dans une perspective réaliste, et non pas contredire, la signification fondamentale de la notion d'anarchie qu'est l'absence de pouvoir central au-dessus des acteurs internationaux.

29. *K. Waltz,* Theory of International Politics, *New York (N. Y.), McGraw-Hill, 1979, p. 88.*

30. *Expression empruntée à B. Buzan et R. Little, « The Idea of International System. Theory Meets History »,* International Political Science Review, *15 (3), juillet 1994, p. 231-255. Inutile de le préciser, l'anarchophilie n'a rien à voir avec l'anarchisme, au sens de la doctrine ou du mouvement anarchiste. Sur anarchisme et relations internationales, voir le dossier dirigé par A. Pritchard, « Anarchism and World Politics »,* Millennium, *39 (2), 2010, p. 373 et suiv.*

31. *S. Hoffmann, « Théorie et relations internationales »,* Revue française de science politique, *11 (3), juin 1961, p. 413-433.*

32. *H. Bull, « Society and Anarchy in International Relations », art. cité. Précisons d'emblée que le postulat de l'anarchie et son corollaire de la séparation interne/externe sont refusés par les post-modernistes (cf. chap. 8), à commencer par R. Ashley, « Untying the Sovereign State. A Double Reading of the Anarchy Problematique »,* Millennium, *17 (2), été 1988, p. 227-262, et R. B. J. Walker,* Inside/Outside. International Relations As Political Theory, *Cambridge, Cambridge University Press, 1993. Parmi les autres critiques de la notion d'anarchie, voir, entre autres, H. Milner, « The Assumption of Anarchy in International Relations Theory. A Critique »,* Review of

référence à l'état d'anarchie[33], alors le critère qui fait d'une relation une relation internationale (plutôt qu'une relation sociale ou politique parmi d'autres) ne renvoie plus nécessairement à l'acteur étatique à l'origine de cette relation. Lorsque le mot « international » est forgé par Bentham, il est en effet équivalent d'« interétatique », voire d'« intergouvernemental », tant Bentham voit dans l'État le seul sujet du droit international et donc le seul acteur de la scène internationale, de même qu'il postule la personnification de l'État-nation dans le chef de l'État. Or, c'est là adopter une perspective stato-centrée des relations internationales qui, si elle a pu dans l'ensemble être assez conforme aux réalités de l'époque qui a vu l'apparition de l'adjectif « international », voire la naissance de l'étude savante des relations internationales, n'est plus considérée que comme perspective parmi d'autres au sein des Relations internationales contemporaines, du moins par les auteurs qui ne se réclament pas du réalisme (cf. chap. 4).

Plus précisément, la discipline des Relations internationales a évolué depuis sa création lorsque, après-première guerre mondiale oblige, elle s'était focalisée sur la problématique des relations de puissance, et plus particulièrement sur la question de la guerre et

---

International Studies, *17 (1), janvier 1991, p. 67-85 ; B. Buzan et R. Little, « Reconceptualizing Anarchy »,* European Journal of International Relations, *2 (4), décembre 1996, p. 403-439 ; A. Sampson, « Tropical Anarchy. Waltz, Wendt and the Way We Imagine International Politics »,* Alternatives, *27 (4), octobre-décembre 2002, p. 429-457. Pour une réflexion sur le rejet du critère de l'anarchie pour cause de processus de globalisation mettant fin à la séparation interne/externe, voir nos développements dans le chapitre 17.*

33. Sur l'anarchie comme fondement ultime de la discipline Relations internationales, voir B. Schmidt, The Political Discourse of Anarchy. A Disciplinary History of International Relations, *Albany (N. Y.), SUNY Press, 1998.*

de la paix entre États, comme l'indique la dénomination « Politique internationale » donnée à la première chaire de Relations internationales créée à l'University College of Wales à Aberystwyth en 1919 (cf. chap. 3) : de nos jours, on entend par relations internationales l'ensemble des relations qui se déroulent au-delà de l'espace contrôlé par les États pris individuellement, quel que soit l'acteur – étatique ou non – concerné par ces relations, et quelle que soit la nature – politique ou autre – de ces relations. Mais cette évolution, concomitante de la complexification des relations transfrontalières ou, du moins, de la prise en compte de cette complexification, n'a pas remis en cause le plus petit dénominateur commun que reste le postulat de la structure anarchique du milieu international comme critère de délimitation de l'objet d'étude relations internationales[34].

Un consensus comparable n'existe pas en ce qui concerne la manière la plus appropriée pour étudier de façon savante ledit objet d'étude. Si tout le monde est d'accord pour estimer que, pour ce faire, il faut recourir à une méthode susceptible de rendre compte de ce qui se passe sur la scène internationale en référence à des données et des relations à la fois observables empiriquement et non observables directement, le désaccord règne quant à la démarche concrète qu'implique une telle méthode.

L'étude méthodique – de nature autre qu'historique et juridique – des relations internationales est ancienne : il y a eu des réflexions sur les relations entre unités politiques depuis qu'existent des unités

---

34. Dans un numéro spécial intitulé « Rethinking "the International" Today », la revue Millennium, *35 (3), 2007, propose un ensemble de réflexions d'auteurs non-mainstream (F. Kratochwil, R. Cox, Y. Ferguson et R. Mansbach, C. Sylvester, D. Bigo et R. Walker, etc.,) posant la question de l'éventuel dépassement de ce critère de l'anarchie pour définir « l'international » aujourd'hui.*

séparées les unes des autres, de façon ponctuelle de Thucydide à Machiavel, de façon régulière depuis Grotius et Hobbes (cf. chap. 2)[35]. Dans une certaine mesure, de telles réflexions constituent des réflexions théoriques[36] : étant donné l'origine du mot « théorie », dérivé du substantif grec *theoros*, qui signifie « spectateur » ou « témoin », ainsi que du verbe subséquent *theorein*, qui signifie « observer avec émerveillement ce qui se passe, pour le décrire, l'identifier et le comprendre[37] », on peut considérer comme théorie toute « expression [...] cohérente et systématique de notre connaissance de [...] la réalité[38] ». Mais de nos jours, cette conception large de la notion de théorie, entendue comme « connaissance contemplative [...] de l'ordre essentiel du monde[39] », et susceptible de reposer sur l'intuition, voire le préjugé métaphysique ou la révélation religieuse (le *homo homini lupus* de Hobbes, le « dessein de la nature » de Kant, etc.), n'est plus guère acceptée au sein des

---

35. Autrement dit, et c'est une conséquence de l'adoption de l'anarchie comme critère de délimitation de la discipline : relève aussi des Relations internationales l'étude des – rares – relations internationales ante-étatiques*, pourvu qu'il s'agisse de relations entre entités non soumises à une autorité centrale (pentarchie italienne, relations entre l'empereur franc Charlemagne et le calife abbasside Haroun-al-Rachid, guerre de cent ans entre cités mayas, conquête de la Gaule par César, guerre du Péloponnèse et guerres médiques, royaumes combattants de l'Antiquité chinoise, etc.).*

36. C'est le sens qu'a le mot « théorie » dans le titre du livre de M. Wight, International Theory. The Three Traditions, *Leicester, Leicester University Press, 1992 (cf. chap. 2).*

37. Rappelons que le theoros *était l'envoyé des cités grecques à Delphes, avec pour mission d'y observer les oracles et de les rapporter, voire d'en expliquer la signification.*

38. P. Braillard, Théories des relations internationales, *Paris, PUF, 1977, p. 13.*

39. R. Aron, « Qu'est-ce qu'une théorie des relations internationales ? », art. cité.

sciences sociales. Depuis que les sciences économiques, la sociologie, la science politique, se sont constituées en disciplines à part entière, indépendantes de la pensée philosophique dont elles faisaient auparavant partie intégrante, la notion de théorie a pris un sens plus précis[40] : pour être dorénavant considéré comme théorie au sens strict, *id est* scientifique, du terme, un travail de connaissance se doit certes d'être provoqué par une « intuition brillante » et une « idée créative »[41], mais il doit aussi être fondé à la fois sur le raisonnement logique et sur la confrontation empirique[42].

Dans le domaine des relations internationales, de telles théories scientifiques ne datent que du XXe siècle : après que les libéraux internationalistes britanniques de la première moitié du XXe siècle eurent les premiers proposé d'étudier la politique internationale à partir de « la simple exposition des faits politiques tels qu'ils

---

40. Bien évidemment, cette conception large de la théorie continue de prévaloir dans la théorie politique, nom donné de nos jours à la pensée ou philosophie politique. Entre la théorie politique et les Relations internationales, le dialogue existe : Schmitt, Strauss, Rawls, Walzer, Habermas, Foucault, etc., influencent des internationalistes contemporains, et pas seulement des approches critiques ou post-positivistes.

41. K. Waltz, Theory of International Politics, op. cit., *p. 9. L'importance de cette capacité imaginative dans le travail théorique est cruciale. Sans génie, pas de théorie, dit substantiellement Waltz (*ibid., *p. 5), tant « les notions théoriques ne sauraient être découvertes, mais seulement inventées ».*

42. Rappelons, si besoin est, que le fait de qualifier de scientifique une théorie fondée sur l'observation empirique et le raisonnement logique n'implique aucun jugement de valeur en sa faveur, et au détriment des autres modes d'accès à la connaissance ; tout simplement, dire qu'une connaissance est scientifique, c'est dire qu'elle est transmissible en tant que connaissance susceptible de faire l'objet de discussions, entre autres raisons parce qu'elle a été, d'abord, produite dans l'objectif d'améliorer l'explication ou la compréhension du monde. Cela explique l'absence dans cet ouvrage de toute prise en compte

existent dans l'Europe d'aujourd'hui[43] », les réalistes tels que Hans Morgenthau proclameront ouvertement leur volonté de « présenter une théorie de la politique internationale s'accord[ant] avec les faits et [...] conséquente avec elle-même » avec pour but d'« apporter ordre et signification à une masse de phénomènes qui, sans cela, resteraient sans lien et inintelligibles[44] ».

Reste qu'il existe non pas une, mais deux grandes conceptions de la meilleure façon d'apporter de l'ordre et de la signification aux phénomènes internationaux (comme aux phénomènes sociaux en général). La première conception, explicative, de la théorie, est héritière du mouvement humaniste de la Renaissance et du Siècle des Lumières, concomitants du triomphe du rationalisme des sciences de la nature : elle ambitionne de donner des relations internationales une explication comparable à celle que donnent des phénomènes naturels les sciences exactes, tant elle estime que les relations internationales sont déterminées par des causes objectives existant indépendamment de la conscience que peuvent en avoir les acteurs et que les mêmes causes provoquent les mêmes effets. La seconde conception, compréhensive, de la

---

d'analyses telles que celles proposées dans les « best-sellers » de F. Fukuyama, La Fin de l'histoire et le dernier homme, *Paris, Flammarion, 1992, de S. Huntington,* Le Choc des civilisations, *Paris, Odile Jacob, 1997, ou de M. Hardt et A. Negri,* Empire, *Paris, Exils, 2000 : de telles analyses, qui cherchent, surtout, à agir sur le monde en train de se faire, relèvent moins de la théorie scientifique que de la croyance, au sens parétien de proposition indémontrable. Nous reviendrons dans le chapitre 16 sur notre position relative aux liens entre théorie et pratique.*

43. N. Angell, The Great Illusion, *Londres, Heinemann, 1909 [1re éd.], 1913, p. 27-28.*

44. H. Morgenthau, Politics Among Nations. The Struggle for Power and Peace *(1948), New York (N. Y.), MacGraw-Hill, 2005 [7e éd.], p. 3.*

théorie, est au contraire influencée par l'historicisme et le relativisme d'un XIXe siècle synonyme de remises en cause de l'universalisme rationaliste : elle postule que les objets qu'étudient les sciences sociales, parce qu'ils s'insèrent dans des contextes spécifiques, sont radicalement différents des objets des sciences de la nature, ce qui l'amène à conclure que l'on peut simplement interpréter – plutôt qu'expliquer – les relations internationales, et ce à partir du sens, de la signification, que donnent à ces relations les acteurs eux-mêmes[45].

En Relations internationales, ces deux conceptions cœxistent. Parce que les acteurs, à commencer par les responsables politiques dans leurs discours, interviews, et mémoires, partent de leur propre point de vue lorsqu'ils rendent compte de leurs actions et décisions, et parce que les restitutions médiatiques, de même que le sens commun, personnalisent tout autant les relations internationales, la conception explicative de la théorie prévaut au sein de la discipline. En effet, le fait que chaque discipline scientifique soit guidée par la volonté de rompre avec le sens commun amène logiquement les internationalistes à se démarquer des analyses spontanées considérées comme autant d'obstacles épistémologiques : à l'image des sciences exactes démontrant contre le bon sens commun que le soleil ne se lève pas à l'Est ni se couche à l'Ouest, la plupart des internationalistes sont désireux de déceler les causes cachées, fondamentales, de ce qui se passe sur la scène internationale, et qui échappent à la connaissance des acteurs eux-mêmes ; de même que dans la mécanique newtonienne les mouvements d'une horloge

45. *À notre connaissance, les premiers internationalistes à avoir explicitement appliqué aux Relations internationales l'opposition « expliquer-comprendre » sont M. Hollis et S. Smith,* Explaining and Understanding International Relations, *Oxford, Clarendon, 1990.*

s'expliquent par tout un ensemble de rouages et de ressorts invisibles à l'œil nu, de même le comportement des acteurs internationaux est censé obéir à des lois générales et universelles à l'origine des phénomènes observables.

Cette conception de la théorie scientifique comme théorie explicative ne s'est véritablement imposée dans les Relations internationales qu'à partir de la révolution behaviouraliste des années 1950 (cf. chap. 3), même si Morgenthau, selon qui « le but naturel de tout entreprise scientifique est de découvrir les forces sous-jacentes aux phénomènes sociaux », n'hésite pas, dans son désir de « détecter et comprendre les forces qui déterminent les relations entre acteurs agissant sur la scène internationale », à affirmer que l'intérêt national défini en termes de puissance permet aux « observateurs désintéressés » de comprendre les pensées et les actions d'un acteur « peut-être mieux que lui, l'acteur sur la scène politique, ne les comprend lui-même[46] ». En effet, définissant une

46. H. Morgenthau, Politics Among Nations, op. cit., *p. 17 et 5. L'utilisation du verbe « comprendre », qui revient dans le titre de la section du chapitre intitulé « La science de la politique internationale », à savoir « Comprendre la politique internationale », trahit les ambiguïtés de l'épistémologie morgenthalienne, et explique que K. Waltz (« Realist Thought and Neorealist Theory », dans K. Waltz,* Realism and International Politics *(1990), Londres, Routledge, 2008, p. 67-82), le considère comme un théoricien inachevé, alors que R. Aron y voit le représentant par excellence de la conception explicative de la théorie en Relations internationales. En fait, Morgenthau, qui fonde sa théorie de la politique internationale sur les lois objectives de la nature humaine, ce qui est à la fois un postulat métaphysique et un hommage indirect à la science biologique susceptible de découvrir lesdites lois, a évolué dans sa conception de ce en quoi consiste une théorie scientifique en Relations internationales, et son* Politics among Nations *constitue peut-être un compromis entre la conception explicative qu'il chérissait dans sa jeunesse et le rejet de celle-ci dans* Scientific Man *vs.* Power Politics.

théorie comme « un ensemble de théorèmes élaborés à partir de l'expérimentation », comme « un ensemble de généralisations reliées entre elles déductivement et démontrables ou vérifiables[47] », les behaviouralistes souligneront sans complexe la différence entre comprendre et expliquer – « La question fondamentale est la suivante : pouvons-nous aller au-delà d'une compréhension familière (*Verstehen*), c'est-à-dire pouvons-nous obtenir des données fiables au sujet de l'état d'esprit des acteurs dont nous voulons décrire et expliquer le comportement[48] ? » –, et en déduiront la nécessité d'importer en Relations internationales la démarche hypothético-déductive, associée à Karl Popper[49].

Par opposition à la méthode empirico-inductive[50] qui, en sciences de la nature, enchaîne les étapes suivantes – 1) observation et expérience ; 2) généralisation inductive ; 3) hypothèse ; 4) tentative de vérification ; 5) preuve ou invalidation ; 6) connaissance –, la démarche hypothético-déductive consiste 1) à partir d'un problème, d'une attente, souvent née du rejet

---

47. *A. Rapoport, « Various Meanings of Theory »,* American Political Science Review, *52 (4), décembre 1958, p. 972-988.*

48. *R. Snyder, H. Bruck et B. Sapin,* Foreign Policy Decision Making *(1954), New York (N. Y.), The Free Press, 1962, p. 5.*

49. *K. Popper,* La Logique de la découverte scientifique *(1934), Paris, Payot, 2007 ; ainsi que K. Popper,* Conjectures et réfutations. La croissance du savoir scientifique *(1953), Paris, Payot, 2006.*

50. *À notre connaissance, la méthode empirico-inductive n'a eu que peu d'adeptes en Relations internationales, tels que K. Deutsch et ses élèves, à commencer par B. Russett. Dans les années 1960, l'opposition entre méthodes empirico-inductive et hypothético-déductive avait donné lieu à un débat mémorable entre O. Young, « Professor Russett. Industrious Tailor to a Naked Emperor »,* World Politics, *21 (3), avril 1969, p. 486-511, et B. Russett, « The Young Science of International Politics »,* World Politics, *22 (1), octobre 1969, p. 87-94.*

d'une théorie existante ; 2) à proposer une solution à ce problème ; 3) à déduire de cette solution des propositions testables ; 4) à tenter de réfuter, par observation et expérience, les propositions en question ; 5) à retenir l'explication si la proposition passe le test avec succès, à l'amender dans le cas contraire, voire à l'abandonner au profit d'une autre explication si celle-ci subit elle-même le test empirique avec succès, etc. Plus que tout autre internationaliste, c'est Kenneth Waltz (ainsi que, à la suite, le néoréalisme et le néolibéralisme institutionnel avec lequel le néoréalisme est entré dans le débat « néo-néo » – cf. chap. 12), qui est représentatif de la conception explicative de la recherche et de la démarche hypothético-déductive qui en découle.

Partant de l'idée qu'un fait ne parle pas de lui-même[51], tant il est, selon les propos de Carr, « comme un sac : pour qu'il tienne debout, il faut mettre quelque chose dedans[52] », Waltz pose comme hypothèse qu'une théorie « ne peut pas découler de questions factuelles telles que "Qu'est-ce qui suit quoi ? Qu'est-ce qui est associé à quoi ?" », car de telles questions permettent d'établir des corrélations, mais non pas des explications. « Tout au contraire », estime-t-il, « c'est à des questions théoriques telles que "Comment fonctionne cette chose ? Pourquoi

---

51. L'exemple des événements du 11 septembre 2001 permet de bien comprendre cette idée que les faits n'ont pas de signification intrinsèque en dehors d'une grille de lecture théorique préalable, car sans « théorie », il y a ni « attentats terroristes » ni « actes de guerre », mais deux avions qui heurtent les tours jumelles du World Trade Center, un troisième qui s'écrase sur le Pentagone, un quatrième qui tombe en Pennsylvanie.

52. E. H. Carr, Qu'est-ce que l'histoire ? *(1961), Paris, La Découverte, 1988, p. 56.*

fonctionne-t-elle de telle sorte ?" qu'il faut chercher des réponses[53] » lorsque l'on fait de la théorie. Le problème auquel Waltz veut apporter une réponse est ce qu'il appelle la question centrale de l'étude de la politique internationale, à laquelle personne n'a répondu à l'en croire, à savoir : « Comment la structure d'un système politique international peut-elle être distinguée de ses unités constitutives[54] ? ». À cette question, il propose la réponse suivante : ce qui définit la structure du système international, c'est son principe ordonnateur d'un côté, l'anarchie en l'occurrence, et la distribution des capacités entre les principales unités de l'autre, c'est-à-dire la configuration des rapports de force en termes de pôles de puissance. De cette solution proposée, il déduit alors les propositions testables suivantes : l'anarchie amène les unités majeures à assurer leur sécurité avant de poursuivre tout autre objectif, et à adopter pour ce faire une politique du chacun pour soi ; cette politique du chacun pour soi conduit tout État à tenter d'équilibrer la puissance de tout autre État, car un tel équilibre est son seul moyen fiable en vue d'assurer sa sécurité. Enfin, Waltz confronte ses propositions à la réalité empirique et, constatant l'équilibre bipolaire américano-soviétique, estime corroborée son explication du comportement international des États par la structure du système international.

Pour Waltz donc, les relations internationales, ou plus précisément la politique internationale qui seule l'intéresse, sont susceptibles d'une explication nomologico-causale comparable aux phénomènes naturels : le comportement des États, quelles que

---

53. *K. Waltz, « Realist Thought and Neorealist Theory », art. cité.*

54. Ibid.

soient leur « taille, prospérité, puissance, et forme[55] », s'explique par les propriétés du système international que sont sa structure anarchique et sa configuration en pôles de puissances, tout comme le mouvement des planètes s'explique par la loi de la gravitation universelle. Mieux, de la conception explicative qu'il se fait de la théorie, Waltz en déduit la capacité prédictive : après avoir expliqué le système international de la guerre froide, il a également extrapolé la survie de ce système dans le futur, estimant que « les barrières à l'entrée du club des superpuissances [n'ayant] jamais été aussi élevées et nombreuses [..., le...] club restera[it] pendant longtemps le club le plus exclusif au monde[56] ». Or, si cette volonté de prédire l'avenir est conforme à la conception que se font d'une théorie les sciences de la nature qui estiment que toute théorie se doit de remplir quatre fonctions – décrire, expliquer, prévoir, prescrire[57] –, elle a également été à l'origine de la remise en cause de la conception explicative de la théorie en Relations internationales, étant donné que la fin rapide de la guerre froide, en venant démentir les capacités prédictives de la théorie explicative de Waltz, a apporté de l'eau au moulin des partisans d'une théorie compréhensive en Relations internationales.

---

55. *K. Waltz,* Theory of International Politics, op. cit., *p. 96.*

56. Ibid., *p. 183.*

57. *Waltz a également déduit une prescription politique de sa théorie. Estimant que le système bipolaire est le système le plus favorable à la stabilité internationale, il conseille aux États-Unis de continuer à réguler « les affaires militaires, politiques, et économiques mondiales », car « qui le ferait sinon ? » (*ibid.*, p. 207). Nous reviendrons dans le chapitre 16 sur les problèmes que posent les fonctions prédictive et prescriptive des Relations internationales.*

Le premier exposé de la théorie compréhensive, ou interprétative, dont le renouveau, mais non les origines, date de l'après-guerre froide[58], a été l'œuvre de Raymond Aron[59]. Dans *Qu'est-ce qu'une théorie des relations internationales ?*, Aron expose les difficultés qu'il a rencontrées dans *Paix et guerre entre les nations*[60] : parti avec pour objectif de se lancer dans l'aventure d'une théorie générale des relations internationales[61], analogue à celle proposée en sciences économiques par Walras et Pareto, il avait abouti à la conviction qu'« il ne peut pas y avoir de théorie pure des relations

---

58. En la matière a également joué un rôle l'incapacité des théories explicatives concurrentes du néoréalisme, à savoir le néolibéralisme institutionnaliste et le néomarxisme, à prévoir cette fin de la guerre froide.

59. Il peut paraître surprenant de traiter Aron après Waltz, alors que Waltz non seulement succède à Aron d'un point de vue chronologique, mais a écrit son propre plaidoyer en faveur d'une théorie explicative en Relations internationales (« Realist Thought and Neorealist Theory », art. cité.) contre le rejet par Aron d'une telle théorie (« Qu'est-ce qu'une théorie des relations internationales ? », art. cité). Du point de vue cependant de notre exposé idéal-typique des deux conceptions d'une théorie, explicative et compréhensive, il est légitime d'opposer Aron à Waltz, même si Aron a établi son plaidoyer en faveur d'une théorie compréhensive contre Morgenthau. Par ailleurs, le fait d'opposer Waltz et Aron a pour avantage de bien montrer que l'opposition entre théorie explicative et théorie compréhensive n'a rien à voir avec l'opposition entre théorie réaliste et théorie non réaliste, ou entre théorie stato-centrée et théorie non stato-centrée, étant donné que Aron est tout aussi réaliste et stato-centré que Waltz ou Morgenthau (cf. chap. 4).

60. R. Aron, Paix et guerre entre les nations *(1962), Paris, Calmann-Lévy, 2004.*

61. Chez Aron comme chez l'ensemble des réalistes contemporains, relations internationales est synonyme de relations interétatiques.

internationales[62] », et ce, entre autres raisons, parce qu'on ne saurait prêter aux acteurs internationaux un objectif unique[63], et parce qu'il est impossible de discriminer les variables endogènes au système international (sa configuration en pôles de puissance et sa nature homogène ou hétérogène – cf. chap. 4) des variables exogènes (les rapports de force économiques par exemple, ou bien les régimes internes des États). Refusant *ipso facto* « les explications unilatérales », Aron en arrive à la conclusion que « toute étude concrète des relations internationales est une étude sociologique[64] ».

Dans un premier temps, Aron donne une définition négative de la sociologie, en l'opposant à l'économie d'un côté, à l'histoire de l'autre : alors que l'histoire « vise à la compréhension des singularités [et] au récit des événements », la sociologie est « en quête de relations générales, [...] à la recherche des régularités » ; tandis que l'économie étudie les actions logiques, « la sociologie a pour objet les actions

---

62. R. Aron, « Qu'est-ce qu'une théorie des relations internationales ? », art. cité.

63. Aron fait allusion à Morgenthau, pour qui l'objectif unique est la maximisation de la puissance, mais l'objectif waltzien qu'est la sécurité est tout autant concerné par cette critique.

64. R. Aron, « Qu'est-ce qu'une théorie des relations internationales ? », art. cité. La sociologie des relations internationales, en l'occurrence de la politique internationale qui seule intéresse Aron (cf. chap. 4), proposée par Aron est différente des autres formes de sociologie des relations internationales dont se réclam(ai)ent, en France, M. Merle, M.-C. Smouts, B. Badie et G. Devin d'un côté ou, a fortiori, *la sociologie politique internationale autour de D. Bigo de l'autre – voir à ce sujet le chapitre 18. Pour une synthèse de l'apport potentiel des sociologues fondateurs aux Relations internationales, voir F. Ramel,* Les Fondateurs oubliés. Durkheim, Simmel, Weber, Mauss et les relations internationales, *Paris, PUF, 2006. Sur l'apport potentiel de Bourdieu en Relations internationales, voir le dossier dirigé par D. Bigo et M. R. Madsen, « A Different Reading of the International : Pierre Bourdieu and International Studies »,*

non logiques[65] ». Dans un deuxième temps, il en donne une définition positive, en précisant que grâce à la sociologie, qui réfute « la “théorie” (au sens d'explication causale) [...], on devient capable de comprendre, en profondeur, la diversité historique des systèmes internationaux grâce à la discrimination entre les variables qui ont une signification différente d'époque en époque et les variables qui, provisoirement au moins, survivent telles quelles[66] ». « Comprendre ; signification » : voilà les deux termes clefs de la conception interprétative que se fait Aron de la théorie en Relations internationales. Bien qu'il refuse la conception explicative de la théorie en Relations internationales au profit d'une approche sociologique, Aron ne nie nullement la possibilité d'une théorisation des relations internationales[67] : il conçoit la théorie comme une boîte à outils à la disposition de l'analyste grâce à laquelle celui-ci peut proposer une compréhension des relations internationales à partir du point de vue des acteurs, à partir de « la façon dont ils définissent les enjeux et les solutions, interprètent une situation et se perçoivent eux-mêmes,

---

International Political Sociology, *5 (3), septembre 2011, ainsi que T. Hopf, « The Logic of Habit in International Relations »,* European Journal of International Relations, *16 (4), 2010, p. 539-561, et surtout F. Mérand et V. Pouliot, « Le monde de Pierre Bourdieu : Éléments pour une théorie sociale des relations internationales »,* Canadian Journal of Political Science/Revue canadienne de science politique, *41 (3), septembre 2008, p. 603-625. Ces deux auteurs québécois proposent aussi des études de cas : V. Pouliot,* International Security in Practice : The Politics of NATO-Russia Diplomacy, *Cambridge, Cambridge University Press, 2010 ; F. Mérand, « Pierre Bourdieu and the European Defense »,* Security Studies, *19 (2), 2010, p. 342-374.*

65. *R. Aron, « Qu'est-ce qu'une théorie des relations internationales ? », art. cité.*

66. Ibid.

67. *Il dit d'ailleurs lui-même, explicitement, que « c'est l'analyse théorique elle-même qui révèle les limites de la théorie*

le but qu'ils cherchent à atteindre et comment[68] », plutôt qu'à partir des seules causes extérieures. Celles-ci ne sont pas négligées – Aron va jusqu'à voir dans les « données constantes de la société internationale, voire de la nature humaine et sociale » les « conditions structurelles de la bellicosité » – mais elles ne sont prises en compte qu'à travers la signification qu'en donnent les acteurs concernés, par l'intermédiaire de leur « souci de non-dépendance », ou de leur « volonté de puissance[69] », etc.

Après avoir été marginale à l'époque d'Aron, cette conception interprétative de la théorie, qui renvoie à la sociologie compréhensive de Max Weber[70], définie comme « une science qui cherche à comprendre par interprétation (*deutend verstehen*) l'activité sociale en vue d'en expliquer causalement (*ursächlich erklären*) le

---

pure ». Même si Aron voit dans la sociologie une méthode intermédiaire ente la théorie pure et l'histoire événementielle, opposer *théorie et sociologie en Relations internationales est pour lui un non-sens, car ce qu'il appelle sociologie des relations internationales correspond à ce qu'on appelle généralement la théorie compréhensive des relations internationales.*

68. *M. Hollis et S. Smith,* Explaining and Understanding International Relations, op. cit., *p. 2.*

69. *R. Aron, « Qu'est-ce qu'une théorie des relations internationales ? », art. cité. Pour une excellente présentation de la conception compréhensive de la théorie en relations internationales de R. Aron, voir B.-P. Frost, « Resurrecting a Neglected Theorist : The Philosophical Foundations of Raymond Aron's Theory of International Relations »,* Review of International Studies, *23 (1), janvier 1997, p. 143-166. Pour une critique de cette conception au nom de la conception explicative, voir U. Luterbacher, « The Frustrated Commentator : An Evaluation of the Work of Raymond Aron »,* International Studies Quarterly, *29 (1), mars 1985, p. 39-49.*

70. *Même analyse dans J.-J. Roche, « Raymond Aron, un demi siècle après "Paix et guerre entre les nations" »,* Revue Défense Nationale, *736, janvier 2011, p. 11-20 (1re partie) et 737, février 2011, p. 7-16 (2e partie).*

déroulement et les effets[71] », constitue de nos jours la deuxième démarche scientifique en Relations internationales, vu le renouveau important dont elle bénéficie depuis une vingtaine d'années, grâce aux critiques post-positivistes et à l'approche constructiviste[72]. Il faut bien comprendre qu'à aucun moment, cette sociologie compréhensive ne se contente du sens donné subjectivement par les acteurs à leurs comportements ; tout au contraire, elle va au-delà de ce point de vue pour en chercher les raisons sous-jacentes, ou la signification cachée ; elle se plie, autrement dit, tout à fait à la rigueur scientifique, et s'oppose moins à la recherche des causes en général qu'à la recherche des seules causes extérieures, privilégiant ce que Max Weber appelle l'« interprétation explicative » de la « causalité significative[73] », le tout au sein d'une épistémologie où « la compréhension et l'explication causale sont des principes méthodologiques complémentaires plutôt qu'opposés[74] ». Voilà qui revient également à souligner que la conception compréhensive de la théorie n'explique pas les relations internationales à partir du seul niveau d'analyse de l'individu, par opposition à la

---

71. M. Weber, Wirtschaft und Gesellschaft *(1922), Tübingen, J. C. B. Mohr, 1985, p. 1.*

72. Précisons tout de suite que ce renouveau ne profite nullement à R. Aron, complètement ignoré de nos jours. Voir à ce sujet D. Battistella, « Raymond Aron, a Neo-Classical Realist Before the Term Existed ? », dans A. Toje et B. Kunz (eds), Neoclassical Realism in European Politics : Bringing Power Back In, Manchester, *Manchester University Press, 2012, p. 117-137.*

73. M. Weber, Essais sur la théorie de la science *(1924), Paris, Presses-Pocket, 1992, p. 303 et suiv.*

74. C. Wight, « Philosophy of Science and International Relations », dans W. Carlsnaes, T. Risse et B. Simmons (eds), Handbook of International Relations, *Londres, Sage, 2002, p. 29-51.*

théorie explicative qui se situerait, elle, au niveau d'analyse du système.

L'opposition entre systémisme ou structuralisme et individualisme méthodologique, qui renvoie à la distinction faite par David Singer entre le niveau d'analyse du système international et celui de l'acteur, individuel ou collectif[75], n'est en effet pas la même que celle opposant théorie explicative et théorie compréhensive : dire qu'il importe de prendre en compte la signification que donne un acteur aux relations dans lesquelles il est inséré pour comprendre ces relations ne signifie pas que cette signification dépend du seul acteur, car elle peut très bien renvoyer à la culture dans laquelle il a été socialisé et qu'il contribue par sa pratique à reproduire et transformer (comme c'est le cas pour l'acteur étatique chez les constructivistes modernistes, cf.

---

75. D. Singer, « The Level-of-Analysis Problem in International Relations », dans K. Knorr et S. Verba (eds), The Interna tional System. Theoretical Essays, *Princeton (N. J.), Princeton University Press, 1961, p. 77-92. Singer a luimême été influencé par K. Waltz qui, dans* Man, the State and War, *New York (N. Y.), Columbia University Press, 1959, avait distingué les différentes explications de la guerre et de la paix selon qu'elles se situent « au sein de l'homme » (première image), « au sein de la structure interne des États » (deuxième image), « au sein du système des États » (troisième image). Singer a réuni les deux premières images au sein du premier niveau d'analyse, celui de l'acteur, en distinguant acteur individuel et acteur collectif, et a gardé la troisième image comme son deuxième niveau, celui du système international. Depuis, des niveaux intermédiaires ont été proposés, notamment par B. Buzan, « The Level-of-Analysis Problem in International Relations Reconsidered », dans K. Booth et S. Smith (eds),* International Relations Theory Today, *Cambridge, Polity Press, 1995, p. 198-216, qui ajoute un niveau bureaucratique, situé entre l'acteur individuel et l'acteur collectif, et un niveau régional, situé entre l'acteur collectif et le système international.*

chap. 9) ; de façon symétrique, dire, comme le font les théories explicatives, qu'un acteur international est déterminé dans son comportement par des causes objectives n'implique nullement que ces causes soient situées au seul niveau du système international, car elles peuvent très bien être situées au niveau de l'acteur, individuel (sa psychologie par exemple, comme dans les théories psychologiques d'analyse de la prise de décision en politique étrangère, cf. chap. 10) ou collectif (le régime politique interne d'un État par exemple, comme chez les libéraux, cf. chap. 5).

Bref, la démarche scientifique en Relations internationales varie non seulement selon l'idée – explicative ou compréhensive – que l'on se fait de la théorie, mais aussi selon le niveau d'analyse auquel situer de façon privilégiée son explication ou sa compréhension des relations internationales. Il y a donc bien non pas une théorie, mais des théories des relations internationales.

Cela est *a fortiori* vrai si des considérations épistémologiques et méthodologiques on passe aux questions substantielles : le postulat de l'anarchie comme critère de délimitation de l'objet d'étude « relations internationales » n'a en rien empêché les divergences à propos de l'objet à étudier en priorité (politique interétatique, relations transnationales, ou société mondiale ?), de l'acteur de référence (États, individus, ou classes ?), de la variable indépendante (rapports de force, rapports de production, ou normes ?), des concepts opératoires (puissance, domination, hégémonie, paix, ordre, stabilité ?), etc.

Ce sont ces spécificités substantielles que se proposent d'exposer en détail les chapitres qui vont suivre, d'abord en rappelant l'histoire des Relations internationales avant et depuis leur institutionnalisation sous forme de discipline universitaire (chap. 2 et 3), ensuite en présentant les grandes théories générales qui cherchent, à partir d'une vision globale, à éclairer les relations internationales dans leur ensemble (chap. 4 à 9), enfin en résumant des débats auxquels a conduit l'application de ces approches générales dans quelques-uns des secteurs partiels des relations internationales (chap. 10 à 15)[76].

Le but d'un tel panorama des différentes écoles et des principaux auteurs est pédagogique. Au sens universitaire du terme bien sûr, mais au sens citoyen aussi, car en sciences sociales, et donc en Relations internationales, les théories sont aussi des « lentilles de couleur différentes[77] » qui servent d'abord à fournir des structures rigoureuses d'intelligibilité susceptibles de mieux comprendre le monde complexe contemporain : selon que l'on est, consciemment ou inconsciemment, « réaliste » ou « libéral », « intergouvernementaliste » ou « fonctionnaliste », « marxiste » ou « constructiviste », « féministe » ou « post-colonialiste », etc., les réponses à des interrogations telles que « La construction européenne peut-elle aboutir ? Les Nations unies sont-elles l'otage des États membres les plus puissants ? Les firmes multinationales sont-elles ou non au service des intérêts des États dont elles sont originaires ? La guerre est-elle obsolète ou obstinée ? Les États-Unis ont-ils déclaré la guerre à l'Irak à cause de la menace émanant de Saddam Hussein, de leur volonté de s'assurer l'accès au pétrole irakien, du rôle du lobby pro-israélien auprès des décideurs américains, ou de l'identité virile de George W. Bush atteinte par les attentats du

---

76. *Cette présentation s'inspire du manuel de P. Braillard,* op. cit.

77. *S. Smith, « Introduction », dans T. Dunne, M. Kurki et S. Smith (eds),* International Relations Theories, op. cit., *p. 11.*

11 septembre ? La crise financière internationale provoque-t-elle le retour de l'État et si oui, pourquoi ?, etc. » varient.

Autant alors tenter d'apprivoiser les théories des relations internationales[78], avant de réfléchir au problème de leur utilité sociale et de nous interroger sur leur futur (chap. 16 et 17), puis de conclure sur un état des lieux des Relations internationales en France (chap. 18).

Bibliographie

Communs à toutes les sciences sociales, les problèmes que posent en Relations internationales la délimitation de l'objet d'étude et le choix de la démarche scientifique sont abordés dans l'ensemble des ouvrages de théories des relations internationales (cf. bibliographie générale). Voir, par ailleurs, les réflexions menées par certains internationalistes à partir de leurs propres recherches, classées par ordre alphabétique :

ARON (Raymond), « Qu'est-ce qu'une théorie des relations internationales ? », *Revue française de science politique*, 17 (5), octobre 1967, p. 837-861.

BRECHER (Michael), « International Studies in the Twentieth Century and Beyond. Flawed Dichotomies, Synthesis, Cumulation », *International Studies Quarterly*, 43 (2), juin 1999, p. 213-264.

78. *Pour un excellent plaidoyer en faveur du rôle de la théorie dans l'enseignement et la recherche en Relations internationales, voir S. Guzzini, « The Significance and Roles of Teaching Theory in International Relations »,* Journal of International Relations and Development, *4 (2), juin 2001, p. 98-117.*

BUZAN (Barry), « The Level-of-Analysis Problem in International Relations Reconsidered », dans Ken Booth et Steve Smith (eds), *International Relations Theory Today*, Cambridge, Polity Press, 1995, p. 198-216.

BUZAN (Barry) et LITTLE (Richard), « Why International Relations Has Failed as an Intellectual Project and What to Do About It », *Millennium*, 30 (1), 2001, p. 19-40.

DUNN (Frederick), « The Scope of International Relations », *World Politics*, 1 (1), octobre 1948, p. 142-146.

DUROSELLE (Jean-Baptiste), « La nature des relations internationales », *Politique internationale*, automne 1979, p. 109-123.

HALLIDAY (Fred), « International Relations and Its Discontents », *International Affairs*, 71 (4), octobre 1995, p. 733-746.

HOFFMANN (Stanley), « Théorie et relations internationales », *Revue française de science politique*, 11 (3), juin 1961, p. 413-433.

KAPLAN (Morton), « Problems of Theory Building and Theory Confirmation in International Politics », *World Politics*, 14 (1), octobre 1961, p. 6-24.

MCCLELLAND (Charles), « The Function of Theory in International Relations », *Journal of Conflict Resolution*, 4 (2), juin 1960, p. 303-336.

MORGENTHAU (Hans), « The Intellectual and Political Functions of Theory (1970) », dans James Der Derian (ed.), *International Theory. Critical Investigations*, Basingstoke, Macmillan, 1995, p. 36-52.

ROCHE (Jean-Jacques), « Les relations internationales, théorie ou sociologie ? », *Le Trimestre du monde*, 27, 3e trimestre 1994, p. 35-48.

SINGER (David), « The Level-of-Analysis Problem in International Relations », dans Klaus Knorr et Sidney Verba (eds), *The*

International System. Theoretical Essays, Princeton (N. J.), Princeton University Press, 1961, p. 77-92.

SMOUTS (Marie-Claude), « Introduction. Les mutations d'une discipline », dans Marie-Claude Smouts (dir.), *Les Nouvelles Relations internationales. Pratiques et théories*, Paris, Presses de Sciences Po, 1998, p. 11-33.

WALTZ (Kenneth), « Realist Thought and Neorealist Theory » (1990), dans Kenneth Waltz, *Realism and International Politics*, Londres, Routledge, 2008, p. 67-82.

YOUNG (Oran), « The Perils of Odysseus. On Constructing Theories of International Relations », *World Politics*, 24 (2), décembre 1972, p. 179-203.

Pour une vue d'ensemble, voir les réflexions synthétiques récentes de :

ELMAN (Colin) et ELMAN (Miriam F.) (eds), *Progress in International Relations Theory. Appraising the Field*, Cambridge (Mass.), MIT Press, 2003, 400 p.

FERGUSON (Yale) et MANSBACH (Richard), *The Elusive Quest Continues : Theory and Global Politics*, Upper Saddle River (N. J.), Prentice Hall, 2003, 302 p.

HOLLIS (Martin) et SMITH (Steve), *Explaining and Understanding International Relations*, Oxford, Clarendon, 1991, 240 p.

JACKSON (Patrick), *The Conduct of Inquiry in International Relations*, Londres, Routledge, 2011, 288 p.

KING (Gary), KEOHANE (Robert) et VERBA (Sidney), *Designing Social Inquiry : Scientific Inference in Qualitative Research*, Princeton (N. J.), Princeton University Press, 1994, 300 p.

KLOTZ (Audie) et PRAKASH (Deepa) (eds), *Qualitative Methods in International Relations : A Pluralist Guide*, Basingstoke, Palgrave-Macmillan, 2008, 272 p.

KURKI (Milja), *Causation in International Relations : Reclaiming Causal Analysis*, Cambridge, Cambridge University Press, 2008, 350 p.

LEBOW (Richard) et LICHBACH (Mark) (eds), *Theory and Evidence in Comparative Politics and International Relations*, Basingstoke, Palgrave-Macmillan, 2007, 290 p.

MONTERO (Nuno) et RUBY (Kevin), « IR and the False Promise of Philosophical Foundations », *International Theory*, 1 (1), 2009, p. 15-48 (et le débat qui s'en est suivi dans *International Theory*, 1 (3), 2009, p. 439 et suiv.).

REYNOLDS (Charles), *Theory and Explanation in International Relations*, Londres, Robertson, 1973, 361 p.

SCHMIDT (Brian), *The Political Discourse of Anarchy. A Disciplinary History of International Relations*, Albany (N. Y.), SUNY Press, 1998, 310 p.

WIGHT (Colin), « Philosophy of Science and International Relations », dans Walter Carlsnaes, Thomas Risse et Beth Simmons, *Handbook of International Relations*, Londres, Sage, 2002, p. 23-51.

Chapitre 2 / LES RELATIONS INTERNATIONALES DANS L'HISTOIRE DES IDÉES POLITIQUES

« La perspicacité des grands penseurs de la Grèce classique est éternelle. »
Richard Lebow[1]

Dire que l'adjectif « international » remonte à 1781 (cf. chap. 1), et que la discipline des Relations internationales date de 1919 (cf. chap. 3), ne revient pas à affirmer qu'il n'y a pas eu de réflexions théoriques, au sens large, sur les relations internationales avant 1919 ou même avant Jeremy Bentham : bien entendu, la pensée politique internationale est aussi « ancienne que l'existence de communautés politiques indépendantes[2] ». Il n'en reste pas moins que le fait pour la discipline des Relations internationales d'avoir été créée, à l'instar des autres sciences sociales, par séparation d'avec la philosophie, a influencé l'attitude adoptée par bon nombre d'internationalistes contemporains à l'égard de ces réflexions : celles-ci sont majoritairement ignorées[3], comme le prouve un simple coup d'œil sur les manuels existants de Relations internationales[4].

---

1. *R. N. Lebow,* A Cultural Theory of International Relations, *Cambridge, Cambridge University Press, 2008, p. 43.*
2. *F. Russell,* Theories of International Relations, *New York (N. Y.), Appleton-Century, 1936, p. 4.*
3. *Précisons que la dimension internationale des réflexions du passé est également négligée par les spécialistes contemporains de philosophie politique.*
4. *En France, le manuel de J. Huntzinger,* Introduction aux relations internationales, *Paris, Seuil, 1987, a pendant longtemps été constitué l'exception qui confirme la règle. La compilation de textes proposée par F. Ramel,* Philosophie des relations internationales, *Paris, Presses de Sciences Po, 2011 [2e éd.], permet de rattraper le retard.*

Nous adopterons ici la position contraire. Sans aller jusqu'à suggérer que la pertinence d'une argumentation théorique est fonction croissante de son ancienneté[5], il nous paraît difficile, au nom d'une rupture épistémologique à laquelle se devrait de procéder toute discipline scientifique par rapport à une pensée du passé prétendument normative, de renvoyer dans la préhistoire de la création intellectuelle la philosophie politique internationale, sous prétexte qu'elle n'obéit pas aux canons de la production scientifique normalisée. Non seulement parce que tous les internationalistes contemporains « appartiennent, consciemment ou inconsciemment, à des écoles de pensée philosophique ou morale », mais aussi parce que les théories contemporaines des relations internationales, dont maints concepts sont « chargés de connotations émotionnelles, jugements moraux, et hypothèses pré-scientifiques[6] », trouvent leurs racines dans les classiques de la pensée politique : de même que la philosophie moderne peut être qualifiée de dialogue sans fin avec Platon, de même les Relations internationales constituent un éternel dialogue avec Thucydide[7], dont l'*Histoire de la*

5. *C'est la position de H. Morgenthau,* Politics Among Nations, op. cit., *p. 4, selon qui « la nouveauté n'est pas nécessairement une vertu en théorie politique, pas plus que l'ancienneté n'est un défaut. Le fait qu'une théorie [...] n'ait jamais été exprimée auparavant tend à créer une présomption contre plutôt qu'en faveur de sa justesse ».*

6. *A. Wolfers, « Political Theory and International Relations », dans A. Wolfers,* Discord and Collaboration, *Baltimore (Md.), The Johns Hopkins University Press, 1962, p. 233-251.*

7. *Dans le même sens, voir R. N. Lebow,* A Cultural Theory of International Relations, op. cit., *qui va jusqu'à fonder conceptuellement sa théorie culturelle des relations internationales sur la pensée politique grecque. Je remercie É. Payen de m'avoir permis de saisir les présupposés de la pensée philosophique grecque qui sous-tendent la théorie de R. N. Lebow. Pour une opinion contraire, voir D. Welch, « Why IR Theorists Should*

guerre du Péloponnèse esquisse les premières généralisations susceptibles de constituer les fondements d'une réflexion théorique en Relations internationales, tant les faits qui y sont rapportés « constituent un trésor pour toujours, plutôt qu'une production d'apparat pour un auditoire du moment[8] ».

Ce postulat posé, reste à résoudre le problème de l'accès aux, et du choix des, réflexions internationales du passé susceptibles de continuer « à nous parler » tant leur « perspicacité est éternelle[9] ». Car si celles-ci sont relativement peu connues, c'est aussi à cause de leur rareté : lorsque l'on jette un œil sur les grands classiques de la pensée politique, les ouvrages spécifiquement internationaux font pâle figure. À part les jusnaturalistes comme Grotius d'un côté, ou les irénistes tel l'abbé de Saint-Pierre de l'autre – on écarte d'emblée les mémoires ou autres écrits des hommes d'État eux-mêmes –, aucun philosophe n'a guère consacré plus que quelques passages de ses œuvres majeures aux relations internationales, ou tout au plus une œuvre mineure, d'un point de vue quantitatif du moins : pour preuve, dans la première catégorie, Hobbes avec son *Léviathan* ou Montesquieu avec son *Esprit des lois*, et dans la

---

Stop Reading Thucydides », Review of International Studies, *29 (3), juillet 2003, p. 301-319.*

8. *Thucydide,* Histoire de la guerre du Péloponnèse *(411 avant J.-C.), Paris, Laffont-Bouquins, 1990, p. 184. Voir dans Thucydide le père fondateur des Relations internationales, c'est bien sûr adopter un point de vue occidentalo-centré forcément partiel, sinon partial. Mais si les idées internationales des classiques sont déjà relativement peu connues, sont* a fortiori *passées sous silence les réflexions de Kautilya pour le monde hindou, de Confucius ou Mencius pour le monde confucéen, d'Ibn Khaldoun pour le monde arabo-musulman, etc.*

9. *R. N. Lebow,* A Cultural Theory of International Relations, op. cit., *p. 43.*

seconde Hume avec son essai sur *L'Équilibre des puissances* et Kant avec sa *Paix perpétuelle* ; pour preuve aussi, et *a contrario* cette fois-ci, Rousseau, dont le *Contrat social* était conçu à l'origine comme la simple partie d'un ouvrage plus vaste finalement abandonné, intitulé *Institutions politiques* et portant sur les relations internationales, ou Marx, dont les livres V et VI du *Capital*, censés traiter du commerce international et du marché mondial, n'ont jamais vu le jour.

D'après Martin Wight, deux raisons principales expliquent cette quasi-inexistence d'une « philosophie politique internationale[10] », au sens de « tradition de spéculation sur les relations entre États[11] » analogue à la philosophie politique existant en matière de réflexion sur l'État et la politique interne. D'une part, l'État moderne, en se formant comme unité politique souveraine et exclusive, a accaparé l'expérience et l'activité politique des individus, qui plus est, représentés sur la scène internationale par l'intermédiaire de leur seul État d'appartenance : il s'en est suivi dans la pensée politique une focalisation sur le problème de l'obligation politique dans le domaine des relations sociales se déroulant au sein d'une unité étatique, caractérisée par l'existence d'une autorité centrale, plutôt que sur les obligations politiques dans le domaine des relations entre unités étatiques, caractérisées par

---

10. Nous traduisons ainsi le titre de l'article de M. Wight, « Why Is There No International Theory ? » (1966), dans J. Der Derian (ed.), International Theory. Critical Investigations, *Basingstoke, Macmillan, 1995, p. 15-35, car le concept de* theory *est employé au sens de théorie philosophique (cf. chap. 1). Dans* International Theory. The Three Traditions, op. cit., *p. 3, Wight emploie lui-même l'expression « philosophie politique des relations internationales ».*

11. M. Wight, « Why Is There No International Theory ? », art. cité.

l'absence d'autorité centrale. En quelque sorte, la perception – au moins implicite – d'une hiérarchie entre sphère politique interne et externe a conduit les philosophes à concevoir le système interétatique comme simple sous-produit de l'État souverain lui-même, et la politique internationale a été considérée comme mineure. D'autre part, alors que la politique intérieure a évolué vers davantage de liberté et de démocratie, de bien-être et de cohésion sociale, sans que ne soient pour autant sacrifiés l'ordre et la stabilité des unités politiques, aucun progrès n'a pu être constaté en politique internationale, qui est restée par excellence le « domaine de la récurrence et de la répétition » : les observateurs de la scène politique internationale ont eu l'impression d'avoir affaire à l'éternel recommencement d'une histoire sans fin, et ils ont fini par se détourner de l'étude approfondie des relations entre unités politiques, négligeant ce faisant « la théorie de la survie » forcément conservatrice au profit de « la théorie de la bonne vie[12] » potentiellement progressiste qu'est l'analyse des relations entre gouvernants et gouvernés.

Quoi qu'il en soit de cette interprétation, ce qui ne saurait faire aucun doute, c'est que « la philosophie politique occidentale a été concernée de façon prédominante par la justification de l'autorité politique et les bases de la société civile[13] », et que les considérations émises sur les relations internationales ont la plupart du temps été reléguées aux confins de la philosophie politique. Conséquence : quiconque se propose de dresser un tableau autre que simplement chronologique de la pensée politique internationale *ante*-disciplinaire se doit de recomposer cet état des lieux à partir

12. Ibid.

13. *J. Mayall, cité par I. Clark,* The Hierarchy of States, *Cambridge, Cambridge University Press, 1989, p. 2.*

d'éléments dispersés et accessibles de façon seulement indirecte, à l'image d'un puzzle reconstruit à partir de pièces à première vue disparates.

Pour ce faire, les sources d'inspiration ne manquent pas. À la suite de la distinction établie par Edward H. Carr entre la pensée réaliste et la pensée utopique (cf. chap. 3), censées « déterminer des attitudes opposées à l'égard de tout problème politique [14] », la plupart des théoriciens contemporains des relations internationales ont tendance à opposer idéalistes et réalistes, comme le font Hans Morgenthau [15] ou John Herz [16] ; d'autres, d'inspiration post-positiviste, gardent la typologie binaire, tout en opposant cosmopolites et communautaristes, à l'image de Chris Brown, voire d'Andrew Linklater [17].

Si un tel classement dichotomique a le mérite de la simplicité, il a le désavantage non seulement du simplisme, tant il ignore les auteurs qui ne sauraient être rattachés ni à l'une ni à l'autre de ces deux traditions, mais aussi du manichéisme : c'est aussi parce qu'ils se voient eux-mêmes membres de l'une des approches réaliste ou idéaliste, cosmopolite ou communautariste, que les différents auteurs nommés *supra* ont adopté leur typologie. Moins engagés

---

14. *Edward H. Carr,* The Twenty Years' Crisis. 1919-1939 *(1946), Basingstoke, Palgrave Macmillan, 2001, p. 12.*

15. *Selon H. Morgenthau,* Politics Among Nations, op. cit., *p. 3, « l'histoire de la pensée politique moderne est l'histoire d'un débat entre deux écoles qui diffèrent fondamentalement par leurs conceptions de la nature de l'homme, de la société et de la politique », l'idéalisme et le réalisme.*

16. *J. Herz,* Political Realism and Political Idealism, *Chicago (Ill.), Chicago University Press, 1951.*

17. *C. Brown,* International Relations Theories. New Normative Approaches, *New York (N. Y.), Harvester Wheatsheaf, 1992 ; A. Linklater,* Men and Citizens in the Theory of International Relations, *Basingstoke, Macmillan, 1990.*

et plus exhaustifs, les historiens des idées internationales préfèrent la plupart du temps adopter un classement en trois catégories[18].

C'est le cas tout d'abord de Wight lui-même. Dans son cours dispensé à partir des années 1950 à la London School of Economics and Political Science, il distingue trois traditions, comme l'indique le sous-titre de l'ouvrage posthume tiré de ce cours, *International Theory. The Three Traditions*[19] : la tradition réaliste, la tradition rationaliste, la tradition révolutionnaire[20], discriminées sur la base du trait principal caractérisant les relations internationales d'après leurs adeptes respectifs :

– pour la tradition réaliste, également appelée machiavélienne, et qui regroupe Thucydide, Machiavel, Bodin, Hobbes, Hume, Hegel, les relations internationales sont d'abord une « anarchie internationale », mettant aux prises une multiplicité d'États indépendants et souverains ne reconnaissant aucune autorité politique supérieure à eux et régulant *in fine* leurs relations par la guerre ;

– d'après la tradition rationaliste, également appelée grotienne, et dont font notamment partie Grotius, Locke, Montesquieu, les

---

18. Certains restent cependant fidèles à une typologie binaire, à l'image de I. Clark, The Hierarchy of States, op. cit., *qui oppose la « tradition de l'optimisme » associée à Kant et « la tradition du désespoir » associée à Rousseau. Quant à M. Donelan,* Elements of International Political Theory, *Oxford, Clarendon, 1990, il propose de distinguer les traditions réaliste, fidéiste, rationaliste, historiciste-passéiste et historiciste-progressiste.*

19. M. Wight, International Theory. The Three Traditions, op. cit.

20. Dans les premières versions de son cours, non publiées, Wight distinguait une quatrième catégorie, abandonnée par la suite : celle des inverted revolutionnists, *constitutifs d'une tradition pacifiste inspirée par la pensée hindoue et celle des premiers chrétiens, et comprenant essentiellement les Quakers, Tolstoï et Gandhi.*

Pères fondateurs de la Constitution américaine, Bentham, Burke, Mill, Wilson, les relations internationales sont d'abord un « échange international », vu la prééminence entre États souverains de relations diplomatiques et commerciales institutionnalisées, continues et organisées ;

– selon la tradition révolutionnaire, également appelée kantienne, catégorie résiduelle réunissant à la fois les auteurs de la Réforme et de la Contre-Réforme, Rousseau et les jacobins, Kant, les marxistes et les anarchistes, les relations internationales sont d'abord une « famille des nations », car même s'il n'y a aucune autorité supérieure aux États, ceux-ci forment un tout moral et culturel qui leur impose certaines obligations éthiques, psychologiques, et même légales[21].

Trois traditions sont également retenues par David Boucher. Refusant, par opposition à Wight, la dichotomie entre philosophie politique et philosophie internationale, et intégrant dans son étude de la pensée internationale d'un philosophe le « reste de sa pensée[22] », Boucher fonde son classement sur le critère principal choisi par les différents auteurs pour expliquer le comportement international des États :

– la tradition du réalisme empirique, qui comprend Thucydide, Machiavel et Hobbes, transfère à l'acteur étatique les caractéristiques comportementales de l'individu égoïste, et explique le comportement des États par la recherche de la satisfaction de l'intérêt national ;

– la tradition de l'ordre moral universel, qui va de Cicéron et saint Thomas d'Aquin à Kant en passant par la néoscolastique espagnole,

---

21. *H. Bull,* The Anarchical Society, op. cit., *fait sienne la trilogie de Wight en parlant des traditions hobbesienne ou réaliste, grotienne ou internationaliste, kantienne ou universaliste.*

22. *D. Boucher,* Political Theories of International Relations, *Oxford, Oxford University Press, 1998, p. 11.*

les jusnaturalistes et Locke, postule l'existence d'un code moral indépendamment de tout artifice humain, et voit dans la conformité aux principes de ce code le critère d'explication de la conduite internationale des États ;

– la tradition de la raison historique, qui regroupe Rousseau, Burke, Hegel et Marx, relie l'existence de tout code de comportement au contexte de son émergence et de son évolution, et explique la politique extérieure d'un État par sa place dans le processus historique et l'histoire de ses relations avec les autres États.

Au-delà des divergences d'interprétation de la pensée de Burke et de Kant, qui se retrouvent respectivement dans les deuxième ou troisième traditions[23], la différence entre la typologie de Boucher et celle de Wight est moindre que ne veut bien l'affirmer Boucher : s'il est vrai que Boucher considère la troisième tradition comme une tradition substantielle et non pas comme une tradition résiduelle, le fait pour Wight de postuler la dichotomie entre « théorie de la survie » et « théorie de la bonne vie » ne l'empêche nullement de tenir compte de la philosophie générale des différents auteurs et, autant que Boucher, il enracine par exemple la conception réaliste de l'état de guerre dans le pessimisme anthropologique d'un Machiavel ou d'un Hobbes. Plutôt que d'essayer de départager ces deux classements, qui ont le mérite de souligner les divergences entre traditions quant à leurs conceptions de la nature humaine, de l'histoire, de l'explication de la guerre, des relations entre

23. *M. Wight,* International Theory. The Three Traditions, op. cit., *p. 265, reconnaît d'ailleurs que ses catégories ne sont pas étanches, en notant « la convergence, sinon la confusion, entre les traditions » : le Kant de* Vers la paix perpétuelle *relève ainsi plutôt de la deuxième tradition, alors que son* Idée d'une histoire universelle d'un point de vue cosmopolitique *le place dans la tradition révolutionnaire.*

politique intérieure et extérieure, du rôle du droit international, de la notion d'intérêt national, etc., nous allons fonder notre typologie sur un critère unique, à savoir la conception que se font les différents philosophes de la spécificité des relations internationales qu'est leur structure anarchique (cf. chap. 1).

Cette notion d'anarchie apparaît certes dans les trois traditions de M. Wight : il l'emploie pour qualifier la tradition réaliste. Mais, en associant anarchie et réalisme, Wight pêche par manque de rigueur conceptuelle, oubliant ce qu'il avait lui-même écrit dans *Power Politics*, à savoir que l'anarchie, au sens d'absence d'autorité centrale au-dessus des unités politiques, est par définition le propre des relations internationales : « L'anarchie est la caractéristique qui distingue la politique internationale de la politique ordinaire. L'étude de la politique internationale présuppose l'absence d'un système de gouvernement, alors que l'étude de la politique interne présuppose l'existence d'un tel gouvernement[24]. « Autrement dit, ce n'est pas tellement l'affirmation de l'existence de l'anarchie internationale qui fait la spécificité de la tradition réaliste, mais la conception que les réalistes se font de cette anarchie, eu égard à la conception qu'ont de cette même anarchie les autres traditions.

Dans cette perspective, nous classerons alors les différents auteurs du passé dans les trois traditions suivantes :

– pour la tradition réaliste, l'anarchie est une donnée constante, une structure déterminant objectivement le comportement des États qui, dans cette tradition, sont les acteurs de référence des relations internationales[25] ;

---

24. *M. Wight,* Power Politics *(1946), Leicester, Leicester University Press, 1978, p. 102.*

25. *Étant donné que nous nous contentons dans notre survol historique de la philosophie politique moderne, contemporaine du système interétatique né de la guerre de Trente Ans, nous*

– pour la tradition libérale, l'anarchie est une variable évolutive, le produit des préférences subjectives des sociétés civiles elles-mêmes composées d'individus, unité fondamentale de la scène internationale ;

– pour la tradition globaliste, l'anarchie est un moment dialectique, une étape historique dans le processus d'émergence d'une communauté mondiale, dont l'humanité constitue *in fine* l'unité de base.

La tradition réaliste est articulée autour de Thomas Hobbes et de Jean-Jacques Rousseau[26] : malgré leurs divergences au sujet de l'état naturel des hommes ou de leur évaluation normative de l'état de guerre entre États, ils sont les représentants par excellence de la tradition réaliste, car ils voient tous les deux dans l'anarchie définie comme état de guerre une donnée constante structurant le comportement international des unités étatiques[27].

---

assimilons ici réalisme et stato-centrisme. Précisons cependant que pour les réalistes, c'est moins l'État que le groupe de conflit qui constitue l'acteur de référence : si, pendant le système westphalien, ce groupe de conflit prend de façon privilégiée la forme de l'État, certains réalistes, partant du fait que l'État n'a pas toujours existé dans le passé – ainsi à l'époque de Thucydide, fondateur du réalisme, ou même de Machiavel –, admettent qu'il pourrait ne pas perdurer dans le futur (cf. chap. 4).

26. *On ignore ici délibérément le rôle joué par des auteurs comme Thucydide ou Machiavel, du fait de leur appartenance à un monde* ante-*westphalien qui ne connaissait pas encore la séparation externe/interne qui constitue le critère fondateur de l'objet « relations internationales » (cf. chap. 1).*

27. *Parmi les théoriciens contemporains, des auteurs aussi différents que K. Waltz et M. Doyle considèrent également Rousseau comme réaliste. Pour une critique d'une telle lecture, voir Y. Aiko, « Rousseau and Saint-Pierre's Peace Project », dans B. Jahn,* Classical Theory in International Relations, *Cambridge, Cambridge University Press, 2006, p. 96-122.*

Les présentations de la pensée internationale de Hobbes commencent la plupart du temps par exposer le pessimisme anthropologique qui caractérise son *Léviathan.* Selon Hobbes, l'homme est un loup pour l'homme, tant « la nature a fait les hommes [...] égaux quant aux facultés du corps et d'esprit » : chacun ayant « une égalité dans l'espoir d'atteindre les mêmes fins », l'état de nature est une guerre de chacun contre chacun, car « la rivalité, la méfiance, la fierté » font prendre à l'homme l'offensive contre ses semblables pour des motifs de « profit, [...] de sécurité et [...] de réputation », d'où une vie « solitaire, besogneuse, pénible, quasi animale et brève ». Poussés par la crainte de la mort, les hommes concluent entre eux un contrat social, grâce auquel ils passent de l'état de nature, synonyme de *bellum omnium contra omnes,* à l'état de société politique, en abandonnant le droit de se faire justice eux-mêmes à un représentant-souverain en échange de l'engagement de ce dernier d'assurer leur sécurité. C'est justement un tel contrat social qui fait défaut entre unités politiques. Le raisonnement valable pour les individus dans leur état de nature s'applique dès lors, *mutatis mutandis,* aux relations entre États : « De même que parmi les hommes sans maître règne une guerre perpétuelle de chacun contre son voisin, et n'existe [...] aucune sécurité, mais seulement une liberté pleine et absolue de chaque particulier ; [...] de même chaque République possède la liberté absolue de faire ce qu'elle juge le plus favorable à son intérêt. »

Exprimé autrement, les relations internationales sont à la fois en état de nature ou, pour employer un terme moderne, en état d'anarchie, et en état de guerre. Indépendants, les États souverains sont en état d'anarchie parce qu'ils ne reconnaissent aucune autorité centrale au-dessus d'eux ; cette structure anarchique des relations internationales se double de leur nature violente, tant les « États ou Républiques indépendants l'un de l'autre [...] vivent dans un état de guerre perpétuelle, dans une continuelle veillée d'armes, leurs frontières fortifiées, leurs canons braqués sur tous les pays qui les entourent ». Non pas que les États se battent en permanence les uns contre les autres ; mais comme « la guerre ne consiste pas seulement dans la bataille et dans les combats effectifs, mais dans un espace de temps où la volonté de s'affronter en des batailles est suffisamment avérée », l'état de nature qui règne entre les États est bel et bien synonyme d'état de guerre : les périodes de paix ne sont que de simples trêves, des périodes de guerre latente, des périodes de récupération de la guerre passée et de préparation de celle à venir.

La conception internationale de Hobbes s'enracine donc bien dans son anthropologie, et il est vrai qu'en ne voyant dans le « grand Léviathan qu'on appelle République ou État [...] qu'un homme artificiel », Hobbes conforte cette interprétation. Mais il faut rappeler que l'état de nature de Hobbes est un état imaginaire qu'il a inventé en vue de fonder la légitimité de l'autorité politique sur le contrat social ; par ailleurs et surtout, il a trouvé la description de ce qu'auraient pu être les relations entre hommes à l'état de nature dans l'observation du spectacle des relations entre unités politiques de son époque – guerre de Trente Ans, guerre anglo-écossaise –, observation influencée par la lecture de l'*Histoire de la guerre du Péloponnèse* de Thucydide qu'il a traduite en anglais : « Même s'il n'y avait jamais eu aucun temps où les particuliers fussent en état de guerre les uns avec les autres, cependant à tous moments les rois et les personnes qui détiennent l'autorité souveraine sont à cause de leur indépendance dans une continuelle suspicion, et dans la situation et la posture des gladiateurs, leurs armes pointées, les yeux de chacun fixés sur l'autre : [...] toutes choses qui constituent une attitude de guerre[28]. »

---

28. *Toutes les citations de Hobbes sont extraites du* Léviathan, op. cit., *p. 121, 122, 123, 125, 227, 227, 124, 5,*

En d'autres termes, chez Hobbes, la nature violente des relations internationales, manifestation du comportement égoïste des États, est autant due à l'anarchie internationale qu'elle ne découle de la nature humaine : en précisant que les États sont dans une continuelle suspicion *à cause de leur indépendance* (c'est nous qui soulignons), Hobbes fait de l'anarchie le facteur déterminant en dernière analyse le comportement égoïste des États. Il en va de même chez Rousseau.

Dépeignant l'homme à l'état de nature, Rousseau n'estime nullement que l'homme est un loup pour l'homme car, la plupart du temps, l'homme préhistorique n'a guère de contact avec autrui, vivant seul, « se rassasiant sous un chêne, se désaltérant au premier ruisseau, trouvant son lit au pied du même arbre qui lui a fourni son repas, et voilà ses besoins satisfaits[29] ». En fait, ce n'est que lorsqu'il ne peut pas faire autrement que le bon sauvage fait appel à ses semblables, et c'est justement à ce moment que l'état de nature, *a priori* idyllique, se transforme en état de guerre. Pour preuve, ce qui se passe au moment d'une chasse commune au cerf. Poussés par la faim, plusieurs chasseurs se réunissent pour chasser un cerf, proie suffisamment importante pour les mettre tous à l'abri du besoin pendant un bon moment. Lors de la conclusion de cet accord, il y a coïncidence entre l'intérêt particulier de chaque chasseur (calmer sa faim) et l'intérêt commun à l'ensemble des chasseurs (coopérer avec les autres car un homme seul ne saurait

---

126. Pour une lecture non-réaliste de Hobbes, voir M. Williams, « The Hobbesian Theory of International Relations », dans B. Jahn (ed.), Classical Theory in International Relations, op. cit., *p. 253-276.*

29. J.-J. Rousseau, Discours sur l'origine et les fondements de l'inégalité parmi les hommes, *dans J.-J. Rousseau,* Du contrat social. Écrits politiques *(1755), Paris, Gallimard, coll. « La Pléiade »,1964, p. 135.*

abattre un cerf) : sans cette coïncidence, le bon sauvage n'aurait pas coopéré, car il n'aurait même pas été en contact avec ses semblables. Le dilemme, d'après Rousseau, survient lorsque l'un des chasseurs voit passer devant lui un lièvre : il a le choix entre, 1. attraper le lièvre et, ce faisant, calmer sa faim, même si ce n'est que pour un court instant, et bien sûr au risque de laisser s'échapper le cerf, ce qui revient à rompre l'engagement pris à l'égard des autres chasseurs ; 2. laisser s'échapper le lièvre pour se concentrer sur le cerf, sans être sûr cependant ni de ce que le cerf sera vraiment abattu, ni de ce que l'un des autres chasseurs, voyant passer à son tour le lièvre devant lui, n'en profite pour le capturer, avec pour conséquence là encore la fuite du cerf. Confronté à l'opposition irréductible entre son intérêt particulier immédiat et l'intérêt commun à plus long terme, le chasseur, d'après Rousseau, fera prévaloir son intérêt particulier : « S'agissait-il de prendre un cerf, chacun sentait bien qu'il devait pour cela garder fidèlement son poste ; mais si un lièvre venait à passer à la portée de l'un d'eux, il ne faut pas douter qu'il le poursuivit sans scrupule, qu'ayant atteint sa proie, il ne se souciât fort peu de faire manquer la leur à ses compagnons[30]. »

La métaphore du chasseur de cerfs montre que, pour Rousseau, c'est bien l'anarchie qui explique le comportement égoïste à l'état de nature : en effet, si le chasseur a préféré son intérêt égoïste à l'intérêt commun dans sa quête de subsistance, ce n'est pas à cause de sa nature, vu le postulat rousseauiste du bon sauvage, mais parce qu'il ne peut jamais être sûr du comportement d'autrui, étant donné que, par définition, il n'y a pas d'autorité sanctionnant le manquement éventuel aux engagements donnés. Il en va de même pour les États. Comme les hommes à l'état de nature, les États sont

---

30. Ibid., *p. 166-167.*

en état d'anarchie – ils n'ont aucune autorité au-dessus d'eux ; mais contrairement aux hommes à l'état naturel, ils entretiennent entre eux des « relations constantes » : ils sont donc en permanence dans la situation des chasseurs primitifs au moment de leur tentative de chasser ensemble le cerf. Plus exactement, si « l'état relatif des puissances [...] est proprement un état de guerre, et [... si...] tous les traités partiels entre quelques-unes de ces puissances sont plutôtdes trêves passagères plutôt que de véritables paix », c'est parce que chaque État, à cause de ses contacts multiples, « se sent faible tant qu'il en est de plus forts que lui » : « sa sûreté, sa conservation, demandent qu'il se rende plus puissant que tous ses voisins ». Il s'ensuit « l'état de guerre [...] naturel entre les puissances » au sens de « disposition mutuelle, constante et manifestée de détruire l'État ennemi, ou de l'affaiblir au moins par tous les effets qu'on le peut. Cette disposition réduite en acte est la guerre proprement dite ; tant qu'elle reste sans effet, elle n'est que l'état de guerre[31] ».

Chez Rousseau donc, comme chez Hobbes, et pour l'ensemble de la tradition réaliste, l'anarchie internationale, donnée constante, objective, extérieure aux États, est synonyme d'état de guerre, car elle dicte aux États un comportement égoïste, dont découle la nature violente de leurs relations mutuelles. Il en va tout autrement dans la tradition libérale, incarnée par Hugo Grotius et John Locke.

Quoique contractualistes, Grotius, dans *Le droit de la guerre et de la paix*, et Locke, dans son *Traité du gouvernement civil*, postulent un état de nature tout autre que celui de Hobbes et de Rousseau. D'après Grotius, « l'homme [...] possède en lui-même un penchant

---

31. Toutes les citations qui précèdent sont extraites de J.-J. Rousseau, Écrits sur l'Abbé de Saint-Pierre, *dans J.-J. Rousseau,* Du contrat social. Écrits politiques, op. cit., *p. 602, 568, 568, 605, 607.*

dominant vers la vie sociale » qui lui fait ressentir « le besoin de se réunir, c'est-à-dire de vivre avec les êtres de son espèce, non pas dans une communauté banale, mais dans un état de société paisible, organisée suivant les données de son intelligence[32] », et ce besoin de vie sociale pacifique est à l'origine du droit naturel restreignant son droit de recourir à la force aux seules fins de l'autopréservation. D'après Locke, l'homme à l'état de nature vit en parfaite liberté, mais « quoique l'état de nature soit un état de liberté, ce n'est nullement un état de licence[33] », ou un état de guerre : faisant sans le nommer allusion à Hobbes, Locke souligne « la différence qu'il y a entre l'état de nature et l'état de guerre, lesquels quelques-uns ont confondus, quoique ces deux sortes d'états soient aussi différents et aussi éloignés l'un de l'autre que sont un état de paix, de bienveillance, d'assistance, et de conservation mutuelle, et un état d'inimitié, de malice, de violence et de mutuelle destruction ». En effet, chez Locke, dès l'état de nature, les bornes de la loi de la nature interdisent à tout un chacun de « faire tort à aucune autre personne, ou de la troubler dans ce dont elle jouit[34] ».

Cette spécificité de Locke et de Grotius, on la retrouve lorsque de l'état de nature entre individus on passe à l'état d'anarchie entre États souverains. Contemporain de la guerre de Trente Ans et surtout de la lutte entre les Pays-Bas dont il est originaire et l'Espagne, Grotius ne nie pas l'incontestable « débauche de guerre[35] » dont fait régulièrement preuve le milieu international, mais parce qu'il a été influencé par la néoscolastique espagnole

---

32. *H. Grotius,* Le Droit de la guerre et de la paix *(1625), Paris, PUF, 1999, p. 9 et 10.*
33. *J. Locke,* Traité du gouvernement civil, op. cit., *p. 174.*
34. Ibid., *p. 187 et 175.*
35. *H. Grotius,* Le Droit de la guerre et de la paix, op. cit., *p. 19.*

affirmant l'existence d'un genre humain au-delà des peuples séparés en États indépendants[36], il estime que « certaines lois ont pu naître entre [...] les États, [...] en vertu de leur consentement [...], tendant à l'utilité non de chaque association d'hommes en particulier, mais du vaste assemblage de toutes ces associations. Tel est le droit qu'on appelle le droit des gens[37] ». Quant à Locke, il reconnaît bien sûr que « les États sont dans l'état de nature, les uns au regard des autres » ; mais comme chez lui seule « la violence injuste et soudaine [...] produit l'état de guerre », ce dernier est nécessairement limité dans le temps, vu que « les accords, les traités, les alliances [...] sont des liens indissolubles pour [...] les princes du monde[38] ».

Autrement dit, pour Grotius et Locke, l'état de nature entre États n'est pas synonyme d'état de guerre comme chez les réalistes ; il consiste plutôt en une succession de périodes de guerre et de périodes de paix, qui ne sont pas de simples trêves. La structure anarchique des relations internationales ne se double pas de leur nature violente, vu que l'absence d'un « supérieur commun[39] »

---

36. *Selon F. Suarez,* Tractatus de legibus, *1612, cité par P. Mesnard,* L'Essor de la philosophie politique au XVIe siècle, *Paris, Vrin, 1977, p. 654, « le genre humain, quoique divisé en peuples et États divers, n'en garde pas moins une unité [...] quasi politique et morale. [...] Bien que chaque république ou royaume soit en son fond une communauté souveraine, [...] il n'en reste pas moins que chacun d'entre eux est en outre membre en quelque sorte de cette association qui s'étend au genre humain : jamais en effet ces communautés ne se sont isolément suffi au point de n'avoir besoin de quelque appui, commerce et communication mutuelle [...] ».*

37. *H. Grotius,* Le Droit de la guerre et de la paix, op. cit., *p. 14.*

38. *J. Locke,* Traité du gouvernement civil, op. cit., *p. 189, 321 et 328.*

39. Ibid., *p. 188.*

n'empêche pas l'existence des règles du droit naturel et du droit des gens qui régulent le comportement international des États même et peut-être surtout lorsqu'ils recourent à la force armée : « entreprise en vue de la paix[40] », la guerre n'est autorisée qu'à condition d'être une guerre juste, c'est-à-dire une guerre d'autodéfense.

Reste à s'interroger sur le pourquoi de ces règles, sur la finalité de ce code de bonne conduite interétatique. Pour Grotius et Locke, que les règles internationales relèvent du droit naturel ou du droit des gens, elles ont pour raison d'être la protection et la satisfaction des intérêts des individus dont sont composés les États. Chez Grotius, à l'origine des normes régulant l'anarchie internationale il y a le « soin de la vie sociale [qui] est la source du droit proprement dit » au sens de « qualité morale attachée à l'individu pour posséder ou faire justement quelque chose[41] » ; chez Locke, à l'origine de l'état de paix dont l'importance le dispute à l'état de guerre il y a « la principale fin que se proposent les hommes lorsqu'ils s'unissent en communauté et se soumettent à un gouvernement », à savoir « conserver leurs propriétés pour la conservation desquelles

---

40. *H. Grotius,* Le Droit de la guerre et de la paix, *op. cit., p. 33.*

41. Ibid., *p. 11 et 35. C'est dans cette notion de droit subjectif développée par Grotius que résident les prémisses de la philosophie libérale que Locke fondera explicitement deux générations plus tard ; pour preuve, la véritable ébauche de l'individualisme possessif qu'esquisse sa conception du droit « auquel se rapportent le devoir de s'abstenir du bien d'autrui, de restituer ce qui [...] est en notre possession, ou le profit que nous en avons retiré » (p. 11). Voilà pourquoi, contrairement à Wight et à Boucher, pour qui Locke est plus grotien que Grotius n'est libéral, nous inversons la hiérarchie entre ces deux auteurs dans la dénomination de notre deuxième tradition.*

bien des choses manquent dans l'état de nature[42] ». En bref, l'État est le simple mandataire des demandes sociétales, la simple courroie de transmission des besoins individuels ; sur la scène internationale comme sur la scène interne, les États sont au service des intérêts des individus dont ils sont issus, au service de leur « possession » et de leur « profit », de la « conservation » de leur « propriété », ce pourquoi ils émettent des règles communes dont le respect facilitera la satisfaction desdits intérêts.

Il s'ensuit que, dans la tradition libérale, l'anarchie n'est pas comme chez les réalistes une donnée constante à laquelle les États ne peuvent que s'adapter, mais une variable évoluant en fonction des comportements choisis par les États en vue de satisfaire les préférences de leurs sociétés civiles. Plutôt que facteur structurant le comportement des États, l'anarchie résulte elle-même des préférences subjectives des individus agrégés au sein desdits États ; l'anarchie est ce que les États en font ou, mieux, ce que les sociétés civiles veulent que les États en fassent.

Ce caractère évolutif de l'anarchie, on le retrouve sous une autre forme dans la tradition globaliste, que nous associerons à Emmanuel Kant et à Karl Marx. Le marxisme et la philosophie de Kant sont, parmi d'autres doctrines, retenus par Wight dans sa tradition révolutionnaire. Chez Wight, la troisième tradition est plus résiduelle que substantielle, caractérisée par des traits communs négatifs entre des courants de pensée disparates, par le plus petit dénominateur commun qu'est leur affirmation de l'avènement futur d'une société mondiale ou d'une communauté internationale qu'ils appellent de leurs vœux, et en faveur de laquelle ils s'engagent jusque sur le terrain de la praxis : critique à l'égard de la politique réellement existante, la tradition révolutionnaire se fixerait un but à atteindre,

---

42. *J. Locke,* Traité du gouvernement civil, op. cit., *p. 274.*

celui de l'unité morale du monde auquel les États et les sociétés devraient se soumettre pour le plus grand bien de l'humanité tout entière ; ce normativisme amènerait les révolutionnaires « à décrire les relations internationales en termes éthiques et prescriptifs », par opposition aux descriptions « sociologique » et « téléologique » qui caractériseraient, respectivement, le réalisme et le rationalisme[43].

Le jugement de Wight paraît excessif, en ce qui concerne en tout cas Kant et Marx : le fait pour eux de postuler l'avènement d'un monde conforme aux fins de la raison ne les empêche pas d'analyser en termes descriptifs le monde empirique. C'est tout d'abord le cas de Kant, dont le point de départ est le même que celui des réalistes, tant sa description de la scène internationale combine Hobbes et Rousseau : après avoir, dans son *Idée d'une histoire universelle du point de vue cosmopolitique*, parlé de « l'état anarchique de sauvagerie[44] » dans lequel se trouvent les États, évoquant ce faisant les « chocs [...] terribles » auxquels se livrent d'après Rousseau les corps politiques « livrés à leur propre impulsion[45] », il décrit dans *Vers la paix perpétuelle* l'état de nature tel un état de guerre hobbesien : « L'état de nature [...] des hommes vivant les uns à côté des autres [...] est un état de guerre : même si les hostilités n'éclatent pas, elles constituent pourtant un danger permanent[46]. »

---

43. *M. Wight,* International Theory. The Three Traditions, op. cit., *p. 24.*

44. *E. Kant,* Idée d'une histoire universelle du point de vue cosmopolitique, *dans E. Kant,* Opuscules sur l'histoire *(1784), Paris, Garnier-Flammarion, 1990, p. 79.*

45. *J.-J. Rousseau,* Écrits sur l'Abbé de Saint-Pierre, op. cit., *p. 604.*

46. *E. Kant,* Vers la paix perpétuelle *(1795), dans E. Kant,* Vers la paix perpétuelle et autres textes, *Paris, Garnier-Flammarion, 1991, p. 83.*

La conception kantienne de l'anarchie est pourtant tout sauf réaliste. En effet, chez Kant, l'anarchie internationale est non pas structure a-historique, mais « dessein de la nature » : expression dans le domaine des relations entre États de « l'insociable sociabilité des hommes » à travers laquelle se réalisent les fins de la raison dans le monde empirique, « l'incompatibilité entre grandes sociétés et corps politiques » est le moyen utilisé par la Raison pour pousser les États à sortir de l'état de guerre et à « entrer dans une société des nations ». Autrement dit, l'anarchie est une étape au sein d'un processus historique : il existe un mouvement de l'histoire à la réalisation duquel les acteurs humains et étatiques collaborent à leur insu, y compris et même surtout en multipliant leurs antagonismes individuels et collectifs, car ces conflits sont le passage obligé avant que ne puisse triompher la « communauté civile universelle », synonyme d'« état de calme et de sécurité » au sein d'une confédération d'États libres liés entre eux par un droit commun. Davantage même, l'apparente reproduction de l'anarchie existante par les conflits armés en cours contient déjà en elle les éléments de sortie de celle-ci : c'est par les guerres, « autant de tentatives [...] pour former de nouveaux corps » à la suite du démembrement des anciens, qu'émergent les républiques dont Kant dit qu'elles inclinent vers la paix perpétuelle ; c'est par les guerres, « autant de tentatives [...] pour réaliser de nouvelles relations entre les États[47] », qu'est susceptible de gagner du terrain « la communauté (plus ou moins grande) formée par les peuples de la terre » au sein de laquelle « toute atteinte au droit en un seul lieu de la terre est ressentie en tous[48] ».

---

47. Toutes les citations qui précèdent sont extraites de E. Kant, Idée d'une histoire universelle du point de vue cosmopolitique, op. cit., *p. 70, 74, 79, 80, 79, 80, 80.*

48. E. Kant, Vers la paix perpétuelle, op. cit., *p. 96.*

Autrement dit, selon Kant, l'état d'anarchie, pour être empiriquement un état de guerre, n'en est pas moins potentiellement un état de paix, une communauté mondiale en gestation du fait même des actions humaines ; en quelque sorte, les relations interétatiques ne sont que la façade des relations internationales sous le niveau superficiel desquelles pointe la communauté mondiale, dont les États sont les vecteurs sans en être conscients.

On retrouve un historicisme comparable chez Marx[49], chez qui aussi les unités étatiques sont les parties temporaires d'un tout en devenir qui les transcendera, l'humanité tout entière, incarnée dans le prolétariat. Plus précisément, les relations entre États ne constituent chez Marx que le niveau superficiel de l'anarchie internationale, car chez lui ce sont les conflits sociaux qui constituent le moteur de l'histoire, et non pas les guerres comme chez Kant : « L'histoire de toute la société est l'histoire de luttes des classes. » Voilà qui ne veut cependant pas dire que les conflits entre États n'existent pas. Ils existent bien, mais ne sont que la manifestation secondaire de cette lutte des classes, et plus précisément de la nécessité pour les différentes bourgeoisies nationales d'étendre leur marché : « La bourgeoisie mène une guerre permanente ; d'abord contre l'aristocratie ; puis contre cette catégorie de la bourgeoisie dont les intérêts entrent en contradiction avec les progrès de l'industrie ; toujours enfin contre la bourgeoisie de tous les pays étrangers. » Surtout, ces conflits participent *in fine* au « mouvement historique » d'avènement de la société sans classe, qui constitue la variante marxiste de la communauté mondiale.

---

49. Le chaînon manquant entre Kant et Marx est bien sûr Hegel, dont la « ruse de la raison » a été anticipée par Kant dans son « plan caché de la nature » avant d'être remise « de la tête sur les pieds » par Marx.

En effet, comme chez Kant, chez Marx aussi les conflits interétatiques en cours véhiculent un processus de cosmopolitisation, concernant non pas l'universalisation des valeurs, sinon dans un deuxième temps, lorsque « l'Internationale sera le genre humain », mais celle des rapports de production économique : « La bourgeoisie, par l'exploitation du marché mondial, a rendu cosmopolites la production et la consommation de tous les pays. [...] L'ancien isolement local et national où chacun se suffisait à lui-même fait place à des relations universelles, à une dépendance mutuelle entre nations. [...] Grâce au perfectionnement rapide de tous les instruments de production, grâce aux communications rendues infiniment plus faciles, la bourgeoisie entraîne dans le courant de la civilisation jusqu'aux nations les plus barbares. [...] Elle se crée un monde à son image. » Or, cette « dépendance mutuelle entre nations », que provoque l'extension du mode de production capitaliste, atténue les conflits armés dus aux intérêts concurrents entre différentes bourgeoisies nationales : « Les démarcations et les antagonismes nationaux entre les peuples disparaissent de plus en plus, du fait du seul développement de la bourgeoisie, la liberté du commerce, le marché mondial, l'uniformisation de la production industrielle et des conditions d'existence correspondantes. » Ces conflits armés disparaîtront définitivement lorsque l'extension inéluctable du mode de production capitaliste débouchera sur la victoire du prolétariat, synonyme d'avènement de la société sans classe, d'abord dans les États pris isolément, ensuite au niveau mondial : « Dans la mesure où l'exploitation de l'individu par un autre individu est abolie, l'exploitation d'une nation par une autre est également abolie. Le jour où tombe l'antagonisme de classes au sein de la même nation, tombe également l'hostilité entre les nations[50]. »

---

50. K. Marx et F. Engels, Manifest der Kommunistischen Partei *(1848), dans K. Marx et F. Engels,* Werke, *Berlin-Est,*

Certes, ce triomphe de l'humanité réconciliée avec elle-même se fera par la voie révolutionnaire, alors que chez Kant l'avènement de la communauté humaine passe par un processus évolutionniste. Mais Kant et Marx partagent « le désir d'une société universelle d'individus libres[51] », et dans les deux cas, l'anarchie existante est un simple moment dialectique de l'histoire de la communauté mondiale dont les États des réalistes et les individus des libéraux ne sont pas les acteurs, mais les vecteurs.

La spécificité de la tradition globaliste mérite donc un traitement à part. Non pas que des liens n'existent pas entre nos trois traditions : le globalisme évolutionniste de Kant n'est pas sans se rapprocher du libéralisme idéaliste de Grotius, alors que le libéralisme rationnel de Locke a des points de convergence avec le réalisme défensif de Rousseau. Il va de soi qu'en nous contentant, pour chaque tradition, de deux auteurs, nous avons procédé à une double simplification : d'un côté, nous avons réduit la complexité d'une tradition à un binôme représentatif ; de l'autre, nous avons réduit la complexité des auteurs retenus à la dimension clef qui les rattache à la tradition concernée. Mais nous ne pensons pas pour autant que notre typologie s'expose à la critique post-moderniste selon laquelle le fait de postuler l'existence de courants de pensée

---

Dietz Verlag, 1981, 4, p. 462, 471, 466, 479, 479. Les traductions en français du Manifeste du parti communiste *ne manquent pas. Nous n'en avons pas moins préféré proposer notre propre traduction, vu les importantes divergences entre les différentes traductions existantes. Ainsi, nous avons préféré traduire «* allseitige Abhängigkeit der Nationen voneinander *» par « dépendance mutuelle entre nations » plutôt que par « interdépendance entre nations ».*

51. A. Linklater, Men and Citizens in the Theory of International Relations, op. cit., *p. 159.*

cohérents à travers l'histoire des idées revient à réifier de façon anachronique des discours du passé en fonction de considérations du présent, à ignorer autrement dit la contextualité propre à chaque discours[52].

Car après tout, de nombreux théoriciens contemporains inscrivent eux-mêmes leurs propos dans la continuité des réflexions philosophiques du passé : ainsi, Robert Gilpin voit dans le réalisme une « disposition philosophique[53] » ; Stanley Hoffmann estime que le libéralisme international n'est guère autre chose qu'une « projection à l'échelle du monde de la pensée libérale[54] » ; quant au livre *Social Theory of International Politics* d'Alexander Wendt, il

---

52. *Inspiré par l'approche généalogique de M. Foucault, R. B. J. Walker, « History and Structure in International Relations », dans J. Der Derian (ed.),* International Theory. Critical Investigations, *1989,* op. cit., *p. 308-339, affirme ainsi que vouloir chercher à établir des traditions revient à postuler que les différents penseurs « expriment tous des vérités essentielles sur des processus éternels censés être immuables et passablement tragiques, en l'occurrence le jeu éternel des relations entre États, alors qu'il s'agit bien davantage d'efforts entrepris pour donner un sens aux transformations historiques de leur époque ». De façon générale, les post-modernistes nient toute possibilité d'établir des traditions doctrinales parce qu'ils refusent d'attribuer à l'auteur d'un texte la signification de celui-ci, de même qu'ils refusent de postuler qu'il n'existe qu'une lecture possible d'un écrit, qu'une seule signification susceptible d'être saisie par la lecture à laquelle procéderait n'importe quel lecteur. Proclamant en quelque sorte la mort de l'auteur, ils énoncent que la signification d'un texte est performée par le lecteur, et qu'il y a donc autant de significations qu'il y a de lecteurs/lectures, chacun(e) se référant à d'autres textes.*

53. *R. Gilpin, « The Richness of the Tradition of Political Realism », dans R. Keohane (ed.),* Neorealism and its Critics, *New York (N. Y.), Columbia University Press, 1986, p. 304.*

54. *S. Hoffmann, « The Crisis of International Liberalism »,* Foreign Policy, *98, printemps 1995, p. 159-177.*

est « écrit à partir d'un point de vue philosophique[55] ». Voilà qui tend à indiquer que c'est précisément dans la perspective des théories contemporaines que se révèle l'utilité de la philosophie politique internationale[56] : depuis que les Relations internationales sont devenues une discipline, les réalistes existent toujours, tout comme les libéraux, alors que les globalistes ont successivement inspiré les transnationalistes et les marxistes dans un premier temps, et certains post-positivistes et certains constructivistes de nos jours.

C'est en tout cas ce que montre l'évolution des théories des relations internationales au XXe siècle.

Bibliographie

Le seul moyen pour se faire une idée de la place des Relations internationales dans l'histoire des idées politiques consiste à lire les classiques dans le texte. Nous avons utilisé :

GROTIUS (Hugo), *Le Droit de la guerre et de la paix* (1625), Paris, PUF, 1999, 868 p.

HOBBES (Thomas), *Léviathan* (1651), Paris, Sirey, 1971, 780 p.

KANT (Emmanuel), *Idée d'une histoire universelle du point de vue cosmopolitique* (1784), dans Emmanuel Kant, *Opuscules sur l'histoire*, Paris, Garnier-Flammarion, 1990, 246 p.

55. *A. Wendt,* Social Theory of International Politics, *Cambridge, Cambridge University Press, 1999, p. 32.*

56. *Le rappel de la philosophie politique internationale a un autre objectif : rappeler à la modestie les internationalistes contemporains (dont nous sommes), volontiers enclins à croire que leur époque est unique, et leur savoir inédit.*

KANT (Emmanuel), *Vers la paix perpétuelle* (1795), dans Emmanuel Kant, *Vers la paix perpétuelle et autres textes*, Paris, Garnier-Flammarion, 1991, p. 73-131.

LOCKE (John), *Traité sur le gouvernement civil* (1690), Paris, Garnier-Flammarion, 1984, 408 p.

MARX (Karl) et ENGELS (Friedrich), *Manifest der Kommunistischen Partei* (1848), dans Karl Marx et Friedrich Engels, *Werke*, 4, Berlin-Est, Dietz Verlag, 1981, p. 459-493.

ROUSSEAU (Jean-Jacques), *Du contrat social. Écrits politiques* (1755-1762), Paris, Gallimard, coll. La Pléiade, 1964, 1964 p.

Des extraits des écrits de ces auteurs, ainsi que de nombreux autres, se trouvent chez :

BROWN (Chris), NARDIN (Terry) et RENGGER (Nicholas) (eds), *International Relations in Political Thought*, Cambridge, Cambridge University Press, 2002, 618 p.

FORSITH (Murray), KEENS-SOPER (Maurice) et SAVIGEAR (Peter) (eds), *The Theory of International Relations. Selected Texts From Gentili to Treitschke*, Londres, Allen and Unwin, 1970, 352 p.

LIVET (George) (dir.), *Guerre et paix de Machiavel à Hobbes*, Paris, Armand Colin, 1972, 396 p.

LUARD (Evan) (ed.), *Basic Texts in International Relations*, Basingstoke, Macmillan, 1992, 624 p.

MERLE (Marcel) (dir.), *Pacifisme et internationalisme. XVIIe-XXe siècle*, Paris, Armand Colin, 1966, 360 p.

RAMEL (Frédéric) et CUMIN (David) (dir.), *Philosophie des relations internationales*, Paris, Presses de Sciences Po, 2011 [2e éd.], 520 p.

WOLFERS (Arnold) et MARTIN (Lawrence) (eds), *The Anglo-American Tradition in Foreign Affairs*, New Haven (Conn.), Yale University Press, 1956, 286 p.

Pour ce qui est de la littérature de seconde main, les études pionnières sont dues à :

HINSLEY (Frank), *Power and the Pursuit of Peace*, Cambridge, Cambridge University Press, 1963, 424 p.

RUSSELL (Frank), *Theories of International Relations*, New York (N. Y.), Appleton-Century, 1936, 651 p.

Parmi les études récentes, certaines adoptent une présentation chronologique d'ensemble, thématisée ou non :

KAUPPI (Mark) et VIOTTI (Paul), *The Global Philosophers*, New York (N. Y.), Lexington, 1992, 236 p.

KEENE (Edward), *International Political Thought : A Historical Introduction*, Cambridge, Polity Press, 2004, 240 p.

KLEINSCHMIDT (Hans), *The Nemesis of Power. A History of International Relations Theories*, Berlin, Reaktion Books, 2000, 280 p.

KNUTSEN (Torbjorn), *A History of International Relations Theory*, Manchester, Manchester University Press, 1997, 354 p.

PARKINSON (Frank), *The Philosophy of International Relations*, Londres, Sage, 1977, 246 p.

D'autres passent en revue les grands auteurs :

CLARK (Ian) et NEUMANN (Iver) (eds), *Classical Theories of International Relations*, Basingstoke, Macmillan, 1996, 262 p.

CLARK (Ian), *The Hierarchy of States*, Cambridge, Cambridge University Press, 1989, 264 p.

GALLIE (William B.), *Philosophers of Peace and War*, Cambridge, Cambridge University Press, 1978, 160 p.

JAHN (Beate) (ed.), *Classical Theory in International Relations*, Cambridge, Cambridge University Press, 2006, 334 p.

Williams (Howard), *International Relations in Political Theory*, Milton Keynes, Open University Press, 1992, 144 p.

D'autres encore regroupent ces derniers par grandes traditions ou par grands thèmes :

Boucher (David), *Political Theories of International Relations*, Oxford, Oxford University Press, 1998, 456 p.

Donelan (Michael) (ed.), *The Reason of States*, Londres, Allen and Unwin, 1978, 220 p.

Donelan (Michael), *Elements of International Political Theory*, Oxford, Clarendon, 1990, 212 p.

Doyle (Michael), *Ways of War and Peace*, New York (N. Y.), Norton, 1997, 558 p.

Nardin (Terry) et Mapel (David) (eds), *Traditions of International Ethics*, Cambridge, Cambridge University Press, 1992, 326 p.

Wight (Martin), *International Theory. The Three Traditions*, Leicester, Leicester University Press, 1992, 311 p.

Quant aux problèmes posés par les rapports entre histoire des idées politiques et théorie des relations internationales, voir, au-delà des introductions aux différents ouvrages *supra* :

Boucher (David), « Political Theory, International Theory, and the Political Theory of International Relations », dans Andrew Vincent (ed.), *Political Theory. Tradition and Diversity*, Cambridge, Cambridge University Press, 1997, p. 192-213.

Jackson (Robert), *Classical and Modern Thought in International Relations*, Basingstoke, Palgrave-Macmillan, 2005, 224 p.

Jeffery (Renée), « Tradition as Invention : The "Tradition's Tradition" and the History of Ideas in International Relations », *Millennium*, 34 (1), 2005, p. 57-84.

WALKER (Robert B. J.), *Inside/Outside. International Relations as Political Theory*, Cambridge, Cambridge University Press, 1992, 248 p.

WIGHT (Martin), « Why Is There No International Theory ? » (1966), dans James Der Derian (ed.), *International Theory. Critical Investigations*, Basingstoke, Macmillan, 1995, p. 15-35.

WILLIAMS (Howard), *International Relations and the Limits of Political Theory*, Basingstoke, Macmillan, 1996, 170 p.

WOLFERS (Arnold), « Political Philosophy and International Relations (1956) », dans Arnold Wolfers, *Discord and Collaboration*, Baltimore (Md.), The Johns Hopkins University Press, 1962, p. 233-251.

Chapitre 3 / L'ÉVOLUTION DE LA DISCIPLINE DES RELATIONS INTERNATIONALES

« Les Relations internationales sont une science sociale américaine. »
Stanley Hoffmann[1]

En tant que discipline universitaire autonome, avec ses départements d'études et ses centres de recherche, ses associations professionnelles et ses publications spécialisées, les Relations internationales datent de l'immédiat après-première guerre mondiale, lorsqu'en Grande-Bretagne, et plus exactement à l'University College of Wales à Aberystwyth, le mécène David Davies crée la première chaire de « Politique internationale[2] ».

Étant donné que les réflexions internationales ont existé tout au long de l'histoire de la pensée politique (cf. chap. 2), la première guerre mondiale n'a pas à proprement parler donné naissance à la théorie des relations internationales : elle lui a plutôt apporté « une nouvelle énergie, une nouvelle confiance en soi, une nouvelle direction de développement[3] ». Cela ne veut cependant pas dire que la disciplinarisation des Relations internationales ait permis à la théorie internationale de franchir l'obstacle épistémologique qu'aurait constitué sa forme philosophique – *id est ante*-scientifique – antérieure, et de déboucher ainsi sur une science normale

---

1. *S. Hoffmann, « An American Social Science. International Relations » (1977), dans J. Der Derian (ed.),* International Theory. Critical Investigations, op. cit., *p. 212-241.*

2. *Un autre industriel, l'Américain Carnegie, avait créé dès 1910 la Fondation Carnegie pour la paix internationale,* think tank *avant l'heure en dehors du système universitaire ; son objectif à lui aussi était d'aider à « abolir le plus vite possible la guerre entre les nations soi-disant civilisées » (citation dans M. Wight, « Why Is There No International Theory ? », art. cité.)*

3. A History of International Relations Theory, *Manchester, Manchester University Press, 1997, p. 2.*

et cumulative, caractérisée « par une succession de phases logiques, chaque avancée provoquant systématiquement de nouvelles découvertes et aperçus constitutifs d'autant de progrès[4] ». Tout au contraire, les Relations internationales « se sont construites par ajouts successifs plutôt que par avancées décisives[5] », et l'institutionnalisation de la pensée politique internationale a créé un champ scientifique[6] au sein duquel les divergences entre anciennes traditions, revisitées à l'aune de l'épistémologie des sciences sociales, ont donné lieu à une succession de débats inter-paradigmatiques[7]

---

4. *W. Olson et N. Onuf, « The Growth of a Discipline Reviewed », dans S. Smith (ed.),* International Relations. British and American Perspectives, *Oxford, Blackwell, 1985, p. 1-28.*

5. *M.-C. Smouts, « Introduction. Les mutations d'une discipline », dans M.-C. Smouts (dir.),* Les Nouvelles Relations internationales. Pratiques et théories, *Paris, Presses de Sciences Po, 1998, p. 11-33.*

6. *Au sens fort de P. Bourdieu, « La spécificité du champ scientifique et les conditions sociales du progrès de la raison »,* Actes de la recherche en sciences sociales, *2-3, juin 1976, p. 88-104, c'est-à-dire au sens d'espace structuré de positions entre des chercheurs engagés dans une lutte de concurrence ayant « pour enjeu spécifique le monopole de l'autorité scientifique inséparablement définie comme capacité technique et comme pouvoir social, ou, si l'on préfère, le monopole de la compétence scientifique, entendue au sens de capacité de parler et d'agir légitimement (c'est-à-dire de manière autorisée et avec autorité) en matière de science, qui est socialement reconnue à un agent déterminé ».*

7. *Précisons que nous employons le qualificatif « inter-paradigmatique » de façon large, au sens de « entre paradigmes », alors qu'il est généralement associé au seul troisième débat opposant le réalisme stato-centré aux approches non stato-centrées. Précisons aussi que dans un sens kuhnien strict, l'idée qu'il puisse y avoir des débats « inter-paradigmatiques » est une contradiction dans les termes, étant donné que chez Kuhn il ne peut y avoir deux paradigmes en même temps, vu que la présence d'un paradigme est synonyme de science normale non divisée en approches concurrentes. En la matière, les Relations*

entre spécialistes opposés quant aux réponses à donner aux questions clefs de la production théorique que sont[8] :

– le but d'une science des relations internationales ; et à cette première question du « Pourquoi des Relations internationales ? », prévalant dans l'entre-deux-guerres et l'immédiat après-seconde guerre mondiale, la réponse des idéalistes consiste à dire qu'il s'agit de contribuer à changer la politique internationale existante, alors que les réalistes affirment vouloir se contenter d'expliquer celle-ci ;

– la méthode d'une science des relations internationales ; et à cette deuxième question du « Comment les Relations internationales ? », omniprésente dans les années 1950 et 1960, les traditionalistes cherchent la réponse dans l'histoire et la philosophie, alors que les behaviouralistes multiplient les emprunts aux sciences exactes ;

– l'objet d'une science des relations internationales ; et à cette troisième question du « Sur quoi les Relations internationales ? », en vogue lors des années 1970 et au début des années 1980, les réalistes répondent qu'il s'agit d'étudier les relations entre États dans le domaine de la guerre et de la paix, alors que transnationalistes et marxistes se proposent d'analyser les relations transfrontalières de toutes sortes entre tous les acteurs, respectivement entre classes sociales ;

---

internationales profitent de la polysémie de la notion de paradigme, dont M. Mastermann, « The Nature of a Paradigm », dans I. Lakatos et A. Musgrave (eds), Criticism and the Growth of Knowledge, *Cambridge, Cambridge University Press, 1970, p. 59-89, a dit que Kuhn l'avait utilisé dans vingt-trois significations différentes.*

8. *Pour une présentation post-positiviste de l'historique de ces débats, voir J. George,* Discourses of Global Politics. A Critical (Re-) Introduction to International Relations, *Boulder (Colo.), Lynne Rienner, 1994.*

– la faisabilité d'une science des relations internationales ; et à cette quatrième question du « Peut-on étudier les relations internationales ? », prédominante depuis une petite vingtaine d'années, l'ensemble des approches *supra* répondent « oui », par opposition aux post-positivistes, qui répondent « non », ou bien « oui, mais...[9] ».

À l'issue de la première guerre mondiale, le spectacle des massacres inédits et de la durée imprévue de la guerre de 1914-1918 incite des responsables universitaires à créer les premiers départements d'études internationales, et à assigner comme mission à la nouvelle discipline la recherche des « meilleurs moyens pour promouvoir la paix entre les nations[10] ». Ces moyens, ce n'est pas dans

---

9. *À l'image des principales présentations historiques de la discipline, nous faisons nôtre la distinction de quatre débats. Mais plutôt que de diviser ces débats en deux débats relatifs au contenu des relations internationales – le premier et le troisième – et deux relatifs à la méthode des Relations internationales – le deuxième et le quatrième –, nous estimons, 1) que tous les débats sont indissociablement ontologiques et épistémologiques, et 2) que le passage d'un débat à un autre ne signifie ni la victoire* ad vitam aeternam, *au sein d'un débat, de l'un des deux camps en présence sur l'autre, ni le remplacement définitif d'un débat antérieur par un débat ultérieur.*

10. *C'est la mission que fixe D. Davies à la nouvelle discipline ; citation dans B. Schmidt,* The Political Discourse of Anarchy, op. cit., *p. 155. Tout comme T. Knutsen, « A Lost Generation ? IR Scholarship before World War One »,* International Politics, *45 (6), 2008, p. 650-674, B. Schmidt refuse de dater la naissance des Relations internationales de 1919, estimant que des universitaires américains ont assuré des enseignements de relations internationales dès le milieu du XIXe siècle. Sans rentrer dans les détails de la polémique, rappelons avec W. Olson et A. J. R. Groom (*International Relations Then and Now, *Londres, Harper-Collins, 1991) que des enseignements et des recherches en Relations internationales ont effectivement*

la diplomatie de l'équilibre des puissances inspirée par la philosophie internationale réaliste que les théoriciens iront les chercher. Estimant que c'est précisément la *Realpolitik* chère aux diplomates aristocrates du concert européen qui est à l'origine de la première guerre mondiale, en ce qu'elle n'a pas su empêcher la transformation d'un équilibre multipolaire des puissances en affrontement bipolaire entre alliances, les premiers internationalistes *stricto sensu* s'inspireront tout au contraire de l'internationalisme d'ascendance grotienne et kantienne, comme l'illustre aussi bien le nom de Woodrow Wilson donné en 1922 à la première chaire créée à Aberystwyth, en hommage au rôle joué par le président américain dans la création de la Société des Nations, que le premier titulaire de cette chaire, Alfred Zimmern, auteur en 1936 de l'ouvrage emblématique de cette génération, à savoir *The League of Nations and the Rule of Law. 1918-1935*.

---

existé avant 1919 aux États-Unis, mais intégrés dans le champ de la discipline science politique. Initiateur d'un véritable engouement pour un regard rétrospectif critique sur l'histoire de la discipline qui prend parfois des allures nombrilistes, B. Schmidt souligne aussi les limites, oublis et erreurs de l'historiographie dominante présentant la discipline comme une succession de débats entre paradigmes en réponse à des faits et processus clés de la réalité empirique des relations internationales. Voir sa critique de ce qu'il appelle les « mythes » de la discipline, « On the History and Historiography of International Relations », dans W. Carlsnaes, T. Risse et B. Simmons (eds), Handbook of International Relations, op. cit., *p. 3-22. La critique de 1919 comme date de départ de la discipline « Relations internationales » est souvent associée à la critique de 1648 comme date de départ de l'objet « relations internationales » : ainsi dans B. de Carvalho, H. Leira et J. Hobson, « The Big Bangs of IR : The Myths that Your Teachers Tell You About 1648 and 1919 »,* Millennium, *39 (3), 2011, p. 735-758.*

Dénonçant « la tendance digne d'un perroquet[11] » consistant à postuler, depuis Thucydide jusqu'à Clausewitz, la nature éternellement égoïste et agressive de l'homme, les premiers internationalistes de l'après-première guerre mondiale voient dans la guerre non pas « une forme d'instinct, mais une forme d'action étatique. Elle ne fait pas partie de la nature humaine, mais d'un programme politique. Elle n'est pas davantage un instinct ou un élément de la nature humaine que ne l'est l'adoption de l'impôt sur les revenus[12] ». De cette nature sociale de la guerre, due à l'imperfection des institutions, ils en déduisent que l'on peut y mettre un terme, à la simple condition de prendre conscience de ce que dans un monde interdépendant, le recours à la force est futile parce que contre-productif, vu que le bien-être et même la puissance d'une nation résident non pas dans sa force militaire mais dans sa richesse elle-même fonction de sa productivité et de ses échanges. Persuadés que le règne de la loi est applicable aussi bien entre les États qu'au sein de ceux-ci et que la diffusion de la démocratie va de pair avec la pacification des relations interétatiques, et convaincus de l'existence d'une harmonie réelle des intérêts entre sociétés qui ne demande qu'à être constatée par des esprits éduqués pour se substituer aux intérêts nationaux mesquins, les internationalistes libéraux sont caractérisés par « la croyance que le système international qui avait été à l'origine de la première guerre mondiale pouvait être transformé en un ordre mondial fondamentalement plus pacifique et plus juste ; mieux, que sous l'impact combiné de l'esprit démocratique naissant, le développement de la

11. *A. Zimmern,* The League of nations and the Rule of Law. 1918-1935, *Basingstoke, Macmillan, 1936, p. 202.*

12. *G. Murray,* The Ordeal of This Generation, *Londres, Harper, 1929, p. 29.*

Société des Nations, le travail des hommes de paix et la lumière diffusée par leur enseignement, ce système était effectivement en train d'être transformé ; et que la responsabilité des chercheurs en Relations internationales consistait à assister cette marche du progrès vers le dépassement de l'ignorance, des préjudices, la mauvaise volonté, et les intérêts mesquins qui continuaient de s'opposer à cette transformation[13] ».

Ce caractère normatif de leurs propos leur sera reproché lorsque, à partir de la deuxième moitié des années 1930, l'échec du système de sécurité collective de la Société des Nations deviendra patent, sans même parler du triomphe des régimes non démocratiques et de la crise économique. Après que les internationalistes libéraux eurent proposé de substituer la nouvelle diplomatie à la *old diplomacy*, des auteurs tels que Frederick Schumann proposent alors de remplacer « la vieille approche » par « la nouvelle approche », réhabilitant les leçons du passé et mettant l'accent non pas sur les aspects juridiques des relations internationales, mais sur leurs aspects pragmatiques, à commencer par la prééminence des relations de pouvoir : « Toute politique est une lutte pour le pouvoir, mais alors que le pouvoir est un moyen en vue d'une fin en politique interne, la puissance est recherchée en tant que fin en soi en politique internationale[14]. »

---

13. *H. Bull, « The Theory of International Relations 1919-1969 », dans J. Der Derian (ed.),* International Theory. Critical Investigations, *1972,* op. cit., *p. 181-211.*

14. *F. Schumann,* International Politics, *New York (N. J.), McGraw-Hill, 1937, p. 491. « Pouvoir », « puissance » : la langue française utilise deux termes différents là où l'anglo-américain et l'allemand n'utilisent qu'un seul terme,* power *et* Macht, *comme l'a souligné R. Aron,* Paix et guerre entre les nations, op. cit., *p. 60, et « Macht, Power, Puissance : prose démocratique ou poésie démoniaque ? (1964) », dans R. Aron,*

L'idée de la politique internationale en tant que telle politique de puissance sera systématisée à la veille de la seconde guerre mondiale par l'historien britannique Edward H. Carr. D'après Carr, la science des Relations internationales, née du désastre de 1914-1918, a été inspirée par la volonté de mettre un terme à la récurrence de cette « maladie du corps politique international[15] » qu'est la guerre. Or, cette origine explique ses défauts, et plus particulièrement sa tendance à prendre ses désirs pour la réalité : « À l'image d'autres sciences qui en sont à leur stade infantile, la science de la politique internationale a été ouvertement utopiste : les souhaits l'emportent sur la pensée, les généralisations sur l'observation, et aucune attention n'est accordée à une analyse critique des faits. En fait, à ce stade, l'attention est strictement concentrée sur la fin recherchée[16] », c'est-à-dire le maintien de la paix. D'où la nécessité de dépasser ce stade du *wishful thinking* pour se concentrer sur l'étude de la réalité telle qu'elle est, à l'instar de ce qu'avait su faire par le passé la chimie rompant avec l'alchimie ; et c'est ce que fait, d'après Carr, le réalisme : forts des erreurs de la pensée utopique, les réalistes délaissent toute tentative de corriger « le caractère inévitable des tendances existantes » ; ils acceptent le fait que « la politique est, dans un certain sens, toujours politique de puissance » ; et ils se proposent d'en analyser « les causes et les conséquences[17] ».

The Twenty Years' Crisis. 1919-1939 peut ainsi être considéré comme le premier tournant de la discipline, en ce que sa critique

---

Les Sociétés modernes. Textes rassemblés par S. Paugam, *Paris, PUF, 2006, p. 603-625. Nous réservons la notion de « puissance » au seul domaine des relations internationales.*

15. *E. H. Carr,* The Twenty Years' Crisis, op. cit., *p. 8.*
16. Ibid., *p. 8.*
17. Ibid., *p. 10, 97.*

de la génération de l'entre-deux-guerres sonne le glas de cette dernière tout en annonçant l'ascension du réalisme [18]. Cette ascension se transformera en triomphe au lendemain de la seconde guerre mondiale, lorsque Hans Morgenthau, désireux à son tour de « pallier le penchant aveuglant et dangereux de toute la pensée anglo-saxonne, [...] à savoir sa tendance à totalement négliger le facteur principal de celle-ci qu'est la puissance » [19], affirmera qu'une théorie des relations internationales se doit d'être guidée non pas par la

18. *Rappelons que ce tournant est davantage dû à la deuxième édition (1946) de cet ouvrage, tant la première édition de 1939 contenait des passages – supprimés dans la deuxième édition – dans lesquels il conseillait une politique d'apaisement envers Hitler à court terme et une politique de redressement militaire en vue d'un équilibre à long terme : voir à ce sujet les commentaires de Michael Cox dans E. H. Carr,* The Twenty Years' Crisis, op. cit., *p. LXXII et suiv. Par ailleurs, le réalisme de Carr n'exclut nullement la pertinence qu'a d'après lui la pensée utopique, au sens de K. Mannheim, pour une bonne conduite politique, y compris internationale, tant il refuse tout autant la « stérilité » du réalisme que la « naïveté » de l'idéalisme (p. 12), tant il souligne que le fait que « la politique internationale est toujours politique de puissance [...] n'est qu'un aspect de la chose », à côté de ce qu'il appelle la « moralité internationale » (p. 135). En quelque sorte, c'est davantage en tant que « matérialiste » – au sens philosophique – qu'en tant que « réaliste » que Carr voit dans l'internationalisme libéral un idéalisme ou, mieux, un discours idéologique masquant les intérêts des puissances satisfaites du* statu quo. *Ces subtilités, récemment soulignées par K. Booth, « Security in Anarchy. Utopian Realism in Theory and Practice »,* International Affairs, *67 (3), juillet 1991, p. 527-545, ainsi que par C. Jones, E. H. Carr et* International Relations. A Duty to Lie, *Cambridge, Cambridge University Press, 1998, et par M. Cox, dans son introduction à la nouvelle édition de l'ouvrage de E. H. Carr,* The Twenty Years'Crisis, op. cit., *ont cependant été ignorées lors de sa réception par les réalistes, et c'est dans ce rôle de précurseur du réalisme que nous le considérons ici.*

19. *H. Morgenthau,* Politics Among Nations, op. cit., *p. 35.*

volonté d'aider à l'avènement de ce qui doit être, mais par celle de comprendre ce qui est, à commencer par la nature de la politique internationale, par nécessité politique de puissance, étant donné que, sur la scène internationale, les États poursuivent leur intérêt national défini en termes de puissance.

Le premier grand débat inter-paradigmatique[20] voit donc la victoire des réalistes de l'immédiat après-seconde guerre mondiale sur les idéalistes de l'entre-deux-guerres, avec pour conséquence que le qualificatif « idéaliste » a fini par être connoté péjorativement[21]. Pourtant, lesdits idéalistes, s'ils peuvent être qualifiés d'utopistes du fait de leur croyance en la possibilité pour le droit, l'opinion publique, ou la démocratie, de réguler les rapports de force, sont

---

20. Comme le soulignent P. Wilson, « The Myth of the "First Great Debate" », Review of International Studies, *24 (5), décembre 1998, p. 1-15, ainsi que L. Ashworth, « Did the Realist-Idealist Great Debate Really Happen ? A Revisionist History of International Relations »,* International Relations, *16 (1), avril 2002, p. 33-51, le premier débat inter-paradigmatique consiste davantage en une succession dans le temps de deux paradigmes, l'idéalisme d'abord, le réalisme ensuite, plutôt qu'en la cohabitation de deux paradigmes concurrents existant de façon simultanée et débattant entre eux, d'autant plus que l'idéalisme de l'entre-deux-guerres était davantage contesté par des visions socialistes en Grande-Bretagne et isolationnistes aux États-Unis que par des critiques réalistes.*

21. Connoté péjorativement depuis la critique réaliste, le terme d'idéalisme était parfaitement assumé pendant les trente-quarante premières années du XXe siècle, comme le prouve son utilisation par le quotidien britannique The Times, *pourtant adversaire déclaré du wilsonisme : « Nous sommes tous idéalistes de nos jours en matière internationale, et nous comptons sur Wilson pour nous aider à réaliser ces idéaux et à reconstruire un monde meilleur. » Citation dans G. J. Ikenberry,* After Victory. Institutions, Strategic Restraint and the Rebuilding of Order after Major Wars, *Princeton (N. J.), Princeton University Press, 2001, p. 157.*

tout ce qu'il y a de plus réalistes – au sens commun de ce terme – pour ce qui est de leur analyse de l'état des relations internationales[22]. Pour preuve, c'est l'un des leurs, l'Anglais G. Lowes Dickinson, qui est le premier à employer le terme d'anarchie au sens de la théorie moderne des relations internationales, qui plus est dans une conception hobbesienne d'état de guerre : « Dans la grande et tragique histoire de l'Europe, il y a un tournant à l'origine de la fin de l'idéal d'un ordre mondial et de l'acceptation définitive de l'état d'anarchie. Ce tournant est l'émergence de l'État souverain à la fin du XVe siècle. [...] La guerre internationale est un affrontement entre des États indépendants et armés, conséquence de l'anarchie internationale[23]. »

Quoi qu'il en soit, comment expliquer le succès du paradigme réaliste ? D'après la vision traditionnelle de la croissance

---

22. Voir à ce sujet B. Schmidt, « Anarchy, World Politics and the Birth of A Discipline. American International Relations, Pluralist Theory and the Myth of Interwar Idealism », International Relations, *16 (1), avril 2002, p. 9-31, ainsi que C. Thies, « Progress, History and Identity in International Relations Theory. The Case of the Idealist-Realist Debate »,* European Journal of International Relations, *8 (2), juin 2002, p. 147-185.*

23. G. Lowes Dickinson, The European Anarchy, op. cit., *p. 13 ; et* The International Anarchy, op. cit., *p. 3. Dickinson est qualifié d'idéaliste hobbesien par D. Long, dans sa conclusion à D. Long et P. Wilson (eds),* Thinkers of the Twenty Years' Crisis. Interwar Idealism Reassessed, *Oxford, Clarendon, 1995, p. 302-328 : il est vrai que dans* The International Anarchy, op. cit., *p. 14, il va jusqu'à endosser la description réaliste de la politique internationale existante en écrivant qu'en état d'anarchie, où chaque État « s'efforce d'acquérir la suprématie pour des raisons de sécurité et de domination, les autres s'uniront contre lui, avec pour conséquence une histoire articulée autour des deux pôles de l'empire et de l'équilibre des puissances ».*

scientifique, celle exposée par Thomas Kuhn, qui est à l'origine de la notion de paradigme, défini comme ensemble de convictions partagées par les membres d'une discipline scientifique au sujet des « problèmes et méthodes légitimes d'un domaine de recherche[24] », l'accumulation de la connaissance scientifique passe par une succession de phases : il y a tout d'abord une phase de science normale, au cours de laquelle l'ensemble des chercheurs travaillent à l'intérieur d'un paradigme et concluent à un certain nombre de lois générales explicatives des phénomènes qu'il s'agit étudier ; puis, lorsque ces lois sont réfutées par la réalité, c'est-à-dire lorsqu'apparaissent des « anomalies » que la science normale ne peut expliquer, les hypothèses sur la base desquelles ont été élaborées les explications causales sont soumises à révision : c'est la phase de la révolution scientifique ; enfin, lorsque les nouvelles hypothèses sont testées avec succès, c'est-à-dire corroborées lors de leur confrontation à la réalité, alors on passe à une nouvelle phase de science normale, qui voit le nouveau paradigme remplacer définitivement l'ancien, en attendant d'être à son tour démenti par la réalité, etc.

Dans cette perspective, le réalisme se serait substitué au libéralisme international à cause de sa valeur heuristique, explicative, supérieure, capable de rendre compte des faits qui avaient réfuté le libéralisme international ou, en tout cas, capable de mieux expliquer plus de phénomènes que le libéralisme international[25].

---

24. T. Kuhn, La Structure des révolutions scientifiques *(1970), Paris, Flammarion, 1982 [2e éd.], p. 29.*

25. Pour Kuhn comme pour l'ensemble des épistémologues, les mérites d'une théorie se mesurent non pas de façon absolue, c'est-à-dire par rapport à la réalité qu'elle se propose d'expliquer (ou de comprendre), mais de façon relative, c'est-à-dire par rapport aux mérites des théories concurrentes. Exprimé autrement, il ne suffit pas qu'une théorie soit démentie par certains faits pour qu'elle soit abandonnée ; encore faut-il qu'une autre

Cette explication a sa part de vérité. Il ne fait aucun doute que l'idéalisme a été démenti par l'évolution des relations internationales pendant l'entre-deux-guerres : l'échec du système de sécurité collective de la Société des Nations a montré les limites de la capacité du droit international à régler les rapports de force ; l'incapacité des démocraties à contenir l'expansionnisme des dictatures a révélé le caractère utopique de la croyance en la possibilité d'un dépassement de la vieille diplomatie par une diplomatie transparente faisant appel au pacifisme des opinions publiques éclairées grâce à l'éducation internationaliste à laquelle se devaient de procéder les universitaires ; le protectionnisme auquel ont recouru toutes les nations au moment de la crise de 1929 a mis en échec l'affirmation de l'existence d'un intérêt commun au-delà des intérêts nationaux. Davantage, l'immédiat après-guerre semble donner raison aux postulats réalistes : la seconde guerre mondiale est à peine terminée que déjà s'annonce à l'horizon la guerre froide : or, cette guerre froide ne prouve-t-elle pas que la politique internationale est par définition politique de puissance ? que les guerres du passé ne s'expliquaient pas par les intérêts mesquins de dictateurs d'un autre âge ?

Pourtant, cette explication est insuffisante. Non seulement parce que « l'idéalisme », apparemment enterré, connaîtra un renouveau, sous des formes nouvelles, deux générations plus tard (cf. chap. 5)[26], et que donc on ne peut guère prétendre qu'il a été

---

théorie permette de mieux rendre compte de ces faits (tout en expliquant par ailleurs les faits qui, eux, ne démentent pas la théorie précédente). Bref, une bonne théorie est une théorie qui explique, moins mal que d'autres théories, plus de faits.

26. *C. Kegley, « The Neo-Idealist Moment in International Studies ? Realist Myths and the New International Realities »,* International Studies Quarterly, *37 (2), juin 1993, p. 131-146.*

définitivement démenti par la réalité[27] ; mais aussi parce que cette explication attribue la croissance scientifique en théorie des relations internationales aux seuls facteurs endogènes, au contexte de la validité autrement dit, c'est-à-dire la conformité ou non d'une théorie à la réalité empirique des relations internationales, oubliant ce faisant que joue également un rôle le contexte de la découverte, c'est-à-dire les facteurs exogènes, à commencer par les relations qu'entretient la théorie avec la pratique[28].

Ces relations sont marquées par l'avènement des États-Unis comme première puissance dans l'après-seconde guerre mondiale ; or, c'est aux États-Unis que le réalisme triomphe dans un premier temps, avant de s'épanouir dans le champ scientifique des Relations internationales dans son ensemble. S'impose alors le constat dressé par Stanley Hoffmann : le succès du réalisme « ne saurait être séparé du rôle des États-Unis dans les affaires mondiales[29] ». Jusqu'à la veille de la seconde guerre mondiale, la philosophie internationale réaliste n'avait fait que de brèves apparitions dans la pensée politique américaine : ainsi, lors de la création des États-Unis, lorsque les Fédéralistes et Monroe recourent à des arguments

---

27. Cela pose la question de l'applicabilité aux sciences sociales du schéma de Kuhn, imaginé pour les sciences dures et, d'après Kuhn lui-même, inapplicable aux sciences sociales, et donc en Relations internationales : selon lui, celles-ci en étaient encore au stade pré-paradigmatique et n'étaient guère susceptibles de devenir des sciences matures, ou normales. Pour une telle application, voir A. Lijphart, « The Structure of the Theoretical Revolution in International Relations », International Studies Quarterly, *18 (1), mars 1974, p. 41-74.*

28. Le couple conceptuel contexte de la validité/contexte de la découverte renvoie à l'épistémologie de K. Popper, Conjectures et réfutations, op. cit. *Il est utile de préciser que Popper refusait de prendre en compte le contexte de la découverte.*

29. S. Hoffmann, « An American Social Science. International Relations », art. cité.

réalistes pour justifier le retrait américain de la scène mondiale au nom d'un intérêt national perçu comme se limitant au seul hémisphère occidental ; de même, lors de la politique du *Big Stick* de Theodore Roosevelt, quand les États-Unis, leur domination assurée sur le continent américain, voient leurs intérêts déborder le cadre strictement interaméricain, et commencent à s'intéresser aux Caraïbes et au Pacifique. Mais tout au long du XIXe siècle, ainsi que pendant l'entre-deux-guerres, au moment du refus de ratifier le traité de Versailles instaurant la Société des Nations, c'est un discours moraliste, inspiré de Jefferson et de la doctrine de l'exceptionalisme américain, qui justifie le repli sur soi isolationniste de Washington. Comment alors expliquer à l'opinion américaine, imbue de son isolationnisme vertueux et désireuse de ramener *the boys back home*, le bien-fondé du nouvel interventionnisme planétaire choisi par les décideurs américains à la sortie de la seconde guerre mondiale, Pearl Harbour et menace soviétique obligent ? C'est le réalisme qui s'en charge : en affirmant la nature intrinsèquement conflictuelle d'une politique internationale en soi politique de puissance, en rappelant que l'échec de la Société des Nations prouve que la nouvelle ONU ne saurait garantir la sécurité des États-Unis, le réalisme fournit une raison d'être intellectuelle à la politique d'endiguement américain.

Exprimé autrement, le succès du paradigme réaliste au début de la guerre froide renvoie certes à sa plus grande pertinence heuristique eu égard aux réalités de l'époque ; mais il s'explique aussi par le fait qu'il fournit aux diplomates américains d'après-guerre « un cadre de référence et les catégories [...] leur permettant d'évaluer le monde extérieur et les problèmes politiques prédominants[30] ». C'était

30. *R. Rothstein, « On The Costs of Realism »,* Political Science Quarterly, *87 (3), septembre 1972, p. 347-362.*

d'ailleurs déjà le cas de l'idéalisme de l'entre-deux-guerres, comme l'avait montré Carr, notant que l'affirmation de l'existence d'une harmonie naturelle des intérêts entre nations ne faisait jamais qu'exprimer le désir de Londres (sinon de Paris...) de voir se maintenir le *statu quo* favorable à ses propres intérêts nationaux : « De même que la classe dominante à l'intérieur d'une société dénonce la lutte des classes et prie pour le maintien de la paix intérieure, qui lui assure sa propre sécurité et prédominance ; de même la paix internationale devient-elle un intérêt propre des puissances dominantes. [...] Il existe certes un intérêt commun objectif en le maintien de l'ordre international, mais dès que l'on applique ce principe abstrait à une situation politique concrète, il se révèle être le déguisement transparent d'intérêts nationaux égoïstes très particuliers[31]. »

Bref, les Relations internationales participent du contexte politique qui est le leur : sans aller jusqu'à paraphraser Marx en disant qu'une théorie dominante en Relations internationales n'est jamais que la théorie de l'acteur dominant de ces relations internationales, l'audience d'une approche est fonction tout autant de son

---

31. *E. H. Carr,* The Twenty Years' Crisis, op. cit., *p. 76 et 80. Il est vrai que, lorsqu'on lit* The Great Illusion *qui, pour avoir été rédigé à la veille de 1914, n'en est pas moins symptomatique de l'internationalisme libéral de l'entre-deux-guerres, on ne peut qu'être frappé par les liens étroits existant entre analyse théorique et intérêts politiques : n'hésitant pas à voir dans les interventions armées menées par les Britanniques dans leur empire de « type industriel » de simples « opérations de police » comparables aux interventions effectuées par la police de Londres à Birmingham en vue d'y ramener l'ordre public pour permettre aux citoyens de la capitale d'y mener leurs affaires en sécurité, Angell va jusqu'à affirmer que la pensée anglaise, après avoir donné au monde la science économique, se doit maintenant de lui faire cadeau de la science de la politique internationale, celle qui concerne « les relations politiques entre groupes humains » (N. Angell,* The Great Illusion, op. cit., *p. 361).*

adéquation momentanée à un rapport de force donné que de son degré de validité empirique[32]. Ce rapport de force ne concerne d'ailleurs pas les seules relations politiques, mais également les rapports entre chercheurs eux-mêmes.

Les auteurs américains qui, au début de la guerre froide, accaparent le monopole de l'analyse légitime en théorie internationale, sont en effet, pour la plupart d'entre eux, des émigrés européens, et plus précisément des juifs d'Allemagne et d'Europe centrale dont les familles ont fui les persécutions dont elles faisaient l'objet. Désireux, à l'image en quelque sorte... des idéalistes après la première guerre mondiale, de contribuer à éviter que ne se reproduisent les erreurs ayant favorisé la seconde guerre mondiale, ils cherchent souvent et obtiennent volontiers le statut de conseillers du Prince, vu le flux incessant de va-et-vient qui caractérise les relations entre le pôle universitaire et le pôle politique aux États-Unis. Caractérisés par leur détermination à rechercher les lois du comportement étatique grâce à ce qu'ils estiment être une méthode objective combinant formulation d'hypothèses théoriques, investigation empirique, et soumission des régularités constatées à l'épreuve de faits ; persuadés de pouvoir expliquer ce comportement par un concept simple, celui d'intérêt national défini en termes de puissance ; guidés par leur volonté de créer une nouvelle discipline indépendante des sciences sociales, du droit, de l'économie et de l'éthique,

---

32. Ce qui est vrai pour l'internationalisme libéral de l'entre-deux-guerres ou pour le réalisme pendant la première phase de la guerre froide est valable pour l'ensemble des théories : le succès du néomarxisme (cf. chap. 7) dans les années 1960 et 1970 n'est pas sans rapport avec le mouvement des non-alignés et le Groupe des 77, l'attrait exercé dans les années 1990 par la théorie de la paix démocratique (cf. chap. 15) a un lien avec la troisième vague de démocratisation, etc.

ils rencontrent un terrain favorable auprès de décideurs convaincus que tous les problèmes de société sont susceptibles d'être résolus grâce à une méthode scientifique qui, après tout, a apporté ses preuves dans le domaine des sciences exactes, comme vient de le démontrer la mise au point de l'arme nucléaire.

Reste que cet engouement que connaissent les États-Unis pour la connaissance scientifique, s'il est l'une des causes du succès du réalisme, est également à l'origine des critiques auxquelles celui-ci va être rapidement soumis : quiconque en effet compare la discipline Relations internationales dans l'immédiat après-seconde guerre mondiale à la science économique, ou à la psychologie sociale, ne peut s'empêcher de constater les multiples attaches qui continuent de lier le réalisme de Morgenthau à l'histoire diplomatique et à la philosophie classique, malgré les six principes du réalisme qu'il avait posés comme autant de postulats de la « science de la politique internationale[33] » qu'il comptait fonder. Si, dans un premier temps, cette conception d'une théorisation autonome des Relations internationales menée sur fond d'approches philosophique et historique parvient à s'installer, grâce aussi au soutien institutionnel de la Fondation Rockefeller qui, en 1954, organise une conférence réunissant la fine fleur des réalistes d'origine allemande en vue de les fédérer autour de cette approche[34], il n'en va plus de même dans un second temps lorsque, au nom de l'unité de la méthode

---

33. *Tel est le titre du deuxième chapitre de* Politics Among Nations.

34. *Sur le rôle essentiel de cette conférence, voir N. Guilhot (ed.),* The Invention of International Relations Theory. Realism, the Rockefeller Foundation and the 1954 Conference on Theory, *New York (N. Y.), Columbia University Press, 2011. Cet ouvrage reproduit les minutes des débats de cette conférence réunissant, notamment, R. Niebuhr, H. Morgenthau, A. Wolfers, K. Thompson, W. Lippmann, W. Fox, D. Rusk, P. Nitze, ainsi*

scientifique[35], la révolution behaviouraliste dont les sciences sociales américaines font l'objet vient souligner moins le besoin d'une discipline autonome des Relations internationales que sa rupture avec les pré-notions métaphysiques[36]. Le deuxième débat interparadigmatique[37] opposera alors, durant les années 1950-1960, partisans de l'approche classique, ou traditionnelle, et partisans de la méthode formelle, ou quantitative[38].

---

que, dans le rôle de rapporteur prenant des notes, le jeune K. Waltz. Dans son introduction, N. Guilhot rappelle qu'à l'époque 64 professeurs de science politique aux États-Unis étaient des immigrés allemands ; il note que cette conférence a profité de l'échec – provisoire au vu de l'évolution ultérieure et, surtout, contemporaine (cf. chap. 17) – d'un autre comité, créé dès 1948 par F. Dunn dans le cadre du Social Science Research Council, et désireux de rattacher les Relations internationales aux sciences sociales américaines d'obédience pluraliste pour ce qui est de leur ontologie et positiviste pour ce qui est de leur épistémologie, c'est-à-dire behaviouraliste avant la lettre.

35. Voir E. Nagel, The Structure of Science, *New York (N. Y.), Harcourt Brace, 1961.*

36. Pour une bonne présentation en français du rôle du behaviouralisme en Relations internationales, voir D. Singer, « Vers une science de la politique internationale : perspectives, promesses, et résultats », dans B. Korany (dir.), Analyse des relations internationales. Approches, concepts et données, *Montréal, G. Morin, 1987, p. 267-294.*

37. Des extraits des plaidoyers en faveur de l'approche traditionnelle par H. Bull, « Théorie des relations internationales. Plaidoyer pour l'approche classique », et en faveur de l'approche behaviouraliste par M. Kaplan, « Le nouveau grand débat. Traditionnalisme contre science en relations internationales », sont publiés dans P. Braillard, Théories des relations internationales, op. cit., *p. 31-48 et 48-67.*

38. Précisons que le débat opposant behaviouralistes et traditionalistes, débat méthodologique, ne recoupe pas l'opposition entre théorie explicative et théorie compréhensive (cf. chap. 1), qui est une opposition d'ordre épistémologique : si tout behaviouraliste est adepte de la conception explicative de la théorie (Kaplan par exemple), tout partisan de la conception explicative

Persuadés, comme le dit avec ironie William Fox, qu'ils « se sentiraient un peu moins inférieurs s'ils avaient à leur disposition un nombre de propositions aussi peu compréhensibles à leurs collègues (des autres sciences) que celles de ces derniers le sont pour eux-mêmes[39] », les behaviouralistes sont convaincus que « les mêmes méthodes qui ont permis de dévoiler les mystères de la structure atomique peuvent révéler la dynamique du comportement sociétal[40] ». Rejetant l'ambition traditionnelle des grandes théories au profit de la minutie de la vérification empirique et de la conceptualisation dite opératoire des théories à moyenne portée (*middle-range theories* selon l'expression de Robert Merton) fondées sur la collection et l'accumulation de données observables[41], ils se proposent de remplacer les affirmations « intuitives » des classiques ainsi que leur utilisation « anecdotique » de l'histoire par des raisonnements et concepts rigoureux et systématiques, et favorisent la formalisation et la quantification que facilite l'invention de l'ordinateur. Dans l'espoir d'aboutir à des connaissances cumulatives susceptibles tout à la fois d'expliquer le passé, de prévoir le futur et de

---

de la théorie n'est pas nécessairement behaviouraliste (Wolfers par exemple), alors qu'il peut y avoir des traditionalistes partisans de la conception compréhensive de la théorie (Aron par exemple) ou de la conception explicative (Morgenthau par exemple).

39. W. Fox, The American Study of International Relations, *Columbia (S. C.), University of South Carolina Press, 1967, p. 82.*

40. J. Rosenau, The Scientific Study of Foreign Policy, *Londres, F. Pinter, 1980, p. VII.*

41. M. Kurki et C. Wight, « International Relations and Social Science », dans T. Dunne, M. Kurki et S. Smith (eds), International Relations Theories, op. cit., *p. 17-18, rappellent la devise behaviouraliste inscrite sur le fronton du* Social Science Research Building *de l'Université de Chicago : «* If you cannot measure it, your knowledge is meagre and unsatisfactory. *»*

guider l'action politique, ils se fixent pour objectif de déceler les lois de comportement[42] des acteurs, à commencer par le comportement des individus auxquels se réduisent *in fine* les acteurs collectifs, et notamment l'État qui « n'existe pas indépendamment des personnes qui l'habitent[43] » ; comme ce comportement est lui-même explicable par des facteurs divers, ils pratiquent une recherche interdisciplinaire, ouvrant les Relations internationales aux statistiques, aux sciences économiques, à la théorie des jeux, à la théorie des communications, à la sociologie systémique de Parsons, etc.

Introduit en Relations internationales par le projet *Decision-Making as an Approach to the Study of International Politics*, de Richard Snyder et de ses collègues[44], le behaviouralisme provoque l'afflux dans la discipline de nombreux non-internationalistes – Kenneth Boulding est économiste, Hermann Kahn physicien, Anatol Rapoport biologiste, Albert Wohlstetter mathématicien, etc. – et surtout est à l'origine de plusieurs publications qui feront date : si certaines se contentent de mettre de la rigueur dans des problématiques essentiellement réalistes, rigueur conceptuelle dans *System and Process in International Politics* de Morton Kaplan[45], et quantitative dans le projet *Correlates of War* de David Singer et Melvin Small[46] ; si d'autres restent dans l'ensemble fidèles aux

---

42. *D'où le terme de « behaviouralisme », du verbe* to behave, *se comporter.*

43. *H. Eulau,* The Behavioural Persuasion in Politics, *New York (N. Y.), Random House, 1963, p. 15.*

44. *R. Snyder, H. Bruck et B. Sapin,* Foreign Policy Decision-Making. An Approach to the Study of International Politics *(1954), New York (N. Y.), The Free Press, 1962.*

45. *M. Kaplan,* System and Process in International Politics, *New York (N. Y.), Wiley, 1957.*

46. *M. Small et D. Singer,* Resort to Arms. International and Civil Wars 1816-1980, *Londres, Sage, 1982.*

postulats réalistes substantiels, comme c'est le cas de l'ouvrage *The Strategy of Conflict* dû à Thomas Schelling[47], sinon de *Pre-Theories and Theories of Foreign Policy* de James Rosenau[48] ; d'autres encore combinent innovation méthodologique et dissidence substantielle, comme c'est le cas de l'approche cybernétique que Karl Deutsch met au service de sa notion de communauté de sécurité dans *Political Community and the North Atlantic Area*[49], ainsi que de l'approche transnationaliste amorcée par John Burton dans *World Society*[50].

Dans l'ensemble cependant, et même si l'empreinte qu'a laissée la révolution behaviouraliste inclut plusieurs des objectifs proclamés, « tels que l'usage d'approches interdisciplinaires ;

---

47. *T. Schelling,* Stratégie du conflit *(1960), Paris, PUF, 1986.*

48. *J. Rosenau, « Pre-Theories and Theories of Foreign Policy », dans R. Farell (ed.),* Approaches to Comparative and International Politics, *Evanston (Ill.), Northwestern University Press, 1966, p. 27-92.*

49. *K. Deutsch* et al., Political Community and the North Atlantic Area, *Princeton (N. J.), Princeton University Press, 1957.*

50. *J. Burton,* World Society, *Cambridge, Cambridge University Press, 1972. Pour une analyse voyant dans le behaviouralisme un simple débat méthodologique, ne remettant pas en cause le réalisme, voir notamment J. Vasquez,* The Power of Power Politics, *Cambridge, Cambridge University Press, 1998 [2e éd.], qui parle de la « révolte behaviouraliste » (p. 39) pour désigner le fait que les behaviouralistes d'après lui étaitent des révoltés plutôt que des révolutionnaires désireux de rompre avec la substance du réalisme dominant. Pour une opinion contraire, voir A. Lijphart, « The Structure of the Theoretical Revolution in International Relations », art. cité. Pour une analyse affirmant la compatibilité et la complémentarité entre méthodes behaviouralistes et traditionnalistes, voir S. Curtis et M. Koivisto, « Towards a Second "Second Debate" ? Rethinking the Relationship between Science and History in International Relations »,* International Relations, *24 (4), 2010, p. 435-455.*

l'exploration de nouvelles unités d'analyses comme le système, la décision, la perception ; la création de nouveaux sous-champs de recherche comme l'analyse de la politique étrangère ; et l'accumulation de stocks de données comparables et utilisables[51] », le behaviouralisme n'a pas mis fin à la méthode traditionnelle qui, partant de l'hypothèse qu'on ne peut dire que très peu de choses importantes au sujet des relations internationales si on se limite à d'étroits critères de vérification empirique et de preuve logique, revendique une démarche théorique « dérivant de la philosophie, de l'histoire et du droit[52] », et accordant une confiance explicite au jugement et au discernement subjectifs, à l'intuition et à la perception scientifiquement imparfaites. Davantage, non seulement les traditionalistes tels que les membres de l'École anglaise en Grande-Bretagne ou Raymond Aron en France[53], ainsi que Stanley Hoffmann - il est vrai élève d'Aron - aux États-Unis, sont parvenus à faire entendre leur voix dissidente tout au long de cette révolution behaviouraliste[54], mais la plupart des behaviouralistes eux-mêmes ont fini par reconnaître qu'il est illusoire de vouloir se contenter de

---

51. M. Banks, « The Evolution of International Relations Theory », dans M. Banks (ed.), Conflict in World Society, *Brighton, Wheatsheaf, 1984, p. 3-21.*

52. H. Bull, « Théorie des relations internationales. Plaidoyer pour l'approche classique », art. cité.

53. L'École anglaise et R. Aron partagent la même épistémologie interprétative : de même que pour R. Aron, « Qu'est-ce qu'une théorie des relations internationales ? », art. cité, « toute étude concrète des relations internationales est une étude sociologique », de même pour M. Wight, « Western Values in International Relations », dans H. Butterfield et M. Wight (eds), Diplomatic Investigations, op. cit., *p. 89-131, « la société internationale n'est décrite de façon appropriée qu'en termes historiques et sociologiques ».*

54. Précisons, si besoin était, que des dissidents par rapport aux paradigmes momentanément prédominants ont existé tout

réunir rien que des données objectives, étant donné que « les sciences sociales respirent la politique et l'éthique[55] ». En quelque sorte, tout un chacun s'est rendu compte que « l'empirisme a ses limites et que la vision d'une science sociale authentiquement positive de la politique mondiale ne pouvait jamais être atteinte[56] » : la virulence qui a caractérisé le deuxième débat inter-paradigmatique tout au long des années 1960 a ainsi fini par s'estomper au cours des années 1970[57], avec pour conséquence une cohabitation

---

au long de la discipline : ainsi, les géopoliticiens proto-réalistes ont publié en pleine euphorie libérale pendant l'entre-deux-guerres ; des quantitativistes ont existé bien avant la révolution behaviouraliste, à l'image de L. Richardson et de Q. Wright, etc.

55. *M. Nicholson,* The Scientific Analysis of Social Behaviour. A Defence of Empiricism in Social Sciences, *Londres, F. Pinter, 1983, p. 235.*

56. *M. Banks, « The Evolution of International Relations Theory », art. cité.*

57. *À l'intérieur des approches d'inspiration behaviouraliste, il faut faire une distinction entre approches quantitatives et approches formelles. La méthode quantitative relève en effet, comme la méthode qualitative, des sciences de l'empirie que sont à la fois les sciences naturelles et les sciences sociales portant sur le monde réel ; à l'inverse, la méthode formelle renvoie aux sciences non empiriques telles que les mathématiques ou la logique. De nos jours, la méthode quantitative est omniprésente en Relations internationales, et elle est acceptée comme méthode complémentaire par la majorité des internationalistes y compris qualitativistes – voir G. King, R. Keohane et S. Verba,* Designing Social Inquiry : Scientific Inference in Qualitative Research, *Princeton (N. J.), Princeton University Press, 1994. La méthode formelle reste minoritaire, mais elle bénéficie de nos jours d'une nouvelle vague autrement puissante que celle des Schelling et autres théoriciens des jeux, au point de postuler dans la discipline telle que pratiquée dans les universités américaines à la même place que celle occupée par l'économétrie en sciences économiques. Voir à ce sujet la diatribe contre l'utilisation de la théorie formelle dans les études de sécurité lancée par S. Walt,* « Rigor *or* Rigor Mortis ? *Rational Choice and Security Studies »,*

paisible entre partisans de la méthode traditionnelle et adeptes des méthodes quantitatives et formelles[58].

Dans cet apaisement a également joué un rôle l'évolution du contexte politique mondial, qui a rappelé aux chercheurs l'importance des questions substantielles par rapport aux seules questions méthodologiques. Que constatent en effet les observateurs des relations internationales à partir de la fin des années 1960 ? Que plusieurs postulats du paradigme réaliste sont mis en échec. Tout d'abord, les États-Unis sont empêtrés dans la guerre du Vietnam : or, entre eux, les réalistes ne sont pas d'accord quant à la raison

---

International Security Studies, *23 (4), printemps 1999, p. 5-48, et le débat qui s'en est suivi, repris dans M. Brown (ed.),* Rational Choice and Security Studies. S. Walt and his Critics, *Cambridge (Mass.), MIT Press, 2000.*

58. On peut avoir une idée de cette cohabitation en feuilletant les revues de relations internationales : certaines publient majoritairement sinon exclusivement des articles d'inspiration behaviouraliste, comme International Studies Quarterly *ou* Journal of Conflict Resolution *; d'autres privilégient les auteurs fidèles à la méthode traditionnelle, comme* Review of International Studies, European Journal of International Relations, Millennium, International Theory, International Security ou Security Studies *; d'autres encore acceptent les deux, comme* International Organization, World Politics, Journal of Peace Research *ou* American Political Science Review. *Pour une étude de la production des principales revues, du point de vue de leur orientation à la fois paradigmatique et méthodologique, voir K. Goldmann, « Im Westen nichts Neues. Seven International Relations Journals in 1972 and 1992 »,* European Journal of International Relations, *1 (2), juin 1995, p. 245-258 ; M. Breuning, J. Bredehoft et E. Walton, « Promise and Performance : An Evaluation of Journals in International Relations »,* International Studies Perspectives, *6 (4), novembre 2005, p. 447-461 ; et, surtout, l'enquête exhaustive de D. Maliniak, A. Oakes, S. Peterson et M. Tierney, « International Relations in the US Academy »,* International Studies Quarterly, *55 (2), juin 2011, p. 437-464, qui porte sur les années 1980-2008, et sur laquelle nous reviendrons en détail dans le chapitre 17.*

d'être de cet engagement, conforme d'après Henry Kissinger à l'intérêt national américain et tout au contraire opposé à ce même intérêt national d'après Morgenthau. Que devient d'ailleurs le rôle du facteur militaire, critère ultime de la puissance chez les réalistes, si une superpuissance comme les États-Unis ne réussit pas à s'imposer à un adversaire incommensurablement inférieur qu'est la guérilla communiste vietnamienne ? Ensuite, la croissance économique des pays européens et du Japon amène le président Nixon à déclarer l'inconvertibilité-or du dollar et à mettre un terme au système des taux de change fixes de Bretton Woods : comment un tel fait peut-il être compatible avec une théorie qui prétend que l'économie ne joue qu'un rôle secondaire dans les relations internationales ? Enfin, au Chili, le gouvernement Allende renversé par un coup d'État militaire dans lequel ont joué un rôle clef à la fois la CIA et la multinationale ITT souligne l'importance des acteurs non étatiques et l'étroite imbrication entre politique interne et politique externe, ce qui là encore dément le postulat de l'État unitaire acteur exclusif des relations internationales.

Bref, plusieurs anomalies apparaissent, au sens de Kuhn, et elles sont considérées par certains auteurs comme autant de preuves de l'incapacité du réalisme à « produire des explications de la politique internationale susceptibles de subir avec succès le test empirique[59] ». Ces auteurs relèvent essentiellement de deux approches, l'approche transnationale, également appelée pluraliste, d'une part, autour de Robert Keohane et Joseph Nye ainsi que de John Burton ; les approches marxisantes de l'autre, également qualifiées de structuralistes, autour de l'École de la *Dependencia* et de celle de la *Peace Research*, en attendant Immanuel Wallerstein. Conséquence :

---

59. *J. Vasquez,* The Power of Power Politics, *op. cit., p. 212.*

entre réalistes stato-centrés d'un côté, transnationalistes et marxistes non stato-centrés de l'autre, s'engage dans les années 1970 ce qui est généralement considéré comme le troisième débat de la discipline[60].

Ce troisième débat fait s'affronter entre elles des conceptions différentes quant à l'objet d'étude des relations internationales : alors que, pour les réalistes, les Relations internationales se résument à l'analyse des relations politiques entre États, les transnationalistes élargissent les Relations internationales à l'ensemble des interactions transfrontalières, qu'elles soient l'œuvre d'acteurs étatiques ou non, et quel que soit le domaine – politique ou autre – concerné, tandis que les marxistes privilégient quant à eux les rapports entre classes qu'ils estiment sous-tendre les relations entre États. Exprimé autrement, les approches transnationaliste et marxiste nient moins la pertinence du réalisme qu'elles ne posent de nouvelles questions, telles que « Qui sont les principaux acteurs ? Quels sont les principaux enjeux ? Quels sont les principaux processus ? Quels sont les principaux résultats ?[61] » Conséquence : une coexistence pacifique triangulaire[62] entre trois approches plus

---

60. *En fait, la dénomination change selon les auteurs : si R. Maghroori et B. Ramberg, M. Banks, H. Alker et T. Biersteker ainsi que K. Holsti qualifient de troisième débat le débat entre réalistes, transnationalistes et marxistes, d'autres, tels que Y. Lapid, qualifient de troisième débat la controverse née du défi lancé par les post-positivistes aux positivistes. Nous adoptons ici la position de O. Waever, qui voit dans ce dernier débat le quatrième débat de la discipline, même si la position de Y. Lapid semble s'imposer de plus en plus parmi les internationalistes.*

61. *S. Smith, « The Self-Images of a Discipline. A Genealogy of International Relations Theory », dans K. Booth et S. Smith (eds),* International Relations Theory Today, op. cit., *p. 1-37.*

62. *La combinaison de critères substantiels et méthodologiques amène H. Alker et T. Biersteker à affirmer l'existence*

complémentaires que véritablement concurrentes les unes des autres, un « débat inter-paradigmatique[63] » entre trois courants qui analysent non pas les mêmes relations internationales, mais qui soulignent l'existence de relations internationales différentes, et qui « reconnaissent que chacun contient sa propre vérité[64] ».

Si, dans une certaine mesure, cette coexistence est synonyme d'enrichissement, vu que la discipline s'ouvre à de nouveaux horizons, elle entraîne également une perte de la cohésion qui caractérisait depuis les débuts les Relations internationales autour de leur « raison d'être » qu'était l'étude des « causes de la guerre[65] » entre entités étatiques : pour les transnationalistes et les marxistes, tout autant que les behaviouralistes sceptiques à l'égard du postulat de la radicale spécificité des relations internationales au sein des relations sociales en général, cette problématique n'est qu'une problématique parmi d'autres, voire moins importante que d'autres, car la problématique centrale des transnationalistes a trait aux conditions d'émergence d'une société globale (cf. chap. 6), alors que celle des marxistes est relative à l'inégalité à l'échelle mondiale (cf. chap. 7). Autrement dit, les parties prenantes à ce troisième débat ne cherchent pas à expliquer « le même monde », tant elles

---

d'un débat mettant aux prises les paradigmes traditionnel (réaliste-idéaliste), behaviouraliste (néoréaliste-néolibéral) et dialectique (radical-marxiste).

63. *M. Banks, « The Inter-Paradigm Debate », dans M. Light et A. J.R. Groom (eds),* International Relations. A Handbook of Current Theory, *Londres, F. Pinter, 1985, p. 7-26.*

64. *O. Waever, « The Rise and Fall of The Inter-Paradigm Debate », dans S. Smith, K. Booth et M. Zalewski (eds),* International Theory. Positivism and Beyond, *Cambridge, Cambridge University Press, 1996, p. 149-185.*

65. *K. Holsti,* The Dividing Discipline. Hegemony and Diversity in International Theory, *Londres, Allen and Unwin, 1985, p. 7.*

se concentrent sur « différentes dimensions des relations internationales[66] » : la guerre froide pour ce qui est du réalisme, les relations économiques entre principales économies capitalistes pour ce qui est des transnationalistes, les divisions entre *haves* et *have-nots* pour ce qui est des marxistes.

Reste que les trois côtés de ce triangle deviennent rapidement asymétriques, à supposer qu'ils aient jamais été de longueur égale. Dès le début des années 1980 en effet, *Theory of International Politics* de Kenneth Waltz inaugure la contre-attaque néoréaliste qui redonne au réalisme l'hégémonie momentanément entamée, aidé en cela par le retour de la guerre froide qu'engendre la lutte de Reagan contre « l'empire du mal » soviétique. L'appel du néoréalisme n'est pas sans exercer un attrait irrésistible sur Keohane et Nye : publié en 1977[67], leur *Power and Interdependence* relègue aux oubliettes les audaces transnationales potentiellement contenues dans *Transnational Relations and World Politics*, au moins jusqu'à la fin de la guerre froide et les travaux de James Rosenau notamment (cf. chap. 6), avec pour conséquence de ce retour au stato-centrisme le débat néoréaliste-néolibéral qui, tout au long des années 1980, dominera la discipline aux États-Unis et ailleurs. Comme en même temps les approches marxistes connaissent une perte de crédibilité qui ira *crescendo* jusqu'à la chute du mur de Berlin, la discipline retrouve, un demi-siècle plus tard, les deux protagonistes qu'elle avait vus face-à-face lors de sa naissance : le

66. S. Smith, « Introduction », dans T. Dunne, M. Kurki et S. Smith (eds), International Relations Theories, op. cit., *p. 4.*

67. Le livre de Keohane et Nye est antérieur à celui de K. Waltz, mais dès 1975, Waltz avait fait paraître les prémices de sa théorie dans « Theory of International Relations », dans F. Greenstein et N. Polsby (eds), Handbook of Political Science, *Reading, Addison-Wesley, 1975.*

réalisme et le libéralisme[68], revisités dans leurs versions *néo* du fait de leur penchant commun pour les postulats ontologiques du *rational choice.*

C'est peut-être ce consensus « néo-néo » qui explique que la discipline des Relations internationales ait été incapable de prévoir la fin de la guerre froide : enfermés dans leur science normale, sinon normalisée, les néolibéraux et les néoréalistes ont été incapables de saisir l'évolution interne de l'Union soviétique et des démocraties populaires, parce que cette évolution n'était pas réductible aux données de leur énigme (comment éviter le passage de la guerre froide en affrontement armé ?), vu qu'elle se posait en dehors des « termes compatibles avec (leurs) outils conceptuels et instrumentaux[69] » (c'est-à-dire par l'équilibre entre puissances selon les néoréalistes, et par la coopération entre égoïstes selon les néolibéraux). Prenant appui sur cet échec, et profitant du processus de mondialisation tout aussi problématique pour la synthèse néo-néo[70], de nouvelles approches contestatrices ont alors lancé un nouveau débat, en introduisant en Relations internationales l'interrogation que les autres sciences sociales avaient déjà eu à affronter

---

68. *Nous voyons dans l'idéalisme de l'entre-deux-guerres la première variante du libéralisme (cf. chap. 5).*

69. *T. Kuhn,* La Structure des révolution scientifiques, op. cit., *p. 63.*

70. *Le terme de « synthèse néo-néo », dû à O. Waever, « The Rise and Fall of The Inter-Paradigm Debate »,* op. cit., *nous paraît pertinent pour ce qui est des défauts communs du néoréalisme et du néolibéralisme soulignés* a posteriori *par les approches post-positivistes. Pour les autres aspects de la relation entre néoréalisme et néolibéralisme, l'expression « débat néo-néo » nous paraît plus pertinente (cf. chap. 12), d'autant plus que les néoréalistes généralistes, à commencer par K. Waltz, n'ont jamais accepté l'idée d'une égalité entre les deux néo, persuadés qu'ils étaient de la supériorité du néoréalisme.*

auparavant : une connaissance scientifique est-elle possible en Relations internationales ?

Ce quatrième débat a fait entrer les Relations internationales dans « l'ère post-positiviste[71] ». Dans un premier temps, il a opposé positivistes et post-positivistes ou, pour reprendre les termes de Keohane, « rationalistes » et « réflexivistes[72] ». Les premiers, qui regroupent essentiellement les néoréalistes et néolibéraux des années 1980, mais qui en fait englobent l'ensemble des participants au troisième débat inter-paradigmatique (transnationalistes et néo-marxistes compris donc), partagent les quatre hypothèses suivantes au sujet de la pratique scientifique :

– il n'existe qu'une seule méthode scientifique, applicable à la fois aux sciences naturelles et aux sciences sociales ;

– il est possible de distinguer entre les faits et les valeurs, et les théories sont neutres par rapport aux faits qu'elles étudient ;

– il existe des régularités dans le monde social susceptibles d'être découvertes par les théories des sciences sociales ;

– il est possible de déterminer la validité des explications théoriques grâce à leur confrontation aux faits empiriques.

Ce sont ces hypothèses qui sont remises en cause par tout un ensemble de post-positivistes. D'après les théoriciens critiques inspirés par Antonio Gramsci et l'École de Francfort jusqu'aux post-modernistes se réclamant de Michel Foucault et de Jacques Derrida

---

71. Y. Lapid, « The Third Debate. On the Prospects of International Theory in a Post-Positivist Era », International Studies Quarterly, *33 (3), septembre 1989, p. 235-254.*

72. R. Keohane, « International Institutions. Two Approaches » (1988), dans J. Der Derian (ed.), International Theory. Critical Investigations, op. cit., *p. 279-307. Inutile de le préciser, la notion de « rationalisme » telle qu'employée par Keohane n'a rien à voir avec la signification qu'a ce qualificatif chez M. Wight (cf. chap. 2).*

en passant par les féministes et les post-colonialistes (cf. chap. 8), d'une part la réalité n'existe pas en dehors de la théorie, tant celle-ci contribue à construire et à reconstruire, à former et à transformer, la réalité qu'elle étudie ; et d'autre part il n'y a guère de critère méta-théorique universel permettant de juger de la validité ou non d'une affirmation scientifique, étant donné qu'il n'existe que des discours de vérité relative[73].

S'attachant à déconstruire les théories existantes considérées comme autant de puzzles verbaux, les post-positivistes, et plus exactement les post-modernistes, en viennent alors à déclarer nulles les explications proposées depuis qu'existe la discipline des Relations internationales, ce qui a fini par les marginaliser. Leurs critiques ont cependant été suffisamment pertinentes pour laisser une empreinte durable dans la discipline. Désireux de renouer le dialogue avec les approches dominantes, certains post-positivistes ont en effet tenté de rester fidèles à l'épistémologie positiviste tout en la combinant à une ontologie post-positiviste : il en est sorti le constructivisme (cf. chap. 9), dû à Nicholas Onuf mais essentiellement associé à Alexander Wendt, selon qui la réalité, plutôt que d'être objective comme chez les réalistes ou subjective comme chez les post-modernistes, est en fait intersubjective, au sens où elle n'existe et n'agit qu'à travers la signification que lui donnent les acteurs sociaux.

Le succès de cette *via media* au sein du champ des Relations internationales a été tel que depuis l'an 2000, la discipline est organisée autour de trois paradigmes dominants : le réalisme, le

---

73. Précisons tout de suite que cette position extrême est surtout le fait des post-modernistes et de certaines féministes. On retrouvera les spécificités propres aux différents post-positivistes dans le chapitre 8 relatif aux théories radicales.

libéralisme et le constructivisme, comme l'indique d'ailleurs le parallélisme frappant des titres des trois publications phares de ces approches que sont *Theory of International Politics* de Waltz, *A Liberal Theory of International Politics*[74] de Andrew Moravcsik, *Social Theory of International Politics* de Wendt.

Sans aller jusqu'à dire que les Relations internationales semblent ainsi condamnées à former un ménage à trois[75], tant cette coexis-

---

74. Tel est le sous-titre de l'article de A. Moravcsik, « Taking Preferences Seriously », International Organization, *51 (4), automne 1997, p. 513-553.*

75. Mêmes analyses dans deux synthèses de la discipline publiées dans la revue non universitaire Foreign Policy. *La première est due à S. Walt, « International Relations. One World, Many Theories »,* Foreign Policy, *110, printemps 1998, p. 29-46 : « L'étude des affaires internationales est comprise le mieux comme une compétition prolongée entre les trois traditions réaliste, libérale et radicale. Le réalisme met l'accent sur la propension continue des États aux conflits ; le libéralisme identifie plusieurs voies pour modérer ces tendances conflictuelles ; et la tradition radicale décrit comment le système entier de relations interétatiques pourrait être transformé. » Précisons que Walt inclut dans ce qu'il appelle l'approche radicale l'ensemble des approches post-positivistes, que leur post-positivisme concerne l'épistémologie ou l'ontologie, c'est-à-dire y compris le constructivisme. La seconde, écrite par J. Snyder, « One World, Rival Theories »,* Foreign Policy, *145, novembre-décembre 2004, p. 53-62, souligne les liens entre théories et pratiques : « Le réalisme insuffle une appréciation pragmatique de la puissance mais met en garde aussi contre les risques encourus par les États tentés par la surexpansion. Le libéralisme souligne le potentiel coopératif des démocraties matures, mais note aussi la tendance des démocraties à entreprendre des croisades contre les tyrannies [...]. L'idéalisme montre qu'un consensus autour de valeurs fondamentales est à la base de tout ordre stable, tout en reconnaissant qu'aboutir à un tel consensus implique souvent une lutte idéologique susceptible de provoquer des conflits ». Notons que Snyder entend « constructivisme » par « idéalisme », qu'il utilise au sens philosophique de ce terme, c'est-à-dire par opposition à « matérialisme ».*

tence rappelle, au-delà du débat inter-paradigmatique d'avant la fin de la guerre froide, les trois traditions de la philosophie internationale (cf. chap. 2), ce qui ne saurait guère faire de doute, au terme de ce survol de l'histoire de la discipline, c'est qu'il y a non pas une théorie, au singulier, mais des théories, au pluriel, des relations internationales. Si l'historique de la discipline a apporté une preuve, c'est bien celle de l'absence de toute possibilité de connaissance cumulative en Relations internationales, comme l'attestent les diagnostics ci-après émis par des spécialistes aussi opposés que peuvent l'être Marie-Claude Smouts, Randall Schweller ou Christian Reus-Smit et Duncan Snidal. D'après la première, les Relations internationales n'ont « jamais vu se clore aucun débat né en leur sein », et elles ne fourniront jamais de vérité définitive sur l'état du monde, mais plus modestement « un corpus, des problématiques, des concepts organisateurs permettant de [...] saisir les grandes tendances du monde[76] » ; d'après le second, « il n'existe aucune grande théorie unificatrice des relations internationales, et il y a peu d'espoir que l'on réussisse à en construire une. Je ne suis même pas sûr à quoi cette théorie ressemblerait[77] » ; d'après les troisièmes, « les Relations internationales restent un champ diversifié et disputé dont les différentes approches sont souvent présentées comme incompatibles, ce qu'elles sont d'ailleurs parfois effectivement[78] ».

---

76. *M.-C. Smouts, « Introduction. Les mutations d'une discipline », art. cité.*

77. *R. Schweller, cité par A. MacLeod et D. O'Meara (dir.),* Théories des relations internationales, op. cit., *p. 1.*

78. *C. Reus-Smit et D. Snidal, « Between Utopia and Reality. The Practical Discourses of International Relations », dans C. Reus-Smit et D. Snidal (eds),* The Oxford Handbook of International Relations, *Oxford, Oxford University Press, 2008, p. 3-37.*

On peut se réjouir de ce pluralisme, comme le fait Steve Smith lorsqu'il salue la prolifération tous azimuts de théories concurrentes à laquelle ont abouti les différents débats paradigmatiques, et notamment les deux derniers : « Le champ [des Relations internationales] est aujourd'hui beaucoup plus sain grâce à la prolifération théorique. Non seulement cette prolifération a conduit à repenser les limites du champ, mais elle nous a aussi conduit à nous interroger sur les hypothèses épistémologiques et ontologiques principales de la discipline. Ces développements ouvrent l'espace à davantage de débats et, surtout, légitiment une plus grande variété de théories [... qui...] nous permettent de réfléchir à davantage d'aspects des relations internationales qu'auparavant, [...] lorsqu'une théorie substantielle – le réalisme – dominait la discipline et lorsque régnait une théorie de la connaissance – le positivisme[79] ».

On peut à l'inverse le déplorer, comme c'est le cas de Kalevi Holsti notant qu'« on peut difficilement dire qu'il y ait encore un noyau propre à notre champ d'étude [... qui...] devrait fondamentalement porter sur les relations entre États et sur celles des relations entre sociétés et acteurs non étatiques ayant un impact sur les relations entre États. Si nous allons trop loin au-delà de ces domaines, nous touchons aux objets de la sociologie, de l'anthropologie et de la psychologie sociale qui sont mieux traités par des spécialistes de ces disciplines [...]. Trop de chercheurs passent trop de temps à discuter des questions épistémologiques et métaphysiques. Au-delà d'un certain point, les soucis épistémologiques risquent de nous faire perdre de vue l'objet à étudier. Les plus grands textes dans notre champ ont été écrits par ceux

---

79. S. Smith, « Introduction », dans T. Dunne, M. Kurki et S. Smith (eds), International Relations Theories, op. cit., *p. 7.*

profondément enracinés dans l'objet d'étude, et non pas par des épistémologues[80]. »

Dans tous les cas, on ne peut pas se permettre de ne pas connaître les différentes théories, et c'est à leur étude détaillée que seront alors consacrés les chapitres substantiels de ce livre, autour des principaux paradigmes d'un côté (deuxième partie), des débats entre paradigmes dans certains domaines de l'autre (troisième partie).

Bibliographie

Depuis son institutionnalisation en discipline universitaire, la théorie des relations internationales a constitué un champ scientifique traversé par une succession de débats entre paradigmes concurrents. Pour une présentation générale, voir, par ordre alphabétique :

ALKER (Hayward) et BIERSTEKER (Thomas), « The Dialectics of World Order » (1984), dans James Der Derian, *International Theory. Critical Investigations*, Basingstoke, Macmillan, 1995, p. 242-276.

BANKS (Michael), « The Evolution of International Relations Theory », dans Michael Banks (ed.), *Conflict in World Society*, Brighton, Wheatsheaf, 1984, p. 3-21.

BANKS (Michael), « The Inter-Paradigm Debate », dans Margot Light et A. John R. Groom (eds), *International Relations. A Handbook of Current Theory*, Londres, F. Pinter, 1985, p. 7-26.

---

80. K. Holsti, « Interview with K. Holsti », Review of International Studies, *28 (3), juillet 2002, p. 619-632.*

BULL (Hedley), « The Theory of International Relations 1919-1969 » (1972), dans James Der Derian, *International Theory. Critical Investigations*, Basingstoke, Macmillan, 1995, p. 181-211.

KAHLER (Miles), « Inventing International Relations. International Relations Theory After 1945 », dans Michael Doyle et John Ikenberry (eds), *New Thinking in International Relations Theory*, Boulder (Colo.), Westview, 1997, p. 20-53.

LIJPHART (Arend), « The Structure of the Theoretical Revolution in International Relations », *International Studies Quarterly*, 18 (1), mars 1974, p. 41-74.

OLSON (William) et ONUF (Nicholas), « The Growth of a Discipline Reviewed », dans Steve Smith (ed.), *International Relations. British and American Perspectives*, Oxford, Blackwell, 1985, p. 1-28.

SCHMIDT (Brian), « On the History and Historiography of International Relations », dans Walter Carlsnaes, Thomas Risse et Beth Simmons (eds), *Handbook of International Relations*, Londres, Sage, 2002, p. 3-22.

SMITH (Steve), « The Self-Images of a Discipline. A Genealogy of International Relations Theory », dans Ken Booth et Steve Smith (eds), *International Relations Theory Today*, Cambridge, Polity Press, 1995, p. 1-37.

SMOUTS (Marie-Claude), « Les mutations d'une discipline », dans Marie-Claude Smouts (dir.), *Les Nouvelles Relations internationales. Pratiques et théories*, Paris, Presses de Sciences Po, 1999, p. 11-33.

WAEVER (Ole), « The Rise and Fall of The Inter-Paradigm Debate », dans Steve Smith, Ken Booth et Marysia Zalewski (eds), *International Theory. Positivism and Beyond*, Cambridge, Cambridge University Press, 1996, p. 149-185.

Certaines études approfondissent l'une ou l'autre phase de cette évolution :

HOLSTI (Kalevi), « Scholarship in an Era of Anxiety. The Study of International Politics During the Cold War », *Review of International Studies*, 24 (5), décembre 1998, p. 17-46, analyse l'impact de la guerre froide sur l'étude théorique des relations internationales.

KNORR (Klaus) et ROSENAU (James) (eds), *Contending Approaches to International Relations*, Princeton (N. J.), Princeton University Press, 1969, 308 p., reproduit les principaux extraits du débat opposant traditionalistes et behaviouralistes.

LAPID (Yosef), « The Third Debate. On the Prospects of International Theory in a Post-Positivist Era », *International Studies Quarterly*, 33 (3), septembre 1989, p. 235-254, est le premier à affirmer l'existence d'un débat entre positivistes et post-positivistes.

MAGHROORI (Ray) et RAMBERG (Bennett) (eds), *Globalism* vs. *Realism. International Relations' Third Debate*, Boulder (Colo.), Westview, 1982, 238 p, se concentre sur l'opposition entre réalisme stato-centré et approches non stato-centrées.

SCHMIDT (Brian), *The Political Discourse of Anarchy. A Disciplinary History of International Relations*, New York (N. Y.), SUNY Press, 1998, 310 p, étudie les prémices de la discipline aux États-Unis avant son institutionnalisation.

D'autres analysent le rôle prépondérant des théoriciens américains :

CRAWFORD (Robert) et JARVIS (Darryl) (eds), *International Relations. Still An American Social Science ?*, New York (N. Y.), SUNY Press, 2001, 394 p.

GUILHOT (Nicolas) (ed.), *The Invention of International Relations Theory. Realism, the Rockefeller Foundation and the 1954 Conference on Theory*, New York (N. Y.), Columbia University Press, 2011, 300 p.

Hoffmann (Stanley), « An American Social Science. International Relations » (1977), dans James Der Derian (ed.), *International Theory. Critical Investigations*, Basingstoke, Macmillan, 1995, p. 212-241.

Holsti (Kalevi), *The Dividing Discipline. Hegemony and Diversity in International Theory*, Londres, Allen and Unwin, 1985, 165 p.

Kahler (Miles), « International Relations. Still An American Social Science ? », dans Linda Miller et Michael Smith (eds), *Ideas and Ideals. Essays in Honour of S. Hoffmann*, Boulder (Colo.), Westview, 1993, p. 395-414.

O'Meara (Dan), « Émergence d'un paradigme hégémonique », dans Alex MacLeod et Dan O'Meara (dir.), *Théories des relations internationales. Contestations et résistances*, Outremont, Athéna, 2007, p. 19-33.

Smith (Steve), « Paradigm Dominance in International Relations. The Development of International Relations as a Social Science », *Millennium*, 16 (2), été 1987, p. 189-206.

Smith (Steve), « The United States and the Discipline of International Relations », *International Studies Review*, 4 (2), été 2002, p. 67-85.

Vennesson (Pascal), « Les relations internationales dans la science politique aux États-Unis », *Politix*, 11 (41), 1er trimestre 1998, p. 176-194.

Waever (Ole), « The Sociology of a Not So International Discipline. American and European Developments in International Relations », *International Organization*, 52 (4), automne 1998, p. 687-727.

D'autres encore s'interrogent sur la place des Relations internationales dans le monde non (anglo-)américain :

Drulak (Petr) (ed.), « International Relations in Central and Eastern Europe », *Journal of International Relations and Development*, 12 (2), 2009, p. 168-220.

FRIEDRICHS (Jörg), *European Approaches to International Relations Theory. A House with Many Mansions*, Londres, Routledge, 2004, 224 p.

JORGENSEN (Knud), « Continental International Relations Theory. The Best Kept Secret », *European Journal of International Relations*, 6 (1), mars 2000, p. 9-42.

JORGENSEN (Knud) et KNUDSEN (Tonny) (eds), *International Relations in Europe : Traditions, Perspectives and Destinations*, Londres, Routledge, 2008, 304 p.

PELLERIN (Hélène) (dir.), *La Perspective en Relations internationales*, Outremont, Athéna, 2010, 282 p.

TICKNER (Arlene), « Seeing IR Differently : Notes From the Third World », *Millennium*, 32 (2), été 2003, p. 295-324.

TICKNER (Arlene) et WAEVER (Ole) (eds), *The World of International Relations Scholarship : Geocultural Epistemologies*, Londres, Routledge, 2009, 368 p.

Deuxième partie

Théories générales

Deux conceptions de la théorie scientifique (cf. chap. 1), trois traditions philosophiques (cf. chap. 2), quatre débats interparadigmatiques (cf. chap. 3)... : les Relations internationales sont une discipline pluraliste, au sein de laquelle cœxistent de multiples théories. Comble de ce pluralisme : il n'existe pas d'accord quant aux approches à distinguer. « Une, deux ou quatre... écoles de relations internationales ? », s'interrogeait ainsi Bahgat Korany[1], alors que le quatrième débat n'avait pas encore eu lieu. Depuis, un simple coup d'œil sur les tables des matières des manuels de théories des relations internationales donne une idée de l'augmention exponentielle des approches théoriques générales dans les Relations internationales contemporaines : Scott Burchill *et al.* en distinguent neuf, Steve Smith *et al.* en retiennent onze, Jennifer Sterling-Folker en différencie neuf, Alex MacLeod et Dan O'Meara en sélectionnent seize, et Christian Reus-Smit et Duncan Snidal neuf[2].

La meilleure façon pour essayer de rendre compte de cette diversité sans pour autant s'y perdre consiste probablement à emprunter la voie chronologique, tant les Relations internationales (s)ont aussi une histoire intellectuelle[3]. Si alors on part de l'histoire de la pensée internationale, la théorie réaliste apparaît comme l'approche première, vu le nombre d'auteurs se réclamant de ce paradigme depuis Thucydide ; si on se contente plutôt de l'évolution de la discipline

---

1. *B. Korany, « Une deux, ou quatre ? Les écoles de relations internationales »,* Études internationales, *15 (4), décembre 1984, p. 699-723.*

2. *Voir les références de ces ouvrages en bibliographie générale à la fin de cet ouvrage.*

3. *Allusion au sous-titre de l'ouvrage de B. Cohen,* International Political Economy. An Intellectual History, *Princeton (N. J.), Princeton University Press, 2008, que nous généralisons à l'ensemble de la discipline.*

des Relations internationales, c'est au contraire de l'idéalisme dont s'est réclamée la plupart des premiers internationalistes dans l'entre-deux-guerres. Ce rappel permet de situer l'opposition principale autour de laquelle est structuré le champ des Relations internationales : l'opposition entre réalisme, paradigme dominant (cf. chap. 4), et le libéralisme, principal concurrent[4] (cf. chap. 5).

Les Relations internationales ne se réduisent cependant pas à la dichotomie réalisme-libéralisme. De même qu'une troisième tradition – globaliste – a existé tout au long de la philosophie politique internationale (cf. chap. 2), de même il existe des approches générales minoritaires depuis que la discipline s'est institutionnalisée. Dans un premier temps, ce sont les analyses transnationalistes (cf. chap. 6) et marxistes (cf. chap. 7) qui viennent troubler le face-à-face entre réalistes et libéraux ; dans un deuxième temps, les approches radicales (cf. chap. 8) et constructivistes (cf. chap. 9) prennent le relais comme approches dissidentes.

Ces différentes théories ne se trouvent pas sur un pied d'égalité : tout d'abord, le fait que l'ensemble des paradigmes autres que le paradigme réaliste se situe par rapport à ce dernier prouve *a contrario* que celui-ci a été l'approche dominante de la discipline ; ensuite, le marxisme et les approches radicales n'exercent plus la séduction qu'ils pouvaient revendiquer au moment de leur heure de gloire, le premier au tournant des années 1970, les secondes au tournant des années 1990 ; enfin, si l'approche transnationaliste a su se renouveler à une génération d'intervalle, elle ne fait guère le poids de nos jours face au constructivisme *soft*, dont le succès comme approche – de moins en moins alternative d'ailleurs comme nous le verrons au chapitre 17 – ne se dément pas depuis la fin de la guerre froide.

---

4. *Nous partons ici de l'hypothèse, explicitée dans le chapitre 5, de l'idéalisme comme variante du libéralisme.*

Nous allons néanmoins accorder, à peu de chose près, la même place à chacune de ces six approches générales : notre objectif en effet est non pas d'essayer de les départager pour dire « laquelle d'entre elles est la meilleure[5] », mais d'en donner une présentation[6] pédagogique un tant soit peu équitable.

---

5. *K. Holsti, « Mirror, Mirror on the Wall. Which Are the Fairest Theories of All ? »,* International Studies Quarterly, *33 (3), septembre 1989, p. 255-261.*

6. *Cette présentation portera sur les seuls énoncés scientifiques* stricto sensu *des approches concernées, sur leurs visées explicatives/compréhensives donc, et seules quelques allusions seront faites aux dimensions éthiques/normatives qu'elles véhiculent explicitement ou implicitement. Ces dimensions sont traitées en détail dans les chapitres concernés de T. Nardin et D. Mapel (eds),* Traditions of International Ethics, *Cambridge, Cambridge University Press, 1992, de A. MacLeod et D. O'Meara (dir.),* Théories des relations internationales, op. cit., *et de C. Reus-Smit et D. Snidal (eds),* The Oxford Handbook of International Relations, op. cit., *ce dernier manuel postulant que « toutes les théories [...] ont des dimensions à la fois empiriques et normatives importantes et que les deux sont profondément et inévitablement liées », p. 6.*

Chapitre 4 / Le paradigme réaliste

« Les relations interétatiques se déroulent à l'ombre de la guerre. »
Raymond Aron[1]

Depuis la fin de la seconde guerre mondiale, le réalisme est le paradigme dominant en Relations internationales. Bien que de nombreux internationalistes lui reprochent souvent d'être resté fidèle à l'objet d'étude central classique, et très délimité, des Relations internationales qu'est l'étude des causes de la guerre et des conditions de la stabilité de l'ordre international, un nombre non négligeable d'internationalistes continue de se reconnaître dans l'aveu émis en son temps par Martin Wight : « De nos jours, nous sommes tous réalistes[2]. »

Ce succès renvoie à ce que les auteurs réalistes aiment appeler la « pertinence persistante » et la « richesse[3] », sinon la « sagesse éternelle[4] », du réalisme, que l'on peut résumer dans les quatre propositions principales suivantes[5] :

– l'état d'anarchie dans lequel se trouvent les relations internationales est synonyme d'état de guerre, car il n'existe aucune

1. *R. Aron,* Paix et guerre entre les nations, op. cit., *p. 18.*

2. *M. Wight,* International Theory. The Three Traditions, op. cit., *p. 15. La citation est mise en exergue par le post-moderniste J. Der Derian dans son anthologie* International Theory. Critical Investigations, op. cit., *p. 1.*

3. *R. Gilpin, « The Richness of the Tradition of Political Realism », art. cité.*

4. *B. Buzan, « The Timeless Wisdom of Realism », dans S. Smith, K. Booth et M. Zalewski (eds),* International Theory. Positivism and Beyond, op. cit., *p. 47-65.*

5. *Chaque réaliste contemporain a ses propres hypothèses centrales. Voir le tableau synoptique proposé par J. Donnelly,* Realism and International Relations, *Cambridge, Cambridge University Press, 2000, p. 7-8.*

autorité centrale susceptible d'empêcher le recours à la violence armée de la part des acteurs internationaux ;

– les acteurs principaux des relations internationales sont les groupes de conflit et, depuis qu'existe le système interétatique westphalien, ces groupes sont essentiellement des États-nations organisés territorialement[6] ;

– incarnés dans le chef du pouvoir exécutif, les États-nations sont des acteurs rationnels[7] qui cherchent à maximiser leur intérêt national défini en termes de puissance eu égard aux contraintes du système international ;

– l'équilibre des puissances est le seul mode de régulation susceptible d'assurer non pas la paix, mais un ordre et une stabilité internationaux forcément précaires, car dans l'histoire sans fin que constituent les relations internationales, il n'y a pas de progrès possible[8].

Propositions principales dont découlent les quatre propositions secondaires suivantes :

---

6. A contrario, *cela veut dire que les réalistes reconnaissent l'historicité de l'État, à l'image de H. Morgenthau,* Politics Among Nations, op. cit., *p. 12, refusant de faire de l'État le « point de référence ultime de la politique étrangère » indépendamment du contexte historique : « Bien que le réaliste croie vraiment que l'intérêt est l'étalon perpétuel en fonction duquel l'action politique doit être jugée et conduite, le lien actuel entre l'intérêt et l'État-nation est un produit de l'histoire et par conséquent est appelé à disparaître dans le futur. Rien dans la position ne milite contre la supposition selon laquelle la division du monde politique actuel en États-nations sera remplacée par de plus larges éléments d'un caractère tout à fait différent... ».*

7. *Cette problématique du* state as unitary actor approach *sera étudiée dans le chapitre 10.*

8. *Précisons d'emblée, avant d'y revenir par la suite dans ce chapitre, que les réalistes ne se font pas la même idée de la forme que doit prendre un tel équilibre, qui peut être multipolaire, bipolaire et même unipolaire.*

– lorsque la politique extérieure ne parvient pas à atteindre l'intérêt national par les moyens pacifiques[9], le recours à la guerre est un moyen légitime de la politique extérieure, et celle-ci ne saurait être jugée d'après les critères éthiques applicables aux comportements individuels ;

– les organisations interétatiques et les entités non étatiques ne sont pas des acteurs autonomes car ils n'agissent au mieux que par l'intermédiaire des États ;

– la politique extérieure, synonyme de *high politics*, prime sur la politique intérieure, considérée comme de la *low politics*, et la prise en compte de l'opinion publique est un obstacle à la bonne conduite diplomatique ;

– l'existence et l'effectivité du droit international et des institutions de coopération sont fonction de leur conformité aux intérêts des États les plus puissants[10].

Issus d'une longue tradition philosophique associée notamment à Hobbes et Rousseau (cf. chap. 2), mais aussi à Thucydide et à Machiavel, ainsi qu'à Clausewitz, pour ne citer que les auteurs anciens les plus importants, ces fondamentaux, qui renvoient aussi à la pratique de la *Realpolitik* européenne depuis l'époque westphalienne[11],

---

9. Cette condition est indispensable : les réalistes ne sont pas des bellicistes (cf., dans le chapitre 16, la position des réalistes américains face à l'opération Iraqi Freedom*) ; estimant comme Clausewitz que la guerre est la continuation de la politique par d'autres moyens, ils subordonnent le recours à la force armée à la rationalité politique.*

10. Cette problématique de la coopération sera traitée dans le chapitre 12.

11. Dans cette perspective, S. Guzzini, Realism in International Relations and International Political Economy, *Londres, Routledge, 1998, p. 1, va jusqu'à affirmer que le réalisme contemporain n'est* in fine *qu'une « tentative [...] de traduire les maximes de la pratique diplomatique européenne du XIXe siècle en des lois plus générales d'une science sociale américaine ».*

ont été précisés par les représentants contemporains du réalisme au cours du dialogue auquel ils se sont livrés entre eux, ainsi que dans leurs ripostes aux critiques dont ils ont fait l'objet de la part des paradigmes concurrents.

À l'origine du réalisme contemporain se trouvent, parmi d'autres précurseurs tels que le politologue Frédéric Schumann ou le géopoliticien Nicholas Spykman, le sociologue Max Weber[12] ou le juriste Carl Schmitt[13], voire le naturaliste anglais Charles Darwin[14], essentiellement deux auteurs dont l'influence sur le réalisme

---

12. *Sur l'influence de Weber, voir H. K. Pichler, « The Godfathers of "Truth". Max Weber and Carl Schmitt in Morgenthau's Theory of Politics »,* Review of International Studies, *24 (2), avril 1998, p. 185-200, et M. Llanque, « Max Weber on the Relation between Power Politics and Political Ideals »,* Constellations, *14 (4), 2007, p. 483-497.*

13. *C. Schmitt, et notamment son ouvrage* Le *nomos* de la terre dans le droit des gens du *jus publicum europaeum (1950), Paris, PUF, 2001, fait l'objet d'un intérêt accru et controversé dans la discipline ces derniers temps : voir, entre autres, l'ouvrage dirigé par L. Odysseos et F. Petito (eds),* The International Political Thought of Carl Schmitt : Terror, Liberal War and the Crisis of Global Order, *Londres, Routledge, 2007, le dossier dirigé par J.-F. Thibault, « Carl Schmitt et les relations internationales »,* Études internationales, *40 (1), 2009, ainsi que les articles de R. Axtmann, « Humanity or Enmity ? Carl Schmitt on International Politics »,* International Politics, *44 (5), 2007, p. 231-251 ; D. Chandler, « The Revival of Carl Schmitt in International Relations : The Last Refuge of Critical Theorists ? »,* Millennium, *37 (1), 2008, p. 27-48 ; W. Werner, « The Changing Face of Enmity : Carl Schmitt's International Theory and the Evolution of the Legal Concept of War »,* International Theory, *2 (3), 2010, p. 351-380 ; B. Teschke, « Fatal Attraction. A Critique of Carl Schmitt's International Political and Legal Theory »,* International Theory, *3 (2), 2011, p. 179-227.*

14. *Voir à ce sujet B. Thayer,* Darwin and International Relations : On the Evolutionary Origins of War and Ethnic Conflict, *Lexington (Ky.), University of Kentucky Press, 2004 ;*

d'après-seconde guerre mondiale est directe : d'un côté, l'historien britannique Edward H. Carr ; de l'autre, le théologien protestant américain Reinhold Niebuhr.

Le rôle de Carr a été primordial dans la réhabilitation de la notion de puissance à laquelle il procède dans le cadre de sa critique de l'idéalisme de l'entre-deux-guerres (cf. chap. 3). Voyant, derrière l'affirmation par les idéalistes de l'existence d'un intérêt commun à la paix mondiale, l'idéologie de la « Grande-Bretagne suffisamment puissante commercialement pour croire en l'harmonie internationale des intérêts économiques », Carr affirme dans son *Twenty Years' Crisis. 1919-1939* que « la politique est, dans un certain sens, toujours politique de puissance[15] ».

Estimant que la politique de puissance est un fait évident, une banalité, Carr ne va cependant pas plus loin que ce rappel qu'il estime salutaire de l'omniprésence et de l'inéluctabilité de la puissance en relations internationales, que ce soit comme fin, comme moyen, ou comme cause et, plus exactement, il ne s'interroge pas sur le pourquoi de cette politique de puissance : trouve-t-elle son origine dans la nature humaine ? Est-elle la résultante de la structure anarchique du milieu international ? Est-elle l'effet pervers de la recherche par tout État de sa sécurité ? En la matière, Niebuhr est déjà plus explicite. Si, pour lui aussi, « la politique est condamnée à consister en une lutte pour la puissance[16] », il situe explicitement les

---

A. Gat, « So Why Do Peoples Fight ? Evolutionary Theory and the Causes of War », European Journal of International Relations, *15 (4), 2009, p. 571-599 ; S. Tang, « Social Evolution of International Politics : From Mearsheimer to Jervis »,* European Journal of International Relations, *16 (1), 2010, p. 31-55.*

15. *E. H. Carr,* The Twenty Years' Crisis, op. cit., *p. 46 et 97.*

16. *Citation dans M. Smith,* Realist Thought From Weber To Kissinger, *Bâton Rouge (La.), Louisiana State University Press, 1986, p. 107.*

racines de cette lutte dans la nature humaine, comme il l'explique dans *Moral Man and Immoral Society :* borné par nature, l'homme succombe au péché d'orgueil qui consiste à ignorer et à vouloir surmonter ses limites ; sa volonté individuelle de survie (*will to live*) se double d'une volonté de puissance (*will to power*), et au sein d'un groupe collectif tel qu'un État-nation, cette volonté de puissance sera démultipliée au « n-ième degré », avec pour conséquence « la destruction de la paix entre communautés[17] ».

L'idée de Niebuhr, considéré par le diplomate George Kennan[18] comme le père de tous les réalistes américains[19], sera reprise par Hans Morgenthau. Dans la mesure où ce dernier va au-delà à la fois des critiques de Carr contre les idéalistes de l'entre-deux-guerres et de la doctrine de Niebuhr sur la nature humaine ; dans la mesure où il est également le premier à vouloir établir « une théorie réaliste de la politique internationale[20] » tout à la fois susceptible d'expliquer les relations entre États, d'illuminer les dilemmes éthiques de l'action diplomatique, et d'évaluer et de prévoir les politiques étrangères des différentes nations, Morgenthau est à juste titre considéré comme le père fondateur du réalisme moderne.

---

17. *R. Niebuhr,* Moral Man and Immoral Society *(1932), New York (N. Y.), C. Scribner's, 1947, p. 107 et 16.*

18. *G. Kennan est l'inspirateur de la doctrine américaine de l'endiguement, synthétisée dans son article (signé M. X) « The Sources of Soviet Conduct » (1947), dans J. Hoge et F. Zakaria (eds),* The American Encounter, *New York (N. Y.), Basic Books, 1997, p. 155-169.*

19. *Le réalisme dit « chrétien » de R. Niebuhr a aussi influencé le président Barack Obama, qui le cite le jour de réception du Prix Nobel de la Paix. Voir G. Vandal,* La Doctrine Obama. Fondements et aboutissements, *Québec, Presses de l'Université du Québec, 2011.*

20. *Tel est le titre du premier chapitre de son* Politics Among Nations, op. cit.

Partant de la dichotomie établie par Carr entre idéalisme/utopisme et réalisme, Morgenthau s'inspire de Niebuhr lorsqu'il fonde son réalisme, qui se propose d'étudier la politique telle qu'elle est et non telle qu'on aimerait qu'elle fût, sur la nature humaine : « Le réalisme politique croit que la politique, comme la société en général, est gouvernée par des lois objectives qui ont leur racine dans la nature humaine[21]. » Cette nature est caractérisée par un ensemble d'« instincts bio-pschychologiques élémentaires » tels que « l'instinct de vie, de reproduction, et de domination [...] communs à tous les hommes[22] ». Autrement dit, l'homme est par nature égoïste et, dans un monde de ressources rares, il est guidé dans son comportement avec autrui par une volonté infinie de puissance, qui n'est susceptible d'être satisfaite entièrement que dans le cas où « tous les autres hommes seraient devenus l'objet de sa domination[23] ».

Vu ce désir de tout un chacun d'exercer son « emprise sur les pensées et les actions des autres[24] », l'*animus dominandi* est un élément constitutif de l'ensemble des associations humaines, de toutes les relations sociales, et donc de la vie politique, à la fois interne et internationale : « La politique internationale, comme tout politique, est une lutte pour la puissance[25]. » Plus précisément, si la politique internationale est politique de puissance, c'est parce

---

21. Ibid., *p. 4.*
22. Ibid., *p. 36-37.*
23. *H. Morgenthau,* Scientific Man *vs.* Power Politics, *Chicago (Ill.), Chicago University Press, 1946, p. 188.*
24. *H. Morgenthau,* Politics Among Nations, op. cit., *p. 30. Cette définition renvoie à la conception wébérienne du pouvoir/de la puissance, défini/e comme « toute chance de faire triompher au sein d'une relation sociale sa propre volonté, même contre des résistances, peu importe sur quoi repose cette chance ».*
25. Ibid., *p. 29.*

que le dieu mortel qu'est l'État-nation au sein duquel viennent s'agréger les individus égoïstes exporte sur la scène internationale l'instinct de vie, de reproduction et de domination de ses membres composants. En politique étrangère, un État ne connaît qu'« un seul impératif catégorique, un seul critère de raisonnement, un seul principe d'action[26] », l'intérêt national égoïste défini en termes de puissance[27] : quel que soit le but ultime de la politique extérieure d'un État, quels que soient les termes dans lesquels ce but est défini, la recherche de la puissance est toujours son but immédiat, qu'il s'agisse de changer la configuration du rapport des forces existant par une politique impérialiste[28], ou au contraire de le préserver par une politique du *statu quo*. Reste que, par là même, et aussi paradoxal que cela puisse paraître, la politique de puissance est à l'origine de la modération qui finit par caractériser la politique internationale.

En effet, et toujours d'après Morgenthau, parce que tous les États poursuivent des politiques étrangères rationnelles définies par des « hommes d'État (pensant) et (agissant) en termes d'intérêt comme puissance[29] », la politique internationale est préservée des deux

---

26. *H. Morgenthau,* In Defense of the National Interest, *New York (N. Y.), Knopf, 1951, p. 242.*

27. *Défini en termes égoïstes par rapport aux intérêts des autres États, l'intérêt national est défini de façon transcendantale par rapport aux intérêts privés des particuliers, vu le primat de la politique extérieure sur la politique intérieure. Bien que critique par rapport à la notion d'intérêt national, même R. Aron,* Paix et guerre entre les nations, op. cit., *p. 101, accepte que « l'intérêt national n'est pas réductible aux intérêts privés ».*

28. *Impérialiste au sens non néomarxiste d'expansion territoriale par recours à la force armée.*

29. *H. Morgenthau,* Politics Among Nations, op. cit., *p. 5. Pour une fétichisation de l'homme d'État réaliste, voir la galerie de portraits que constitue le plaidoyer* pro domo *de H. Kissinger,* Diplomatie, *Paris, Fayard, 1996.*

dangers qui guettent l'action diplomatique, à savoir « l'excès moral et la folie politique[30] », étant donné que la puissance des uns tend nécessairement à être équilibrée par celle des autres. Il s'ensuit un équilibre des puissances général entre tous les États : « L'aspiration à la puissance de la part de plusieurs nations, chacune essayant soit de maintenir soit de renverser le *statu quo*, conduit par nécessité à l'équilibre des puissances[31]. » S'il n'est pas synonyme de paix, sinon au sens de « sursis[32] », au moins cet équilibre permet de garantir temporairement l'ordre et la stabilité internationale[33], qui constituent le moindre mal qu'un État peut espérer compte tenu des lois humaines objectives qu'il ne saurait ignorer, sauf à courir le risque de sa propre extinction.

Et voilà la boucle bouclée : le réalisme morgenthalien, à la fois dans sa dimension analytique et dans sa dimension praxéologique,

---

30. Ibid., *p. 13. Cet excès moral, Morgenthau l'a vu à l'œuvre à deux reprises dans la politique extérieure américaine : une première fois, très brève, au moment de la tentative d'invasion de Cuba lors de l'épisode de la baie des Cochons en 1961 ; une deuxième fois, autrement importante, lors de la guerre américaine au Vietnam. Morgenthau y voyait des exemples de croisades idéologiques sans rapport aucun avec l'intérêt national américain, et les critiquait en conséquence, oubliant au passage qu'il avait lui-même écrit qu'il y a, hélas, une différence entre la théorie de la politique rationnelle guidée par le seul intérêt national objectif et la pratique de la politique réelle influencée par des facteurs non rationnels. Sur cette critique, voir L. Zambernardi, « The Impotence of Power : Morgenthau's Critique of America's Intervention in Vietnam »,* Review of International Studies, *37 (3), 2011, p. 1335-1356.*

31. Ibid., *p. 183.*

32. *H. Morgenthau,* In Defense of the National Interest, op. cit., *p. 92.*

33. *Rendons justice à Morgenthau : dans la deuxième moitié de son ouvrage* Politics Among Nations, op. cit., *p. 233 et suiv., il reconnaît un rôle non négligeable, en matière de « limitation » de la politique de puissance, à la diplomatie des grands hommes*

reste prisonnier de son anthropologie[34]. Peut-être qu'au-delà de Niebuhr, c'est Hobbes[35] qui, en la matière, a inspiré Morgenthau[36], tant le *Léviathan* de ce dernier est généralement associé au postulat

---

*d'État, voire aux normes internationales (*international morality*) et au droit international, et même à l'opinion publique mondiale. C'est précisément ce qui le rapproche des autres réalistes classiques tels que Aron et Kissinger, et le sépare des néo-réalistes tels que Waltz, Gilpin et Mearsheimer, pour qui comptent seuls les rapports structurels de puissance. Voir aussi S. Recchia, « Restraining Imperial Hubris : The Ethical Bases of Realist International Relations Theory »,* Constellations, *14 (4), 2007, p. 531-556.*

34. Pour un excellent exposé du normativisme implicite ou explicite de Morgenthau, voir K.-G. Giesen, L'Éthique des relations internationales. Les Théories anglo-américaines contemporaines, *Bruxelles, Bruylant, 1992, notamment p. 21-121. Pour une réévaluation critique du postulat de la nature humaine appliqué aux relations internationales, voir le dossier « The Return of Human Nature in IR Theory ? »,* Journal of International Relations and Development, *9 (3), 2006, p. 225 et suiv.*

*35. Hobbes ou même Thucydide, dont Hobbes a traduit en anglais l'*Histoire de la guerre du Péloponnèse, *et qui parle de « la nature humaine qui vous fait dominer autrui » (*Histoire de la guerre du Péloponnèse, op. cit., *p. 209), avant de faire dire aux délégués athéniens lors du dialogue avec les Méliens, qu'« une loi de nature fait que toujours, si l'on est le plus fort, on commande ; ce n'est pas nous qui avons posé ce principe ou qui avons été les premiers à appliquer ce qu'il énonçait : il existait avant nous et existera pour toujours après nous » (*ibid., *p. 480). Le dialogue des Méliens est l'un des passages de l'Histoire de la guerre du Péloponnèse souligné par les réalistes pour faire de Thucydide l'ancêtre du réalisme. Pour une lecture différente de l'Histoire de la guerre du Péloponnèse, voir R. Lebow,* A Cultural Theory of International Relations, op. cit., *p. 187, pour qui le dialogue des Méliens permet à Thucydide de montrer et dénoncer la dérive d'Athènes vers un comportement impérialiste digne des barbares perses plus qu'il ne reflète une prétendue approche réaliste de Thucydide.*

36. La prudence s'impose ici, car Politics Among Nations *ne cite Hobbes que rarement, ainsi p. 67, 235, 505 et suiv.*

homo homini lupus est : « Je mets au rang premier, à titre d'inclination générale de toute l'humanité, un désir perpétuel et sans trêve d'acquérir pouvoir après pouvoir, désir qui ne cesse qu'à la mort[37]. » Pourtant, chez Hobbes (cf. chap. 2), la politique de puissance est autant un processus social qu'un phénomène humain, car Hobbes ne se contente pas de la nature humaine comme déterminant ultime du comportement égoïste des États, vu qu'il associe ce comportement à l'état de nature, *i. e.* d'anarchie, dans lequel se trouvent les États : « À tous moments les rois et les personnes qui détiennent l'autorité souveraine sont *à cause de leur indépendance* dans une continuelle suspicion, et dans la situation et la posture des gladiateurs, leurs armes pointées, les yeux de chacun fixés sur l'autre : [...] toutes choses qui constituent une attitude de guerre[38]. »

Certes, Morgenthau ne passe pas sous silence le rôle de la structure anarchique internationale. Pour preuve, s'il fait de la politique internationale une lutte pour la puissance à l'image de toute politique, il est conscient du contexte spécifique dans lequel se déroule la politique internationale par rapport à celui de la politique interne : « L'essence de la politique internationale est identique à celle de sa contrepartie interne. Les deux consistent en une lutte pour la puissance, modifiée uniquement par les différentes conditions dans lesquelles celle-ci se déroule[39]. » Et ces

---

À en croire C. Frei, Hans J. Morgenthau, An Intellectual Biography *(1994), Bâton Rouge (La.), Louisiana State University Press, 2001, c'est Nietzsche qui a été le maître à penser indirect de Morgenthau, par M. Weber, C. Schmitt et R. Niebuhr interposés. R. Lebow, « Classical Realism », art. cité, ajoute H. Arendt, ainsi que les tragédiens grecs Eschyle, Sophocle, et Euripide, par Thucydide interposé.*

37. *T. Hobbes,* Léviathan, op. cit., *p. 96.*
38. Ibid., *p. 126. C'est nous qui soulignons.*
39. *H. Morgenthau,* Politics Among Nations, op. cit., *p. 37.*

différences de conditions ont bien trait à la structure anarchique des relations internationales : « Dans la sphère internationale, aucun souverain n'existe[40]. » Il n'empêche qu'en précisant que sont différentes « uniquement » les conditions dans lesquelles se déroule la politique internationale par rapport aux conditions de la politique interne, et en soulignant que l'essence de la politique internationale est « identique » à celle de la politique interne, il nie *in fine* la spécificité des relations internationales par rapport à la politique interne : pour lui, « les différences entre politique interne et politique internationale sont des différences de degré, non de nature[41] ».

En d'autres termes, et dans la foulée de Carr[42], le réalisme classique de Morgenthau oublie une dimension essentielle du réalisme de Hobbes, à savoir le postulat de la différence radicale entre sphère politique interne soumise, à la suite du contrat social, au monopole de la violence physique légitime, et la sphère politique internationale, caractérisée par l'absence d'un tel monopole[43]. Cette

---

40. H. Morgenthau, Scientific Man *vs.* Power Politics, op. cit., *p. 85.*

41. R. Lebow, « Classical Realism », art. cité, p. 57.

42. Rappelons quelques citations de E. Carr, The Twenty Years' Crisis, op. cit., *au sujet de la différence de degré plutôt que de nature entre politique interne et politique internationale : « La politique est, dans un certain sens, toujours politique de puissance » (p. 97) ; « La guerre menace en politique internationale tout comme la révolution menace en politique interne » (p. 102), « Alors que le problème fondamental du changement politique – le compromis entre pouvoir/puissance et morale – est identique en politique interne et internationale, la question est compliquée par le caractère inorganisé de la communauté internationale » (p. 193).*

43. Voilà pourquoi le réalisme de Morgenthau s'inscrit davantage dans la filiation de Machiavel, comme le souligne M. Doyle, Ways of War and Peace, *New York (N. Y.), Norton, 1997, p. 105-106. Rappelons que pour Machiavel aussi,*

dimension sera au centre des écrits de Raymond Aron[44], dont l'analyse internationale constitue, en partie en tout cas, une réaction aux affirmations de Morgenthau[45].

Par opposition à Morgenthau, Aron, fortement influencé par sa lecture de Clausewitz[46], est sceptique quant à la possibilité d'établir une théorie explicative, *id est* causale (cf. chap. 1), des relations internationales. Non pas parce qu'il n'y aurait pas d'objet propre des relations internationales. Tout au contraire. Celles-ci, entendues au sens strict de relations interétatiques, dont Aron estime, y compris dans la dernière édition de son *Paix et guerre entre les*

« Discours sur la première décade de Tite-Live », dans N. Machiavel, Œuvres complètes, *Paris, Gallimard, coll. « La Pléiade », 1952, p. 567, la politique internationale est par essence politique de puissance, tant il est impossible pour une République qui ne cherche qu'à se conserver « de demeurer tranquille et de jouir paisiblement de sa liberté. En effet, si elle n'attaque pas ses voisins, elle sera attaquée par eux, et cette attaque lui inspirera l'envie de conquérir et l'y forcera malgré elle ».*

44. R. Aron est largement délaissé par la plupart des internationalistes anglo-américains contemporains, qu'ils soient ou non réalistes : dans leurs œuvres principales respectives, B. Buzan, A. Moravcsik, A. Wendt ou J. Mearsheimer par exemple le passent complètement sous silence. Une telle ignorance est préjudiciable, quand on sait que de son vivant, il était un auteur respecté et cité par H. Morgenthau, K. Waltz, R. Gilpin ou H. Bull. Sur les spécificités du réalisme aronien par rapport aux réalistes américains, voir le dossier de la revue International Studies Quartely, *29 (1), mars 1985, avec notamment la contribution de S. Hoffmann, « Raymond Aron and the Theory of International Relations », p. 13-27 ; sur l'oubli dont a été victime R. Aron, voir D. Battistella, « Raymond Aron, a Neoclassical Realist Before the Term Existed ? », art. cité.*

45. Dans cette perspective, voir notamment son article « En quête d'une philosophie de la politique étrangère », Revue française de science politique, *3 (1), janvier-février 1953, p. 69-91.*

46. R. Aron, Penser la guerre, Clausewitz, *Paris, Gallimard, 1976.*

nations, qu'elles priment sur toutes les autres interactions dans l'espace mondial[47], sont spécifiques, tant le fait pour elles de se dérouler dans un état anarchique les rend *ipso facto* potentiellement violentes, ce qui n'est pas le cas des autres relations sociales : « J'ai cherché ce qui constituait la spécificité des relations internationales [...] et j'ai cru trouver ce trait spécifique dans la légitimité et la légalité du recours à la force armée de la part des acteurs. [...] Max Weber définissait l'État par le monopole de la violence physique légitime. Disons que la société internationale est caractérisée par l'absence d'une instance qui détienne le monopole de la violence physique légitime[48]. »

Mais justement, parce que « les relations interétatiques [...] comportent, par essence, l'alternative de la guerre et de la paix[49] », il est impossible d'aboutir à une théorie générale des relations internationales à l'image de celle qui existe par exemple en sciences économiques, et ce à cause de l'indétermination de la conduite diplomatico-stratégique. Autant Aron accepte que, dans le domaine économique, on puisse postuler comme fin de tout comportement la maximisation du profit, autant il refuse de voir dans le concept d'intérêt national défini en termes de puissance « le principal référent qui aide le réalisme politique à trouver sa voie à travers le

---

47. S'interrogeant sur la pertinence du stato-centrisme en relations internationales, Aron conclut de la façon suivante sa « Présentation à la huitième édition » de son Paix et guerre entre les nations, op. cit., *p. XXXVII : « Le système interétatique perd-il peu à peu son importance ? [...] Ma réponse n'a pas varié. [...] Encore aujourd'hui, ce système me paraît dominant ou primordial dans la société internationale, bien qu'au fil des jours, il semble passer à l'arrière-plan. »*

48. R. Aron, « Qu'est-ce qu'une théorie des relations internationales ? », art. cité.

49. R. Aron, Paix et guerre entre les nations, op. cit., *p. 18.*

domaine de la politique internationale[50] ». Faisant allusion à Morgenthau, il note ainsi : « Certains théoriciens ont voulu trouver, pour les relations internationales, l'équivalent de la fin rationnelle de l'économie. [...] Un seul impératif, l'intérêt national, proclame solennellement un théoricien [...]. Si le sociologue était capable de dire ce qu'est, en raison, l'intérêt national, il serait en mesure de dicter aux hommes d'État leur conduite au nom de la science. Il n'en est rien. [...] La pluralité des objectifs qu'une unité politique peut viser, la dualité essentielle de la puissance vers l'extérieur et du bien commun vers l'intérieur font de l'intérêt national le but d'une recherche, non un critère d'action[51]. »

En fait, tout ce qu'un théoricien peut affirmer, c'est qu'un État doit, sous peine de disparaître, prendre en permanence en considération dans son comportement extérieur le risque de guerre qu'il encourt : il faut donc se contenter d'une approche sociologique des relations internationales (cf. chap. 1), susceptible de permettre de saisir les circonstances qui influent sur les conflits et enjeux entre États, quitte à élaborer pour ce faire quelques concepts fondamentaux, relatifs aux systèmes internationaux et aux fins et moyens de la conduite diplomatico-stratégique.

Concernant ce dernier point, Aron reprend tout d'abord à son compte les trois causes principales de querelle qu'avait distinguées Hobbes, lorsqu'il avait fait de la rivalité, de la méfiance, et de la fierté, les trois motifs de guerre qui font prendre aux hommes

---

50. *H. Morgenthau,* Politics Among Nations, op. cit., *p. 5.*

51. *R. Aron,* Paix et guerre entre les nations, op. cit., *p. 28 et 288. Quand on se souvient de la querelle opposant Morgenthau à Kissinger, le premier affirmant que l'intérêt national américain n'était pas en jeu au Vietnam, alors que le second affirmait agir justement au nom de ce même intérêt national, on ne peut que donner raison à Aron contre Morgenthau.*

l'offensive pour des raisons de profit, de sécurité, et de réputation[52]. Avec un luxe de détails inégalé, il établit d'abord une typologie des objectifs poursuivis par la politique extérieure d'un État, à savoir « la puissance, la gloire et l'idée[53] ». Il distingue ensuite les différents systèmes internationaux au sein desquels les États poursuivent lesdits objectifs. Et c'est ici que réside son apport le plus original au réalisme car, dans la typologie aronienne des systèmes internationaux, définis comme des ensembles d'unités en interactions régulières susceptibles d'être impliquées dans une guerre

---

52. *T. Hobbes,* Léviathan, op. cit., *p. 123. Hobbes s'inscrit lui-même dans la filiation de Thucydide, qui distingue l'honneur, la crainte, et l'intérêt (*Histoire de la guerre du Péloponnèse, op. cit., *p. 209).*

53. *C'est le titre du troisième chapitre de la première partie de* Paix et guerre entre les nations, op. cit., *p. 81 et suiv. À vrai dire, Aron distingue trois types d'objectifs : une série d'objectifs abstraits – la sécurité, la puissance, la gloire –, une série d'objectifs concrets – l'espace, les hommes, les âmes –, et une série inspirée par « le modèle platonicien » – le corps, le cœur, l'esprit. Avant Aron, Weber, dont on sait l'influence sur Aron, avait vu dans le prestige de la puissance (*Machtprestige*) l'élément moteur de la conduite extérieure des États-nations modernes : témoin de l'antagonisme franco-allemand, il note dans « Le métier et la vocation d'homme politique », dans M. Weber,* Le Savant et le politique, *Paris, Plon, 1959, p. 167-168 : « Une nation pardonne toujours les préjudices matériels qu'on lui fait subir, mais non une atteinte portée à son honneur ». De nos jours, R. Lebow,* A Cultural Theory of International Relations, op. cit., *voit dans l'esprit, défini comme l'estime de soi doublée d'une reconnaissance par les pairs que permettent d'obtenir l'honneur et le rang, le motif fondamental – sinon la pulsion innée – guidant la politique étrangère des unités politiques. Il passe en revue deux millénaires et demi d'histoire, depuis le roi spartiate Léonidas confronté aux Perses jusqu'à G. W. Bush opposé à Ben Laden et Saddam Hussein en passant par le Roi Soleil, Guillaume II et Hitler, pour montrer que l'aspiration à l'honneur et la vengeance d'un honneur bafoué, à l'origine du comportement d'Achille dans l'*Iliade *d'Homère, mais aussi la*

générale, la nature des États concernés est tout aussi importante que la structure de la configuration de leurs rapports de force[54].

« La caractéristique première d'un système international est la configuration du rapport des forces », écrit Aron, et il oppose logiquement la configuration pluri- ou multipolaire, au sein de laquelle l'équilibre est fonction de la rivalité entre plusieurs unités, à la configuration bipolaire, où l'équilibre n'est possible qu'entre deux camps constitués autour de deux puissances prédominantes autour desquelles les puissances moindres sont obligées de s'agréger. Mais il précise aussitôt que « la conduite extérieure des États n'est pas commandée par le seul rapport des forces », dans la mesure où les « idées et sentiments influent sur les décisions des acteurs », dont les intérêts nationaux ne sauraient être définis « abstraction faite du régime intérieur, des aspirations propres aux différentes classes, de l'idéal politique de la cité ». D'où la distinction entre systèmes homogènes et systèmes hétérogènes : « J'appelle systèmes homogènes ceux dans lesquels les États appartiennent au même type, obéissent à la même conception de la politique. J'appelle hétérogènes, au contraire, les systèmes dans

---

*défense d'un rang hiérarchique ou d'un statut privilégié, à l'origine du comportement d'Agamemnon toujours dans l'*Iliade, *expliquent mieux le comportement des grandes puissances que la peur de l'insécurité pour cause d'anarchie chère aux réalistes, ou l'appétit de bien-être matériel mis en avant par les libéraux. L'ouvrage, qui relève d'une approche que l'on peut qualifier de constructiviste psychologique, a suscité une avalanche de comptes rendus dans plusieurs dossiers spéciaux de revues :* International Relations, *23 (1), 2009, p. 141 et suiv. ;* Millennium, *37 (4), 2009, p. 107 et suiv. ;* International Theory, *2 (3), 2010, p. 446 et suiv.*

54. *Pour une conception systémique,* id est *behaviouraliste, des systèmes internationaux, voir M. Kaplan,* System and Process in International Politics, op. cit.

lesquels les États sont organisés selon des principes autres et se réclament de valeurs contradictoires[55]. » Cette distinction est essentielle : pour preuve, Aron n'hésite pas à attribuer l'ordre stable du système international du XIXe siècle non pas tellement à l'équilibre multipolaire mais à la présence de la Sainte-Alliance, synonyme de stabilité à cause des intérêts dynastiques et idéologiques unissant les gouvernements concernés au-delà de la rivalité de leurs intérêts nationaux ; de même, il déduit de l'incompatibilité idéologique entre camp occidental et bloc soviétique le caractère hautement instable de la guerre froide, système certes bipolaire, mais d'abord et surtout hétérogène.

Par rapport à Morgenthau[56], Aron ne se contente donc pas du premier niveau d'analyse (cf. chap. 1) auquel le réaliste américain était *in fine* resté attaché, en faisant de la nature humaine le facteur ultime d'explication de la politique de puissance : si Aron reconnaît la nature humaine et sociale comme l'une des « conditions structurelles de la bellicosité[57] », c'est bien l'état de nature dans lequel se trouve le système international qui constitue l'autre condition

---

55. *Toutes les citations qui précèdent sont extraites de R. Aron,* Paix et guerre entre les nations, op. cit., *p. 104, 108, 101 et 108. R. Aron reconnaît avoir emprunté la distinction entre systèmes homogènes et hétérogènes à la thèse soutenue en 1941 à Genève par P. Papaligouras :* Théorie de la société internationale. *On peut se demander s'il n'a pas également été influencé par C. Schmitt, chez qui cette opposition est au moins implicitement présente, notamment dans* Le *Nomos* de la terre dans le droit des gens du *jus publicum europaeum*, op. cit.

56. *Si les différences entre Morgenthau et Aron sont réelles et volontiers soulignées par Aron, les points communs existent tout autant, ainsi pour ce qui est de leur énumération des facteurs de la puissance, et de leur commun penchant à réduire ces facteurs à leur dimension militaire.*

57. *R. Aron, « Qu'est-ce qu'une théorie des relations internationales ? », art. cité.*

structurelle à l'origine des relations inter-étatiques se déroulant à l'ombre de la guerre. Mais Aron ne situe pas pour autant son analyse au niveau de la seule troisième image, mais aussi à celui de la deuxième image, vu qu'un système international est aussi fonction de la nature interne des unités qui le composent. Si par là même Aron établit une passerelle entre le paradigme réaliste et l'approche libérale des relations internationales attribuant le comportement extérieur d'un État aux demandes sociétales telles qu'elles se reflètent dans la nature de son régime interne (cf. chap. 5), il s'inscrit en faux par rapport à la troisième grande figure réaliste du XXe siècle, le néoréaliste Kenneth Waltz qui se propose, lui, d'établir une véritable théorie nomologico-déductive de la politique internationale (cf. chap. 1) à partir de son postulat de la structure du système international comme contrainte déterminant le comportement d'unités fonctionnellement indifférenciées.

Esquissée dès 1959, lorsque dans son *Man, the State and War*, Waltz attribue l'état de guerre à la structure anarchique du système international plutôt qu'à la nature humaine et/ou aux attributs des acteurs étatiques – « la guerre existe parce que rien ne l'empêche[58] » –, la théorie de la politique internationale de Waltz date de son ouvrage éponyme de 1979[59]. Celui-ci doit se comprendre comme

58. *K. Waltz,* Man, the State and War, *New York (N. Y.), Columbia University Press, 1959, p. 188.*

59. *La continuité entre* Man, the State and War *et* Theory of International Politics *n'empêche pas des contradictions, notamment au sujet des causes de guerres : dans* Theory of International Politics, op. cit., *p. 102-103, Waltz écrit que « si l'absence de gouvernement est associé avec la menace de violence, il en va de même de sa présence. Les guerres les plus destructrices des cent années qui ont suivi la défaite de Napoléon ont eu lieu non pas entre États mais en leur intérieur... Si l'usage potentiel et effectif de la force caractérise les ordres tant nationaux qu'internationaux, alors aucune distinction ferme ne peut*

une riposte aux critiques subies par le réalisme de la part des adeptes du mouvement behaviouraliste et des approches non stato-centrées, lors des deuxième et troisième débats de la discipline : si tous avaient remis en cause l'autonomie des Relations internationales au sein des sciences sociales, les behaviouralistes avaient en outre relevé le manque de scientificité du réalisme classique, alors que les transnationalistes et les marxistes avaient souligné le rôle des acteurs non étatiques (cf. chap. 3).

Face à ces critiques, Waltz retrouve à la fois Morgenthau et Aron, en réaffirmant l'autonomie des Relations internationales autour de l'acteur central qu'est l'État : « Une théorie est un tableau, mentalement formé, d'un domaine d'activité délimité. [...] La théorie isole un domaine afin de le traiter intellectuellement. Isoler un domaine est la condition *sine qua non* pour pouvoir développer une théorie susceptible d'expliquer ce qui s'y passe [...] De même que les économistes définissent les marchés en termes de firmes, je définis les structures politiques internationales en termes d'États. [...] Les États sont les unités dont les interactions forment la structure des systèmes politiques internationaux[60]. » Mais il accepte le reproche adressé par les behaviouralistes au manque de rigueur scientifique du réalisme classique de Morgenthau et Aron[61], ce qui l'amène à emprunter à la science sociale réputée la plus

---

être dressée entre les deux à partir de l'usage ou non de la force ». Pour une analyse des contradictions internes aux différents réalismes contemporains, voir H. Wagner, War and the State : The Theory of International Politics, *Ann Arbor (Mich.), University of Michigan Press, 2007, p. 12-51.*

60. K. Waltz, Theory of International Politics, op. cit., *p. 8 et 94-95.*

61. Waltz compare son approche scientifique à la méthode traditionnelle de Morgenthau et Aron dans son article « Realist Thought and Neorealist Theory », art. cité. Pour une critique

« scientifique » qu'est la science économique le modèle du marché pour l'appliquer à la politique internationale.

Refusant ce qu'il appelle les « théories réductionnistes » expliquant la politique internationale au premier niveau d'analyse par la nature humaine et/ou la personnalité des décideurs, ou au deuxième niveau d'analyse par les attributs des États tels que leur positionnement géographique ou leur régime politique interne[62], Waltz situe l'explication de la politique internationale au seul troisième niveau d'analyse, celui du système international. Celui-ci se définit par trois principes : le principe ordonnateur, le principe de différenciation, le principe de distribution.

Le principe ordonnateur correspond à l'état général d'un système et à l'instar d'Aron, Waltz postule la différence radicale entre le système politique interne, caractérisé par l'existence d'une instance revendiquant le monopole de la violence physique légitime, et le système politique international, dépourvu d'une telle instance : « Les systèmes politiques internes sont centralisés et hiérarchiques. [...] Les systèmes internationaux sont décentralisés et anarchiques. Les principes ordonnateurs de ces deux structures sont distincts l'un de l'autre ; en fait, ils sont opposés l'un à l'autre[63]. » Mais cette accentuation de la différence entre politique nationale, « domaine de

---

dénonçant cette démarcation comme excessive et injuste, voir J. Parent et J. Baron, « Elder Abuse : How the Moderns Mistreat Classical Realism », International Studies Review, *13 (2), 2011, p. 193-213.*

62. *À la rigueur, dit Waltz, ces deux niveaux sont pertinents lorsqu'il s'agit d'expliquer le comportement international des États, leur politique étrangère donc, mais non pas la politique internationale dans son ensemble, c'est-à-dire l'ensemble des comportements récurrents des – grands – États, indépendamment de considérations de temps et de lieu.*

63. *K. Waltz,* Theory of International Politics, op. cit., *p. 88.*

l'autorité, de l'administration, et du droit », et politique internationale, « domaine de la puissance, de la lutte, et de l'accommodement[64] », est le seul point commun avec Aron, car au niveau du deuxième principe, celui du principe de différenciation, Waltz n'attribue aucun rôle au régime interne des États en politique internationale.

D'après Waltz, la structure anarchique du système international rend toutes les unités de ce système, les États, fonctionnellement indifférenciées, en en faisant des *like units* : « Les États qui forment les unités des systèmes politiques internationaux ne sont pas différenciés par les fonctions qu'ils remplissent. » Plus précisément, tout État est, du fait de l'anarchie, contraint à assurer sa sécurité avant de poursuivre tout autre objectif : « Dans l'anarchie, la sécurité est l'objectif premier. Ce n'est qu'à condition que leur survie soit assurée que les États cherchent à satisfaire d'autres buts tels que la tranquillité, le profit, ou la puissance. [...] Le but que le système encourage [... les États...] à poursuivre est la sécurité. » Davantage, tout État ne peut compter que sur lui-même (*self-help*) pour assurer cette sécurité : « Pour atteindre leurs objectifs et maintenir leur sécurité, des unités en condition d'anarchie ne doivent se fier qu'à [...] eux-mêmes. Le fait de ne compter que sur soi constitue par définition le principe d'action dans un ordre anarchique. » Et concrètement, cela revient à dire que tout État est amené à équilibrer la puissance de tout autre État : « Un système du chacun pour soi est un système dans lequel ceux qui ne s'aident pas, ou qui s'aident moins efficacement que d'autres, s'empêcheront de prospérer, encourront des dangers, souffriront. La peur de telles conséquences non voulues incite les États à se comporter de façon à créer des équilibres des puissances[65]. »

---

64. Ibid., *p. 113.*
65. Ibid., *p. 93, 126, 111, 118.*

En d'autres termes, alors que chez Aron l'anarchie implique la pluralité des objectifs poursuivis par les États en fonction de leurs régimes et de leurs valeurs, chez Waltz, en revanche, le système international est défini abstraction faite des régimes internes des États qui le composent et, surtout, il a un effet contraignant ou, plus exactement, structurant, sur le comportement international des États[66] au sens où, « en influençant sans déterminer[67] » leur comportement, il les incite à adopter une politique du *self-help* en récompensant ceux qui agissent de la sorte – ils grandissent et

---

66. *Cette conception structuraliste de l'anarchie internationale, Waltz la doit à Rousseau chez qui le chasseur primitif préfère son intérêt égoïste à l'intérêt commun non pas à cause de sa nature mauvaise comme chez Hobbes, mais parce que l'état de nature dans lequel il se trouve l'amène à privilégier un tel comportement, tant il ne peut jamais être sûr du comportement d'autrui du fait de l'absence de toute autorité sanctionnant le manquement aux engagements donnés (cf. chap. 2).*

67. *K. Waltz,* Theory of International Politics, op. cit., *p. 78. Je remercie P. Vennesson de m'avoir signalé que le structuralisme de Waltz n'implique pas de déterminisme : à plusieurs reprises, il affirme explicitement que si une théorie systémique permet d'expliquer des régularités dans le comportement des États, « le comportement des États et chefs d'État est cependant* indéterminé *», que si sa théorie dévoile quelles pressions sont exercées sur les États, « elle ne peut pas nous dire* comment, et avec quel succès, *les unités d'un système répondront aux pressions », que si les actions des agents et les agents eux-mêmes sont « affectés » par la structure, la structure en soi « ne mène* pas directement *vers un résultat plutôt qu'un autre »(*ibid., *p. 68, 71 et 74, souligné par nos soins). Cela dit, Waltz est ambigu, ou du moins imprécis, ainsi lorsqu'il note que la politique du chacun pour soi est «* nécessairement *le principe d'action dans un ordre anarchique », lorsqu'il précise que les États peuvent chercher à satisfaire leur objectifs de puissance ou de profit «* seulement *après que leur survie est assurée », lorsqu'il écrit que la stratégie de la politique de l'équilibre plutôt que celle de la politique du ralliement « est* induite *par le système » (*ibid., *p. 111, 126 et 126, souligné par nos soins).*

prospèrent – et en pénalisant ceux qui n'agissent pas de la sorte – ils s'affaiblissent et tombent en dépendance. Est-ce à dire qu'il n'existe qu'un seul type de système international vu que tous les États sont amenés à se comporter de la même façon ?

Non, car le principe de distribution des capacités matérielles dont disposent les États pour remplir leur fonction est susceptible de venir changer la structure d'un système international : « La structure d'un système change avec les changements dans la distribution des capacités parmi les unités du système[68]. » Exprimé autrement : s'il est vrai que les unités d'un système anarchique sont fonctionnellement indifférenciées en ce qu'elles sont toutes contraintes à assurer leur sécurité grâce à une politique d'équilibre des puissances, elles se distinguent entre elles par « leur plus ou moins grande capacité à remplir cette fonction[69] ». La structure d'un système international finit ainsi par dépendre du nombre de grandes puissances[70], à l'image de ce qui se passe sur les marchés économiques : de même que des entreprises oligopolistiques, en émergeant progressivement, finissent par organiser le marché et déterminent ainsi le comportement concret des autres entreprises, certes fonctionnellement indifférenciées en ce qu'elles cherchent toutes à maximiser leur profit mais obligées d'orienter cette recherche en fonction des régulations introduites par ces grandes entreprises, de même des grandes puissances

---

68. K. Waltz, Theory of International Politics, op. cit., *p. 97.*

69. Ibid., *p. 97.*

70. À l'instar de tous les réalistes, seules les grandes puissances comptent pour Waltz, ibid., *p. 97 : « Les grandes puissances d'une époque ont toujours été traitées à part par les théoriciens comme par les praticiens. [...] Les chercheurs en politique internationale distinguent les différents systèmes politiques internationaux selon le nombre de leurs grandes puissances. »*

organisent le système international, réduisant ainsi l'incertitude propre à l'anarchie.

D'ailleurs, moins il y a de grandes puissances, plus est stable un système international : « Avec seulement deux puissances, on peut s'attendre à ce qu'elles agissent toutes les deux en vue de maintenir le système[71]. » Alors que Morgenthau est favorable à un système multipolaire au nom des traditionnels arguments que sont la fluidité d'un tel système autorisée par la pluralité des acteurs et la prudence à laquelle ceux-ci sont incités à cause de l'imprévisibilité du comportement de chacun, alors que la préférence de Aron va à un équilibre multipolaire davantage susceptible d'être homogène qu'un équilibre bipolaire, Waltz est le seul grand réaliste[72] à voir dans un équilibre bipolaire la condition *sine qua non* d'un système ordonné, tant il estime que la guerre froide dont il est le témoin est bien davantage synonyme de stabilité entre *security seekers* défensifs que de *struggle for power* offensif ou de conflit idéologique « hétérogène ».

La fin de la guerre froide semble *a priori* aller dans le sens de Waltz plutôt que dans celui de Aron : la guerre pour cause d'affrontement idéologique à laquelle s'attendait Aron n'a pas eu lieu ; mieux, la guerre froide a pris fin sans qu'un seul coup de feu ne soit tiré, du seul fait de l'effondrement de l'URSS. Reste pourtant

---

71. Ibid., *p. 204.*

72. *Théorisée dès 1964 dans K. Waltz, « The Stability of A Bipolar World » (1964), dans K. Waltz,* Realism and International Politics, op. cit., *p. 99-122, la préférence waltzienne pour le système bipolaire sera confirmée,* a posteriori *et* a contrario, *après la fin de la guerre froide : « The Emerging Structure of International Politics » (1993), dans* ibid., *p. 166-196. Même analyse chez J. Mearsheimer, « Back to the Future. Instability in Europe After the Cold War »,* International Security, *15 (1), été 1990, p. 5-56.*

que Waltz n'a pas prévu cette fin. Loin de là : en 1979, il affirme que « les barrières à l'entrée du club des superpuissances n'ont jamais été plus hautes et plus nombreuses. Le club restera pendant longtemps le club le plus exclusif au monde[73] », et l'on peut estimer que le pronostic « pendant longtemps » a été démenti par les dix années qui séparent la publication de *Theory of International Politics* de la chute du mur de Berlin[74]. En fait, il n'y a qu'un seul passage où Waltz semble prévoir l'issue effective qu'a connue la guerre froide, lorsqu'il s'interroge sur les capacités réelles de l'URSS : « L'Union soviétique jouit de beaucoup d'avantages qu'ont les États-Unis, et de quelques-uns que les États-Unis n'ont pas. Mais avec un PNB qui ne représente que la moitié du nôtre, elle aura du mal à rester dans la course. On pourrait se demander si la bonne question à poser n'est pas celle de savoir si un troisième ou quatrième État rejoindra le cercle des grandes puissances dans un avenir proche, mais plutôt si l'URSS pourra s'y maintenir[75]. »

---

73. K. Waltz, Theory of International Politics, op. cit., *p. 183.*

74. L'incapacité par l'ensemble des réalistes d'imaginer une fin pacifique de la guerre froide a été à l'origine de nombreuses critiques dont ils ont fait l'objet. Voir notamment J. L. Gaddis, « International Relations Theories and the End of the Cold War », International Security, *17 (3), hiver 1992-1993, p. 5-58 ; C. Kegley, « The Neo-Idealist Moment in International Studies ? Realist Myths and the New International Realities »,* International Studies Quartely, *37 (2), juin 1993, p. 131-146 ; F. Kratochwil, « The Embarrassment of Changes. Neorealism as the Science of Realpolitik without Politics »,* Review of International Studies, *19 (1), janvier 1993, p. 63-80 ; T. Risse-Kappen et R. N. Lebow (eds),* International Relations Theory and the End of the Cold War, *New York (N. Y.), Columbia University Press, 1995 ; P. Schroeder, « Historical Reality* vs. *Neo-Realist Theory »,* International Security, *19 (1), été 1994, p. 108-148.*

75. K. Waltz, Theory of International Politics, op. cit., *p. 179-180.*

C'est précisément cette intuition – sans suite chez Waltz – qui constitue le pivot central d'une autre version du néoréalisme, celle proposée par Robert Gilpin, deux ans après *Theory of International Politics*, dans *War and Change in World Politics*. Davantage sensible aux transnationalistes et marxistes reprochant aux réalistes de négliger le facteur économique, Gilpin intègre dans la théorie générale du réalisme la dimension économique[76], qu'il voit à la base des changements intervenant dans la distribution des capacités entre États que Waltz n'explique pas lorsqu'il se contente de constater que « la structure d'un système varie selon les changements qui interviennent dans la distribution des capacités entre les unités du système[77] ». Il s'ensuit une conception dynamique du réalisme qui, contrastant avec le postulat réaliste de la continuité inhérente à la politique internationale[78], se propose de penser le changement en politique internationale.

Le changement, ou plus exactement certains changements. Car à l'image des autres réalistes, Gilpin nie toute possibilité de pacification des relations entre États : « La nature fondamentale des relations internationales n'a pas changé depuis des millénaires. Les

---

76. Si Morgenthau et Aron font de l'économie l'un des facteurs de la puissance, c'est sous l'angle de l'utilité militaire des ressources économiques. Quant à Waltz, il intègre non pas le facteur économique, mais le raisonnement micro-économique, dans sa version générale du réalisme.

77. K. Waltz, Theory of International Politics, op. cit., *p. 97.*

78. Ainsi, selon K. Waltz, ibid., *p. 66, « la texture de la politique reste hautement constante, les modèles sont récurrents, et les événements se répètent indéfiniment ». Le refus (néo-)réaliste d'imaginer le changement est à l'origine à la fois des critiques post-positivistes du réalisme, telles qu'exprimées par Cox, Ashley et Ruggie dans R. Keohane (ed.),* Neorealism and Its Critics, op. cit., *et du succès actuel du constructivisme (cf. chap. 8 et 9).*

relations internationales continuent d'être une lutte récurrente pour le bien-être et la puissance parmi des acteurs indépendants en état d'anarchie. L'histoire classique de Thucydide est un guide aussi pertinent au comportement des États contemporains qu'il l'a été au Ve siècle avant Jésus-Christ[79]. » En revanche, il estime possible à la fois les changements de système, et les changements systémiques. Les premiers sont relatifs à la transformation de la nature des acteurs constitutifs du système, qui sont toujours des groupes de conflit[80], mais dont la forme conjoncturelle varie en fonction de données économiques, technologiques et autres : le fait pour l'État d'être de nos jours l'unité fondamentale de la politique internationale « ne signifie pas que les États doivent toujours être les acteurs principaux, ni que la nature de l'État doit toujours rester la même ou que l'État-nation est la forme ultime d'organisation politique. À travers l'histoire, les organisations politiques ont largement varié : tribus, empires, fiefs, cités-États, etc.[81] ». Quant aux seconds, ils concernent les modifications au niveau de la régulation d'un système, et là réside l'originalité de Gilpin.

Contrairement à Morgenthau et Aron, adeptes de l'équilibre multipolaire, et contrairement à Waltz, partisan de l'équilibre bipolaire, Gilpin fait dépendre la stabilité internationale de l'existence d'un équilibre unipolaire, c'est-à-dire de la présence d'une puissance hégémonique, comme le prouvent d'après lui la *pax britannica*, qui davantage que l'équilibre multipolaire homogène explique la

---

79. R. Gilpin, War and Change in World Politics, *Princeton (N. J.), Princeton University Press, 1981, p. 7.*

80. Gilpin se réfère ici à Aristote et au sociologue R. Dahrendorf, qu'il cite dans « No One Loves A Political Realist », art. cité.

81. R. Gilpin, War and Change in World Politics, op. cit., *p. 18.*

stabilité du XIXᵉ siècle, et la *pax americana*, inaugurée dès 1945. Gilpin fonde cette puissance hégémonique moins sur la distribution des capacités militaires que sur les changements technologiques et économiques : les capacités militaires d'une puissance prédominante reposent en effet sur ses forces productives qui constituent la précondition matérielle *sine qua non* de ses prétentions à l'hégémonie, hégémonie maintenue par ailleurs grâce à la mise sur pied d'un ensemble de normes régulant l'ordre existant à son profit et à celui de ses alliés[82]. Or, le propre des forces productives, c'est de se développer inégalement : pendant un certain temps, la croissance économique se nourrit d'elle-même, avant que le processus ne s'inverse dans un second temps. Pourquoi ? Parce que le maintien de la position hégémonique implique des dépenses de défense qui se feront nécessairement au détriment du développement économique. La loi des taux différentiels de croissance joue donc tôt ou tard en faveur des puissances secondaires : si l'une d'entre elles en vient alors à estimer que les bénéfices d'un changement du système de régulation existant sont supérieurs aux investissements nécessaires à ce changement, elle n'hésitera pas à venir défier la puissance hégémonique. Il s'ensuit une guerre hégémonique[83] au sens de guerre généralisée en vue de la définition d'un nouvel ordre

---

82. *Chez Gilpin, l'hégémonie n'a donc pas que des fondements exclusivement matériels. En quelque sorte, son acception de l'hégémonie est à mi-chemin entre la conception réaliste pure de l'hégémonie défendue par J. Mearsheimer, qui y voit une simple suprématie matérielle, et notamment militaire, et la conception gramscienne que l'on retrouve chez I. Wallerstein (cf. chap. 7) et surtout chez R. Cox (cf. chap. 8), pour qui l'hégémonie est une domination non ressentie comme telle par ceux qui la subissent.*

83. *C'est à R. Aron,* La Société industrielle et la guerre, *Paris, Plon, 1959, que R. Gilpin,* War and Change in World Politics, op. cit., *p. 197-198, emprunte ce concept de guerre*

international : « Un conflit hégémonique, dû au déséquilibre croissant entre le fardeau que représente le maintien de l'empire hégémonique et les ressources à la disposition de la puissance dominante pour ce faire, aboutit à la création d'un nouveau système international[84]. » À la tête de ce nouvel ordre, se trouvera soit la puissance qui est venue défier la puissance dominante, soit l'une des puissances alliées de la seconde, et qui profite du déclin de celle-ci pour prendre son relais : c'est ce qui s'est passé après les deux guerres mondiales, lorsque les États-Unis ont succédé à la Grande-Bretagne défiée à deux reprises, mais sans succès, par l'Allemagne. Dans tous les cas, ce nouvel ordre ne sera lui aussi que plus ou moins temporaire : « La conclusion d'une guerre hégémonique signifie le début d'un autre cycle de croissance, expansion et déclin. La loi de croissance inégale continue à redistribuer la puissance, minant ainsi le *statu quo* établi à la suite de la dernière lutte hégémonique. Le déséquilibre remplace l'équilibre, et le monde s'oriente vers un nouveau conflit hégémonique[85]. »

Naissance et déclin des puissances[86], calcul coûts/avantages, hégémonie : la théorie du changement systémique international par le mécanisme des luttes hégémoniques entre puissance en phase descendante et puissance en phase ascendante combine de façon éclectique des visions historiques que n'auraient pas reniées Montesquieu ou Gibbon, des raisonnements microéconomiques

---

hégémonique, définie comme une guerre caractérisée moins par ses causes immédiates et ses objectifs explicites que par son étendue et ses enjeux, dans la mesure où elle affecte l'ensemble des unités étatiques souveraines du système.

84. R. Gilpin, War and Change in World Politics, op. cit., *p. 209-210.*

85. Ibid., *p. 210.*

86. Ce thème a été popularisé par P. Kennedy, Naissance et déclin des grandes puissances, *Paris, Payot, 1989.*

empruntés à l'individualisme méthodologique du *rational choice*, et des conceptualisations à connotation néomarxiste[87], au sein d'un modèle proche des théories de la stabilité hégémonique de Kindleberger[88] et rappelant les explications en termes de cycles de puissance de Modelski-Thompson ou de transitions de puissance d'Organski-Kugler[89]. Si un tel syncrétisme ne gêne pas Gilpin, pour qui le réalisme est moins « une théorie scientifique susceptible d'être soumise au test de réfutabilité » qu'« une disposition philosophique[90] », il met à mal l'espoir de Waltz de faire du réalisme *la* théorie de la politique internationale, susceptible d'expliquer le comportement récurrent des États en tout temps et tout lieu.

En effet, d'après Waltz, « si théorie de la politique internationale il doit y avoir, c'est bien la théorie de l'équilibre des puissances[91] » :

---

87. *L'influence du néomarxisme sur Gilpin, explicite surtout dans son deuxième grand ouvrage,* The Political Economy of International Relations, *Princeton (N. J.), Princeton University Press, 1987, est soulignée par S. Guzzini,* Realism in International Relations and International Political Economy, op. cit.

88. *On reviendra sur Kindleberger dans le chapitre 12, relatif aux théories de la coopération.*

89. *On reviendra brièvement sur ces théories des cycles de puissance dans le chapitre 15, relatif aux théories de la guerre et de la paix.*

90. *R. Gilpin, « No One Loves A Political Realist », art. cité.*

91. *L'incompatibilité entre Waltz et Gilpin est explicite dans* Theory of International Politics, op. cit., *p. 126 : « Si les États souhaitaient maximiser la puissance, ils rejoindraient le plus fort, et on verrait se créer non pas un équilibre des puissances mais une hégémonie mondiale. Cela ne se produit pas, parce que le comportement induit par le système est non pas une politique de* bandwagoning, *mais une politique d'équilibre. La première volonté des États est de maintenir leur position dans le système, et non pas de maximiser leur puissance ». Voir également R. Schweller, « Bandwagoning For Profit. Bringing the Revisionist State Back In »,* International Security, *19 (1), été 1994, p. 72-107.*

le système anarchique du *self-help* amène les acteurs à adopter un tel comportement, et à écarter le comportement opposé qui consiste en une stratégie de *bandwagoning* (ralliement) à l'égard de la puissance prédominante. Or, Gilpin, pourtant tout aussi néoréaliste, ne partage pas cette analyse : si équilibre unipolaire il peut y avoir, c'est que nécessairement les puissances ne cherchent pas toutes à s'équilibrer les unes les autres, mais acceptent que l'une d'entre elles assume le *leadership*. Autrement dit, certaines puissances confient implicitement leur sécurité à l'hégémonie bienveillante de la puissance prédominante, ce qui va à l'encontre du principe du *self-help*. À la rigueur, une telle politique de *bandwagoning* peut s'expliquer par l'existence d'une menace en provenance d'une puissance autre que la puissance prédominante, comme le suggère un autre réaliste, Stephen Walt, avec sa notion d'« équilibre de la menace[92] » : plutôt que d'équilibrer les seules capacités matérielles de la puissance prédominante, les États sont amenés à équilibrer aussi les capacités offensives et les intentions prêtées à une puissance reconnue comme d'autant plus menaçante qu'elle est proche géographiquement, comme ce fut le cas lors de la guerre froide, lorsque la Grande-Bretagne, la France et l'Allemagne fédérale rejoignent le camp de la puissance américaine contre la menace soviétique. Mais que la stratégie de ralliement s'analyse comme le comportement d'une puissance satisfaite convaincue de pouvoir profiter des règles du jeu établies par la puissance hégémonique, ou bien comme le comportement d'une puissance secondaire craintive à l'égard d'une puissance majeure perçue comme menaçante, il ne fait pas de doute que la détermination ultime de ce comportement ne saurait renvoyer à la seule distribution des capacités

---

92. *S. Walt,* The Origins of Alliances, *Ithaca (N. Y.), Cornell University Press, 1987.*

matérielles au sein du système international comme l'affirme Waltz[93], dont la *Théorie de la politique internationale* se trouve ainsi réfutée[94].

Ce n'est certes pas la dernière grande œuvre réaliste qu'est *The Tragedy of Great Power Politics*[95] qui permettra au réalisme de retrouver son unité perdue. À la recherche d'une théorie générale de la politique internationale, John Mearsheimer se propose en effet

---

93. Précision conceptuelle : le terme de « bandwagon *», utilisé par Q. Wright,* A Study of War *(1942), Chicago (Ill.), Chicago University Press, 1965 [2e éd.], précisé par A. Wolfers dans son essai « The Balance of Power in Theory and Practice », dans A. Wolfers,* Discord and Collaboration, op. cit., *p. 124, est utilisé dans la théorie de l'équilibre des puissances par Waltz pour désigner le comportement d'une puissance secondaire qui rejoint le camp de la puissance prédominante, alors qu'il est employé dans la théorie de l'équilibre des menaces par Walt pour désigner le comportement d'une puissance secondaire qui rejoint le camp de la puissance la plus menaçante. Si on combine les deux théories, on voit que le fait pour une puissance secondaire de pratiquer une politique d'équilibre à l'encontre d'une puissance menaçante, comme le dit Walt, revient à pratiquer une politique de* bandwagon *à l'encontre de la puissance aux plus grandes capacités, comme l'exclut Waltz. Voilà pourquoi ces deux théories sont incompatibles entre elles.*

94. Ces dernières années, deux nouvelles notions sont venues s'ajouter aux notions d'équilibre de la puissance et d'équilibre de la menace. J. Taliaferro, Balancing Risks. Great Power Intervention in the Periphery, *Ithaca (N. Y.), Cornell University Press, 2004, a ajouté le concept d'« équilibre des risques », alors que la revue* International Security, *30 (1), été 2005, a consacré un numéro au «* soft balancing *».*

95. J. Mearsheimer, The Tragedy of Great Power Politics, *New York (N. Y.), Norton, 2001. Cet ouvrage constitue le couronnement logique de ses deux articles, « Back to the Future. Instability in Europe After the Cold War »,* International Security, *15 (1), été 1990, p. 5-56, et « The False Promise of International Institutions »,* International Security, *19 (3), hiver 1994-1995, p. 5-49.*

de combiner le néoréalisme structuraliste de Waltz avec le réalisme classique de Morgenthau. Mais si « [sa] théorie du réalisme offensif[96] » renouvelle effectivement le réalisme, c'est au prix d'une nouvelle division, entre réalisme offensif et réalisme défensif, venant s'ajouter à l'opposition entre théorie statique de l'équilibre – bipolaire ou multipolaire d'ailleurs – et théorie dynamique des cycles unipolaires[97].

À Waltz, Mearsheimer emprunte les postulats de départ relatifs à la contrainte exercée par la structure anarchique de la scène internationale, car ce n'est pas un hypothétique *animus dominandi* inhérent à la nature humaine qui, d'après lui, explique la politique internationale, mais l'anarchie internationale : à cause de l'absence d'autorité centrale au-dessus des États, ces derniers, acteurs rationnels, cherchent d'abord à survivre, c'est-à-dire à maintenir leur intégrité territoriale et leur ordre politique interne, confrontés qu'ils sont à d'autres États dotés de capacités militaires offensives incompressibles et dont ils ne peuvent jamais connaître avec certitude les intentions. Mais Mearsheimer n'en déduit nullement que pour assurer leur survie, les États cherchent à équilibrer la puissance de tous les autres États. Tout au contraire, il emprunte au réalisme classique de Morgenthau l'idée que les États sont guidés par le désir d'acquérir puissance après puissance, et qu'ils cherchent donc à maximiser, plutôt qu'à simplement optimiser, leur puissance, dans l'espoir de dominer autrui : « À l'image

---

96. *J. Mearsheimer,* The Tragedy of Great Power Politics, op. cit., *p. 21.*

97. *Pour des vues d'ensemble sur cette opposition, voir J. Vasquez et C. Elman (eds),* Realism and the Balance of Power. A New Debate, *Englewood Cliffs, Prentice Hall, 2003, ainsi que T. V. Paul, J. Wirtz et M. Fortmann (eds),* Balance of Power. Theory and Practice in the 21st Century, *Stanford (Calif.), Stanford University Press, 2004.*

du réalisme défensif, ma théorie estime que les grandes puissances se préoccupent essentiellement des moyens leur permettant de survivre dans un monde où il n'y a pas d'autorité les protégeant les uns des autres. Ils se rendent vite compte que la puissance est la clef de leur survie. Le réalisme offensif se sépare cependant du réalisme défensif lorsqu'il s'agit de savoir combien de puissance un État cherche à acquérir. Pour les réalistes défensifs, la structure internationale [...] incite les États à maintenir l'équilibre des puissances existant. Maintenir leur puissance, plutôt qu'essayer de l'augmenter, tel est le but principal des États. Les réalistes offensifs croient tout à l'opposé que l'on ne rencontre que très rarement des puissances satisfaites du *statu quo* dans la politique mondiale, car le système international [...] oblige les grandes puissances à maximiser leur puissance relative, étant donné que c'est le moyen optimal pour maximiser leur sécurité. C'est l'exigence de survie qui implique un comportement agressif. Les grandes puissances se comportent de façon agressive non pas parce qu'elles veulent se comporter de la sorte ou parce qu'elles possèdent en elles une volonté intrinsèque de domination, mais parce qu'elles se doivent de chercher plus de puissance si elles veulent maximiser leur chance de survie[98]. »

Exprimé autrement, à l'opposé des réalistes défensifs postulant que la sécurité est relativement abondante dans le système international, avec pour conséquence que les États peuvent se permettre

---

98. *J. Mearsheimer,* The Tragedy of Great Power Politics, op. cit., *p. 21. Il n'est pas sûr que Mearsheimer soit parfaitement fidèle aux deux auteurs dont il se réclame : ainsi, Waltz accorde de l'importance aux capacités des États plutôt qu'à leurs intentions ; quant à Morgenthau, il estime que la majorité des États pratique la plupart du temps une politique de* statu quo *plutôt qu'une politique impérialiste de renversement de l'ordre existant.*

d'être des optimisateurs de sécurité agissant comme si le conflit armé était possible plutôt que probable, Mearsheimer part lui de l'hypothèse que la sécurité est une denrée rare, et il en déduit que « l'objectif ultime des États est d'être l'*hegemon* du système[99] », car seul un État qui domine tous les autres en maximisant sa propre puissance peut espérer vivre en sécurité dans un monde où l'agression est toujours probable[100]. Mearsheimer ne rejoint pas pour autant le réalisme de Gilpin, voyant lui aussi dans l'existence d'un système déséquilibré en faveur d'une puissance prépondérante la condition *sine qua non* d'une stabilité internationale au moins temporaire[101]. Loin de là même, et cela pour deux raisons. Tout d'abord,

---

99. Ibid., *p. 21. J. Mearsheimer définit l'hégémonie en termes exclusivement matérialistes et,* de facto, *militaires.*

100. Sur l'idée de la sécurité comme denrée abondante chez les réalistes défensifs et au contraire rare chez les réalistes offensifs, voir S. Brooks, « Dueling Realisms », International Organization, *51 (3), été 1997, p. 445-477.*

101. Gilpin n'est cité qu'une seule fois dans The Tragedy of Great Power Politics, op. cit., *p. 336, mais on peut se demander si Mearsheimer, au-delà de sa volonté de concilier le néoréalisme défensif de Waltz et le réalisme classique offensif de Morgenthau, ne cherche pas également à combiner la théorie statique de l'équilibre des puissances et la théorie dynamique des cycles de puissances, en affirmant que l'*hegemon *(même régional) – emprunt à la théorie des cycles – pratique une politique de* off-shore balancing *– emprunt à la théorie de l'équilibre. D'ailleurs, en 2006, dans son « Structural Realism », dans T. Dunne, M. Kurki et S. Smith (eds),* International Relations Theories, op. cit., *p. 85, il finit par écrire que « la bipolarité [...] est une architecture relativement pacifique, même si elle n'est pas aussi pacifique que l'unipolarité ». Pour une tentative de synthèse entre réalistes offensifs, défensifs, et partisans de la théorie des cycles au sujet de la question de la sécurité, voir D. Fiammenghi, « The Security Curve and the Structure of International Politics : A Neorealist Synthesis »,* International Security, *35 (4), printemps 2011, p. 126-154.*

le « pouvoir paralysant des eaux[102] » empêche tout État, aussi puissant qu'il puisse être, de conquérir et de contrôler de façon efficace et durable des territoires importants situés sur un autre continent que le sien : de ce fait, le seul *hegemon* susceptible de voir le jour est un *hegemon* régional, et non pas un *hegemon* global comme chez Gilpin. Ensuite, un tel *hegemon* régional ne saurait se contenter de pratiquer une politique de maintien du *statu quo* existant, et donc il ne saurait être assimilé au *hegemon* de Gilpin, éclairé dans un premier temps parce que désireux et capable d'opérer une stabilisation du système dans la durée à la fois en sa propre faveur et de ceux des États profitant de l'ordre existant, avant de devenir prédateur au moment de la phase de déclin relatif de sa puissance[103] : parce qu'il est désireux d'assurer sa sécurité, il est contraint d'empêcher l'émergence de tout rival potentiel (*peer competitor*) et, pour ce faire, est non seulement amené à adopter une stratégie d'*offshore balancer* consistant en une politique active de maintien de l'équilibre entre puissances potentiellement rivales situées sur tout autre continent, mais aussi à pratiquer une politique révisionniste[104], jouant les unes contre les autres puissances

---

102. J. Mearsheimer, The Tragedy of Great Power Politics, op. cit., *p. 41. En accordant un rôle aussi essentiel aux océans, en soulignant l'importance cruciale de la conquête territoriale et de la composante terrestre des forces armées par rapport aux autres composantes (chap. 4, p. 83-137), Mearsheimer est le seul réaliste moderne à introduire explicitement dans son analyse des facteurs de nature géopolitique. Il renvoie plus précisément à Alfred Mahan et Nicholas Spykman.*

103. On reviendra dans le chapitre 13 sur cette différence que fait Gilpin entre hégémonie bienveillante et hégémonie prédatrice.

104. Pour ce qui est de ce dernier point, on peut penser que Mearsheimer est moins influencé par Morgenthau que par un autre réaliste, R. Schweller, « Bandwagoning For Profit. Bringing the Revisionist State Back In », art. cité, et Deadly

rivales, et profitant de la moindre opportunité pour pousser son avantage et affaiblir tout adversaire potentiel[105].

Bref, alors que pour les néoréalistes défensifs tels que Waltz ou Gilpin, les États sont des optimisateurs de sécurité et que donc une anarchie ordonnée est envisageable, du fait de la politique d'auto-restriction[106] qu'adoptent certains États partageant un même intérêt commun au maintien du *statu quo* – les duopolistes chez Waltz, les États satisfaits de l'ordre hégémonique chez Gilpin –, il en va tout autrement chez le néoréaliste offensif qu'est Mearsheimer. Chez lui, les grandes puissances sont des *hegemony seekers* pratiquant une politique de puissance offensive tous azimuts, et l'*egoismo sacro* dont ce faisant elles font preuve concerne non seulement leur comportement envers les États adversaires, mais aussi

---

Imbalances. Tripolarity and Hitler's Strategy of World Conquest, op. cit.

105. L'argumentation de Mearsheimer ne paraît pas très convaincante : on voit mal comment un hegemon *régional puisse voir sa sécurité menacée par un autre État devenu lui-même* hegemon *régional sur un autre continent, étant donné que ce dernier sera empêché de le conquérir du fait du pouvoir paralysant des océans. Parmi les différentes critiques suscitées par* The Tragedy of Great Power Politics, *voir notamment G. Snyder, « Mearsheimer's World. Offensive Realism and the Struggle for Security », 1,* International Security, *27, été 2002, p. 149-173 ; C. Layne, « The "Poster Child for Offensive Realism". America as a Global Hegemon »,* Security Studies, *12 (2), hiver 2002-2003, p. 120-164 ; B. Schmidt, « Realism as Tragedy »,* Review of International Studies, *30 (3), juillet 2004, p. 427-441.*

106. On retrouve cette notion d'auto-restriction comme condition fondamentale d'établissement d'un ordre international stable dans la théorie libérale – stato-centrée – de l'ordre international constitutionnel proposée par G. J. Ikenberry, After Victory. Institutions, Strategic Restraint and the Rebuilding of Order After Major Wars, op. cit., *que nous n'avons pas la place d'approfondir dans cet ouvrage.*

la stratégie qu'elles adoptent envers leurs alliés : confrontés à un risque de conflit armé, les États cherchent par exemple à tirer leur épingle du jeu en essayant dans un premier temps de faire supporter à leurs alliés les risques de l'affrontement armé face à une menace émanant d'un tiers[107] ; de même, une fois engagés dans un conflit armé, ils n'hésitent pas à faire prévaloir leurs intérêts nationaux sur les intérêts communs qu'ils partagent avec leurs alliés, n'hésitant pas à se retirer d'un conflit dans l'espoir qu'à la fois leur adversaire et leur allié se saignent mutuellement à blanc[108], etc.

En voyant dans la politique internationale une tragédie sans fin, Mearsheimer ne dresse pas seulement un tableau particulièrement sombre des relations internationales. On peut aussi se demander si son analyse ne renvoie pas moins aux réalités empiriques contemporaines[109] qu'à son angoisse de voir bientôt les États-Unis – le seul *hegemon* régional que l'histoire internationale ait connu d'après lui – confrontés à l'émergence du futur *hegemon* régional asiatique qu'est la Chine : adepte d'une *problem-solving theory*[110], il estime qu'il n'est pas encore trop tard pour arrêter le processus d'émergence d'une Chine venant défier les intérêts américains, et

---

107. Telle est la stratégie dite du « buck-passing *», ou « jeu de la patate chaude ». Voir* The Tragedy of Great Power Politics, op. cit., *p. 267 et suiv. La première analyse du* buck-passing *est due à J. Snyder et T. Christensen, « Chain Gangs and Passed Bucks. Predicting Alliance Patterns in Multipolarity »,* International Organization, *44 (2), printemps 1990, p. 137-168.*

108. Telle est la stratégie dite du « blood-letting *», analysée* *p. 153-154.*

109. Les exemples empiriques invoqués par Mearsheimer pour étayer ses hypothèses relèvent des deux siècles allant des guerres révolutionnaires et napoléoniennes françaises à la fin de la guerre froide.

110. Rappelons que le terme de « peer competitor *» employé par Mearsheimer a été forgé par le Pentagone au début des années 1990.*

la meilleure façon pour convaincre les décideurs américains d'adopter une stratégie d'endiguement face à « une Chine prospère [... qui...] ne serait pas une puissance satisfaite du *statu quo*, mais un État agressif déterminé à atteindre l'hégémonie régionale[111] », consiste sans doute à intégrer ce conseil dans une vision d'ensemble aux allures savantes théoriquement étayée[112].

Indépendamment de cette dimension *policy-relevant* de *The Tragedy of Great Power Politics*, la diversité accrue du réalisme que Mearsheimer vient accentuer fait progressivement encourir au paradigme dominant le risque de se transformer en programme de recherche dégénératif, d'autant plus que l'on retrouve des incompatibilités comparables dans différentes problématiques sectorielles, telles que l'étude des régimes internationaux, où s'opposent un Krasner ou un Grieco favorables au dialogue avec les néolibéraux et le même Mearsheimer réfractaire aux promesses des institutions internationales[113], ou les recherches sur les causes de guerres, dont certains réalistes disent qu'elles sont situées ailleurs que dans la distribution systémique de la puissance[114].

---

111. J. Mearsheimer, The Tragedy of Great Power Politics, op. cit., *p. 402.*

112. Il est révélateur à ce sujet que dans la présentation pédagogique du (néo-)réalisme structurel qu'il propose dans le manuel de T. Dunne, M. Kurki et S. Smith (eds), International Relations Theories, op. cit., *p. 82 et suiv., Mearsheimer choisisse comme terrain d'application empirique de sa thèse la problématique suivante : « L'ascension de la Chine peut-elle avoir lieu de manière pacifique ? »*

113. J. Mearsheimer, « The False Promise of International Institutions », art. cité.

114. Ainsi, B. Bueno de Mesquita, The War Trap, *New Haven (Conn.), Yale University Press, 1981, estime que les guerres s'expliquent par l'utilité positive qu'en attendent ceux qui recourent à la force ; quant à S. Van Evera,* Causes of War. Power and the Roots of Conflict, *Ithaca (N. Y.), Cornell University*

Telle est en tout cas la critique avancée par John Vasquez[115], ainsi que par Jeffrey Legro et Andrew Moravcsik[116], selon qui le néoréalisme, à force d'intégrer des hypothèses auxiliaires *ad hoc* pour rendre compte des anomalies qu'il a du mal à expliquer à partir de ses hypothèses centrales[117], finit par contredire ses postulats de départ, ce qui d'après eux est d'autant plus dommageable que la parcimonie constituait son principal atout face aux paradigmes concurrents[118].

Indifférent à l'égard de ces critiques, une nouvelle génération de réalistes a entre-temps redécouvert les analyses des réalistes

---

Press, 1999, il établit lui une corrélation entre les risques de guerre et l'impact de la nature des armes, ce qu'il appelle l'équilibre de l'offensive et de la défensive. D. Copeland, The Origins of Major War, *Ithaca (N. Y.), Cornell University Press, 2000, est lui d'accord pour voir dans l'évolution dans le temps de la distribution de la puissance le facteur clef de la récurrence des guerres, mais il estime que ce sont les puissances dominantes déclinantes bien plus que les puissances révisionnistes ascendantes qui provoquent ces guerres,* ipso facto *synonymes de guerres préventives.*

115. J. Vasquez, The Power of Power Politics, op. cit., *p. 240 et suiv.*

116. J. Legro et A. Moravcsik, « Is Anybody Still a Realist ? », International Security, *24 (2), automne 1999, p. 5-55.*

117. Sur cette problématique des ajustements progressifs ou dégénératifs des paradigmes scientifiques en général, voir I. Lakatos, « Falsification and the Methodology of Scientific Research Programmes », dans I. Lakatos et A. Musgrave (eds), Criticism and the Growth of Knowledge, op. cit., *p. 91-196. Pour une application de cette problématique au réalisme, voire à l'ensemble des Relations internationales, voir C. Elman et M. F. Elman (eds),* Progress in International Relations Theory. Appraising the Field, *Cambridge (Mass.), MIT Press, 2003.*

118. Il est vrai que ces critiques n'émanent pas de théoriciens réalistes ; mais même certains réalistes en appellent aujourd'hui à un sursaut salutaire du réalisme vers plus d'unité. C'est le cas de G. Snyder, « Mearsheimer's World. Offensive Realism and the Struggle for Security », art. cité : après avoir distingué deux

classiques[119] que Waltz avait dénoncées et réussi à marginaliser au nom justement de l'élégance exigée par une théorie systémique. À la suite d'un compte rendu de Gideon Rose[120] d'un ensemble de recherches monographiques parues tout au long des années 1990, ces réalistes sont qualifiés de réalistes néoclassiques.

---

types de réalisme structuraliste, trois formes de réalisme offensif, plusieurs variantes de réalisme défensif, ainsi qu'un réalisme néoclassique, contingent, spécifique, général, il conclut qu'« il est temps de mettre fin à la prolifération de labels et de théories au sein du camp réaliste et d'additionner ce que nous avons tous en commun ».

119. C'est quasi exclusivement H. Morgenthau qui est redécouvert, et accesssoirement H. Kissinger et A. Wolfers.

120. G. Rose, « Neoclassical Realism and Theories of Foreign Policy », World Politics, *51 (1), octobre 1998, p. 144-172. Les réalistes néoclassiques que recense G. Rose sont W. C. Wohlforth,* The Elusive Balance. Power and Perceptions during the Cold War, *Ithaca (N. Y.), Cornell University Press, 1993 ; T. Christensen,* Useful Adversaries. Grand Strategy, Domestic Mobilization, and Sino-American Conflict, *1947-1958, Princeton (N. J.), Princeton University Press, 1996 ; R. Schweller,* Deadly Imbalances. Tripolarity and Hitler's Strategy of World Conquest, op. cit. ; et F. Zakaria, From Wealth to Power. The Unusual Origins of America's World Role, *Princeton (N. J.), Princeton University Press, 1998. Parmi les ouvrages antérieurs à l'article de Rose mérite également le label néoclassique J. Snyder,* Myths of Empire : Domestic Politics and International Ambitions, *Ithaca (N. Y.), Cornell University Press, 1991. Depuis, se sont notamment ajoutés J. Taliaferro,* Balancing Risks : Great Power Intervention in the Periphery, op. cit. *; C. Dueck,* Reluctant Crusaders : Power, Culture, and Change in American Grand Strategy, *Princeton (N. J.), Princeton University Press, 2006 ; l'ouvrage collectif de S. Lobell, N. Ripsman et J. Taliaferro (eds),* Neoclassical Realism, the State, and Foreign Policy, op. cit., *qui ambitionne de proposer un véritable programme de recherche réaliste néoclassique, ainsi que son* alter *ego européen, A. Toje et B. Kunz,* Neoclassical Realism in European Politics, op. cit.

L'objectif poursuivi par Randall Schweller, William Wohlforth, Jeffrey Taliaferro, entre autres, est le suivant : rendre compte des comportements extérieurs concrets des États au niveau d'analyse de l'unité politique, et non plus des résultats récurrents auxquels aboutissent ces politiques étrangères au niveau d'analyse du système international. Pour ce faire, ils combinent la rigueur théorique des postulats structuralistes des néoréalistes avec la subtilité historique des hypothèses individualistes des réalistes classiques[121] : renvoyant à Thucydide selon qui les forts font ce qu'ils veulent alors que les

---

121. La redécouverte des vertus du réalisme classique, de Thucydide à Morgenthau, est également le fait de ceux qu'on appelle les réalistes réflexivistes. Voir R. N. Lebow, The Tragic Vision of Politics, *Cambridge, Cambridge University Press, 2003 ; M. Williams,* The Realist Tradition and the Limits of International Relations, *Cambridge, Cambridge University Press, 2005 ; M. Williams (ed.),* Realism Reconsidered : The Legacy of Morgenthau in International Relations, *Oxford, Oxford University Press, 2007. L'objectif de ces auteurs n'est pas tellement de rendre le réalisme classique opérationnel comme programme de recherche, mais d'en réhabiliter les dimensions stigmatisées depuis le triomphe du positivisme néoréaliste, à commencer par son épistémologie partiellement interprétative et sa normativité assumée en faveur d'une éthique de la responsabilité. W. Scheuerman,* Hans Morgenthau : Realism and Beyond, *Cambridge, Polity Press, 2009, et* The Realist Case for Global Reform, *Cambridge, Polity Press, 2011, va jusqu'à voir dans les réalistes classiques des réformistes plus que des réalistes. N. Guilhot, « Introduction : One Discipline, Many Histories », dans N. Guilhot (ed.),* The Invention of International Relations Theory, op. cit., *p. 6-7, explique cette redécouverte par le combat que mènent les auteurs concernés contre les dérives du libéralisme messianique des néoconservateurs américains. Dans tous les cas, l'éventuel potentiel réformiste de ces réalistes ne doit pas faire oublier qu'ils partagent avec tous les autres réalistes une seule et même vision métathéorique conservatrice et élitiste, comme le montre P. Ish-Shalom, « The Triptych of Realism, Elitism, and Conservatism »,* International Studies Review, *8 (3), septembre 2006, p. 441-468.*

faibles acceptent ce qu'ils doivent, ils sont d'accord avec les néoréalistes pour affirmer que « la portée et l'ambition de la politique étrangère d'un État sont fonction d'abord et surtout de sa puissance matérielle relative », tout en estimant avec les réalistes classiques que « l'impact des capacités de puissance sur la conduite extérieure est indirect et complexe, tant en effet les pressions systémiques doivent être traduites à travers des variables intermédiaires situées au niveau d'analyse de l'acteur telles que les perceptions des décideurs ou la structure étatique » dans ses rapports avec la société civile[122]. Autrement dit, les réalistes néoclassiques ne considèrent plus les États comme des *like units* fonctionnellement indifférenciées, de même qu'ils voient dans l'anarchie une donnée équivoque et *ipso facto* simple facteur permissif : ils posent comme hypothèse que si sur le long terme le comportement extérieur d'un État répond effectivement aux incitations du principal facteur systémique qu'est la distribution de la puissance matérielle entre États, sur le court terme les décisions et actions externes d'un État fluctuent considérablement en fonction de facteurs *Innenpolitik*, à commencer par la perception et les calculs des leaders et la capacité des autorités gouvernementales à extraire les ressources de la société civile pour les affecter à la politique étrangère. Désireux par ailleurs d'aller au-delà de cas isolés d'études historiques, ils espèrent aboutir à une théorie cumulative de la politique étrangère susceptible d'« expliquer les variations de la politique extérieure d'un même État à travers le temps ou des politiques extérieures de plusieurs États faisant face aux mêmes contraintes externes[123] ».

---

122. G. Rose, « Neoclassical Realism and Theories of Foreign Policy », art. cité.

123. S. Lobell, N. Ripsman et J. Taliaferro (eds), Neoclassical Realism, the State, and Foreign Policy, op. cit., *p. 21.*

En attendant de voir ce qu'adviendra l'optimisme de Schweller pariant que le réalisme néoclassique « fleurira dans les années à venir parce qu'en combinant histoire diplomatique et relations internationales, il étanche la soif et de rigueur et de richesse de la discipline[124] », il est encore trop tôt pour évaluer l'impact sur la cohérence d'ensemble et/ou la scientificité du paradigme réaliste de cette volonté de dépassement du néoréalisme structuraliste par la redécouverte du réalisme « originel ». En revanche, on peut d'ores et déjà avoir des doutes sur l'originalité de ce programme de recherche : après tout, dire que « les forces systémiques guident *in fine* le comportement extérieur » mais que le rôle des « acteurs sub-étatiques est loin d'être négligeable » dans la façon dont les décideurs définissent des intérêts nationaux qui peuvent faire l'objet de controverses[125], sonne comme un lointain écho de ce que disait Raymond Aron lorsqu'il écrivait que « la conduite extérieure des États n'est pas commandée par le seul rapport des forces », dans la mesure où les intérêts nationaux ne sauraient être définis, « abstraction faite du régime intérieur, des aspirations propres aux différentes classes, de l'idéal politique de la cité[126] » ; de même, l'idée que le chef du pouvoir exécutif, « situé à la jonction de l'État et du système international, et bénéficiant d'une information privilégiée en provenance de l'appareil politico-militaire de l'État, est le mieux placé pour percevoir les

---

124. R. Schweller, « The Progressiveness of Neoclassical Realism », dans C. Elman et M. F. Elman (eds), Progress in International Relations Theory. Appraising the Field, *Cambridge (Mass.), MIT Press, 2003, p. 311-347.*

125. S. Lobell, N. Ripsman et J. Taliaferro (eds), Neoclassical Realism, the State, and Foreign Policy, op. cit., *p. 25-26.*

126. R. Aron, Paix et guerre entre les nations, op. cit., *p. 101.*

contraintes systémiques et en déduire l'intéret national[127] », reprend en moins sophistiqué une analyse d'Aron notant que « les hommes de pouvoir, c'est-à-dire les responsables de la nation vers le dehors, sont en même temps les hommes de puissance, autrement dit détenteurs d'une capacité étendue d'influer sur la conduite de leurs semblables et sur l'existence même de la collectivité[128] ». Il est vrai que les réalistes néoclassiques – anglo-américains – ignorent qu'ils ignorent Aron[129].

Quoi qu'il en soit, il ne fait guère de doute que le principal des paradigmes concurrents du réalisme qu'est le libéralisme, dont la rigueur d'ensemble a longtemps été hypothéquée par des divergences doctrinales internes, cherche lui à s'engager sur le chemin d'une plus grande cohérence.

Bibliographie

Les précurseurs immédiats du réalisme sont, notamment :

CARR (Edward H.), *The Twenty Years' Crisis, 1919-1939* (1946), Basingstoke, Palgrave-Macmillan, 2001 [2e éd.], 291 p.

NIEBUHR (Reinhold), *Moral Man and Immoral Society* (1932), New York (N. Y.), C. Scribner's, 1947, 152 p.

La version classique du paradigme réaliste est essentiellement associée à :

ARON (Raymond), *Paix et guerre entre les nations* (1962), Paris, Calmann-Lévy, 2004 [8e éd.], 794 p.

---

127. S. Lobell, N. Ripsman et J. Taliaferro (eds), Neoclassical Realism, the State, and Foreign Policy, op. cit., *p. 25.*

128. R. Aron, Paix et guerre entre les nations, op. cit., *p. 60.*

129. Voir D. Battistella, « Raymond Aron, A Neoclassical Realist Before the Term Existed ? », art. cité.

ARON (Raymond), *Penser la guerre, Clausewitz*, Paris, Gallimard, 1976, tome 1, 472 p. et tome 2, 365 p.

MORGENTHAU (Hans), *Scientific Man* vs. *Power Politics*, Chicago (Ill.), Chicago University Press, 1946, 244 p.

MORGENTHAU (Hans), *Politics Among Nations. The Struggle for Power and Peace* (1948), New York (N. Y.), MacGraw-Hill, 7e éd. revue par K. Thompson et D. Clinton, 2005, 752 p.

MORGENTHAU (Hans), *In Defense of the National Interest*, New York (N. Y.), Knopf, 1951, 283 p.

Y sont également rattachés des théoriciens tels que :

HERZ (John), *Political Realism and Political Idealism*, Chicago (Ill.), Chicago University Press, 1951, 275 p.

WIGHT (Martin), *Power Politics* (1946), Leicester, Leicester University Press, 1978, 320 p.

WOLFERS (Arnold), *Discord and Collaboration*, Baltimore (Md.), The Johns Hopkins University Press, 1962, 283 p.

Ainsi que des praticiens tels que :

KENNAN (George), *La Diplomatie américaine, 1900-1950*, Paris, Calmann-Lévy, 1952, 209 p.

KENNAN (George), *Realities of American Foreign Policy*, Princeton (N. J.), Princeton University Press, 1954, 119 p.

KISSINGER (Henry), *Le Chemin de la paix* (1957), Paris, Denoël, 1972, 441 p.

KISSINGER (Henry), *Diplomatie*, Paris, Fayard, 1996, 860 p.

Le réalisme a connu un renouveau dans sa version néoréaliste due essentiellement à :

WALTZ (Kenneth), *Man, the State and War*, New York (N. Y.), Columbia University Press, 1959, 263 p.

WALTZ (Kenneth), *Theory of International Politics*, New York (N. Y.), Mac-Graw-Hill, 1979, 251 p.

WALTZ (Kenneth), *Realism and International Politics*, Londres, Routledge, 2008, 361 p, dont les anniversaires de publication de ses deux ouvrages ont donné lieu en 2009 à deux numéros spéciaux de la revue *International Relations* réédités par Ken Booth, *Realism and World Politics*, Londres, Routledge, 2011, 346 p.

Relèvent également du néoréalisme :

BUZAN (Barry), JONES (Charles) et LITTLE (Richard), *The Logic of Anarchy*, New York (N. Y.), Columbia University Press, 1993, 267 p.

GILPIN (Robert), *War and Change in World Politics*, Cambridge, Cambridge University Press, 1981, 288 p ; à qui un hommage vient d'être rendu par Danspeckgruber (Wolfgang) (ed.), *Robert Gilpin and International Relations : Reflections*, Boulder (Colo.), Lynne Rienner, 2012, 200 p.

MEARSHEIMER (John), *The Tragedy of Great Power Politics*, New York (N. Y.), Norton, 2001, 448 p.

John Mearsheimer est au cœur d'une division plus récente du réalisme entre réalisme offensif et réalisme défensif :

BROOKS (Stephen), « Dueling Realisms », *International Organization*, 51 (3), été 1997, p. 445-477.

KYDD (Andrew), « Sheep in Sheep's Clothing. Why Security Seekers Do Not Fight Each Other », *Security Studies*, 7 (1), automne 1997, p. 114-155.

LABS (Eric), « Beyond Victory. Offensive Realism and the Expansion of War Aims », *Security Studies*, 6 (4), été 1997, p. 1-49.

LAYNE (Christopher), LOBELL (Steven) et LEE (Gerald), « Debating Offensive Realism », *Security Studies*, 12 (2), hiver 2002-2003, p. 120-216.

TALIAFERRO (John), « Security Seeking Under Anarchy : Defensive Realism Revisited », *International Security*, 25 (1), hiver 2000-2001, p. 128-161.

Depuis le début des années 1990, le réalisme néoclassique représente une tentative plus ou moins consciente de synthèse de l'ensemble de ces variantes du réalisme :

DUECK (Colin), *Reluctant Crusaders : Power, Culture, and Change in American Grand Strategy*, Princeton (N. J.), Princeton University Press, 2006, 240 p.

LOBELL (Stephen), RIPSMAN (Norrin) et TALIAFERRO (Jeffrey) (eds), *Neoclassical Realism, the State, and Foreign Policy*, Cambridge, Cambridge University Press, 2009, 332 p.

ROSE (Gideon), « Neoclassical Realism and Theories of Foreign Policy », *World Politics*, 51 (1), octobre 1998, p. 144-172.

SCHWELLER (Randall), *Deadly Imbalances. Tripolarity and Hitler's Strategy of World Conquest*, New York (N. Y.), Columbia University Press, 1998, 267 p.

SNYDER (Jack), *Myths of Empire : Domestic Politics and International Ambitions*, Ithaca (N. Y.), Cornell University Press, 1991, 330 p.

TALIAFERRO (Jeffrey), *Balancing Risks : Great Power Intervention in the Periphery*, Ithaca (N. Y), Cornell University Press, 2004, 336 p.

TOJE (Asle) et KUNZ (Barbara) (eds), *Neoclassical Realism in European Politics : Bringing Power Back In*, Manchester, Manchester University Press, 2012, 272 p.

WOHLFORTH (William), *The Elusive Balance : Power and Perceptions during the Cold War*, Ithaca (N. Y.), Cornell University Press, 1993, 317 p.

ZAKARIA (Fareed), *From Wealth to Power : The Unusual Origins of America's World Role*, Princeton (N. J.), Princeton University Press, 1998, 200 p.

Malgré cette tentative, le débat fait rage entre les réalistes et leurs critiques :

BROWN (Michael), LYNN-JONES (Sean) et MILLER (Steven) (eds), *The Perils of Anarchy. Contemporary Realism and International Security*, Cambridge (Mass.), MIT Press, 1995, 200 p.

BUZAN (Barry), « The Timeless Wisdom of Realism », dans Steve Smith, Ken Booth et Marysia Zalewski (eds), *International Theory. Positivism and Beyond*, Cambridge, Cambridge University Press, 1996, p. 47-65.

DEUDNEY (Daniel), « Regrounding Realism. Anarchy, Security and Changing Material Contexts », *Security Studies*, 10 (1), automne 2000, p. 1-42.

FRANKEL (Benjamin) (ed.), *Realism. Restatements and Renewal*, Londres, Frank Cass, 1996, 456 p.

GILPIN (Robert), « No One Loves A Political Realist », *Security Studies*, 5 (3), printemps 1996, p. 3-26.

GLASER (Charles), DESCH (Michael), COPELAND (Dale) et LITTLE (Richard), « Forum on American Realism », *Review of International Studies*, 29 (3), juillet 2003, p. 401-460.

GRIECO (Joseph), « Realist International Theory and the Study of World Politics », dans Michael Doyle et John Ikenberry (eds), *New Thinking in International Relations Theory*, Boulder (Colo.), West-view, 1997, p. 163-201.

HANAMI (Andrew) (ed.), *Perspectives on Structural Realism*, Basingstoke, Macmillan, 2003, 234 p.

JERVIS (Robert), « Realism and the Study of World Politics », *International Organization*, 52 (4), automne 1998, p. 971-991.

LEGRO (Jeffrey) et MORAVCSIK (Andrew), « Is Anybody Still a Realist ? », *International Security*, 24 (2), automne 1999, p. 5-55.

SNYDER (Jack), « Tensions within Realism : 1954 and After », dans Nicolas Guilhot (ed.), *The Invention of International Relations Theory : Realism, the Rockefeller Foundation, and the 1954 Conference on Theory*, New York (N. Y.), Columbia University Press, 2011, p. 54-78.

SULLIVAN (Michael), « 'That Dog Won't Hunt' : The Cottage Industry of Realist Criticism, or Must You Play That Waltz Again ? », *Journal of International Relations and Development*, 8 (4), 2005, p. 327-354.

WAGNER (Harrison), *War and the State : The Theory of International Politics*, Ann Arbor (Mich.), The University of Michigan Press, 2007, 260 p.

WALT (Stephen), « The Enduring Relevance of the Realist Tradition », dans Ira Katznelson et Helen V. Milner (eds), *Political Science : The State of the Disicpline*, New York (N. Y.), Norton, 2003, p. 197-234.

Parmi les innombrables études consacrées au(x) réalisme(s), voir les présentations générales de :

DONNELLY (Jack), *Realism and International Relations*, Cambridge, Cambridge University Press, 2000, 231 p.

SMITH (Michael), *Realist Thought From Weber To Kissinger*, Bâton Rouge (La.), Louisiana State University Press, 1986, 256 p.

Ainsi que les études plus critiques de :

BEER (Francis) et HARIMAN (Robert), *Post-Realism. The Rhetorical Turn in International Relations*, East Lansing (Mich.), Michigan State University Press, 1996, 430 p.

BEITZ (Charles), *Political Theory and International Relations* (1979), Princeton (N. J.), Princeton University Press, 1999, 248 p.

GUZZINI (Stefano), *Realism in International Relations and International Political Economy*, Londres, Routledge, 1998, 256 p.

KEOHANE (Robert) (ed.), *Neorealism and Its Critics*, New York (N. Y.), Columbia University Press, 1986, 378 p.

MOLLOY (Sean), *The Hidden History of Realism : A Genealogy of Power Politics*, Basingstoke, Palgrave-Macmillan, 2006, 187 p.

ROSENBERG (Justin), « What's the Matter With Realism ? », *Review of International Studies*, 16 (4), octobre 1990, p. 285-303.

ROTHSTEIN (Robert), « On the Costs of Realism », *Political Science Quarterly*, 87 (3), septembre 1972, p. 347-362.

VASQUEZ (John), *The Power of Power Politics*, Cambridge, Cambridge University Press, 1998 [2e éd.], 448 p.

Chapitre 5 / LA VISION LIBÉRALE

« Les acteurs fondamentaux de la politique internationale sont les individus rationnels. »
Andrew Moravcsik[1]

Dominant tout au long de la guerre froide, le réalisme n'a pas été le premier paradigme central des Relations internationales : en effet, c'est le libéralisme, dans sa variante idéaliste, qui a prévalu lors de la naissance de la discipline. Ajoutée au fait que le réalisme contemporain doit en partie sa prédominance à la critique qu'il a proposée de cet idéalisme (cf. chap. 3), cette prééminence chronologique explique que le libéralisme est volontiers considéré comme la deuxième approche générale principale en Relations internationales.

Une telle réception peut surprendre. En effet, les adeptes de l'approche libérale en Relations internationales sont les premiers à reconnaître que « la dimension internationale du libéralisme n'a guère été autre chose que la projection à l'échelle mondiale de la philosophie libérale[2] », et que cette dernière, fille des Lumières, constitue elle-même davantage une attitude mentale qu'un corps de doctrine dont par ailleurs « il n'existe pas de description canonique[3] ». Avec pour conséquence d'une philosophie libérale générale allant de la primauté accordée à l'individu rationnel à l'égalité postulée entre tous les individus en passant par la croyance dans le progrès, un libéralisme international volontiers assimilé aux

1. *A. Moravcsik, « Taking Preferences Seriously. A Liberal Theory of International Politics », art. cité.*

2. *S. Hoffmann, « The Crisis of International Liberalism », art. cité.*

3. *M. Doyle, « Liberalism and World Politics »*, American Political Science Review, *80 (4), décembre 1986, p. 1151-1169.*

politiques contradictoires qu'il inspire sur la base de valeurs potentiellement incompatibles que sont les principes de non-ingérence dans les affaires intérieures d'un pays et le droit d'assistance à peuple en danger, de non-recours à la force et de légitime défense, de respect des différences d'identité et d'universalisme cosmopolite[4].

Pourtant, et malgré le problème flagrant d'image dont le paradigme libéral souffre en Relations internationales à cause de la connotation normative – sinon de la charge sémantique idéologique – qu'implique souvent la notion de libéralisme, la vision libérale des relations internationales est susceptible de faire l'objet d'une présentation synthétique cohérente, fondée sur « l'hypothèse de base selon laquelle les acteurs et structures internes d'un État influencent les identités et intérêts des États et par la même leur comportement externe[5] ». D'un point de vue chronologique, le libéralisme contemporain prend son point de départ dans l'idéalisme

---

4. *Pour une bonne présentation des tensions inhérentes à la doctrine libérale en général, voir J. Richardson,* Contending Liberalisms in World Politics, *Boulder (Colo.), Lynne Rienner, 2001, et notamment les chapitres 3 et 4. S. Hoffmann, dans ses deux articles, « Liberalism and International Affairs », dans S. Hoffmann,* Janus and Minerva, *Boulder (Colo.), Westview, 1987, p. 394-417, ainsi que « The Crisis of Liberal Internationalism », art. cité, rend compte des contradictions politiques qui découlent des principes libéraux internationaux lors de leur mise en pratique diplomatique, alors que M. Howard,* War and the Liberal Conscience *(1978), Londres, Hurst, 2008, met parfaitement à jour les dilemmes que rencontre la pensée libérale confrontée à la question de la guerre et de la paix. Pour une analyse critique de l'évolution du libéralisme international guidant la politique étrangère des États-Unis depuis W. Wilson, voir D. Battistella,* Un monde unidimensionnel, *Paris, Presses de Sciences Po, 2011, p. 101 et suiv.*

5. *D. Panke et T. Risse, « Liberalism », dans T. Dunne, M. Kurki et S. Smit (eds),* International Relations Theories, op.

de l'entre-deux-guerres qui, contrairement à ce qu'affirment les réalistes de Edward H. Carr à Henry Kissinger[6], a été tout sauf naïvement idéaliste, au sens où il aurait postulé une harmonie spontanée des intérêts entre nations ou nié les obstacles sociaux et politiques à une politique étrangère rationnelle, voire éthique. Tout au contraire, les objectifs téléologiques que poursuivent les internationalistes libéraux des années 1920 et 1930 se fondent sur des analyses empiriques des réalités internationales de l'époque, en se focalisant bien davantage sur les conditions de la coopération entre intérêts antagonistes, sur les possibilités de résolution pacifique des conflits interétatiques, que sur l'existence d'une prétendue communauté internationale. Par rapport à cette première variante du libéralisme moderne, l'École anglaise des relations internationales, qui incarnera le libéralisme pendant la guerre froide, s'inscrira à la fois dans la rupture et dans la continuité : dans la rupture, en ce qu'elle abandonnera tout normativisme explicite et privilégiera une seule dimension du libéralisme classique, à savoir le libéralisme institutionnel ; dans la continuité, en ce qu'elle restera fidèle à une conception lockienne de l'anarchie et surtout à une approche stato-centrée des relations internationales. C'est dans cette perspective que la troisième version du libéralisme contemporain qu'est la « théorie libérale de la politique internationale » de Andrew Moravcsik apportera alors une innovation décisive : sa

---

cit., *p. 90. Pour une critique de la cohérence revendiquée du libéralisme comme paradigme, voir B. Rathbun, « Is Anybody Not An (International Relations) Liberal ? »,* Security Studies, *19 (1), 2010, p. 1-25 : le titre a été choisi en réponse à l'article de J. Legro et A. Moravcsik, « Is Anybody Still A Realist ? », art. cité, qui reprochait au paradigme réaliste d'avoir perdu sa cohérence.*

6. *E. H. Carr,* The Twenty Years' Crisis, op. cit. *; H. Kissinger,* Diplomatie, op. cit.

tentative de reconceptualisation entreprise depuis la fin de la guerre froide renoue avec les prémisses individualistes de la philosophie libérale, avec pour objectif une théorie empirique hypothético-déductive conforme aux standards d'une science sociale positive et susceptible *ipso facto* de venir concurrencer le néoréalisme de Kenneth Waltz[7].

Dans son discours en quatorze points délivré au Sénat américain le 8 janvier 1918, le président Woodrow Wilson, tirant les leçons de l'incapacité du concert européen à éviter la guerre de 1914-1918, énonce un programme qui, en vue de *make the world safe for democracy*, se propose de : remplacer la diplomatie de cabinet par une diplomatie transparente, éviter le protectionnisme économique par l'ouverture des frontières et la liberté des mers, mettre un terme à la course aux armements grâce à un désarmement généralisé, faire succéder aux sphères d'influence coloniales le droit des peuples à disposer d'eux-mêmes, créer une association des nations respectant le droit international et rompant avec le traditionnel jeu des puissances basé sur l'équilibre des forces.

La plupart des présentations des Relations internationales voient dans ce discours tout autant l'acte de naissance de la discipline que l'origine de la nature ouvertement idéaliste de l'approche libérale des relations internationales du début du XXe siècle : désireux de contribuer à rendre le monde pacifique, les théoriciens de l'entre-deux-guerres auraient mis leur science au service des politiques menées par les puissances du *statu quo* (*appeasement*, pacte

---

7. *« A Liberal Theory of International Politics » est le sous-titre de l'article de A. Moravcsik intitulé « Taking Preferences Seriously », art. cité. L'allusion à la* Theory of International Politics *de Waltz est directe.*

Briand-Kellogg) ; or, comme celles-ci se sont révélées inefficaces eu égard aux objectifs poursuivis, leurs analyses relèveraient forcément du *wishful thinking* (cf. chap. 3). Ces présentations ne sont pas entièrement infondées. D'une part, les relations entretenues tout au long de l'entre-deux-guerres entre les internationalistes libéraux et les milieux politiques nationaux ou internationaux[8] confirment que leur volonté de compréhension des relations internationales se double de ce que Jürgen Habermas a appelé – dans un autre contexte – un « intérêt cognitif technique[9] » de reproduction de l'ordre existant. D'autre part, il ne fait aucun doute que la vision du monde de Wilson est fondée sur un ensemble de croyances normatives, telles que le préjugé d'une nature humaine foncièrement bonne, attentive au bien-être d'autrui, l'imputation du comportement humain égoïste à l'imperfection des institutions, l'appel à l'institutionnalisation de la société internationale en vue d'éliminer l'anarchie qui rend probable la guerre et l'injustice[10]. Elles n'en méritent pas moins d'être nuancées : d'un côté, Wilson ne fait lui-même que reprendre dans son discours les idées des libéralismes républicain, commercial, et institutionnel émises bien avant lui ; de l'autre, non seulement les internationalistes de l'entre-deux-guerres s'inscrivent dans une filiation intellectuelle

---

8. *Ainsi, en Grande-Bretagne, de nombreux internationalistes, universitaires ou non, sont membres, qui du Parti travailliste (N. Angell), qui de la Fabian Society (L. Woolf), qui de l'Union pour la Société des Nations (A. Zimmern).*

9. *J. Habermas, « Connaissance et intérêt » dans J. Habermas,* La Science et la technique comme idéologie, *Paris, Gallimard, 1973. Rappelons si besoin est que les libéraux de l'entre-deux-guerres n'ont pas le monopole de cet intérêt cognitif technique.*

10. *Voir à ce sujet C. Kegley, « The Neo-Idealist Moment in International Studies ? Realist Myths and the New International Realities », art. cité.*

bien enracinée dans l'histoire de la pensée, mais la conjoncture de l'après-première guerre mondiale les amène à considérer le libéralisme classique comme obsolète et à lui faire subir des amendements substantiels.

C'est tout d'abord le cas du libéralisme républicain, ou démocratique, qui affirme de façon générale que la paix internationale est fonction de la diffusion de la démocratie[11], et dont l'origine remonte à Kant[12], auquel Wilson fait implicitement référence lorsqu'il appelle au remplacement de la *old diplomacy* par une diplomatie ouverte à l'opinion publique[13]. Chez Kant, les citoyens qui, dans une démocratie, décident *in fine* de la politique étrangère, puisque les décideurs sont issus de leur consentement, refusent de s'engager dans une guerre dont ils auraient à supporter les conséquences néfastes : « Quand on exige l'assentiment des citoyens pour décider

---

11. *On reviendra dans le chapitre 15 sur la variante moderne de la théorie de la paix démocratique.*

12. *On retrouve ici le problème que pose la pensée internationale de Kant : si la vision téléologique de son* Idée d'une histoire universelle au point de vue cosmopolitique *permet de le classer dans la tradition globaliste (cf. chap. 2), l'analyse empirique de son essai* Vers la paix perpétuelle *fait de lui un membre à part entière de la vision libérale.*

13. *La volonté wilsonienne de mettre un terme à la diplomatie secrète s'explique aussi par le désir du président américain de trouver une parade au défi des bolcheviks qui, en 1917, s'étaient retirés de la première guerre mondiale et avaient proclamé unilatéralement la paix de Brest-Litovsk en en appelant directement aux peuples par-dessus la tête de leurs gouvernements. Inutile de le préciser : aussi bien pour Wilson que pour Trotsky, cette diplomatie démocratique a fait long feu. Pour preuve, le scandale suscité par la publication par* Wikileaks en 2010 *de documents diplomatiques classés, entreprise* a priori *pourtant fidèle au souhait exprimé dans son discours en quatorze points par W. Wilson :* « There shall be no private international understandings of any kind but diplomacy shall proceed always frankly and in the public view ».

si une guerre doit avoir lieu ou non, il n'y a rien de plus naturel que, étant donné qu'il leur faudrait décider de supporter toutes les horreurs de la guerre [...], ils réfléchissent beaucoup avant de commencer un jeu aussi néfaste ; par contre, dans une constitution qui [...] n'est pas républicaine, c'est la chose la plus aisée du monde, parce que le chef n'est pas un associé dans l'État, mais le propriétaire de l'État, que la guerre n'inflige pas la moindre perte à ses banquets, chasses, châteaux de plaisance, fêtes de cour, etc.[14]. »

Or, les libéraux de l'entre-deux-guerres ne partagent guère cette affirmation de la nature intrinsèquement pacifique de l'opinion publique. Constatant que le déferlement des nationalismes n'a pas épargné les démocraties en 1914, ils estiment que la plupart des gens « suivent leurs passions et non leur raison, leurs sentiments et non leur intérêt[15] ». Cela étant, bien que persuadés que « les hommes [...] sont des êtres de tempérament conservateur et d'intelligence limitée », ils n'en déduisent pas pour autant qu'ils « ne puissent pas être éduqués à une conscience sociale mondiale[16] » : tout au contraire, ils estiment de leur devoir d'éduquer et les citoyens de toutes les nationalités et les décideurs à davantage d'esprit internationaliste, et Alfred Zimmern va jusqu'à suggérer pour ce faire la création d'une bibliothèque internationale de prêt susceptible de permettre aux foyers modestes d'accéder aux livres coûteux... Autrement dit, chez les internationalistes libéraux de l'entre-deux-guerres, l'augmentation du nombre de démocraties n'est susceptible de contribuer à l'extension de la zone de paix démocratique qu'à condition que l'on soit en présence d'opinions publiques et d'élites éclairées, grâce à l'éducation qu'elles ont reçue.

---

14. *E. Kant,* Vers la paix perpétuelle, op. cit., *p. 85-86.*
15. *G. Lowes Dickinson, cité par M. Smith,* Realist Thought From Weber to Kissinger, op. cit., *p. 56.*
16. *A. Zimmern, cité par M. Smith,* ibid., *p. 55-56.*

On retrouve un volontarisme comparable dans le domaine du libéralisme commercial, évoqué par Wilson dans ses appels à l'ouverture des frontières et à la liberté des mers. Popularisée par Montesquieu dans sa thèse du « doux commerce », l'idée selon laquelle « l'effet naturel du commerce est de porter à la paix[17] » était devenue un lieu commun tout au long du XIXe siècle[18], en Grande-Bretagne plus qu'ailleurs, de Jeremy Bentham affirmant que « tout commerce est par essence avantageux et toute guerre par essence désavantageuse[19] », à John Stuart Mill, selon qui « le commerce rend rapidement la guerre obsolète en renforçant et multipliant les intérêts personnels qui lui sont opposés[20] », en passant par Richard Cobden, véritable croisé du « libre-échange comme moyen pour assurer la paix universelle et permanente[21] ».

Là encore, les libéraux internationalistes de l'entre-deux-guerres font preuve de moins de naïveté. C'est tout d'abord le cas de Normann Angell dans sa *Grande illusion*. Loin de vouloir abolir la guerre, loin même d'annoncer l'impossibilité de la guerre à

---

17. *Montesquieu,* L'Esprit des lois *(1748), Paris, Garnier-Flammarion, 1979, tome 2, p. 10 : « Le commerce guérit des préjugés destructeurs ; et c'est presque une règle générale que partout où il y a des mœurs douces, il y a du commerce ; et que partout où il y a du commerce, il y a des mœurs douces. [...] Le commerce polit et adoucit les mœurs barbares, comme nous le voyons tous les jours ».*

18. *Lieu commun combattu, faut-il le rappeler, par l'économiste allemand F. List,* Système national d'économie politique *(1841), Paris, Gallimard, 1998.*

19. *J. Bentham, cité par M. Smith, « Liberalism and International Reform », dans T. Nardin et D. Mapel (eds),* Traditions of International Ethics, op. cit., *p. 201-224.*

20. *J. S. Mill, cité par M. Smith,* ibid.

21. *C'est le titre d'un de ses ouvrages paru en 1842 :* Free Trade as the Human Means for Securing Universal and Permanent Peace.

cause de l'interdépendance économique prévalant au début du XXe siècle[22], c'est en réalité la futilité du recours à la force, sa contre-productivité, son irrationalité à la fois économique et politique, qu'il dénonce : « L'argument est non pas que la guerre soit impossible, mais qu'elle est futile, inutile, même lorsqu'elle est victorieuse, comme moyen susceptible de garantir les fins morales et matérielles qui représentent les besoins des peuples européens modernes[23] ». Reste à trouver – au-delà de la seule éducation – le moyen capable d'empêcher le recours à la force armée, vu le démenti apporté par la première guerre mondiale à l'affirmation de l'impact pacificateur direct de l'interdépendance économique. Ce moyen, c'est la régulation des relations commerciales internationales, idée notamment défendue par John Hobson. Partant des politiques à la fois protectionnistes et impérialistes auxquelles avaient abouti les pratiques libre-échangistes du « laissez-faire, laissez-aller » avant 1914, avec pour conséquence l'exacerbation des rivalités nationales et un risque d'appauvrissement généralisé, Hobson estime que les bénéfices du libre-échange ne sont susceptibles de profiter à tout le monde qu'à condition qu'existe un

---

22. *Comme le lui imputent volontiers ses commentateurs, de E. H. Carr,* The Twenty Years' Crisis, op. cit., *à R. Rosecrance,* The Rise of the Trading State, *New York (N. Y.), Basic Books, 1986.*

23. *N. Angell,* The Great Illusion, op. cit., *p. VI. L'influence subie par Angell provient probablement de B. Constant, témoin, lorsqu'il publie* De l'esprit de conquête et de l'usurpation, *de la défaite de la France guerrière de Napoléon devant la Grande Bretagne marchande : « Nous sommes arrivés à l'époque du commerce, époque qui doit nécessairement remplacer celle de la guerre [...]. Le but unique des nations modernes, c'est le repos, avec le repos l'aisance, et comme source de l'aisance, l'industrie. La guerre est chaque jour un moyen plus inefficace d'atteindre ce but » (B. Constant,* De la liberté chez les modernes *(1814), Paris, Hachette, 1980, p. 118).*

« gouvernement international », au sens de structure de contrôle et de coordination dont le rôle consisterait, d'un côté à « supprimer toutes les restrictions commerciales qui pénalisent le libre-échange économique entre nations » et à stabiliser l'économie internationale en réduisant le rôle du hasard dans les prises de décision économique, de l'autre à « fournir les biens économiques, c'est-à-dire à contrôler le développement des ressources mondiales dans l'intérêt de l'humanité[24] ». En quelque sorte, Hobson préconise un « internationalisme-providence[25] », anticipant ce faisant le *embedded liberalism* de l'après-seconde guerre mondiale[26], c'est-à-dire le libre-échange encadré succédant au libre-échange prédateur caractéristique du XIXe siècle.

---

24. L'ensemble des citations de Hobson se trouve chez D. Long, « J. Hobson and Economic Internationalism », dans P. Wilson et D. Long (eds), Thinkers of the Twenty Years' Crisis, op. cit., *p. 161-188. J. Hobson est surtout connu pour avoir écrit la première analyse critique de l'impérialisme, intitulée* Imperialism. A Study *(1902), Londres, Allen and Unwin, 1938. Sur les relations ambiguës entre l'internationalisme libéral au tournant du XXe siècle et les doctrines et politiques impérialistes, voir D. Long et B. Schmidt (eds),* Imperialism and Internationalism in the Discipline of International Relations, *Albany (N. Y.), SUNY Press, 2005. Sur l'eurocentrisme de l'internationalisme libéral, voir M. Hall et J. Hobson, « Liberal International Theory : Eurocentric but Not Always Imperialist ? »,* International Theory, *2 (2), 2010, p. 210-245.*

25. M. Zacher et R. Matthews, « Liberal International Theory. Common Threads, Divergent Trends », dans C. Kegley (ed.), Controversies in International Relations Theory. Realism and the Neoliberal Challenge, *New York (N. Y.), St. Martin's Press, 1995, p. 107-150.*

26. J. G. Ruggie, « International Regimes, Transactions and Change. Embedded Liberalism in the Postwar Economic Order », dans S. Krasner (ed.), International Regimes, *Ithaca (N. Y.), Cornell University Press, 1983, p. 195-231.*

Mais il n'y a pas que dans le domaine des relations économiques que les internationalistes libéraux de l'entre-deux-guerres abandonnent le postulat smithien de la main invisible ; dans le domaine de la *high politics*, relatif à la guerre et la paix, ils en appellent également à un système de gouvernance. Ce libéralisme institutionnaliste, ou régulatoire[27], que Wilson fait sien dans son 14e point, relatif à la création d'une association des nations, remonte à Grotius et à Locke, qui les premiers avaient affirmé l'existence de « certaines lois » entre les États, nées « en vertu de leur consentement », « tendant à l'utilité non de chaque association d'hommes en particulier, mais du vaste assemblage de toutes ces associations[28] », et constituant à ce titre autant de « liens indissolubles pour [...] les princes du monde[29] ». Ici encore, les internationalistes libéraux de l'entre-deux-guerres, s'ils se font les avocats de la Société des Nations, y voient davantage une simple structure de « rencontre de gouvernements avec d'autres gouvernements[30] » qu'un *deus ex machina* capable d'assurer le maintien de la paix par

---

27. *C'est R. Keohane, « International Liberalism Reconsidered », dans J. Dunn (ed.),* The Economic Limits to Modern Politics, *Cambridge, Cambridge University Press, 1992, p. 165-194, qui emploie l'expression « libéralisme régulatoire ». La filiation est d'ailleurs directe entre Hobson et Keohane : en imputant au « gouvernement international » une fonction de diminution de l'incertitude par la diffusion des informations, Hobson anticipe la théorie néolibérale des régimes (cf. chap. 12) selon laquelle « les gouvernements se comportent différemment selon que leur environnement est riche ou pauvre en informations », comme le dit R. Keohane,* After Hegemony, *Princeton (N. J.), Princeton University Press, 1984, p. 245.*

28. *H. Grotius,* Le Droit de la guerre et de la paix, op. cit., *p. 17.*

29. *J. Locke,* Traité du gouvernement civil, op. cit., *p. 328.*

30. *A. Zimmern,* The League of Nations and the Rule of Law. 1918-1935, op. cit., *p. 203.*

sa seule existence. Exprimé autrement, ils imaginent la Société des Nations comme une espèce de concert institutionnalisé grâce auquel les « grandes puissances pacifiques » géreraient le milieu international au nom de l'ensemble des États souverains et en vue de la défense du droit international en permanence menacé par les « États brigands[31] ». Attribuant la première guerre mondiale à « l'absence de mécanisme susceptible d'apporter un règlement aux disputes internationales qui avaient causé la catastrophe » de 1914-1918, ils sont guidés par la « volonté d'introduire des éléments de coercition dans le système international[32] », et n'hésitent pas à souligner la légitimité du recours à la riposte militaire collective en vue de mettre fin au recours unilatéral à la force de la part des *law-breakers* coupables de menacer la paix[33].

En bref, qu'il prône l'éducation civique, la régulation économique, ou la sécurité collective, l'internationalisme libéral de l'entre-deux-guerres abandonne le libéralisme classique postulant l'harmonie naturelle entre intérêts nationaux en faveur d'un

---

31. Les expressions pacific powers *et* brigand powers *sont dues à J. Keynes, cité par D. Markwell, « J. M. Keynes, Idealism and the Economic Bases of Peace », dans P. Wilson et D. Long,* Thinkers of the Twenty Years' Crisis, op. cit., *p. 189-313. Comment ne pas établir un parallèle entre les* brigand powers *des années 1930 et les* rogue states *contemporains et autres États composant « l'Axe du Mal ».*

32. H. Suganami, The Domestic Analogy and World Order Proposals, *Cambridge, Cambridge University Press, 1989, p. 93 et 79.*

33. M. Rochester, « The Rise and Fall of International Organization As a Field of Study », International Organization, *40 (4), automne 1986, p. 777-813, résume de la façon suivante la proximité entre les systèmes de régulation par la sécurité collective et par le concert : le concert des puissances procède par la main invisible de l'équilibre des puissances, alors que la sécurité collective est un équilibre des puissances institutionnalisé dans un mécanisme centralisé.*

libéralisme interventionniste qui se caractérise d'abord par sa volonté « de réformer le milieu international[34] ». Si idéalisme de l'internationalisme libéral il doit alors y avoir, c'est dans cette « conviction de la nécessité d'une réforme internationale[35] » qu'il réside. Mais cet appel à la substitution d'une « politique de puissance » par une « politique de responsabilité[36] » est lui-même fondé sur une solide analyse empirique de l'état des relations internationales, dont le caractère anarchique n'est nullement ignoré, y compris au sens réaliste du terme : « Il en va d'une agrégation d'États comme d'une agrégation d'individus : quels que soient les sentiments moraux qui prévalent, les meilleures intentions seront défaites par un manque de confiance et de sécurité s'il n'y a pas de droit commun et de force commune. Il y aura ce que Hobbes a qualifié [...] d'état de guerre chronique, ouvert ou latent. Car la paix elle-même sera une guerre latente[37]. »

En fait, les internationalistes libéraux constatent l'écart croissant entre le processus d'interdépendance économique grandissante d'un côté, et la persistance d'un état de guerre politique de l'autre[38] : « Les nations et les peuples sont si intimement liés les uns aux autres, une partie du monde est à un tel point dépendante

---

34. *M. Smith, « Liberalism and International Reform », art. cité.*

35. Ibid.

36. *A. Zimmern,* The League of Nations and the Rule of Law, op. cit., *p. 85.*

37. *G. Lowes Dickinson, cité par A. Osiander, « Rereading Early Twentieth-Century IR Theory. Idealism Revisited »,* International Studies Quarterly, *3, septembre 1998, p. 409-432. Dans sa conclusion à P. Wilson et D. Long,* Thinkers of the Twenty Years' Crisis, op. cit., *p. 302-328, D. Long parle d'un « idéalisme hobbesien » dont Dickinson serait le représentant.*

38. *Établi à son tour par S. Strange, « International Economics and International Relations. A Case of Mutual Neglect »,*

de toutes les autres parties, que la perte subie par une nation est presque toujours une perte pour toutes les autres nations, et que le gain pour une nation est un gain pour toutes les autres. Et pourtant le monde continue d'être organisé par un système politique digne de l'époque des tribus pastorales ou des villes fortifiées[39]. » Et c'est parce qu'ils sont convaincus, à la suite de ce constat, que « les problèmes contemporains de politique internationale sont profondément différents des anciens, [... alors que...] nos idées continuent à être dominées par les principes et axiomes, images et concepts des temps anciens[40] », qu'ils réclament une éducation civique internationaliste, seul moyen pour surmonter les inerties mentales à l'origine des recours récurrents à la force armée : « Le principal obstacle à l'abolition des vieilles politiques sont les difficultés morales et intellectuelles, les habitudes mentales, les opinions et impulsions des hommes, qui n'ont pas été à la hauteur des changements entraînés par le progrès des contraintes mécaniques[41]. » S'ils recommandent la naissance d'un système de sécurité collective, c'est sur la base de « la simple exposition des faits politiques tels qu'ils existent dans l'Europe d'aujourd'hui[42] », en l'occurrence « l'interdépendance (qui) est la règle de la vie moderne[43] », et parce qu'ils estiment qu'une telle

---

International Affairs, *46 (2), avril 1970, p. 304-315, ce constat sera trois générations plus tard à l'origine de l'économie politique internationale contemporaine (cf. chap. 13).*

39. L. Woolf, cité par A. Osiander, « Rereading Early Twentieth-Century IR Theory. Idealism Revisited », art. cité.

40. N. Angell, The Great Illusion, op. cit., *p. X.*

41. N. Angell, cité par A. Osiander, « Rereading Early Twentieth-Century IR Theory. Idealism Revisited », art. cité.

42. N. Angell, The Great Illusion, op. cit., *27-28.*

43. A. Zimmern, cité par A. Osiander, « Rereading Early Twentieth-Century IR Theory. Idealism Revisited », art. cité.

institutionnalisation des relations interétatiques, loin de signifier une innovation radicale, ne serait que le simple prolongement d'un processus historique en cours, le couronnement de « la tendance naturelle du monde vers un gouvernement international[44] ».

En d'autres termes : les internationalistes libéraux voient dans l'histoire moins un progrès linéaire qu'un processus, et plus précisément un processus d'apprentissage[45], au cours duquel, grâce au coup de pouce des Lumières apporté par la diffusion des connaissances, les bénéfices de la coopération internationale deviennent évidents pour tous. Par opposition aux réalistes, qui réifient l'histoire en postulant l'éternelle récurrence de la seule partie conflictuelle des relations internationales à laquelle conduit d'après eux la structure anarchique de celles-ci, les internationalistes libéraux soulignent l'évolution inégale des relations internationales, et reconnaissent aux unités politiques, ou en tout cas à leurs élites éclairées, la capacité de faire prévaloir les tendances coopératives de ces relations sur leurs tendances conflictuelles[46]. Une telle conception, bien davantage évolutive que téléologique, des

---

44. *L. Woolf,* International Government, *New York (N. Y.), Bren-tano's, 1916, p. 143. « Gouvernement international » est entendu ici au sens large de système de gouvernance internationale, et non de gouvernement* stricto sensu.

45. *Voilà qui explique qu'A. Wendt établit une filiation entre son constructivisme* soft *et « l'idéalisme » de l'entre-deux-guerres (cf. chap. 9).*

46. *Rien ne résume mieux cette dialectique des libéraux internationalistes de l'entre-deux-guerres que le fait que G. Lowes Dickinson, qui a été à l'origine de l'introduction du terme « anarchie » en Relations internationales, a également été à l'origine de l'expression « Société des nations », comme le rappelle B. Schmidt,* The Political Discourse of Anarchy, op. cit., *p. 160.*

relations internationales, on la retrouve dans l'École anglaise des relations internationales[47], qui incarne le libéralisme international pendant la guerre froide.

Si l'École anglaise peut être qualifiée de partie intégrante de la vision libérale des relations internationales[48], ce n'est pas tellement à cause de l'affinité géographique qui relie Hedley Bull[49], ressortissant

---

47. *Le nom d'« École anglaise » est dû à R. Jones, « The English School of International Relations. A Case for Closure »,* Review of International Studies, *7 (1), janvier 1981, p. 1-13. Ne serait-ce que parce que Jones utilisait cette dénomination dans un sens critique, voire péjoratif, le label « École anglaise » était contesté à ses débuts, mais est depuis assumé et revendiqué. Rappelons qu'à l'origine de l'École se trouve le British Committee on the Theory of International Politics fondé en 1959 par M. Wight et H. Butterfield.*

48. *Les débats à ce sujet sont sans fin. En la classant dans la vision libérale, nous rejoignons, entre autres, M. Zacher et R. Matthews, « Liberal International Theory. Common Threads, Divergent Trends », art. cit., ainsi que J. Hobson,* The State and International Relations, *Cambridge, Cambridge University Press, 2000, p. 89 et suiv. Rappelons cependant que les propres membres de l'École anglaise y voient une approche à part entière, sorte de* via media *combinant réalisme et idéalisme, théorie et histoire, agence et structure, explication et interprétation, alors que, à la suite de A. Wendt qui puise une partie de son inspiration substantielle dans l'École anglaise, certains y voient un constructivisme moderniste, ou conventionnel, avant la lettre : c'est le cas notamment de T. Dunne,* Inventing International Society : A History of the English School, *New York (N. Y.), St. Martin's Press, 1998. Cette interprétation est excessive à nos yeux, sinon anachronique ; en revanche, il est vrai que depuis que B. Buzan est arrivé à la tête de l'École anglaise après y avoir vu un simple réalisme modifié, celle-ci intègre de plus en plus de dimensions à la fois transnationalistes et constructivistes. Voir B. Buzan,* From International to World Society. English School Theory and the Social Structure of Globalization, *Cambridge, Cambridge University Press, 2004.*

49. *Si nous nous concentrons ici sur le seul Bull, font également partie de l'École anglaise H. Butterfield, M. Wight,*

australien installé en Angleterre, à l'internationalisme libéral de l'entre-deux-guerres. Certes, le désenchantement provoqué par la paralysie successive de la SDN et de l'ONU a été à l'origine du « fiasco colossal[50] » qu'a connu le libéralisme dans une discipline dominée après 1945 par le réalisme américain et par ailleurs rapidement soumise à des exigences behaviouralistes[51] peu compatibles avec « la foi en la capacité de la raison et de l'action humaines à changer le monde en vue de permettre le plein épanouissement du potentiel propre à tous les êtres humains[52] » : il n'est donc guère surprenant de voir le renouveau du libéralisme se produire en dehors des États-Unis et auprès d'adeptes de l'approche traditionnelle des Relations internationales (cf. chap. 3). Mais c'est surtout parce que l'École anglaise, au-delà de ses spécificités (les libéralismes républicain et économique disparaissent au profit du seul libéralisme institutionnel ; le normativisme explicite est abandonné[53]), partage avec l'internationalisme libéral de l'entre-deux-

---

J. Vincent et A. Watson, voire C. Manning, pour ce qui est de la première génération ; N. Wheeler, N. Rengger, T. Dunne, ainsi que donc B. Buzan et R. Little pour ce qui est de la génération actuelle. En revanche, voir dans E. H. Carr un membre de cette École, comme le fait T. Dunne, Inventing International Society, op. cit., *nous paraît discutable.*

50. S. Hoffmann, « Liberalism and International Affairs », art. cité.

51. À chaque règle son exception : le behaviouralisme de K. Deutsch ne l'a pas empêché de concevoir sa recherche comme une « contribution à l'étude des différents moyens susceptibles de permettre aux hommes d'abolir la guerre » (cf. K. Deutsch et al., Political Community and the North Atlantic Area, op. cit.*).*

52. M. Howard, War and the Liberal Conscience, op. cit., *p. 3.*

53. Cet abandon explique le jugement de Bull (« The Theory of International Politics *1919-1969 », art. cité, p. 187) à l'encontre de l'internationalisme libéral de l'entre-deux-guerres, qualifié d'idéalisme naïf et superficiel, et accusé d'avoir*

guerres la même conception lockienne de l'anarchie (cf. chap. 2) comme domaine du possible et non comme domaine du nécessaire.

À l'image d'Angell notant qu'au sein de « la "société" des nations chaque unité est une entité indépendante » et que, de ce fait, « toutes les unités sont [...] rivales[54] », Bull reconnaît comme « évident » le fait que « les relations mutuelles entre États souverains ne sont pas soumises à un gouvernement commun et qu'il existe par conséquent [...] une anarchie internationale, pour reprendre l'expression rendue fameuse par G. Lowes Dickinson[55] ». Mais il refuse de faire sienne la conception hobbesienne de l'anarchie comme état de guerre, caractérisé par l'impossibilité de toute activité économique, l'absence de toute règle légale et morale, et la guerre de chacun contre chacun. Tout au contraire, dit Bull, à l'instar d'un Zimmern affirmant l'existence d'un « corps politique mondial » dont « nous sommes tous membres[56] », la structure anarchique des relations internationales n'empêche nullement les États de former, au-delà d'un simple système international[57], une « société internationale », une « société des États », une « société anarchique », qui existe lorsque des États, « conscients de certains intérêts et valeurs communs, [...] se conçoivent comme étant liés par un ensemble de

---

contribué au déclin d'une compréhension digne de ce nom des relations internationales.

54. N. Angell, cité par A. Osiander, « Rereading Early Twentieth-Century IR Theory. Idealism Revisited », art. cité.

55. H. Bull, The Anarchical Society, op. cit., *p. 44.*

56. A. Zimmern, cité par A. Osiander, « Rereading Early Twentieth-Century IR Theory. Idealism Revisited », art. cité.

57. La conception que se fait l'École anglaise du système international est classique : ensemble d'unités étatiques en interaction de telle façon que le comportement de chacune d'entre elles est un élément du calcul présidant au comportement de tous les autres. La spécificité réside dans la perspective dans laquelle est utilisée cette notion : l'École anglaise s'intéresse au

règles communes dans leurs relations réciproques et participent au bon fonctionnement d'institutions communes[58] ».

Cette notion de « société internationale », dont Bull dit qu'elle a émergé dans l'Europe des XVIe et XVIIe siècles avant de se diffuser au-delà des océans au fur et à mesure de la conquête – puis de la décolonisation – des entités non-européennes[59], renvoie directement

---

système international moins en tant que tel qu'en tant que condition historique d'émergence d'une société internationale. Voir A. Watson, The Evolution of International Society, op. cit., *H. Bull et A. Watson (eds),* The Expansion of International Society, Oxford, Oxford University Press, 1984, *ainsi que B. Buzan et R. Little,* International Systems in World History, op. cit.

58. *H. Bull,* The Anarchical Society, op. cit., *p. 13. La notion de « société des États » avait déjà été utilisée par A. Zimmern,* The League of Nations and the Rule of Law. 1918-1935, op. cit., *p. 285, mais dans un sens normatif, et non pas empirique ; quant à l'expression « société internationale », elle apparaît chez D. Mitrany,* A Working Peace System *(1944), Chicago (Ill.), Quadrangle, 1966, avec là encore une forte connotation normative (cf. chap. 11). Bien que Bull refuse tout normativisme explicite, la question du normativisme implicite de sa conception de la société internationale mérite d'être posée : d'après T. Dunne,* Inventing International Society, op. cit., *le normativisme est l'un des traits caractéristiques de l'École anglaise, ce que conteste B. Buzan.*

59. *L'analyse de cette expansion de la société internationale est le fait de H. Bull et A. Watson (eds.),* The Expansion of International Society, op. cit., *de A. Watson,* The Evolution of International Society, op. cit., *ainsi que de G. Gong,* The Standard of « Civilization » in International Society, *Oxford, Oxford University Press, 1984. La perspective à la fois téléologique et eurocentrée de cette analyse est fortement critiquée par les auteurs post-colonialistes qui, à l'image de S. Seth, « Post-Colonial Theory and the Critique of International Relations »,* Millennium, *40 (1), 2011, p. 167-183, lui reprochent de ne voir dans la conquête, le colonialisme et l'empire qu'une simple note de bas de page dans l'histoire de l'expansion du capitalisme, de la modernité et de la société internationale, alors qu'il s'agit en*

à Locke, comme le reconnaît Bull : s'il faut à tout prix « comparer les relations internationales avec un état de nature précontractuel imaginaire entre les hommes, alors il vaut mieux choisir la description proposée par Locke plutôt que celle de Hobbes. [...] Dans la société internationale moderne, tout comme dans l'état de nature de Locke, il n'y a pas d'autorité centrale capable d'interpréter et de faire exécuter la loi, et donc les membres individuels de la société doivent eux-mêmes juger et appliquer la loi. Parce que dans une telle société chaque membre est juge en sa propre cause, et parce que ceux qui cherchent à appliquer la loi ne prévalent pas toujours, la justice dans une telle société est fruste et incertaine. Mais il n'y en a pas moins une grande différence entre une telle forme rudimentaire de vie sociale et aucune vie sociale du tout[60] ». En quelque sorte, de même que chez Locke les individus dans l'état de nature prépolitique sont – au moins par moments – capables de respecter la sécurité d'autrui, d'honorer leurs engagements contractuels, de stabiliser les droits de propriété privée, de même chez Bull les États, ou en tout cas certains d'entre eux, sont susceptibles d'autoréguler leurs relations mutuelles en vue de maintenir au moins l'ordre et la stabilité de l'ensemble du système, et la liberté et l'indépendance de ses États membres – dans ce cas, Bull parle de société internationale pluraliste –, voire d'imposer le respect des normes de conduite internationale ainsi que

---

fait d'une partie centrale, voire constitutive, de cette histoire. Valable pour ce qui est de la première génération de la l'École anglaise, cette critique est injuste envers les membres plus jeunes de l'École anglaise : voir notamment E. Keene, Beyond the Anarchical Society : Grotius, Colonialism and Order in World Politics, *Cambridge, Cambridge University Press, 2002, et P. Keal,* European Conquest and the Rights of Indigenous Peoples : The Moral Backwardness of International Society, *Cambridge, Cambridge University Press, 2003.*

60. *H. Bull,* The Anarchical Society, op. cit., *p. 46.*

des droits de l'homme – dans ce cas, il s'agit d'une société internationale solidariste –, le tout par l'intermédiaire de deux ensembles de moyens complémentaires : d'un côté, l'émission consciente de règles telles que la limitation de l'usage de la force, autorisée aux seules fins défensives et si possible mise en œuvre de façon multilatérale, la non-ingérence dans les affaires intérieures, synonyme de reconnaissance réciproque de tout un chacun comme État souverain, et le respect de la parole donnée, condition *sine qua non* de l'existence de la coopération contractuelle ; de l'autre, l'édification volontariste d'institutions telles que les conventions et usages diplomatiques, qui permettent un dialogue et une communication permanents, la pratique de l'équilibre des puissances, qui empêche toute hégémonie susceptible de mettre en cause le principe de la souveraineté et l'indépendance des États, voire la gestion de la vie internationale par un concert des puissances, sortes de « tuteurs de l'humanité toute entière[61] » titulaires de la responsabilité de faire respecter le droit international aux États réfractaires[62].

Une telle argumentation lie l'École anglaise à la philosophie libérale[63], selon qui les acteurs sociaux sont capables d'émettre et de

---

61. N. Wheeler et T. Dunne, « Hedley Bull's Pluralism of the Intellect and Solidarism of the Will », International Affairs, *72 (1), janvier 1996, p. 91-107.*

62. Anarchie lockienne, normes, construction... : autant de notions qui expliquent ici aussi la filiation établie par A. Wendt entre son constructivisme moderniste et l'École anglaise des relations internationales (cf. chap. 9).

63. À vrai dire, ce libéralisme sous-tend surtout les partisans de la variante pluraliste de l'École anglaise, et notamment l'ouvrage The Anarchical Society *de H. Bull, comme le montre le soubassement* rational choice *de la citation suivante : « Au sein de la société internationale, le maintien de l'ordre a son point de départ dans l'émergence entre États d'un sens d'intérêts communs [... qui...] peut avoir son origine [...] dans un* calcul rationnel *» (p. 64, souligné par nos soins) ; les adeptes du*

respecter des règles – y compris en l'absence de toute autorité chargée d'en assurer l'exécution – non pas parce qu'ils se sentiraient affectivement solidaires entre eux ou parce qu'ils estimeraient faire partie d'une même communauté de valeurs, mais parce qu'ils sont des êtres rationnels, capables de comprendre qu'il est dans leur intérêt commun de respecter des règles susceptibles de réguler leurs relations contractuelles. Pour les individus de l'état de nature lockien, cet intérêt commun, c'était la prise de conscience de la précarité de l'état de nature qui ne permettait pas la jouissance pleine et continue des propriétés de tout un chacun ; pour les États de la société internationale de Bull, cet intérêt commun, c'est la « prise de conscience des désavantages du chaos permanent de relations interétatiques non régulées[64] ».

Cela étant, même si la version forte de la société anarchique qu'est la société internationale solidariste reconnaît l'existence d'individus titulaires de droits de l'homme susceptibles d'être

---

solidarisme au contraire posent davantage comme fondement de la société anarchique l'existence d'une communauté de culture composée de valeurs homogènes partagées en commun, ces valeurs pouvant être – pour ce qui est du monde moderne – les valeurs chrétiennes, comme chez Wight, ou les droits de l'homme, comme chez Vincent et Wheeler, de même qu'ils accordent autant d'importance à la présence d'une justice internationale plutôt que du seul ordre international. Pour une excellente présentation synthétique des tensions entre les composantes pluraliste et solidariste de l'École anglaise, la seconde la rapprochant du cosmopolitisme alors que la première la maintient proche du réalisme, voir E. Dufault, « L'École anglaise. Via media *entre ordre et anarchie dans les relations internationales ? », dans A. MacLeod et D. O'Meara (dir.),* Théories des relations internationales, op. cit., *p. 159-179.*

64. B. Buzan, « From International System to International Society. Structural Realism and Regime Theory Meet the English School », International Organization, *47 (3), été 1993, p. 327-352.*

protégés par des actions internationales mises en œuvre par les États, le libéralisme de Bull ne reflète qu'une lecture partielle des écrits de Locke. Si celui-ci a effectivement produit une analyse des relations entre États, les États ne sont jamais chez lui que des mandataires des individus, aussi bien sur la scène politique interne que dans l'ordre politique international. Or, s'il arrive certes à Bull de faire référence à l'individualisme de Locke, ainsi lorsqu'il note que « ce n'est pas la peur d'un gouvernement suprême qui constitue la source d'ordre au sein d'un État moderne, [... mais aussi...] des facteurs tels que l'intérêt réciproque[65] » entre différents individus et groupes, il n'en reste pas moins que, dans l'ensemble, son libéralisme reste aussi stato-centré que l'internationalisme libéral de l'entre-deux-guerres, ainsi lorsqu'il rappelle que « les souverains ou États sont la réalité principale de la politique internationale ; les membres immédiats de la société internationale sont les États plutôt que les êtres humains individuels », ou quand il souligne que « l'idée de société internationale identifie les États comme membres de celle-ci [...] ; elle exclut donc de reconnaître une compétence politique à des groupements autres que l'État[66] ».

Peut-être à cause du contexte de la guerre froide synonyme de primauté des États comme monstres froids[67], peut-être aussi parce qu'engagé dans un débat permanent avec le réalisme, l'École anglaise a, tout comme auparavant l'idéalisme, privilégié l'acteur

---

65. *H. Bull,* The Anarchical Society, op. cit., *p. 46, 65.*
66. Ibid., *p. 25 et 65.*
67. *Ce n'est que de la fin des années 1980 que datent les interventions humanitaires, y compris de nature militaire. Pour des analyses proposées par des auteurs membres de l'École anglaise, voir J. Vincent,* Human Rights in International Relations, *Cambridge, Cambride University Press, 1986, et N. Wheeler,* Saving Strangers : Humanitarian Interventions in International Society, *Oxford, Oxford University Press, 2000.*

étatique, oubliant[68] ce faisant l'acteur de référence du libéralisme qu'est l'individu dont l'État n'est que l'émanation.

L'individu est certes dans la ligne de mire des développements les plus récents de l'École anglaise, dus au nouveau patron qu'est Barry Buzan désireux de faire progresser le troisième élément – négligé jusqu'à ce jour – de la triade de l'École anglaise « système international réaliste-hobbésien/société internationale rationaliste-grotienne/société mondiale révolutionnaire-kantienne ». Mais dans *From International to World Society. English School and the Social Structure of Globalization*[69], l'individu en question est tout autre que celui des libéraux lockiens : il s'agit bien plutôt d'une extrapolation de l'individu transnational de John Burton, théoricien ne faisant pas partie de l'École anglaise mais à l'origine de la notion de société mondiale (cf. chap. 6) dont la variante contemporaine au début du XXIe siècle pourrait être la notion de société civile globale, ce qui donne une idée de la deuxième source d'inspiration de ce nouveau programme de recherche proposé par Buzan à l'École

68. *Cela est* a fortiori *vrai du néolibéralisme institutionnel que nous traiterons dans le chapitre 12 relatif aux théories de la coopération, conformément d'ailleurs à la conception que s'en fait Keohane, « International Liberalism Reconsidered », art. cité, qui estime en 1989 que le libéralisme international « est seulement une théorie partielle des relations internationales », susceptible de n'avoir un pouvoir explicatif qu'à l'intérieur des contraintes posées par les théories générales que sont le réalisme et le marxisme.*

69. *B. Buzan,* From International to World Society, op. cit. *Dès 2001, dans son article « The English School : An Underexploited Resource in International Relations »,* Review of International Studies, *27 (3), juillet 2001, Buzan avait critiqué le manque de développements consacrés par la première génération de l'École anglaise à l'idée de société mondiale, comparativement à l'idée de société internationale et, même, de système international.*

anglaise, à savoir l'individu émancipé/citoyen cosmopolite cher à la théorie critique notamment de Andrew Linklater, inspiré par la tradition kantienne (cf. chap. 8). Dans tous les cas, et pour revenir à l'évolution du libéralisme international contemporain, c'est dans un retour à l'individu lockien que se situe l'innovation majeure d'Andrew Moravcsik qui est le principal représentant du renouveau dont bénéficie l'approche libérale dans les Relations internationales américaines pour cause, aussi, de triomphe du libéralisme comme doctrine politique depuis la fin de la guerre froide[70].

Le point de départ – implicite – de Moravcsik est en effet le libéralisme de Locke, et plus exactement le libéralisme individualiste de la doctrine lockienne du contrat social. Chez Locke, l'individu à l'état de nature, libre et indépendant comme chez Hobbes, et tout autant l'égal d'autrui et doué de raison, quitte l'état de nature non pas tellement par crainte de la mort violente, mais parce qu'il est conscient de la précarité de l'état de nature, parce qu'il répugne à courir les risques inhérents à cet état, parce qu'il veut consolider son droit de propriété – au sens large de sa vie, ses biens, sa liberté. Son droit de propriété existe donc antérieurement à la formation du contrat social, et le pacte social n'accouche que de l'entité politique, car la société civile et les droits naturels qui lui sont inhérents existent déjà à l'état de nature, contrairement à ce qui se passe chez Hobbes, où il n'y a ni propriété à l'état de nature, ni société civile, mais seulement multitude dissolue. Conséquence : alors que chez Hobbes l'autorité politique que se donnent

---

70. Pour un bilan critique de la prédominance contemporaine du libéralisme international à la fois comme théorie scientifique et comme doctrine politique, voir le dossier spécial « Liberalism », Millennium, *38 (3), 2010, p. 499 et suiv., avec notamment les contributions de J. Ikenberry, M. Cox, T. Dunne, R. Lipschutz, et C. Weber.*

les individus au moment du contrat social dispose d'une liberté d'action, sinon d'existence, par rapport aux individus, car il s'agit pour elle de garantir la sécurité de ces derniers qui, par définition, n'existait pas à l'état de nature et qu'ils ne peuvent, eux-mêmes, assurer, chez Locke l'autorité politique dispose d'un simple mandat qui lui est confié par les individus, en vue de garantir, à la fois dans l'ordre politique interne et sur la scène politique internationale, une meilleure jouissance des droits que les individus avaient déjà à l'état de nature.

C'est sur cette hypothèse d'individus titulaires de droits et de besoins antérieurs et extérieurs à l'État que Moravcsik fonde sa théorie *bottom-up* des relations internationales : « Les acteurs fondamentaux de la politique internationale sont les individus et les groupes privés, [...] rationnels et répugnants au risque[71]. » Alors que chez les réalistes, l'État – ou l'unité politique collective en général, étatique ou autre, – est l'acteur principal, voire exclusif, des relations internationales, l'État chez Moravcsik ne fait que représenter les individus sur la scène internationale ; il n'est que le simple préposé aux intérêts à la fois matériels et idéels

---

71. A. Moravcsik, « Taking Preferences Seriously », art. cité. Avant d'être systématisée de façon générale, la théorie libérale de la politique internationale de Moravcsik avait été élaborée dans son analyse de l'intégration européenne (cf. chap. 11) : voir son « Preferences and Power in the European Community. A Liberal Intergovernmentalist Approach », Journal of Common Market Studies, *31 (4), décembre 1993, p. 473-524. Depuis, elle a fait l'objet de nouvelles présentations : voir « Liberal International Relations Theory. A Scientific Assessment », dans C. Elman et M. F. Elman (eds),* Progress in International Relations Theory, op. cit., *p. 159-204, ainsi que « The New Liberalism », dans C. Reus-Smit et D. Snidal (eds),* The Oxford Handbook of International Relations, op. cit., *p. 234-254.*

(*ideational*) des membres de la société civile, et en tant que mandataire il est chargé d'y défendre ceux de ces intérêts que les acteurs sociétaux, individuels ou collectifs, ne peuvent eux-mêmes satisfaire d'une façon plus efficace, *id est* à moindre coût et/ou à moindre risque.

Simple courroie de transmission des intérêts de la société civile sur la scène internationale, l'État non seulement n'est pas l'acteur principal et *a fortiori* unique des relations internationales, mais en plus, il n'est pas un acteur unitaire. En effet, et contrairement au dogme libéral classique dont Moravcsik se démarque à plusieurs reprises, il n'existe aucune harmonie spontanée entre les intérêts des différents membres d'une société civile ; loin de là même car, à cause de la rareté matérielle qui caractérise toute vie en société, les individus, qui ont des intérêts, des goûts et des ressources politiques différenciés, tentent de faire avancer, seuls ou réunis en groupe, leurs propres préférences par l'échange politique et l'action collective dans un environnement concurrentiel. Conséquence : alors que pour les réalistes, la personnification de l'État en son chef agissant rationnellement est une fiction nécessaire préalable à tout raisonnement possible en Relations internationales[72], Moravcsik estime qu'en relations internationales aussi « la politique gouvernementale est contrainte par les identités, intérêts et pouvoirs sous-jacents des individus et groupes qui – au sein et en dehors de l'appareil d'État – exercent en permanence une pression sur les décideurs en vue de leur faire adopter des politiques conformes à

72. *Rappelons ce qu'écrit R. Aron,* Paix et guerre entre les nations, op. cit., *p. 88, note 1 : « Quand nous personnifions une unité politique, nous n'introduisons aucune métaphysique : il est clair que des hommes, au nom de la France, ont pris la décision. Mais l'objet même du livre implique que nous considérions les États comme doués d'intelligence et de volonté ».*

leurs préférences[73] ». Dans la perspective libérale, la politique étrangère d'un État s'analyse alors non pas comme une entreprise continue motivée par la satisfaction de l'intérêt national défini compte tenu de la configuration internationale du rapport de puissances, mais comme une suite de décisions singulières reflétant les intérêts et préférences de tel ou tel groupe ayant réussi à imposer à travers l'appareil décisionnel son point de vue aux autres.

À son tour, cette dimension pluraliste du libéralisme de Moravcsik, qui le rend compatible avec la *decision making analysis* chère à Graham Allison (cf. chap. 10), mais qui le rapproche aussi des analyses non téléologiques du marxisme[74], se répercute sur le niveau d'analyse de référence de Moravcsik. Alors que Waltz privilégie le niveau d'analyse systémique qu'est la configuration en pôles de puissance du système international pour expliquer le comportement extérieur des États, Moravcsik au contraire se situe au niveau de l'acteur collectif qu'est l'État. Plus exactement, il privilégie la nature du régime interne d'un État au sein d'une explication *inside-outside* de la politique internationale. En effet, les demandes sociétales, ou les préférences sociales, qui sont à l'origine de la politique poursuivie par un État sur la scène internationale, accèdent au pouvoir politique qui conduit ladite politique étrangère à travers les institutions qui organisent les relations entre la société civile et le pouvoir politique. En d'autres termes : la nature du

---

73. A. Moravcsik, « Taking Preferences Seriously », art. cité.

74. A. Moravcsik le reconnaît lui-même, dans une note de bas de page de son article « Taking Preferences Seriously », art. cité, en écrivant que les « hypothèses positives non téléologiques du marxisme », telles que la priorité reconnue aux intérêts économiques ou la conception de l'État comme représentant des forces sociales dominantes, « sont tout à fait compatibles avec (sa) reformulation du libéralisme ».

régime politique interne d'un État exerce une influence prédominante sur son comportement international, et c'est donc la forme institutionnelle que prend un État, en ce qu'elle permet de savoir quelles préférences individuelles sont politiquement privilégiées au sein d'une société, qui est le facteur clef permettant de comprendre la politique extérieure d'une unité politique. Loin d'être fonctionnellement indifférenciés à cause d'une structure anarchique imposant à tous les États une politique de *self-help*, une démocratie, une autocratie, un régime totalitaire n'ont pas le même comportement international, car ils représentent des interprétations et combinaisons différentes des intérêts sociétaux en termes de sécurité, de bien-être et de valeurs exprimés par les membres les plus influents de leurs sociétés civiles respectives.

Moravcsik établit ainsi une passerelle avec le libéralisme républicain. Mais c'est d'un libéralisme kantien revisité dont il s'agit. D'une façon générale, concède Moravcsik, on peut s'attendre de la part d'un régime non démocratique à un comportement plus agressif sur la scène internationale, étant donné la possibilité pour la minorité à la tête d'un tel régime de faire subir à la majorité exclue du pouvoir les coûts qu'entraîne potentiellement le recours à la force contre un autre État ; de façon symétrique, l'aversion au risque qui caractérise l'individu moyen explique qu'un régime démocratique fait *a priori* preuve d'un comportement pacifique et coopératif sur la scène internationale, vu que les individus, qui dans une démocratie décident de la politique à adopter à l'extérieur, n'ont aucun intérêt à être favorables à des actions armées dont ils sont susceptibles de payer les conséquences néfastes. Mais cette affirmation se doit d'être qualifiée, car une démocratie n'est pas intrinsèquement pacifique, de même qu'un régime dictatorial ne fait pas en tant que tel preuve d'un comportement international agressif.

Tout d'abord parce que, du point de vue de la prise de décision en politique étrangère, une démocratie représentative peut se voir court-circuiter par la minorité ayant des ressources politiques supérieures, et donc un accès privilégié au pouvoir politique[75] ; de même que les convergences de vues qu'il peut y avoir entre dirigeants de régimes non républicains peuvent conduire à une conduite internationale favorable au *statu quo*, comme ce fut le cas lors de la Sainte-Alliance, qui tout autant que l'équilibre multipolaire avait été à l'origine du bon fonctionnement du concert européen des puissances au XIXe siècle. Ensuite et surtout parce que le comportement d'un État sur la scène internationale dépend, au-delà des préférences sociétales exprimées par les membres influents de sa société civile, du comportement des autres États qui sont eux aussi chargés par leurs sociétés civiles respectives de défendre leurs intérêts.

« La configuration des préférences étatiques interdépendantes détermine le comportement des États », note Moravcsik, et en combinant ainsi les deuxième et troisième niveaux d'analyse, il en déduit que chaque État est amené à chercher « à satisfaire ses

---

75. *A. Moravcsik rejoint ici l'analyse en termes d'impérialisme que John Hobson,* Imperialism. A Study, op. cit., *avait proposée de la politique étrangère britannique de la fin du XIXe, début du XXe siècle, avec une « caste » industrielle et financière minoritaire cherchant dans les expéditions coloniales une issue aux crises de sous-consommation dont elle était par ailleurs responsable par salaires de misère interposés. Voir également J. Snyder,* Myths of Empire : Domestic Politics and International Ambitions, *Ithaca (N. Y.), Cornell University Press, 1991, pour une application d'inspiration réaliste néoclassique de cette variante de l'impérialisme à des exemples historiques divers, incluant les États-Unis au Vietnam, ainsi que D. Battistella,* Retour de l'état de guerre, *Paris, A. Colin, 2006, p. 215-241, pour une application à l'opération* Liberté en Irak.

propres préférences compte tenu des contraintes représentées par les préférences des autres États ». Plus précisément, l'interdépendance caractéristique de la scène internationale produit des externalités, *id est* des conséquences négatives (coûts) ou positives (bénéfices), pour chaque État (plus exactement chaque société civile propre à chaque État) du fait de la poursuite par tous les autres de leurs préférences propres. Trois sortes de répercussions sont alors possibles sur les relations interétatiques : lorsque les externalités entre deux États sont positives (deux États ont les mêmes préférences ou aucun n'est concerné par les préférences de l'autre), leurs relations sont pacifiques – comme c'est le cas en Europe occidentale depuis la fin de la seconde guerre mondiale ; lorsque les externalités sont négatives (la satisfaction des préférences des membres dominants d'une société civile se fait au détriment de celles des membres dominants d'une autre société civile dans un jeu à somme nulle), les relations sont conflictuelles et susceptibles de déboucher sur le recours à la force, notamment lorsque l'on est en présence d'un État révisionniste tentant de satisfaire des demandes sociétales représentant des coûts trop élevés pour la société civile d'un autre État satisfait du *statu quo* – comme par exemple au Proche- et Moyen-Orient ; lorsque les externalités sont partagées (chaque État subit les coûts de l'action de l'autre), les relations sont conflictuelles mais ces conflits sont susceptibles d'être réglés par la coopération – comme dans le cas des relations post-guerre froide entre États-Unis, Russie et Chine.

Ces trois sortes de relations possibles montrent bien que, pour Moravcsik, l'interdépendance, notamment économique, n'a plus l'effet pacificateur automatique qu'elle avait dans le libéralisme commercial classique, car l'impact de l'interdépendance économique sur les chances de paix et les risques de guerre est fonction des effets qu'elle a sur les acteurs sociétaux, selon que ceux-ci tirent ou non profit de cette interdépendance. Plus précisément, au sein d'une même société, coexistent des pressions à la fermeture de la part des acteurs qui voient leur position relative se détériorer après l'ouverture des frontières et des pressions à l'ouverture de la part de ceux qui s'estiment suffisamment compétitifs pour tirer profit des échanges extérieurs : si l'ouverture économique réciproque (ou les flux d'informations ou d'images en matière d'intérêts idéels) est bénéfique à ceux des membres des deux sociétés civiles qui, ayant accès à la sphère de prise de décision politique, parviennent à persuader leur pouvoir politique de favoriser une politique de libre-échange, alors celle-ci a un effet pacificateur ; mais si l'ouverture favorable à une société civile ne l'est pas à une autre société civile, alors le risque est grand de voir la seconde inciter son pouvoir politique à une politique protectionniste (ou de repli identitaire sur soi) pour faire face à ce qu'elle perçoit comme une politique mercantiliste (ou messianique), avec les risques de conflits qui s'ensuivent entre les deux États. À leur tour, ces conflits sont susceptibles d'être réglés par la coopération ou le recours à la force selon les incidences prévisibles de ces deux stratégies sur les intérêts des acteurs sociétaux : contrairement aux réalistes, selon qui la coopération est fonction des gains relatifs des partenaires respectifs à la coopération, et contrairement aussi aux néolibéraux institutionnalistes[76], selon qui la coopération est

---

76. D'après Moravcsik, le néo-institutionnalisme libéral autour de Keohane n'est pas un libéralisme, mais un réalisme structuraliste modifié, car il partage avec celui-ci une approche stato-centrée qui l'amène 1. à considérer les préférences étatiques comme des données exogènes, s'imposant de l'extérieur au pouvoir étatique ; et 2. à analyser le comportement extérieur d'un État comme étant structurellement déterminé par des considérations stratégiques reflétant l'environnement international dans lequel il évolue : ce que font les États dépend de ce qu'ils

possible dès qu'il y a gains absolus (cf. chap. 12), Moravcsik fait dépendre la coopération du rapport coûts/bénéfices qu'elle représente pour la société civile.

Exprimé autrement, l'état d'anarchie dans lequel évoluent les relations entre les États n'est pas une donnée constante chez Moravcsik : l'anarchie est une variable, résultat de ce que les sociétés civiles veulent que les États fassent. Et même si Moravcsik refuse d'envisager explicitement la perspective d'une pacification progressive de cette anarchie, vu son désir de débarrasser le libéralisme de toute connotation normative, on peut déduire de son postulat de l'aversion au risque qui caractérise les individus rationnels que l'anarchie est susceptible de connaître une évolution progressive, sinon progressiste, vu que la répugnance au risque devrait

---

peuvent obtenir compte tenu du rapport de force selon les réalistes et de ce qu'ils savent compte tenu de l'incertitude selon les institutionnalistes. Voilà qui d'après Moravcsik est incompatible avec le libéralisme, selon qui le comportement international d'un État est déterminé par les préférences sociétales dominantes s'exprimant à travers lui, préférences susceptibles de changer eu égard aux évolutions des rapports de force entre membres de la société civile interne et transnationale, avec pour conséquence des changements possibles dans les objectifs poursuivis par les États, et non pas seulement dans les moyens mis en œuvre en vue de les atteindre. Keohane lui-même reconnaît à plusieurs reprises que le néo-institutionnalisme « libéral » partage davantage d'affinités avec le réalisme qu'avec le libéralisme et, à l'image de D. Panke et T. Risse, « Liberalism », art. cité, p. 91, la plupart des manuels sont d'accord pour affirmer que l'explication « inside-out *» de la politique internationale caractéristique du libéralisme fait de celui-ci une approche située au niveau de la deuxième image de K. Waltz qu'est le niveau d'analyse de l'acteur, par opposition au néolibéralisme institutionnel de R. Keohane situé lui au niveau de la troisième image qu'est le niveau d'analyse du système.*

logiquement inciter les individus à favoriser l'adoption par leurs représentants de stratégies de coopération, moins coûteuses et moins risquées dans un monde interdépendant que les recours à la force[77]. Bref, tout positiviste qu'il se proclame[78], Moravcsik ne s'inscrit pas moins dans le droit fil des Lumières, à l'image de l'ensemble des libéraux croyant, sinon en le progrès en soi, « du moins en la possibilité d'un progrès cumulatif [79] ».

Par ailleurs, en affirmant que « les relations que les États entretiennent avec les contextes sociaux interne et *transnational* dans lesquels ils sont ancrés déterminent leur comportement international en influençant les objectifs sociaux sous-jacents à leurs préférences[80] », il établit – au moins potentiellement – un pont avec l'approche transnationaliste qui, après avoir fait partie intégrante de la vision libérale des relations internationales, constitue de nos jours une approche à part entière.

---

77. On voit ici les rapports complexes entre le libéralisme de Moravcsik et le constructivisme de Wendt : si ce dernier affirme que l'anarchie est ce que les États en font, plutôt que de dire qu'elle est ce que les sociétés civiles veulent que les États en fassent, il n'en estime pas moins possible lui aussi une évolution de l'actuelle anarchie lockienne vers une anarchie kantienne (cf. chap. 9).

78. Pour un exposé des préalables idéologiques sous-jacents à la théorie libérale de A. Moravcsik que celui-ci présente comme non-idéologique, voir B. Jahn, « Liberal Internationalism : From Ideology to Empirical Theory – And Back Again », International Theory, *1 (3), novembre 2009, p. 409-438, et le débat qui s'ensuit avec A. Moravcsik dans* International Theory, *2 (1), mars 2010, p. 113 et suiv.*

79. R. Keohane, « International Liberalism Reconsidered », art. cité.

80. A. Moravcsik, « Taking Preferences Seriously », art. cité. C'est nous qui soulignons.

Bibliographie

À l'origine de la vision libérale moderne des relations internationales se trouve l'internationalisme libéral des idéalistes surtout britanniques de la première moitié du XXe siècle :

ANGELL (Norman), *The Great Illusion* (1909), Londres, Putnam, 1913 [2e éd.], 416 p.

DICKINSON (G. Lowes), *The International Anarchy*, Londres, Swarthmore, 1926, 516 p.

HOBSON (John), *Imperialism. A Study* (1902), Londres, Allen and Unwin, 1938, 362 p.

WOOLF (Leonard), *International Government*, New York (N. Y.), Brentano's, 1916, 260 p.

ZIMMERN (Alfred), *The League of Nations and the Rule of Law. 1918-1935*, Basingstoke, Macmillan, 1936, 528 p.

Longtemps caricaturés par les réalistes à la suite de Carr, ces auteurs sont de nos jours redécouverts :

ASHWORTH (Lucian), *Creating International Studies. Angell, Mitrany and the Liberal Tradition*, Aldershot, Ashgate, 1999, 200 p.

LONG (David), *Towards A New Liberal Internationalism. The International Theory of J. A. Hobson*, Cambridge, Cambridge University Press, 2008, 288 p.

LONG (David) et SCHMIDT (Brian) (eds), *Imperialism and Internationalism in the Discipline of International Relations*, Albany (N. Y.), State University of New York Press, 2005, 212 p.

LONG (David) et WILSON (Peter) (eds), *Thinkers of the Twenty Years' Crisis. Interwar Idealism Reassessed*, Oxford, Clarendon, 1995, 348 p.

Markwell (Dean), « Sir A. Zimmern Revisited. Fifty Years On », *Review of International Studies*, 12 (3), juillet 1986, p. 279-292.

Navari (Cornelia), « The Great Illusion Revisited. The International Theory of Norman Angell », *Review of International Studies*, 15 (3), juillet 1989, p. 341-358.

Osiander (Andreas), « Rereading Early Twentieth-Century IR Theory. Idealism Revisited », *International Studies Quarterly*, 42 (3), septembre 1998, p. 409-432.

Pendant la guerre froide, l'internationalisme libéral s'est pendant longtemps réfugié dans certaines approches sectorielles (théories néofonctionnaliste de l'intégration et néolibérale des régimes, cf. chap. 11 et 12), et le libéralisme n'a survécu comme théorie générale que sous la forme particulière de l'École anglaise des relations internationales :

Bull (Hedley), *The Anarchical Society* (1977), Basingstoke, Palgrave-Macmillan, 2002 [3e éd.], 330 p.

Butterfield (Herbert) et Wight (Martin) (eds), *Diplomatic Investigations*, Londres, Allen and Unwin, 1966, 227 p.

Watson (Adam), *The Evolution of International Society*, Londres, Routledge, 1992, 352 p.

Watson (Adam) et Bull (Hedley) (eds), *The Expansion of International Society*, Oxford, Oxford University Press, 1984, 480 p.

Sur la complexité et l'évolution récente de cette École anglaise, voir :

Bellamy (Alex) (ed.), *International Society and Its Critics*, Oxford, Oxford University Press, 2004, 348 p.

Buzan (Barry), « From International System to International Society. Structural Realism and Regime Theory Meet the English School », *International Organization*, 47 (3), été 1993, p. 327-352.

BUZAN (Barry), *From International to World Society. English School Theory and the Social Structure of Globalization*, Cambridge, Cambridge University Press, 2004 ; voir le débat avec Emanuel Adler et Tim Dunne dans *Millennium*, 34 (1), 2005, p. 157-194.

BUZAN (Barry) et LITTLE (Richard), *International Systems in World History*, Oxford, Oxford University Press, 2000, 472 p.

DUNNE (Timothy), *Inventing International Society. A History of the English School*, New York (N. Y.), St. Martin's Press, 1998, 207 p.

JONES (Roy), « The English School of International Relations. A Case for Closure », *Review of International Studies*, 7 (1), janvier 1981, p. 1-13.

LINKLATER (Andrew) et SUGANAMI (Hidemi), *The English School of International Relations : A Contemporary Reassessment*, Cambridge, Cambridge University Press, 2006, 302 p.

LITTLE (Richard), « The English School's Contribution to the Study of International Relations », *European Journal of International Relations*, 6 (3), septembre 2000, p. 395-422.

LITTLE (Richard) et WILLIAMS (John) (eds), *The Anarchical Society in a Globalized World*, Basingstoke, Palgrave-Macmillan, 2006, 234 p.

WATSON (Adam) *et al.*, « Forum on the English School », *Review of International Studies*, 27 (3), juillet 2001, p. 465-513.

On peut estimer que ce n'est qu'avec la fin de la guerre froide que le libéralisme international a retrouvé une audience scientifique forte :

HOFFMANN (Stanley), « The Crisis of Liberal Internationalism », *Foreign Policy*, 98, printemps 1995, p. 159-177.

HOFFMANN (Stanley), « Liberalism and International Affairs », dans Stanley Hoffmann, *Janus et Minerva*, Boulder (Colo.), Westview, 1987, p. 394-417.

KEGLEY (Charles) (ed.), *Controversies in International Relations Theory. Realism and the Neoliberal Challenge*, New York (N. Y.), St. Martin's Press, 1995, 374 p.

KEGLEY (Charles), « The Neo-Idealist Moment in International Studies ? Realist Myths and the New International Realities », *International Studies Quarterly*, 37 (2), juin 1993, p. 131-146.

KEOHANE (Robert), « International Liberalism Reconsidered », dans John Dunn (ed.), *The Economic Limits to Modern Politics*, Cambridge, Cambridge University Press, 1992, p. 165-194.

KOBER (Stanley), « Idealpolitik », *Foreign Policy*, 79, été 1990, p. 3-24.

RICHARDSON (James), *Contending Liberalisms in World Politics*, Boulder (Colo.), Lynne Rienner, 2001, 240 p.

SMITH (Michael), « Liberalism and International Reform », dans Terry Nardin et David Mapel (eds), *Traditions of International Ethics*, Cambridge, Cambridge University Press, 1992, p. 201-224.

ZACHER (Mark) et MATTHEWS (Richard), « Liberal International Theory. Common Threads, Divergent Trends », dans Charles Kegley (ed.), *Controversies in International Relations Theory. Realism and the Neoliberal Challenge*, New York (N. Y.), St. Martin's Press, 1995, p. 107-150.

D'autant plus qu'une tentative de théorisation parcimonieuse du libéralisme international, à l'image du néoréalisme de K. Waltz, a été entreprise par :

MORAVCSIK (Andrew), « Taking Preferences Seriously. A Liberal Theory of International Politics », *International Organization*, 51 (4), automne 1997, p. 513-553.

MORAVCSIK (Andrew), « The New Liberalism », dans Christian Reus-Smit et Duncan Snidal (eds), *The Oxford Handbook of International Relations*, Oxford, Oxford University Press, 2008, p. 234-254.

Chapitre 6 / LA PERSPECTIVE TRANSNATIONALISTE

« La globalisation renvoie à une intensification de ce qu'en 1977 nous décrivions comme interdépendance. »

Robert Keohane et Joseph Nye[1]

Dans l'une de ses nombreuses analyses de l'histoire de la discipline, Michael Banks affirme que le débat entre le réalisme (cf. chap. 4) et le libéralisme (cf. chap. 5) « a imprégné les quatre derniers siècles[2] ». Pour être pertinente, cette affirmation ne doit pas être prise *stricto sensu* : si la thèse réaliste et l'antithèse libérale ont effectivement dominé l'étude des relations internationales, il y a eu de la place pour des approches dissidentes. C'était vrai avant que ne naissent les Relations internationales (cf. chap. 2) ; c'est vrai depuis que celles-ci se sont constituées en champ universitaire. Pour preuve, le troisième débat inter-paradigmatique, relevé par Banks justement[3], et opposant, à partir de la fin des années 1960, le réalisme stato-centré aux approches non stato-centrées que sont l'analyse marxiste et la perspective transnationaliste (cf. chap. 3).

Autant l'approche marxiste est reconnue – ou, en tout cas, était reconnue pendant la deuxième moitié de la guerre froide – comme paradigme à part entière des Relations internationales (cf. chap. 7), autant la perspective transnationaliste se voit souvent nier cette qualité, à cause des affinités qu'elle entretient avec le libéralisme. Il est vrai que, de même que chez Kant le globalisme de l'*Idée d'une histoire universelle au point de vue cosmopolitique* cohabite avec le libéralisme de *Vers la paix perpétuelle* (cf. chap. 2), de même les

---

1. *R. Keohane et J. Nye,* Power and Interdependence, *New York (N. Y.), Addison-Wesley, 2001 [3e éd.], p. XV.*
2. *M. Banks, cité par C. Kegley, « The Neoliberal Challenge to Realist Theories of World Politics », art. cité.*
3. *M. Banks, « The Inter-Paradigm Debate », art. cité.*

passerelles sont nombreuses entre libéraux et transnationalistes contemporains : c'est le cas des internationalistes libéraux de l'avant-seconde guerre mondiale ; c'est le cas aussi de Robert Keohane et de Joseph Nye dans les années 1970, tant de leur propre aveu la théorie de l'interdépendance qu'ils renouvellent dans *Power and Interdependence*, lui-même résultat du programme de recherche lancé au moment du colloque *Transnational Relations and World Politics*, « partage des hypothèses clefs avec le libéralisme[4] ».

Ces chevauchements expliquent sans doute que certains manuels d'un côté[5], tout comme certaines présentations de la vision libérale de l'autre[6], voient dans l'approche transnationale, ou pluraliste[7],

---

4. *R. Keohane et J. Nye,* Power and Interdependence, op. cit, *p. 270.*

5. *Voir par exemple G. Sörensen et R. Jackson,* Introduction to International Relations, *Oxford, Oxford University Press, 1998, p. 111 et suiv.*

6. *C'est le cas de J. Nye, « Neorealism and Neoliberalism »,* World Politics, *40 (2), janvier 1988, p. 235-251, de R. Keohane, « International Liberalism Reconsidered », art. cité, et de M. Zacher et R. Matthews, « Liberal International Theory. Common Threads, Divergent Trends », art. cité, qui parlent de libéralisme sociologique ou de* interdependence liberalism.

7. *L'étiquette « pluralisme » (que l'on retrouvera chez les théoriciens néofonctionnalistes de l'intégration, cf. chap. 11) s'explique par la filiation entre les transnationalistes des années 1970 et le pluralisme (en science politique interne) de l'entre-deux-guerres, aussi bien britannique (Laski, Figgis) qu'américain (Truman, École de Chicago). Voir M. Banks, « The Evolution of International Relations Theory », art. cité ; W. Olson et A. J. R. Groom,* International Relations Then and Now, op. cit. ; *R. Little, « The Growing Relevance of Pluralism ? », dans S. Smith, K. Booth et M. Zalewski (eds),* International Theory. Positivism and Beyond, op. cit., *p. 66-86. Le qualificatif renvoie aux deux spécificités qui caractérisent les transnationalistes (et aussi les néofonctionnalistes) : leur refus du stato-centrisme côté substance, leur penchant pour le*

l'une des variantes du libéralisme parmi d'autres, à côté des libéralismes commercial, républicain, institutionnel. Pourtant, il paraît tout aussi légitime de faire de l'approche transnationale un courant à part entière des Relations internationales. En effet, si les transnationalistes ont pour point de départ la même unité fondamentale d'analyse que les libéraux, à savoir l'individu, agissant seul ou en groupe, ils ont une conception fondamentalement différente de cet acteur de référence qu'est l'individu, des relations qu'il entretient avec l'État, du rôle qu'il joue sur la scène mondiale.

Pour les libéraux, les individus, *in fine*, n'agissent sur la scène internationale qu'à travers l'État qu'ils se donnent comme mandataire (cf. chap. 5). C'est vrai bien sûr pour la première génération de l'École anglaise, dont la notion de société internationale renvoie à la seule dimension stato-centrée du libéralisme lockien[8] ; c'est vrai aussi pour Keohane, selon qui « les activités aussi bien transnationales qu'intérieures (des) groupes et firmes sont importantes pour les libéraux, *non pas de façon isolée par rapport aux actions des États, mais en conjonction avec eux*[9] » ; c'est même vrai pour Moravcsik qui se contente d'affirmer que « les relations que les États entretiennent avec les *contextes sociaux interne et transnational* dans lesquels ils sont ancrés déterminent leur comportement international en influençant les objectifs sociaux sous-jacents à leurs préférences[10] », sans faire de ce contexte social transnational

---

behaviouralisme côté méthode, par opposition aux libéraux stato-centrés adeptes de la méthode traditionaliste tels que H. Bull (cf. chap. 3 et 5).

8. *Voir à ce sujet J. Hobson,* The State and International Relations, op. cit., *p. 89 et suiv.*

9. *R. Keohane, « International Liberalism Reconsidered », art. cité. C'est nous qui soulignons.*

10. *A. Moravcsik, « Taking Preferences Seriously », art. cité. C'est nous qui soulignons.*

une variable indépendante et sans voir dans les individus des acteurs autonomes. Or, c'est cela justement qui caractérise la perspective transnationaliste. Cette dernière s'émancipe par rapport à la philosophie libérale tout en accentuant la remise en cause du réalisme à laquelle celle-ci avait procédé : d'un côté en voyant dans les individus et la société civile des acteurs à part entière de la politique mondiale ; de l'autre en soulignant les liens d'interdépendance reliant entre eux l'ensemble des acteurs, qu'ils soient étatiques ou non étatiques.

« Ce n'est pas aux seules nations que les Relations internationales se rapportent. C'est à des types de groupes très divers – nations, États, gouvernements, peuples, régions, alliances, confédérations, organisations internationales, et même organisations industrielles, culturelles, religieuses – qu'il faut s'intéresser dans l'étude des relations internationales si l'on veut que cette étude soit réaliste. [...] L'objet des Relations internationales n'est-il pas constitué par l'histoire, l'organisation, le droit, l'économie, la culture, et les processus de la communauté mondiale ? Ne devrions-nous pas concevoir la race humaine comme une communauté qui, quoique divisée en de nombreux sous-groupes géographiques, fonctionnels, politiques, raciaux, économiques et autres, est en train de s'intégrer au sein d'une société, du fait des progrès de la technologie et de la croissance de la population qui met les membres de ces sous-groupes en contact de plus en plus intime les uns avec les autres[11] ? »

---

11. Q. Wright, The Study of International Relations, *New York (N. Y.), Appleton-Century, 1955, p. 6. Précisons que le terme de « réaliste » dans cette citation est à prendre au sens commun (*realistic *dans la citation américaine).*

Émise en pleine période de science normale réaliste, la proclamation de foi de Quincy Wright sonne comme un lointain écho, sinon de la néoscolastique espagnole et de Grotius (cf. chap. 2), du moins des analyses produites une à deux générations auparavant par les internationalistes libéraux. En effet, dès 1916, Leonard Woolf note que « le monde est si intimement uni (que) nous sommes si étroitement liés à nos voisins par les câbles dorés et argentés de la finance et du commerce, sans mentionner les câbles téléphoniques et les rails des chemins de fer, [... que...] l'inadéquation de la conception habituelle de l'État indépendant isolé est évidente[12] » ; dès 1933, Ramsay Muir affirme que « nous sommes entrés dans une nouvelle ère, l'ère de l'interdépendance », car « en temps de paix comme en temps de guerre, l'annihilation de la distance a transformé les relations entre hommes. [...] À de nombreux égards, le monde s'est rétréci à la taille d'une place de marché[13] ».

Mais, peut-être parce que ces analyses avaient été entre-temps reléguées aux oubliettes, après la critique dont leur normativisme avait fait l'objet, il faudra attendre une quinzaine d'années avant qu'une minorité d'internationalistes[14] ne fasse sien le projet de Wright, par ailleurs marginalisé dans les années 1950 du fait de la

---

12. L. Woolf, International Government, op. cit., *p. 128 et 267.*

13. Citation dans J. de Wilde, Saved From Oblivion. Interdependence Theory in the First Half of the Twentieth Century, *Aldershot, Dartmouth, 1991, p. 46 et 52.*

14. Nous nous situons ici au niveau des seules théories générales des relations internationales, qui plus est non marxistes. Du point de vue des approches sectorielles, les théories (néo-)fonctionnalistes (Mitrany, Haas) et cybernétiques (Deutsch) de l'intégration, avec leurs concepts de spill over *et de « communauté de sécurité », n'avaient pas attendu le déclin du réalisme pour postuler l'interdépendance entre États et reconnaître le rôle des acteurs transnationaux (cf. chap. 11 et 14).*

défaite subie, en matière d'institutionnalisation et de définition de la discipline des Relations internationales, par le *Committee on International Relations* du *Social Science Research Council* dont Wright faisait partie, de la part de la *Conference on Theory* d'obédience réaliste portée par la Fondation Rockefeller[15]. En la matière, ont joué un rôle essentiel plusieurs événements de la fin des années 1960, et du début des années 1970, tels que l'enlisement des États-Unis au Vietnam, la fin du système de Bretton Woods, les agissements de la CIA et de la multinationale ITT au Chili, le choc pétrolier, etc. Voilà en effet autant d'anomalies, au sens de Kuhn (cf. chap. 3), difficilement compatibles avec le réalisme prédominant à l'époque, et notamment avec les postulats stato-centrés tels que l'État acteur international exclusif, la séparation étanche interne-externe, et la primauté du facteur militaire parmi les composantes de la puissance :

– Si la puissance est le facteur clef de l'ordre dans le monde et si la force militaire est la composante principale de la puissance, comment expliquer que la superpuissance américaine ne réussisse pas à imposer sa volonté au Vietnam ?

– Si la politique est plus importante que l'économie, comment expliquer la décision de Nixon de mettre un terme au système de Bretton Woods après l'ascension des économies européennes et japonaise ? Comment expliquer la puissance acquise par l'OPEP, qui est non pas une alliance politique, mais un cartel d'États producteurs de pétrole ?

– Si l'État unitaire incarné dans le pouvoir exécutif est le seul acteur sur la scène internationale, comment expliquer le rôle des entreprises privées dans des phénomènes aussi différents que le

15. *Voir N. Guilhot (ed.),* The Invention of International Relations Theory, op. cit., *p. 16 et suiv.*

réchauffement des relations américano-soviétiques ou de la mise en danger de gouvernements souverains (Chili) ?

– Si la politique extérieure guidée par le seul intérêt national est séparée strictement de la politique interne, comment expliquer le rôle croissant joué par l'opinion publique dans la gestion par le gouvernement américain de l'intervention américaine au Vietnam ?

La conclusion s'impose aux yeux d'un auteur tel que Karl Kaiser : « Si tant est que le concept de politique internationale est valable, il ne l'est que s'il est compris comme un type idéal, dans le sens wébérien ». D'après l'internationaliste allemand, le modèle stato-centré de la politique internationale reflète moins la réalité internationale qu'il n'accentue certaines caractéristiques de celles-ci, celles concernant les relations entre (*inter* nationes) les seuls États-nations (inter *nationes*). Il faut par conséquent compléter l'approche en termes de politique internationale par une approche en termes de « société transnationale », définie « comme un système d'interaction, dans un domaine particulier, entre des acteurs sociétaux appartenant à des systèmes nationaux différents », et soulignant les relations nouées entre eux par les deux types d'acteurs sociétaux que sont, d'un côté des « organisations relativement structurées avec des unités opérant dans différents États » (l'Église catholique romaine, les firmes multinationales, les organisations internationales non gouvernementales), et de l'autre des entités à peine organisées telles que les mouvements d'étudiants et le tourisme[16].

16. K. Kaiser, « La politique transnationale. Vers une théorie de la politique multinationale » (1969), dans P. Braillard, Théories des relations internationales, op. cit., *p. 222-247.*

Influencée par le behaviouralisme et son refus de postuler d'emblée la nature autonome de la discipline des Relations internationales par rapport aux sciences sociales (cf. chap. 3), l'accentuation par Kaiser des relations transnationales, que, à la suite de Bertrand Badie et Marie-Claude Smouts on peut définir comme « toute relation qui, par volonté délibérée ou par destination, se construit dans l'espace mondial au-delà du cadre étatique national et qui se réalise en échappant au moins partiellement au contrôle et à l'action médiatrice des États[17] », connaîtra une double filiation : aux États-Unis, Keohane et Nye se focaliseront sur l'impact des acteurs non étatiques et de leurs relations transnationales sur la politique internationale[18] ; dans le champ universitaire britannique, John Burton forgera la notion de « société mondiale ».

Le point de départ de Keohane et Nye est le même que celui de Kaiser. Dans le colloque « Relations transnationales et politique mondiale » qu'ils organisent en 1970 dans le cadre de la revue *International Organization*, ces deux auteurs américains expriment eux

---

17. *B. Badie et M.-C. Smouts,* Le Retournement du monde. Sociologie de la scène internationale *(1992), Paris, Presses de Sciences Po, 1999 [3e éd.], p. 66. T. Risse-Kappen, dans son introduction à* Bringing Transnational Relations Back In, *Cambridge, Cambridge University Press, 1995, p. 3, parle d'« interactions transfrontalières régulières entre acteurs dont au moins l'un est un agent non étatique ou n'opère pas au nom d'un gouvernement national ou d'une organisation intergouvernementale ».*

18. *R. Keohane et J. Nye ont été les élèves de E. Haas, père de la théorie néofonctionnaliste de l'intégration (cf. chap. 11). Cherchant dans un premier temps à attaquer la domination du réalisme à partir du néofonctionnalisme, ils n'ont opté pour le transnationalisme que dans un second temps, après que E. Haas lui-même eut douté de la pertinence de l'approche néofonctionnaliste à la suite de la crise de l'intégration européenne provoquée par la politique de la chaise vide du général de Gaulle (cf. chap. 11).*

aussi leur souhait de rompre avec la tradition du stato-centrisme en Relations internationales et de se concentrer sur « les "relations transnationales" – contacts, coalitions, et interactions transfrontaliers qui ne sont pas contrôlés par les organes centraux de la politique étrangère des gouvernements ». Composés par l'ensemble des « mouvements transfrontaliers de biens tangibles ou intangibles mettant aux prises des acteurs dont l'un au moins n'est de nature ni gouvernementale ni intergouvernementale », l'information, les flux financiers, le transport des biens physiques et la circulation des personnes et des idées, exercent en effet une contrainte sur les États, en ce qu'ils augmentent « la sensibilité réciproque des sociétés et par là même affectent les relations entre gouvernements ». Si alors on veut accéder à une bonne compréhension du monde contemporain, l'étude des « effets réciproques entre relations transnationales et système interétatique » est indispensable[19]. Or, ces effets réciproques, le paradigme stato-centré, qui affirme que l'État unitaire est le seul acteur significatif, que les intérêts intérieurs n'affectent la politique internationale qu'à travers l'action gouvernementale, et que les interactions inter-sociétales peuvent être considérées comme n'ayant qu'une importance secondaire, ne les prend pas en compte, car il estime que les gouvernements l'emportent lorsqu'ils ont directement affaire à un acteur transnational[20], que les relations transnationales

---

19. *Toutes les citations qui précèdent sont extraites de R. Keohane et J. Nye (eds), « Transnational Relations and World Politics », numéro spécial,* International Organization, *25 (3), été 1971, p. 329 et 331, 332, 336.*

20. *Une génération après la critique de Keohane et Nye, les réalistes continuent bien évidemment de dire que les États sont plus puissants que les acteurs transnationaux : voir S. Krasner, « Power, Politics, Institutions, and Transnational Relations », dans T. Risse-Kappen (ed.),* Bringing Transnational Relations Back In, op. cit., *p. 257-279.*

ont toujours existé, et que ces relations n'affectent pas de façon significative la « haute politique » relative à la sécurité et à la guerre. Voilà qui est discutable : s'il arrive certes que des gouvernements l'emportent dans des bras de fer (exceptionnels) avec des acteurs non étatiques, la plupart du temps l'on assiste à des relations de marchandage entre acteurs gouvernementaux et non étatiques, seuls ou en coalition ; de même, si les relations transnationales ont toujours existé, comme le reconnaît par exemple Aron[21], le rôle politique des fondations privées et des mouvements révolutionnaires, des Églises et des sociétés multinationales est plus grand dans le monde contemporain[22], car la complexité grandissante qui caractérise celui-ci augmente leur importance à travers l'influence qu'ils exercent sur les choix des gouvernements et les coûts impliqués par ces différents choix ; enfin, la distinction entre *high* et *low politics*, analytiquement justifiée, est progressivement gommée dans la réalité, car les échiquiers non politico-militaires (commerce, finance, énergie, aide au

---

21. *L'hommage rendu à Aron par Keohane et Nye – il est vrai inspirés en la matière par K. Kaiser, « La politique transnationale », art. cité – est justifié. Dans son* Paix et guerre entre les nations, op. cit., *p. 113 et 114, Aron reconnaît l'existence d'une « société transnationale », qui « se manifeste par les échanges commerciaux, les migrations des personnes, les croyances communes, les organisations qui passent par-dessus les frontières » ; mais en tant que réaliste, il n'en finit pas moins par retenir, à partir des exemples de l'Europe de 1914 et des cités-États helléniques, la « relative autonomie de l'ordre interétatique par rapport au contexte de la société transnationale ».*

22. *Keohane et Nye font ici allusion à N. Angell,* The Great Illusion, op. cit., *p. 46 : il est vrai que le parallélisme est parfait entre Angell déplorant que « la politique internationale (soit) toujours dominée par des termes applicables à des conditions que les processus du monde moderne ont abolies », et Keohane et Nye regrettant que « la politique mondiale change, mais nos paradigmes conceptuels restent à la traîne » (« Transnational Relations and World Politics »,* op. cit., *p. 721).*

développement, recherche technologique et spatiale...) se multiplient à côté de l'échiquier militaro-stratégique, sans que l'on puisse *a priori* postuler une quelconque hiérarchie entre eux.

Bref, « le paradigme stato-centré fournit une base inadéquate pour l'étude de la politique mondiale en changement », et il faut passer au « paradigme de la politique mondiale[23] », qui reconnaît comme acteur à la fois les États, les acteurs infra-étatiques (c'est-à-dire les sous-unités formant l'appareil gouvernemental et administratif) et les acteurs non étatiques, et qui se propose comme objet d'étude à la fois les relations interétatiques, les relations trans-gouvernementales, et les relations transnationales. L'étude de cette politique mondiale, Keohane et Nye se proposent de l'entreprendre quelques années plus tard dans leur ouvrage *Power and Interdependence*, autour du concept d'« interdépendance complexe ». Partant des trois hypothèses que sont : 1) l'existence de trois sortes d'acteurs (gouvernementaux, sub-étatiques et non étatiques) nouant trois sortes de relations (interétatiques, trans-gouvernementales, transnationales) ; 2) l'absence de hiérarchie entre les différents domaines de la politique mondiale (secteurs stratégico-militaire, économique, énergétique, écologique, démographique, etc.) qui ne peuvent pas être séparés de façon étanche de l'ordre politique interne, et 3) la diminution du rôle de la force militaire de moins en moins adéquate pour obtenir satisfaction dans les domaines non militaires de la politique mondiale, Keohane et Nye constatent que les différents acteurs sont en situation d'interdépendance asymétrique les uns par rapport aux autres, dans le sens où, quoique indépendants, ils sont sensibles et vulnérables aux comportements d'autrui, tant le comportement de tout un chacun

---

23. R. Keohane et J. Nye (eds), « Transnational Relations and World Politics », op. cit., *p. 736 et 729.*

est affecté structurellement et réciproquement par le comportement de tout autre acteur. Plus précisément, la sensibilité et la vulnérabilité[24] des différents acteurs en général et celui des États en particulier sont variables selon les enjeux, d'où un comportement étatique distinct de celui souligné par les réalistes : les buts recherchés par les États sont différents d'un domaine à l'autre et ne consistent pas dans la seule recherche de la sécurité militaire, mais aussi du bien-être économique, du progrès technologique, etc. Or, pour obtenir satisfaction dans les domaines non militaires, la prédominance militaire n'est guère utile, vu sa difficile fongibilité et la difficulté à lier entre eux des secteurs où l'on est fort pour obtenir satisfaction dans des secteurs où l'on est faible. Il s'ensuit une redistribution, voire un éclatement, de la puissance, entre les différents États et entre États et acteurs non étatiques : dans un monde où l'interdépendance fait naître des relations dont la rupture éventuelle implique forcément des coûts, est puissant non pas celui qui est omnipotent, mais celui qui est moins vulnérable, ce qui contribue à une atténuation de la hiérarchie mondiale, vu la coopération multilatérale que favorise, par rapport à la gestion unilatérale, la dépendance réciproque dans laquelle se trouvent acteurs étatiques et non étatiques.

---

24. Keohane et Nye entendent par « sensibilité » la vitesse et l'ampleur d'un changement induit dans un État du fait de l'action d'un autre acteur, et par « vulnérabilité » la capacité d'un État à résister aux changements provoqués par un autre acteur. Ils donnent l'exemple du marché pétrolier pour souligner la différence entre les deux phénomènes : deux États dépendant pour 35 % de leur consommation d'énergie d'importations de pétrole sont également sensibles à l'augmentation des prix du pétrole, mais celui des deux qui peut à moindre coût remplacer une partie de ses importations par davantage de sources énergétiques produites en interne est moins vulnérable.

En aboutissant ainsi à la perspective d'une coopération accrue, après avoir affirmé que l'agenda mondial n'est plus dominé par les problèmes de sécurité, Keohane et Nye s'inscrivent logiquement dans la lignée de l'idée libérale selon laquelle « l'attractivité du recours à la violence à des buts politiques diminue au fur et à mesure qu'augmente l'interdépendance[25] ». Mais par opposition aux internationalistes libéraux de l'entre-deux-guerres, ils « ne (limitent) pas le terme "interdépendance" à des situations de bénéfice mutuel » : en définissant l'interdépendance comme une « situation caractérisée par des effets réciproques entre pays ou entre acteurs dans des pays différents », ils soulignent les coûts qu'implique l'interdépendance, vu les contraintes dont elle est synonyme, et refusent par conséquent le « pronostic selon lequel l'interdépendance croissante est en train de créer le meilleur des mondes de la coopération susceptible de remplacer le vieux monde mauvais des conflits internationaux[26] ». En quelque sorte, alors qu'ils étaient partis avec la volonté « de confirmer l'importance des relations transnationales, telle qu'avancée dans "Transnational Relations and World Politics" », Keohane et Nye en arrivent, dans *Power and Interdependence*, à un jugement beaucoup plus nuancé : non seulement ils restent attachés à la notion – réaliste par excellence à l'époque – de puissance dont, à la suite du behaviouralisme

25. *J. de Wilde,* Saved from Oblivion, op. cit., *p. 8.*

26. *R. Keohane et J. Nye,* Power and Interdependence, op. cit., *p. 8 et 9. En quelque sorte, Keohane et Nye se situent à mi-chemin entre la thèse libérale classique de la paix par le – doux – commerce (cf. chap. 5) et la thèse néoréaliste de Waltz qui, sur la base du modèle rousseauiste de l'état de nature et les exemples direct de 1914 et* a contrario *de la guerre froide, assimile interdépendance et augmentation des risques de guerre (*Theory of International Politics, op. cit., *p. 158 et suiv.).*

de Robert Dahl[27], ils se contentent de privilégier la dimension relationnelle en la définissant en termes de « contrôle sur les résultats » (*power over outcomes*), mais surtout ils demeurent fidèles à l'acteur étatique comme seule instance de régulation possible du « monde turbulent contemporain[28] ». Certes, ils abandonnent la conception réaliste de la politique étrangère comme activité rationnelle guidée par le seul sens de l'intérêt national au profit d'une conception pluraliste qui l'envisage sous l'angle d'un processus d'ajustement permanent entre pressions internes et contraintes externes ; certes encore, leur paradigme de « l'interdépendance complexe dépeint les conflits dans un monde de coopération », ce qui les éloigne du paradigme réaliste qui tout à l'inverse « conçoit la coopération dans un monde de conflits[29] » ; mais ils ne voient pas dans l'interdépendance un facteur potentiel de dépassement de l'anarchie interétatique, et finissent tout au contraire par accorder *in fine* une prime à l'État par rapport aux acteurs non étatiques.

En fait, plus que l'interdépendance, c'est l'évolution de la puissance en situation d'interdépendance qui constitue leur objet d'étude ; plus que les relations transnationales en soi, c'est la

---

27. Selon R. Dahl, « The Concept of Power », Behavioral Science, *2, 1957, p. 201-215, « A a pouvoir/puissance sur B dans la mesure où il peut obtenir de B qu'il fasse quelque chose qu'il n'aurait pas fait autrement ». Implicitement présente chez M. Weber et, de ce fait, chez Morgenthau et Aron (cf. chap. 4), cette conception de la puissance comme relation cohabite chez les réalistes classiques avec la conception de la puissance traditionnellement prédominante avant la naissance de la sociologie webérienne et qui conçoit la puissance en termes de ressource.*

28. R. Keohane et J. Nye, Power and Interdependence, op. cit., *p. 211.*

29. W. Olson et A. J. R. Groom, International Relations Then and Now, op. cit., *p. 198.*

« contamination des relations inter-étatiques par les relations transnationales[30] » qui les intéresse. Désireux d'étudier l'impact des relations transnationales sur les capacités des gouvernements à maîtriser leur environnement, Keohane et Nye remplacent donc une *problem-solving theory*[31] – le réalisme – par une autre : leur désir de savoir « Qui contrôle les relations transfrontalières privées ? Qui en tire des bénéfices ? Qui les subit ? » trahit leur ambition de contribuer par leur paradigme de l'interdépendance complexe à permettre aux autorités américaines de tirer le meilleur profit de l'avantage comparatif dont les États-Unis disposent en matière d'activités transnationales. On peut d'ailleurs se demander si l'ensemble de leur approche n'était pas d'entrée de jeu biaisé par un intérêt cognitif technique de reproduction de la primauté américaine : comme le dit indirectement Hedley Bull, ce n'est que parce que Keohane et Nye oublient que « les guerres perdues par les États-Unis et leurs clients dans le Tiers Monde ont été gagnées par leurs adversaires » qu'ils peuvent déduire du constat de la défaite américaine l'idée de l'impuissance de la puissance militaire[32].

---

30. R. Keohane et J. Nye, « Transnational Relations and World Politics », op. cit., *p. 344.*

31. La notion de problem-solving theory est de R. Cox, « Social Forces, States and World Order » (1981), dans R. Keohane (ed.), Neorealism and its Critics, op. cit., *p. 204-254. Notant que toute théorie est « toujours pour quelqu'un et pour quelque chose », Cox oppose problem-solving theory et critical theory, opposition qui renvoie à celle entre « théorie traditionnelle » et « théorie critique » proposée au sein de l'École de Francfort par M. Horkheimer,* Théorie traditionnelle et théorie critique *(1937), Paris, Gallimard, 1974 (cf. chap. 8).*

32. H. Bull, « Civilian Power Europe : A Contradiction in Terms ? », Journal of Common Market Studies, *21 (1-2), septembre-décembre 1982, p. 149-164.*

Pas étonnant, dans ces conditions, que Keohane soit à l'origine, quelques années plus tard, du néo-institutionnalisme libéral qui cherchera à démontrer la capacité des régimes internationaux créés par les États-Unis dans l'après-seconde guerre mondiale de fonctionner même « après l'hégémonie[33] », alors que Nye, lors du débat sur le déclin des États-Unis, forgera la notion de *soft power*, puissance douce censée permettre aux États-Unis de préserver justement leur domination[34]. Pas étonnant non plus que la remise en cause effective du stato-centrisme soit alors l'œuvre du Britannique d'origine australienne John Burton, moins intéressé par les capacités de pénétration informelle d'un État dans une société autre que par les moyens susceptibles de « satisfaire les besoins et aspirations de la race humaine[35] ».

Partant de l'individu et de ses besoins et valeurs comme unité d'analyse principale, Burton ne se contente pas de compléter la *power politics* par la *issue politics*[36] ; notant que les échanges transfrontaliers entre acteurs non étatiques sont beaucoup plus

---

33. *Tel est le titre de l'ouvrage de R. Keohane,* After Hegemony, op. cit. *(cf. chap. 12).*

34. *J. Nye,* Le Leadership américain, *Nancy, Presses universitaires de Nancy, 1992. Ce livre est une réponse à l'ouvrage du décliniste P. Kennedy,* Naissance et déclin des grandes puissances, op. cit. *On peut aussi voir dans ces re-conversions une preuve de la curiosité intellectuelle des deux théoriciens concernés, de leur volonté de sortir du confort des certitudes, de leur désir d'affronter les défis lancés par la réalité à leurs explications premières. C'est ce que dit B. Cohen,* International Political Economy, op. cit., *au sujet de R. Keohane, considéré comme l'un des « entrepreneurs intellectuels » à l'origine de l'économie politique internationale.*

35. *J. Burton,* World Society, *Cambridge, Cambridge University Press, p. 18.*

36. *R. Mansbach et J. Vasquez,* In Search of Theory. A New Paradigm for Global Politics, *New York (N. Y.), Columbia University Press, 1981.*

nombreux que les conflits interétatiques, il supplante la notion de politique mondiale par celle de société mondiale[37], et voit dans les « communications, et non la puissance, [...] le principal facteur structurant la société mondiale[38] ». Comme l'indique cette utilisation de la notion de « communication », l'influence qu'il subit en la matière provient du systémisme[39] de Karl Deutsch. Il reprend du modèle cybernétique de ce dernier non seulement la méthode behaviouraliste et le dessein de dresser une carte des processus de comportement effectifs au sein de la société mondiale, mais aussi la thèse de « l'interdépendance inéluctable[40] » provoquée par l'augmentation des transactions de toutes sortes : « Les communications de toutes sortes sont devenues de plus en plus rapides et fréquentes entre des points géographiques différents. [...] Il y a "un monde" de la science, des idées, du commerce, et des échanges qui n'est que marginalement affecté par les barrières que sont les montagnes, les mers et les frontières étatiques. » À l'image toujours de Deutsch et de sa notion de communauté de sécurité (cf. chap. 14),

---

37. *Précisons, pour éviter tout malentendu, que bien qu'appartenant au champ universitaire britannique, J. Burton, qui était à la fois behaviouraliste et non stato-centré, n'a pas fait partie de l'École anglaise : sa notion de « société mondiale » n'a rien à voir avec la notion de société mondiale de l'École anglaise – ni* a fortiori *avec la notion de société internationale – même si B. Buzan, dorénavant à la tête de l'École anglaise, renvoie à J. Burton parmi les sources d'inspiration possibles auxquelles pourrait recourir l'École anglaise dans sa tentative d'approfondissement de sa propre notion de société mondiale (cf. chap. 5). Voir son ouvrage* From International to World Society, op. cit.

38. *J. Burton,* World Society, op. cit., *p. 45.*

39. *Voir à ce sujet J. Burton,* States, Systems, Diplomacy and Rules, *Cambridge, Cambridge University Press, 1968.*

40. *K. Deutsch,* The Analysis of International Relations *(1968), Englewood Cliffs, Prentice Hall, 1988 [3e éd.], p. IX.*

Burton fonde également son espoir en un monde pacifié sur l'augmentation de ces transactions sociétales, estimant que « les conflits sont moins probables au sein d'un groupe – qu'il s'agisse d'une famille ou d'une nation – qui est bien intégré. Ce sont les contacts continus et les sympathies mutuelles entre peuples de différentes nationalités et idéologies qui font que l'on puisse parler d'une société mondiale », écrit-il, confiant, à l'image de David Mitrany[41], dans la capacité des organisations internationales fonctionnelles à éroder les nationalismes à l'origine des guerres : « Nous devons nous attendre à des alliances de plus en plus faibles et de moins en moins significatives, à des organisations internationales fonctionnelles de plus en plus importantes, à des différences idéologiques de plus en plus atténuées sous la pression des demandes communes et universelles adressées aux États » par les acteurs sociaux[42].

Mais si Burton est entré dans l'histoire de la discipline, ce n'est pas tellement pour sa fidélité à ce libéralisme sociologique que n'aurait pas renié un Richard Cobden réclamant au XIXe siècle « le moins de rapports possibles entre gouvernements, le plus de connexions possibles entre nations ». C'est surtout pour la mise en forme théorique qu'il donne de l'approche transnationale dans son modèle de la toile d'araignée qu'il oppose au modèle des boules de billard d'Arnold Wolfers[43].

---

41. D. Mitrany, A Working Peace System, op. cit. *D. Mitrany utilise d'ailleurs la notion de « société mondiale », qu'il voit lui aussi émerger des interactions sociétales plutôt que des relations diplomatiques (cf. chap. 11).*

42. Toutes les citations qui précèdent sont extraites de J. Burton, World Society, op. cit., *p. 29-30, 34 et 34.*

43. Rappelons que K. Kaiser, « La politique internationale », art. cité, avait lui aussi contesté la pertinence de ce modèle.

Dans un essai sur les acteurs en politique internationale, Wolfers avait utilisé la métaphore des boules de billard pour décrire l'approche stato-centrée des relations internationales, selon laquelle la scène internationale est « accaparée par un ensemble d'États, chacun disposant du contrôle entier du territoire, des hommes et des ressources à l'intérieur de ses frontières[44] ». D'après Burton, cette image de l'État comme « unité close, imperméable et souveraine, complètement séparée de tous les autres États[45] » a pu être valable à l'époque « des cités-États dirigées par des seigneurs féodaux, lorsque chaque cité était indépendante et virtuellement

44. *A. Wolfers, « The Actors in International Politics », dans A. Wolfers,* Discord and Collaboration, op. cit., *p. 3-24. Rendons justice à Wolfers : le fait pour lui de présenter ce modèle des boules de billard ne signifie nullement qu'il l'accepte de façon a-critique. Tout au contraire, il s'interroge sur la pertinence de ce modèle face aux remises en cause dont celui-ci fait l'objet de la part des théories mettant l'accent sur le rôle des individus dans les processus de prise de décision politique et sur l'avènement d'acteurs collectifs non étatiques. Il va d'ailleurs jusqu'à noter que la réalité « dévie » par rapport à ce modèle, tant « il est évident » que ce modèle « ne constitue pas un portrait fidèle du monde réel de la politique internationale ». Autrement dit, il reconnaît que « le Vatican, la compagnie pétrolière arabo-américaine, et un ensemble d'autres entités non étatiques sont occasionnellement capables d'affecter l'issue d'événements internationaux », et il en déduit que « lorsque ceci se produit, ces entités deviennent des acteurs de l'arène internationale et des concurrents des États-nations ». Bref, plutôt que de postuler* a priori *la pertinence du modèle des boules de billard, il admet que cette pertinence ne saurait être corroborée qu'au terme d'une « analyse empirique ». Avant Wolfers, un autre réaliste, J. Herz, « The Rise and Demise of the Territorial State »,* World Politics, *9 (4), juillet 1957, p. 473-493, avait également envisagé la remise en cause de l'imperméabilité de l'État souverain, à la suite de l'avènement de l'arme nucléaire et de l'incapacité subséquente de l'État d'assurer la sécurité de ses habitants.*

45. Ibid., *p. 19.*

isolée du reste du monde, lorsque la négociation s'effectuait par l'intermédiaire des leaders, lorsque la défense était le principal souci[46] ». De nos jours, elle décrit tout au plus certaines caractéristiques du monde contemporain, tels que « les contacts diplomatiques directs entre gouvernements » ; s'y tenir aveuglément reviendrait en revanche à « dévier notre attention d'autres relations », en l'occurrence les interactions transfrontalières initiées par les individus ou groupes issus des sociétés eux-mêmes[47].

Plutôt que de dépeindre les relations internationales en termes d'États entrant en contact les uns avec les autres au niveau de leurs seuls gouvernements, telles des boules de billards ne se touchant qu'à la surface et s'entrechoquant en fonction de leur taille respective, mieux vaut les concevoir comme une gigantesque toile d'araignée tissée par une infinité d'activités transsociétales – échanges commerciaux, mouvements touristiques, flux financiers, réseaux migratoires, transactions culturelles, etc. – couvrant la planète entière tel un immense filet : « Il y a tellement de communications ou de systèmes qu'une carte du monde qui chercherait à les représenter ressemblerait à un ensemble de toiles d'araignées superposées les unes aux autres, avec des fils convergeant davantage en certains qu'en d'autres, et davantage concentrés en certains points qu'en d'autres. » D'après Burton, ce *cobweb model* permet de rendre compte des deux processus caractéristiques du monde contemporain que sont :

– d'un côté, la fin de la séparation étanche entre interne et externe : « Il est évident que toute séparation entre politique interne et politique mondiale est arbitraire et probablement erronée » ;

---

46. Le parallélisme est frappant entre l'analyse de Burton et celle de L. Woolf assimilant en 1916 les États obsédés par leur indépendance à des « tribus pastorales ou des villes fortifiées » (cf. supra, *chap. 5).*

47. J. Burton, World Society, op. cit., *p. 28-29.*

– de l'autre, l'impact potentiel qu'a tout événement se produisant en un endroit du monde en tout autre endroit du monde : « L'interdépendance accrue [...] conduit à des changements partout lorsqu'il y a un changement quelque part[48]. »

Si le constat de l'interpénétration entre interne et externe ne fait que reprendre et confirmer ce qu'avaient déjà dit Keohane et Nye, l'idée des répercussions illimitées que peut avoir un processus anticipe en revanche l'analyse du processus qui sera appelé une petite vingtaine d'années plus tard la mondialisation ou globalisation[49] : définie comme « l'intensification des relations sociales planétaires, rapprochant à tel point des endroits éloignés que les événements locaux seront influencés par des faits survenant à des milliers de kilomètres et *vice versa*[50] », celle-ci constitue le contexte qui verra éclore la variante la plus récente du courant transnationaliste, celle de James Rosenau,

---

48. Ibid., *p. 43, 20 et 4-5.*

49. *Dans la préface à la troisième édition de leur* Power and Interdependence, op. cit., *p. XV, R. Keohane et J. Nye notent que « la globalisation renvoie à une intensification de ce qu'en 1977 nous décrivions comme interdépendance ».*

50. *La définition est d'A. Giddens,* Les Conséquences de la modernité, op. cit., *p. 70. Dans son article intitulé « Les processus de la mondialisation. Retombées significatives, échanges impalpables et symbolique subtile »,* Études internationales, *24 (3), septembre 1993, p. 497-512, Rosenau définit lui-même la globalisation comme « tout enchaînement d'interactions qui a le potentiel d'une propagation illimitée et celui de transgresser facilement les juridictions nationales », alors que le philosophe allemand P. Sloterdijk y voit « le rapprochement du monde dans le monde », et que le sociologue britannique R. Robertson parle de « compression du monde en un seul lieu ». Nous reviendrons dans le chapitre 17 sur l'impact de la globalisation sur les relations internationales comme objet d'étude et les Relations internationales comme discipline.*

connue sous le nom de « modèle de la turbulence » ou paradigme de la « politique post-internationale[51] ».

Publiant son *Turbulence in World Politics*[52] en pleine fin de la guerre froide[53], synonyme d'issue pacifique de l'affrontement Est-Ouest dont le renouveau au début des années 1980 avait contribué à éclipser la perspective transnationaliste au profit du néoréalisme de Waltz, Rosenau aurait pu abonder dans le sens de Burton qui avait souligné la portée réformatrice de son modèle de la toile d'araignée : « Le modèle que nous avons dans nos têtes détermine

---

51. *Largement cité dans les années 1960 et 1970, lorsqu'il était l'un des chantres du behaviouralisme, Rosenau a vu, depuis son* Turbulence in World Politics, *Princeton (N. J.), Princeton University Press, 1990, son aura décliner dans le champ universitaire anglo-américain, comme il le reconnaît dans l'interview qu'il donne dans* Review of International Studies, *26 (3), juillet 2000, p. 465-475. Pour preuve, il ne fait pas partie des cinquante penseurs clés en Relations internationales dans l'ouvrage éponyme de M. Griffiths,* Fifty Key Thinkers in International Relations, *Londres, Routledge, 2009. Il en va tout autrement en France, ou son succès perdure, ce qui tend à indiquer que le champ des Relations internationales est aussi, et malgré son objet d'étude, une juxtaposition de champs nationaux (cf. chap. 18).*

52. *Livre difficile, du fait notamment d'un jargon particulier à Rosenau, comme le prouve son obsession des allitérations dans les titres et sous-titres,* Turbulence in World Politics *peut être abordé à partir du résumé qu'en donne M. Girard, « Turbulence dans la théorie politique internationale »,* Revue française de science politique, *42 (3), août 1992, p. 636-646.*

53. *Le manuscrit a été achevé au mois d'août 1989. Sur la une de couverture, deux photos qui illustrent le rôle de* powerful people *(titre du chapitre 13 de son ouvrage) dans la précipitation de la fin de la guerre froide : une première photo de citoyens allemands perchés sur la Porte de Brandebourg au moment du renversement du mur de Berlin ; une autre montrant Wang Weilin en train d'arrêter la colonne de chars de l'Armée populaire chinoise place Tian An Men pendant le Printemps de Pékin 1989.*

notre interprétation des événements, nos théories, et nos politiques. [...] Une image qui comprend des entités étatiques séparées, toutes potentiellement hostiles les unes aux autres, conduit logiquement à des politiques défensives. [...] Une image de la société mondiale qui dépeint les transactions [...] conduit raisonnablement à des politiques intégratives[54]. » Pourtant, Rosenau débarrasse définitivement la perspective transnationaliste de toute connotation téléologique : ayant dès 1980 relevé l'importance du « terroriste » à côté du « touriste » sur la scène internationale[55], il souligne moins les chances de paix qui attendent le monde de l'après-guerre froide que les risques de troubles, ou de « turbulences », au sens météorologique de fluctuations chaotiques et imprévisibles.

Au centre de la thèse de Rosenau, il y a l'affirmation que la politique internationale contemporaine a subi depuis quelques décennies des changements radicaux, des fluctuations inédites, des variations inconnues. Définissant les paramètres comme « les circonstances humaines durables de la forme d'un système (telles que sa structure hiérarchique, ses normes culturelles, ses orientations d'autorité) qui déterminent le contexte des interactions des collectivités et individus[56] », il estime qu'un ensemble de processus tels que le passage d'une société industrielle à une société post-industrielle, l'émergence de défis communs ne pouvant être gérés au niveau stato-national, le déclin progressif de la capacité de l'État à satisfaire les demandes des citoyens, etc., ont affecté les paramètres régulateurs qui organisaient et stabilisaient depuis 1648 le système interétatique westphalien, et notamment le paramètre

54. *J. Burton,* World Society, op. cit., *p. 43 et 45.*

55. *« The Tourist and the Terrorist », tel est le titre de l'un des chapitres de* The Study of Global Interdependence, *Londres, F. Pinter, 1980, p. 73-105.*

56. *J. Rosenau,* Turbulence in World Politics, op. cit., *p. 79.*

micro-politique (individuel) relatif aux compétences politiques des citoyens, le paramètre macro-politique (structurel) relatif à la structure d'ensemble de la politique globale, et le paramètre macro-micro (relationnel) relatif aux rapports d'autorité et de loyauté établis entre les individus et les acteurs collectifs animant la vie politique internationale.

Au niveau du paramètre micro-politique tout d'abord, on assiste à une véritable révolution de la compétence politique internationale des individus *lambda*, c'est-à-dire des personnes ordinaires aux comportements triviaux, à un véritable saut qualitatif en ce qui concerne leur aptitude à analyser la politique mondiale, leur capacité à s'émouvoir pour un problème international même lointain, leur disponibilité à s'engager dans une action collective portant sur un enjeu global. Par le passé, l'individu pouvait être considéré comme passif en politique internationale, passif parce que ignorant, ignorant parce que non intéressé, et non intéressé parce que non concerné, avec pour conséquence que, lorsqu'il exprimait son opinion, celle-ci était composée de croyances versatiles ou, pire, de réactions d'humeur essentiellement instables[57]. Or, avec l'amélioration du niveau d'éducation générale, la multiplication des voyages, l'explosion des possibilités de communication autorisées par la révolution micro-électronique et la prise de

---

57. *Remontant à la doctrine réaliste en général, et notamment à Machiavel affirmant que la pensée des palais est différente de celle de la rue, l'idée que la compréhension de la politique internationale échappe au grand public incompétent parce que soumis à des humeurs –* mood theory *– a été rationalisée par G. Almond,* The American People and Foreign Policy, *New York (N. Y.), Praeger, 1950. Depuis, de nombreuses études ont réfuté ce préjugé ; voir notamment B. Page et R. Shapiro,* The Rational Public, *Chicago (Ill.), Chicago University Press, 1992 (cf. chap. 10).*

conscience de l'impact grandissant de l'interdépendance sur la vie quotidienne, de plus en plus d'individus de nos jours sont mieux informés, davantage intéressés, et potentiellement rationnels en ce qui concerne leur capacité à saisir ce qui se passe sur la scène politique mondiale. Davantage, ils sont susceptibles de s'engager directement sur la scène politique mondiale : c'est ce que Rosenau appelle le *skilfull individual*[58].

Non pas qu'en toute personne sommeille nécessairement un activiste de Greenpeace ou un Mathias Rust prêt à atterrir au péril de sa vie sur la place Rouge à la barbe et au nez des autorités soviétiques[59] : bien entendu, les individus apathiques et égoïstes le disputent aux individus idéologisés et *a fortiori* démocratiques[60]. Non pas davantage que cette révolution de la compétence soit nécessairement synonyme d'émancipation des individus par rapport aux hiérarchies sociales existantes, ou de démocratisation de la politique internationale, car en effet, ce n'est pas tellement à une convergence autour des mêmes valeurs que l'on assiste qu'à une diffusion de la capacité à faire entendre ses propres valeurs, qui peuvent parfaitement être identitaires, xénophobes, intolérantes, plutôt que démocratiques, libérales, universalistes. Mais le fait est que l'on ne peut plus analyser la politique internationale comme

---

58. *Pour une tentative de mesure quantitative des compétences individuelles en politique internationale, voir J. Rosenau et M. Hagen, « A New Dynamism in World Politics. Increasingly Skilful Individuals ? »,* International Studies Quarterly, *41 (4), décembre 1997, p. 655-686.*

59. *Rosenau donne lui-même, dans* Turbulence in World Politics, op. cit., *p. 288, l'exemple de cet Allemand de 19 ans désireux par son geste de faire progresser la paix dans le monde.*

60. *Sur des détails de cette typologie, voir J. Rosenau, « Les individus comme source de turbulence globale », dans M. Girard (dir.),* Les Individus dans la politique internationale, *Paris, Economica, 1994, p. 81-105.*

par le passé lorsque seules comptaient sur la scène politique internationale les actions décidées par l'élite concentrée autour du pouvoir exécutif : de nos jours, l'impact de l'opinion des individus et l'intrusion des mouvements de masse sont trop importants pour être ignorés.

Cela est d'autant plus vrai que le rôle de la compétence politique des individus se répercute au niveau du paramètre macro-micro-politique, qui concerne les rapports d'autorité qui se nouent entre les individus et leurs structures collectives d'appartenance que sont bien sûr les États, mais aussi les autres groupes et organisations sub-ou supra-étatiques. Par le passé, les structures d'autorité reposaient sur le critère traditionnel de la légitimité dont bénéficiaient les États : les autorités étatiques jouissaient de l'exclusivité des allégeances citoyennes. Or, la révolution de la compétence politique internationale fait qu'aux identifications automatiques nationales classiques s'ajoutent, voire se substituent, de nouvelles formes de solidarités sub-, trans-, ou extra-territoriales. Les individus sont de plus en plus caractérisés par la multi-appartenance : s'ils continuent à être citoyens membres d'un État-nation, ils appartiennent parallèlement à tout un ensemble de réseaux en tant que membres d'une association professionnelle ou d'un groupe de pression, en tant que militants d'une ONG ou d'un mouvement confessionnel, en tant que ressortissants d'une communauté identitaire telle qu'une minorité nationale ou une diaspora. Tout individu est à la fois situé territorialement du fait de sa relation citoyenne d'ordre stato-national, et socialement par son appartenance à des réseaux non-étatiques multiples ; selon les domaines, selon les enjeux, il est amené à s'identifier de moins en moins automatiquement aux politiques menées par ses gouvernements, et à se laisser plutôt guider par de nouvelles formes de solidarités extra-territoriales se substituant à l'allégeance citoyenne. Les autorités étatiques assistent à la perturbation des sentiments de loyauté des individus à leur égard, vu la volonté de la part d'individus de plus en plus nombreux de s'engager sur la scène politique mondiale au sein de collectifs d'appartenance non étatiques, qu'il s'agisse d'ONG qui se proposent de prendre en charge les problèmes globaux que doit aujourd'hui affronter la planète, ou d'organisations centrifuges de type identitaire ou particulariste.

Dans tous les cas, ces phénomènes de relocalisation des liens d'autorité vers le haut ou vers le bas ont une conséquence au niveau du paramètre macro-politique. En effet, si de moins en moins d'individus accordent un crédit automatique aux gouvernements en matière d'analyse et d'action internationale, et *a fortiori* si de plus en plus d'individus s'engagent directement ou au sein d'acteurs collectifs non étatiques pour satisfaire leurs revendications, alors se multiplient toutes sortes de « sphères d'autorité[61] » et de « formes de constitutions politiques (*polities*)[62] » autres qu'étatiques. Bref, l'État n'est plus le seul acteur international, de même que le système international n'est plus exclusivement interétatique. D'après Rosenau, il s'ensuit une « bifurcation », une scission, entre un monde interétatique et un « monde multicentré » : alors que le monde interétatique est composé d'un nombre relativement stable de *sovereignty-bound actors*, les acteurs étatiques traditionnels, avec leurs relations institutionnalisées et dont les actions s'inscrivant dans une problématique de légitimité cherchent à conforter leur existence, leur sécurité, leur intégrité, y compris par le recours

---

61. *Sur ce terme, voir J. Rosenau,* Distant Proximities. Dynamics beyond Globalization, *Princeton (N. J.), Princeton University Press, 2003.*

62. *Sur ce terme, voir Y. Ferguson et R. Mansbach,* Polities, Authorities, Identities and Change, *Columbia (S. C.), University of South Carolina Press, 1996.*

privilégié à la violence physique et à la contrainte symbolique, le monde multicentré au contraire, ou monde des réseaux, est composé des *sovereignty-free actors* que sont l'ensemble des acteurs non étatiques visant par leurs relations informelles à élargir leur autonomie par rapport aux États et à banaliser le contournement des territoires, la contestation des frontières, la remise en cause des souverainetés étatiques.

Obéissant à des modalités de fonctionnement fort différentes, ces deux mondes parallèles sont moins juxtaposés les uns aux autres qu'ils n'interagissent et ne s'interpénètrent. Les turbulences sont précisément dues aux limites des modes traditionnels – *id est* étatiques – de régulation et de maintien de la stabilité dans un « monde mixte[63] », avec pour conséquence l'obligation d'imaginer une nouvelle gouvernance – en l'occurrence une gouvernance globale[64].

En aboutissant ainsi à l'image d'un monde mixte, Rosenau retrouve à la fois les internationalistes libéraux de l'entre-deux-guerres et l'ensemble des transnationalistes contemporains. Les premiers parce que, dès 1931, Zimmern avait imaginé la dialectique de la mondialisation que Rosenau appellera la « fragmégration[65] », c'est-à-dire le double mouvement d'intégration et de fragmentation, de globalisation et de localisation : « Les processus de la révolution industrielle et les idées de la Révolution française ont contribué d'abord à multiplier au centuple les contacts entre individus dans des pays différents, et ensuite à intensifier les

---

63. *J. Rosenau,* Turbulence in World Politics, op. cit.

64. *En 1995, J. Rosenau crée une nouvelle revue appelée* Global Governance.

65. *J. Rosenau,* Along the Domestic-Foreign Frontier, *Cambridge, Cambridge University Press, 1997.*

différences entre eux. [...] Quel effet en résultera sur les relations internationales ? Non pas l'uniformité mais la diversité, non pas la concorde mais la controverse, non pas une fraternité idyllique mais les chocs et secousses identitaires ; en un mot, non pas la paix mais la vie en société[66]. » Les seconds parce que, comme eux, il voit dans son modèle non pas un concurrent, mais un simple complément, du paradigme stato-centré réaliste : après que Keohane et Nye eurent précisé qu'ils voulaient non pas remplacer un « modèle simpliste par un autre[67] » mais proposer un modèle susceptible de s'appliquer dans les circonstances dans lesquelles l'autre n'était pas applicable ; après que Burton eut refusé de privilégier son modèle de la toile d'araignée, tant « un modèle qui souligne les systèmes et ignore les relations existant entre États souverains et la puissance qu'ils exercent dans la société mondiale serait erronée, tout comme le modèle des boules de billard est irréel[68] » ; Rosenau à son tour propose à ses lecteurs les deux modèles réaliste et post-international sans préjuger « lequel des deux est le "meilleur"[69] ».

Exprimé autrement, la perspective transnationaliste n'aspire pas au statut de paradigme à part entière[70]. Il en va tout autrement de l'approche marxiste : si celle-ci peut-être considérée comme

---

66. *A. Zimmern, cité par A. Osiander, « Rereading Early Twentieth-Century IR Theory », art. cité.*

67. *R. Keohane et J. Nye,* Power and Interdependence, op. cit., *p. 25.*

68. *J. Burton,* World Society, op. cit., *p. 49.*

69. *J. Rosenau et M. Durfee,* Thinking Theory Thoroughly, *Boulder (Colo.), Westview, 1995, p. 57.*

70. *Exception faite cependant de R. Mansbach et J. Vasquez,* In Search of Theory, op. cit., *qui avaient pour ambition de remplacer le* state-centered paradigm *par une* society-dominated perspective.

complémentaire aux paradigmes réaliste et libéral, vu que son objet d'analyse n'est pas le même que celui des deux approches dominantes, elle n'en a pas moins ambitionné[71] de constituer le troisième paradigme de la discipline.

Bibliographie

L'approche transnationaliste *stricto sensu* date des années 1970 :

BURTON (John), *States, Systems, Diplomacy and Rules*, Cambridge, Cambridge University Press, 1968, 252 p.

BURTON (John), *World Society*, Cambridge, Cambridge University Press, 1972, 180 p.

KAISER (Karl), « La politique transnationale. Vers une théorie de la politique multinationale » (1969), dans Philippe Braillard, *Théories des relations internationales*, Paris, PUF, 1977, p. 222-247.

KEOHANE (Robert) et NYE (Joseph) (eds), « Transnational Relations and World Politics », numéro spécial, *International Organization*, 25 (3), été 1971, p. 329-748.

KEOHANE (Robert) et NYE (Joseph), *Power and Interdependence* (1977), New York (N. Y.), Addison-Wesley, 2001 [3e éd.], 334 p.

MANSBACH (Richard), FERGUSON (Yale) et LAMPERT (Donald), *The Web of World Politics. Non-State Actors in the Global System*, Englewood Cliffs (N. J.), Prentice Hall, 1976, 326 p.

---

71. Le participe passé s'impose ici, car de nos jours le marxisme a été supplanté par le constructivisme comme troisième approche principale des Relations internationales.

MANSBACH (Richard) et VASQUEZ (John), *In Search of Theory. A New Paradigm for Global Politics*, New York (N. Y.), Columbia University Press, 1981, 560 p.

MORSE (Edward), *Modernization and the Transformation of International Relations*, New York (N. Y.), The Free Press, 1976, 203 p.

Mais peuvent être considérés comme précurseurs les théoriciens de l'intégration :

DEUTSCH (Karl), *The Analysis of International Relations* (1968), Englewood Cliffs (N. J.), Prentice Hall, 1988 [3e éd.], 363 p.

MITRANY (David), *A Working Peace System* (1942), Chicago (Ill.), Quadrangle Books, 1966, 222 p.

Et les idéalistes libéraux de l'entre-deux-guerres, comme le montre :

DE WILDE (Jaap), *Saved From Oblivion. Interdependence Theory in the First Half of the Twentieth Century*, Aldershot, Dartmouth, 1991, 287 p.

Elle est de nos jours associée au nom de James Rosenau :

ROSENAU (James) (ed.), *Linkage Politics. Essays on the Convergence of National and International Systems*, New York (N. Y.), The Free Press, 1969, 352 p.

ROSENAU (James), *The Study of Global Interdependence*, Londres, F. Pinter, 1980, 334 p.

ROSENAU (James), *Turbulence in World Politics. A Theory of Change and Continuity*, Princeton (N. J.), Princeton University Press, 1990, 480 p.

ROSENAU (James) et DURFEE (Mary), *Thinking Theory Thoroughly* (1995), Boulder (Colo.), Westview, 2000 [2e éd.], 270 p.

ROSENAU (James), *Along the Domestic-Foreign Frontier. Exploring Governance in a Turbulent World*, Cambridge, Cambridge University Press, 1997, 467 p.

ROSENAU (James), *Distant Proximities. Dynamics Beyond Globalization*, Princeton (N. J.), Princeton University Press, 2003, 440 p.

Voir par ailleurs :

FERGUSON (Yale) et MANSBACH (Richard), *A World of Polities : Essays on Global Politics*, Londres, Routledge, 2008, 268 p.

GIRARD (Michel) (dir.), *Les Individus dans les relations internationales*, Paris, Economica, 1994, 302 p.

RISSE-KAPPEN (Thomas) (ed.), *Bringing Transnational Relations Back In*, Cambridge, Cambridge University Press, 1995, 323 p.

Chapitre 7 / Les analyses marxistes

> *« Prolétaires de tous les pays, unissez-vous. »*
> *Karl Marx et Friedrich Engels*[1]

Dans leur critique des insuffisances du stato-centrisme, Robert Keohane et Joseph Nye soulignent à plusieurs reprises « l'extrême asymétrie entre les États[2] », dimension fortement ignorée par une approche réaliste qui, suite au postulat de l'anarchie, a fait sien le principe de l'égalité des États souverains, juridiquement indépendants les uns des autres et entretenant des relations horizontales entre eux. Quelques années plus tard, ce constat les amène à la notion d'« interdépendance complexe », dont l'une des dimensions consiste justement en l'existence de relations d'interdépendance asymétrique (cf. chap. 6).

Il n'est pas impossible que, dans leur entreprise, Keohane et Nye aient été influencés par les théories marxistes. En affirmant que « le problème des relations asymétriques qui sous-tend les théories de l'impérialisme est à la fois réel et important[3] », ils laissent en effet entendre que leur notion d'interdépendance complexe a été forgée à la fois sous l'influence de ces théories de l'impérialisme, et dans le but de contrer cette influence ; en quelque sorte, il s'agissait pour eux de proposer une approche qui tienne compte de ces relations internationales hiérarchiques négligées par le réalisme stato-centré sans pour autant faire leurs postulats marxistes.

Dans tous les cas, ce qui ne saurait faire aucun doute, c'est que des passerelles existent entre la perspective transnationaliste et le

---

1. *K. Marx et F. Engels,* Manifest der Kommunistischen Partei, op. cit., *p. 493.*
2. *R. Keohane et J. Nye (eds), « Transnational Relations and World Politics »,* op. cit., *p. 736-737.*
3. Ibid., *p. 737.*

courant marxiste en Relations internationales. Un lien substantiel tout d'abord, car dès le milieu du XIXe siècle, Karl Marx avait émis l'idée de « la dépendance mutuelle entre nations[4] », idée omniprésente chez les libéraux de l'entre-deux-guerres à l'origine de l'approche transnationale et qui avait d'emblée situé son approche dans une perspective non stato-centrée. Un lien contextuel ensuite, car la fin des années 1960, qui voit naître les travaux de Keohane et Nye et de Burton, coïncide également avec l'irruption, au sein du champ des Relations internationales, d'une approche marxiste, soulignant justement les relations d'interdépendance déséquilibrées entre sociétés du centre et de la périphérie, et s'engageant à son tour dans le troisième débat inter-paradigmatique (cf. chap. 3).

Approche marxiste, ou plutôt néomarxiste, voire structuraliste, pour employer l'expression chère aux historiens anglais de la discipline à la suite de Michael Banks[5]. Car en effet, les auteurs de l'École de la *Dependencia*, Johan Galtung et la *Peace Research*, ainsi qu'Immanuel Wallerstein avec sa notion d'« économie-monde », proposent une version revisitée des théories marxistes de l'impérialisme du début du XXe siècle, théories qui elles-mêmes avaient déjà interprété de façon orientée les analyses proposées par Marx et Engels au sujet de la politique internationale. Le rappel de ces analyses est un préalable indispensable pour comprendre, à la fois, les analyses néomarxistes apparues lors de la deuxième moitié de la guerre froide, et l'oubli dont le marxisme a été victime au sein de la discipline des Relations internationales jusqu'à la fin des années 1960.

---

4. *K. Marx et F. Engels,* Manifest der Kommunistischen Partei, op. cit., *p. 466 (cf. chap. 2).*

5. *Cf. M. Banks, « The Inter-Paradigm Debate », art. cité ; ainsi que W. Olson et A. J. R. Groom,* International Relations Then and Now, op. cit., *p. 222 et suiv.*

Parmi l'ensemble des paradigmes contemporains, l'approche marxiste est la seule dont la dénomination provienne directement d'un nom d'auteur, en l'occurrence Karl Marx : ni les réalistes ni les libéraux, ne reconnaissent une paternité exclusive comparable à aucun de leurs inspirateurs philosophiques. Pourtant, à en croire l'opinion reçue, émise notamment par Martin Wight, « ni Marx, ni Lénine, ni Staline, n'ont proposé une contribution systématique à la philosophie politique internationale. [...] Peut-être même que toutes ces théories révolutionnaires sont plutôt des tentatives visant à reconstituer une église universelle de croyants, et dans cette perspective, le domaine du système diplomatique, des États souverains, et du droit international, est nécessairement sans intérêt, transitoire, trivial, et condamné à disparaître, [comme l'a laissé entendre] Trotsky, lorsqu'il est devenu commissaire du peuple aux Affaires étrangères : "Je publierai quelques proclamations révolutionnaires et après je fermerai boutique"[6] ».

Comment expliquer ce paradoxe d'une approche internationaliste renvoyant à un auteur réputé ne pas avoir produit de théorie internationale ? L'explication se trouve dans la citation de Wight, lorsqu'il souligne les liens étroits entre la théorie marxiste et l'application qui en a été faite dans la pratique : parce que le marxisme constitue tout autant une doctrine politique qu'une approche théorique, et parce qu'un certain nombre d'États, et notamment l'Union soviétique, se réclament de cette doctrine dans leur politique extérieure volontiers affichée comme étant révolutionnaire, le marxisme a été majoritairement traité en Relations internationales non pas comme une approche théorique mais comme « une idéologie à l'origine de la formation des politiques

6. *M. Wight, « Why Is There No International Theory ? », art. cité.*

étrangères de certains États[7] ». Dans une discipline marquée par la prédominance successive d'approches théoriques libérales et réalistes, qui plus est élaborées à proximité immédiate des visions politiques véhiculées par les intérêts des puissances satisfaites britannique et américaine, les idées marxistes ont « été perçues comme fausses, ou bien excessivement normatives, ou bien politiquement subversives[8] ».

Face à cette perception dominante, les adeptes de l'approche marxiste en Relations internationales font le pari que, de même que « le réalisme peut se détacher de ses cousins [tels] que le darwinisme social, le racisme et la *Machtpolitik* », de même il est possible de distinguer « le marxisme interprétatif de son compagnon instrumental[9] ». Autrement dit, si paradigme marxiste il y a en Relations internationales, c'est parce qu'il existe un marxisme des

---

7. *T. Thorndyke, « The Revolutionary Approach. The Marxist Perspective », dans T. Taylor (ed.),* Approaches and Theories in International Relations, *New York (N. Y.), Longman, 1978, p. 54-99.*

8. *M. Banks, « The Inter-Paradigm Debate », art. cité, p. 17.*

9. *F. Halliday,* Rethinking International Relations, *Basingstoke, Macmillan, 1994, p. 48. Halliday a raison pour ce qui est du détachement revendiqué par le réalisme par rapport au darwinisme, au racisme, et à la* Machtpolitik, *qui ont pourtant joué un rôle pratique important, par exemple dans la vision des autorités impériales allemandes au moment du déclenchement de la première guerre mondiale, comme l'a montré T. Lindemann,* Les Doctrines darwiniennes et la guerre de 1914, *Paris, Economica, 2001. Mais il n'est pas sûr que F. Halliday, qui se réclame du marxisme, ne soit pas victime d'une incohérence en séparant doctrine marxiste et pratique politique se réclamant du marxisme : dans une perspective marxiste en effet, on ne peut pas ne pas tenir compte de la pratique des États « marxistes » en matière de politique étrangère, car cela revient à séparer de façon artificielle théorie et pratique, ce qui est on ne peut plus contraire à l'esprit de Marx. Or, la diplomatie des*

« professeurs[10] », également appelé marxisme occidental, qui offre une vision théorique des relations internationales indépendamment du dogme – plus ou moins fidèle au message original – qui en a été tiré par certains États ou mouvements politiques.

Cette vision théorique, si elle s'est diffusée dans les années 1960 et 1970, remonte à Marx et à Engels eux-mêmes. Et comme chez d'autres penseurs (cf. chap. 2), chez Marx aussi, « ce qu'il y a de plus pertinent dans la théorie des relations internationales réside moins dans ce qui est dit de façon explicite sur les relations internationales que dans les implications de sa théorie générale[11] ».

Non pas que Marx et Engels ne se soient pas intéressés directement aux relations internationales : tout au contraire, en tant que correspondant de la *Nouvelle Gazette Rhénane* et du *New York Daily Tribune*, Marx a commenté au jour le jour l'actualité politique internationale, alors que Engels a consacré pas moins de deux mille pages aux problèmes internationaux, et notamment militaires,

---

États se réclamant du marxisme, à commencer par l'URSS, a été tout sauf marxiste : comme le montre si bien H. Kissinger, Diplomatie, op. cit., *les diplomates soviétiques, et pas seulement de Rapallo au pacte Molotov-von Ribbentrop, ont écrit quelques-unes des plus belles pages de la* Realpolitik, *sinon de la* Machtpolitik. *Voilà qui dément le marxisme, car contrairement à Marx, qui avait prédit la disparition progressive de l'État dans une société socialiste, c'est tout au contraire à sa consolidation, à sa sublimation, que l'on a assisté dans les États du socialisme réellement existant mettant leur diplomatie au service non pas de la révolution mondiale mais de leur intérêt national et/ou de leur classe dirigeante. Mieux, ou pis, la doctrine stalinienne de la possibilité du socialisme dans un seul État constitue à elle toute seule une réfutation de la théorie marxiste.*

10. V. Kubalkova et A. Cruickshank, Marxism and International Relations, *Oxford, Clarendon, 1985, p. 205.*

11. F. Halliday, Rethinking International Relations, op. cit., *p. 59.*

surtout à la fin de sa vie[12]. Mais, bien que quantitativement importants, ces écrits ne constituent en rien une « véritable théorie des relations internationales[13] ». D'un côté, ils sont marqués par la fascination de Marx pour les intrigues diplomatiques et les complots, sa russophobie viscérale et un ethnocentrisme européen qui l'ont souvent amené à négliger l'étude des causes profondes des événements tels que l'expédition de Crimée, l'unification italienne, la guerre de Sécession américaine, ou les questions allemande et orientale : on ne saurait donc mettre sur le même plan les réactions à chaud de Marx à l'actualité politique internationale et ses analyses théoriques. De l'autre, le contexte dans lequel écrivent Marx et Engels est à la fois celui, relativement pacifique, du concert européen des puissances sur le plan des relations politiques internationales[14], et celui, exceptionnellement conflictuel, de la révolution industrielle dans le domaine des relations sociales : or, ce contexte a amené Marx et Engels à consacrer en priorité leur attention aux

---

12. *Voir W. Gallie, « Marx and Engels on Revolution and War », dans W. Gallie,* Philosophers of Peace and War, *Cambridge, Cambridge University Press, 1978, p. 66-99. Rappelons à ce sujet qu'à la suite des attentats du 11 septembre 2001, le quotidien* Le Monde *des 30 septembre-1er octobre 2001 s'est souvenu d'un texte de Engels consacré à l'Afghanistan, perçu comme un peuple héroïque peu susceptible de se soumettre à un envahisseur – britannique à l'époque.*

13. *M. Molnar,* Marx, Engels et la politique internationale, *Paris, Gallimard, 1975, p. 11.*

14. *Le caractère pacifique du XIXe siècle, au sens d'absence de grandes guerres entre grandes puissances de l'époque, est souligné par l'ensemble des recherches statistiques sur l'évolution de la guerre dans le temps et l'espace, et notamment J. Levy,* War in the Modern Great Power System, 1495-1975, *op. cit. ; E. Luard,* War in International Society, *Londres, Tauris, 1986 ; K. Holsti,* Peace and War. Armed Conflicts and International Order, 1648-1989, *Cambridge, Cambridge University Press, 1991.*

relations entre classes, et à analyser la politique internationale « en fonction de son influence sur l'accélération de la révolution, sur le renforcement de la poussée révolutionnaire[15] ».

Bref, c'est de façon indirecte qu'il faut aborder la théorie internationale de Marx, comme en donne une idée le discours inaugural adressé par Marx à l'Association internationale des travailleurs en 1864 : « Si l'émancipation des classes travailleuses ne peut se faire sans leur concours fraternel, comment vont-elles donc remplir cette grande mission quand la politique étrangère ne nourrit que des desseins criminels, quand elle joue des préjugés nationaux, quand elle gaspille dans des guerres de flibustiers le sang du peuple et ses trésors ? Ce n'est pas la sagesse des classes dirigeantes, mais bien l'héroïque résistance opposée par les classes travailleuses d'Angleterre à leur folie criminelle, qui a retenu l'Europe occidentale de se jeter tête baissée dans une croisade pour la perpétuation et la propagation de l'esclavage outre-Atlantique. L'approbation sans vergogne, les singeries de compassion, ou l'indifférence stupide avec lesquels les classes supérieures d'Europe ont contemplé la conquête de la forteresse montagnarde du Caucase, et l'assassinat de l'héroïque Pologne par les Russes ; les vastes empiétements, jamais contrecarrés, de ce pouvoir barbare dont la tête est à Saint-Pétersbourg et dont les mains agissent dans tous les

15. *D. Riazanov, éditeur dans l'URSS des années 1920 des œuvres politiques de Marx et Engels, cité par M. Molnar,* Marx, Engels et la politique internationale, *Paris, Gallimard, 1975, p. 109. Dans une certaine mesure, cette priorité accordée aux relations sociales n'est pas sans rappeler les analyses de Saint-Simon, Comte, ou Spencer, influencés tout autant que Marx par un* XIX*e siècle synonyme à la fois d'absence de guerre majeure et de révolution industrielle omniprésente, même si cette dernière est analysée chez eux de façon positive. Ce n'est pas la seule passerelle entre libéralisme et marxisme, cf.* infra *et chap. 5.*

Cabinets d'Europe, tout cela a appris aux travailleurs qu'ils ont un devoir : percer les mystères de la politique internationale, surveiller les agissements diplomatiques de leurs gouvernements respectifs, les contrecarrer au besoin par tous les moyens en leur pouvoir ; et s'ils ne peuvent les empêcher, s'entendre pour les dénoncer en même temps, et pour revendiquer les lois élémentaires de la morale et de la justice qui doivent régir les relations entre particuliers, comme règle souveraine des rapports entre nations. La lutte pour une telle politique étrangère fait partie de la lutte générale pour l'émancipation des classes travailleuses[16]. »

Cette citation[17] indique sans ambiguïté que la théorie générale de la lutte des classes de Marx est bel et bien par essence une théorie internationale, et plus précisément globaliste (cf. chap. 2), tant la révolution prolétaire que Marx appelle de ses vœux ne saurait se faire *in fine* qu'à l'échelle mondiale. Davantage, elle indique que la théorie internationale de Marx est une théorie originale, en ce qu'elle subordonne les relations interétatiques aux relations sociales, elles-mêmes situées au niveau systémique de l'économie capitaliste mondiale et abordées dans la perspective du matérialisme historique.

---

16. K. Marx, « Inauguraladresse der Internationalen Arbeiter-Assoziation » (28 septembre 1864), dans K. Marx et F. Engels, Werke, op. cit., *tome 16, p. 13. L'allusion au risque de « croisade [...] outre-Atlantique » renvoie à un épisode de la guerre de Sécession américaine, l'affaire Trent, du nom d'un navire britannique arraisonné par les Nordistes avec à son bord des émissaires sudistes désireux de se rendre en Angleterre pour y trouver des soutiens à leur guerre de sécession : l'indignation provoquée en Grande-Bretagne par cet incident avait failli précipiter l'intervention britannique.*

17. Il en va de même de la plus fameuse de toutes les citations de Marx : « Prolétaires de tous les pays, *unissez-vous » (souligné par nos soins).*

Dans cette perspective d'une « théorie des rapports de pouvoir et politiques mondiaux [...] qui se veut globale[18] », ce sont les classes, et non pas les États des réalistes, ni les individus des libéraux, qui constituent l'unité d'analyse fondamentale. Les classes, dont la lutte constitue le moteur de l'histoire, entretiennent entre elles des relations qui s'expliquent par la place qui est la leur au sein du mode de production, composé des forces de production (le niveau de développement économique) et des rapports de production (les relations entre classes sociales selon qu'elles contrôlent ou non les forces de production). Selon Marx, le mode de production prédominant est le mode de production capitaliste – qui s'est imposé au mode de production féodal, tout comme celui-ci avait succédé au mode de production esclavagiste –, au sein duquel s'opposent les deux classes principales que sont la bourgeoisie, qui détient les moyens de production, et le prolétariat, qui détient sa seule force de travail qu'il est obligé de vendre sur le marché du travail pour assurer sa subsistance et, ce faisant, reproduire le mode de production existant en faveur de la classe bourgeoise dominante. Résultat de la lutte victorieuse menée par la bourgeoisie émergente contre l'aristocratie féodale, le capitalisme s'est organisé sur des bases stato-nationales, chaque classe bourgeoise nationale ayant érigé, en vue à la fois de triompher des anciens seigneurs et de légitimer son exploitation économique du prolétariat, un État qui assure sa domination politique. L'État, loin d'être un acteur à part entière, ne fait ainsi que refléter les rapports de force sous-jacents entre classes sociales ; il est partie intégrante d'une

---

18. D. O'Meara, « La théorie marxiste et l'analyse des conflits et des relations de pouvoir mondiaux », dans A. MacLeod et D. O'Meara (dir.), Théories des relations internationales, op. cit., *p. 133-158.*

formation sociale, composée à la fois de l'infrastructure économique constituée par les rapports de production et de la superstructure politico-juridico-idéologique. C'est entre les différentes formations sociales que se nouent alors des relations inter-« nationales », car l'État est chargé de représenter les intérêts économiques et politiques de la classe dominante face aux autres États eux-mêmes chargés de défendre les intérêts de leur classe dominante.

Pour Marx, les relations internationales – au sens de relations interétatiques – ne sauraient donc se comprendre en dehors du mode de production capitaliste qui est à l'origine de l'émergence de l'État comme mode privilégié de l'organisation politique de la lutte des classes. Étant donné que l'État, qui conduit les relations internationales, est l'instrument que se donne la classe bourgeoise pour défendre ses intérêts, la politique étrangère d'un État, plutôt que de chercher à satisfaire on ne sait quel intérêt national qui n'est jamais qu'une « mystification bourgeoise », ne reflète en réalité que les intérêts de la classe dominante[19], avec pour conséquence des relations interétatiques en état de conflit permanent, vu la concurrence que se livrent dans leur course au profit les différentes bourgeoisies nationales entre elles : « Les relations internationales des pays capitalistes sont *toujours* le résultat d'une politique étrangère à la poursuite de desseins criminels, basées sur des préjudices nationaux et dilapidant dans des guerres pirates le sang et le trésor du peuple[20]. »

---

19. Nous l'avons vu dans le chapitre 5 relatif au libéralisme, cette analyse de l'État au service des intérêts sociétaux dominants est compatible avec la théorie libérale des relations internationales de Moravcsik.

20. Citation chez V. Kubalkova et A. Cruickshank, Marxism and International Relations, *op. cit., p. 34. C'est nous qui soulignons.*

Cet « état de lutte permanent[21] » dans lequel se trouve la bourgeoisie concerne d'un côté les pays capitalistes eux-mêmes, car la bourgeoisie se bat « *toujours* contre la bourgeoisie de tous les pays étrangers », et de l'autre les relations entre États capitalistes et formations sociales pré-capitalistes, vu que « la bourgeoisie entraîne dans le courant de la civilisation jusqu'aux nations les plus barbares[22] ». Commentant l'expansionnisme colonial dont il est témoin, Marx note bien sûr qu'il entraîne forcément des malheurs pour les populations concernées ; mais il n'en estime pas moins que la conquête par les États capitalistes des sociétés non européennes caractérisées par le mode de production asiatique et leur insertion dans le mode de production capitaliste constituent la seule voie susceptible de permettre aux sociétés pré-capitalistes d'accéder à la modernité. Exprimé autrement, les guerres coloniales sont un moment obligé de la lutte des classes, car la révolution socialiste présuppose la diffusion à l'échelle mondiale du capitalisme et des contradictions qui, tôt ou tard, feront le lit de la victoire du prolétariat et de l'avènement de la société communiste : « En Amérique, nous avons été témoin de la conquête du Mexique, et cela nous réjouit. Il est dans l'intérêt de son propre développement que dans le futur le Mexique passe sous la tutelle des États-Unis. [...] Serait-ce un malheur que la belle Californie soit arrachée aux Mexicains paresseux qui ne savaient qu'en faire ? [...] L'Angleterre a une double mission à remplir en Inde : l'une destructrice, l'autre

---

21. *Nous n'avons pas traduit l'expression allemande «* die Bourgeoisie findet sich in fotwährendem Kampfe *» par « la bourgeoisie vit dans un état de guerre perpétuelle », vu le sens très précis qu'a l'expression « état de guerre » en théorie des relations internationales.*

22. *K. Marx et F. Engels,* Manifest der Kommunistischen Partei, op. cit., *p. 471 et 466. C'est nous qui soulignons.*

régénératrice ; l'annihilation de la vieille société asiatique, et la pose des fondements matériels de la société occidentale en Asie. [...] La question n'est pas de savoir si les Anglais avaient le droit de conquérir l'Inde, mais si nous devons préférer l'Inde conquise par les Turcs, par les Persans, par les Russes, à l'Inde conquise par les Britanniques[23]. »

L'analyse marxienne originelle des relations coloniales est particulièrement importante dans la perspective de l'évolution ultérieure du courant marxiste en Relations internationales. En effet, par opposition à Marx qui reconnaissait au colonialisme le rôle de civilisateur universel sans pour autant attribuer à ce colonialisme un rôle crucial dans le développement du capitalisme, ceux qui, par la suite, se réclament de lui interprètent d'une façon radicalement différente les relations entre États capitalistes et sociétés précapitalistes : l'expansion colonialiste, re-qualifiée d'impérialiste, adjectif inconnu à Marx, est considérée comme un élément à la

---

23. *La première citation est de F. Engels, la seconde de Karl Marx, reproduites dans M. Molnar,* Marx, Engels et la politique internationale, op. cit., *p. 189, 264 et 265. Ici encore, le parallélisme est flagrant avec le* white man's burden *des libéraux, de J. S. Mill soulignant que les peuples non-européens « n'ont aucun droit comme nation, sinon celui d'être traités de façon à leur permettre d'en devenir une le plus rapidement possible » (citation dans W. Grewe,* The Epochs of International Law, op. cit., *p. 454), à N. Angell opposant, dans* The Great Illusion, op. cit., *p. 261, les « empires militaires » portugais, espagnol ou français, à l'empire britannique, de « type industriel », et à ce titre conforme au progrès de la société humaine dans la mesure où il s'efforce d'améliorer, par l'agrandissement de la richesse, le sort de l'humanité. Précisons cependant qu'au-delà les libéraux, l'ensemble des élites, tant intellectuelles que politiques sinon artistiques, du XIX*e *siècle, étaient persuadées du bien-fondé de la mission civilisatrice de l'homme blanc, et à ce titre partageaient le même point de vue paternaliste, tant en Europe qu'aux États-Unis.*

fois consubstantiel au capitalisme et destructeur pour les sociétés qui en sont victimes[24]. Un rôle-clef en la matière a été joué par Lénine, avec sa thèse sur *L'Impérialisme, stade suprême du capitalisme.*

Tout autant influencé par les ouvrages d'inspiration marxiste de l'impérialisme proposés avant lui par Rudolf Hilferding, Rosa Luxemburg et Nikolas Boukharine, que par celle, libérale, de John Hobson[25], Lénine affirme que l'impérialisme est inscrit dans la loi de développement du capitalisme ; c'est « le capitalisme arrivé à un stade de développement où s'est affirmée la domination des monopoles et du capital financier, où l'exportation des capitaux a acquis une importance de premier plan, où le partage du monde a commencé entre les trusts internationaux et où s'est achevé le partage de tout le territoire du globe entre les plus grands pays capitalistes[26] ». Exposé à la baisse tendancielle du taux de profit et à la paupérisation croissante de la classe ouvrière, contradictions qui finiront par miner les bases même du capitalisme en provoquant la révolution prolétarienne, le capitalisme cherche en effet à repousser sa crise finale grâce à l'expansionnisme impérialiste, qui

---

24. *Pour une synthèse des théories marxistes de l'impérialisme, voir A. Brewer,* Marxist Theories of Imperialism : A Critical Survey, *Londres, Routledge, 1990 [2e éd.].*

25. *Dans* Imperialism. A Study, op. cit., *J. Hobson estime que l'impérialisme, au sens de conquêtes et de guerres coloniales – la guerre des Boers en l'occurrence –, est la conséquence des pressions exercées par des industriels et banquiers britanniques sur leur gouvernement en vue de protéger leurs investissements dans ces colonies. Plutôt que d'augmenter les salaires pour relancer la consommation interne, ces industriels et banquiers entreprennent ces investissements pour maintenir leurs profits en chute libre pour cause de crise de surproduction et de sous-consommation.*

26. *Lénine,* L'Impérialisme, stade suprême du capitalisme *(1916), Paris, Le Temps des cerises, 2001, p. 159.*

permet tout à la fois à la bourgeoisie de trouver des matières premières moins chères, atténuant ainsi les effets de la baisse tendancielle du taux de profit, et de faire profiter en termes de niveau de vie à ses propres classes laborieuses les bénéfices tirés de l'exploitation des pays colonisés, freinant ainsi la paupérisation des classes exploitées. Reste que cette pacification intérieure, de toute façon éphémère, ne peut être obtenue qu'au prix d'une aggravation des rivalités extérieures entre États bourgeois, en lutte pour les mêmes colonies. Conséquence : le recours aux armes des États capitalistes entre eux est l'aboutissement logique, nécessaire, inévitable de l'impérialisme, comme le prouve la guerre de 1914 qui a été « des deux côtés une guerre impérialiste (c'est-à-dire une guerre de conquête, de pillage, de brigandage), une guerre pour le partage du monde, la distribution et la redistribution des colonies, des zones d'influence du capital financier, etc.[27] ».

En définissant l'impérialisme comme la conduite d'un État capitaliste dont la politique extérieure se traduit par un expansionnisme sous forme de conquête de nouveaux territoires, en l'occurrence coloniaux, et en en déduisant les guerres qui s'ensuivent entre États capitalistes, Lénine s'inscrit parfaitement dans la lignée de Marx, en ce que, pour lui aussi, ce sont « les conflits entre grandes puissances » qui constituent « la question décisive » sur laquelle portent les analyses internationales[28]. Cependant, alors que pour Marx, l'expansion coloniale était « un fait peut-être douloureux mais utile, [...] un mal nécessaire pour en arriver au stade du capitalisme », pour Lénine tout au contraire l'expansion impérialiste « est une plaie du monde [...], un mal à combattre et à extirper

---

27. Ibid., *p. 36.*
28. *F. Halliday,* Rethinking International Relations, op. cit., *p. 64.*

pour en finir avec le capitalisme[29] » ; alors que dans la perspective euro-centrée de Marx l'expansionnisme colonial n'était qu'une « excroissance morbide du capitalisme plutôt qu'une partie intégrale de sa nature[30] », pour Lénine, témoin à la fois de l'internationalisation du capital et du réveil des « peuples de l'Orient[31] », l'impérialisme signifie l'extension de la lutte des classes à l'échelle des nations, la « polarisation des relations internationales[32] ».

On assiste donc à une inflexion de la pensée internationale marxienne, sous l'influence aussi de Boukharine qui parle d'une « économie mondiale » au sein de laquelle « la ville » que sont « les pays industriels » s'oppose à la « campagne » que sont « les régions agricoles[33] ». C'est cette idée qui sera reprise et approfondie lors de la troisième phase du courant marxiste en relations internationales : non seulement les néomarxistes abandonneront définitivement l'analyse marxienne originelle de l'expansion coloniale du capitalisme comme vecteur de l'unité du monde au profit de l'analyse de Boukharine en termes d'« inégalité de développement [...] entre les pays industriels [...] et les pays agraires[34] », mais en plus ils délaisseront l'étude de la rivalité interétatique[35], qui avait

---

29. *M. Molnar,* Marx, Engels et la politique internationale, op. cit., *p. 325-326.*

30. *V. Kiernan,* Marxism and Imperialism, *Londres, Arnold, 1974, p. 194.*

31. *En 1920 a lieu à Bakou le Premier congrès des peuples d'Orient, censé être une Internationale des travailleurs des pays colonisés, mais annonçant tout autant la Conférence de Bandoung.*

32. *T. Thorndyke, « The Revolutionary Approach. The Marxist Perspective », art. cité, p. 74.*

33. *N. Boukharine,* L'Économie mondiale et l'impérialisme *(1915), Paris, Anthropos, 1977, p. 7-10.*

34. Ibid., *p. 10.*

35. *Il y a bien sûr des exceptions. En font peut-être partie les historiens révisionnistes américains, tels que G. Kolko,*

encore joui d'une attention primordiale chez un Lénine ou un Boukharine, persuadés que « la compétition pacifique » entre États capitalistes « était impossible sinon comme période de récupération entre guerres[36] ».

Au-delà de la fidélité à la pensée des uns et des autres, c'est surtout le contexte de la découverte qui explique cette évolution de l'analyse internationale d'inspiration marxiste. L'entre-deux-guerres tout d'abord, l'après-seconde guerre mondiale ensuite, constituent des périodes particulièrement délicates pour l'approche marxiste des relations internationales. D'un côté, l'URSS, qui se réclame du marxisme, privilégie les intérêts nationaux à ceux de la révolution mondiale ; de l'autre, les outils conceptuels d'inspiration marxiste ne semblent guère appropriés pour comprendre l'évolution des relations internationales : non seulement la configuration bipolaire des rapports internationaux exposés à l'équilibre de la terreur rend dérisoire l'analyse de ces relations internationales en termes de rapports de production, mais les Trente Glorieuses semblent d'autant plus prouver la capacité du capitalisme à surmonter ses contradictions internes et à échapper à la crise finale que sa dynamique n'est nullement affectée par l'accès à l'indépendance des colonies. Il s'ensuit un repli des adeptes du marxisme en sciences sociales sur l'étude de l'ordre politique interne, de Perry Anderson à Nicos Poulantzas en passant par Barrington Moore et Ralph Miliband, et le désintérêt des sociologues et politologues

---

G. Alperowitz ou D. Horowitz, qui attribuent le déclenchement de la guerre froide au comportement américain, et sûrement l'historien britannique E. Thompson, auteur de la notion d'« exterminisme » dans E. Thompson et al., L'Exterminisme, *Paris, PUF, 1983.*

36. V. Kubalkova et A. Cruickshank, Marxism and International Relations, op. cit., *p. 51.*

marxistes pour les relations internationales vient s'ajouter à l'ostracisme dont le marxisme est victime à l'intérieur de la discipline.

Cette « ignorance mutuelle[37] » ne prendra fin que lorsque se produisent les changements qui tout à la fois remettent en cause les certitudes des internationalistes réalistes et rendent leur attractivité aux thèses marxistes. Ce sera le cas à partir des années 1960 : tout d'abord, l'affrontement Est-Ouest se transforme momentanément en détente, et certains chercheurs deviennent alors sensibles à tout ce qui échappe à la rhétorique réaliste, d'autant plus que l'on assiste à ce qui peut être perçu comme un déclin relatif des États-Unis, embourbés au Vietnam et que, parallèlement, la révolution « socialiste » semble un peu partout à l'ordre du jour – révolution cubaine, Che Guevara, Mai 68, etc. ; ensuite, avec l'affrontement militaro-stratégique atténué, les relations économiques apparaissent comme ayant plus d'importance, ce qui joue en faveur d'une analyse en termes marxistes qui accorde la priorité au facteur économique ; enfin, le monde strictement bipolaire se relâche en raison de l'irruption sur la scène mondiale des États issus de la décolonisation et de leur volonté de compléter leur souveraineté politique par le développement économique.

C'est précisément l'analyse des relations entre économies développées capitalistes et économies sous-développées du Tiers Monde qui sera à l'origine du renouveau de la perspective marxiste. Vu cependant le processus de décolonisation qui s'est entre-temps produit dans ces relations, celles-ci ne sauraient plus être abordées en termes d'impérialisme défini au sens marxiste classique de sociétés pré-capitalistes faisant l'objet de conquêtes territoriales de la part

---

37. J. MacLean, « Marxism and International Relations. A Strange Case of Mutual Neglect », Millennium, *17 (2), été 1988, p. 295-319.*

d'États capitalistes. Il s'ensuivra une nouvelle conception de l'impérialisme comme relation d'exploitation essentiellement économique, dont les premiers jalons sont posés par l'École latino-américaine de la *Dependencia.*

Le point de départ de cette école, c'est le contraste flagrant entre l'égalité politique et l'inégalité économique qui caractérise le système international. Plus précisément, les pays latino-américains, loin de connaître le décollage et la croissance économiques, souffrent de sous-développement, alors qu'ils sont pourtant juridiquement souverains depuis un siècle et demi[38]. Cette situation, les *dependentistas,* tels que Enzo Falletto au Chili, Celso Furtado et F. Henrique Cardoso au Brésil, l'attribuent non pas à l'incapacité de ces sociétés de passer d'une communauté traditionnelle à une société moderne caractérisée par l'esprit d'entrepreneur[39], mais à l'échange inégal et à la détérioration des termes de l'échange dont ces sociétés sont les victimes : cet échange inégal est dû quant à lui non seulement au fait que ces sociétés exportent des biens dont la demande et donc les prix baissent et importent des biens dont la demande et donc le prix augmentent[40], mais à leur situation de périphérie dépendant structurellement du centre.

---

38. Rappelons que ce « retard » avait été diagnostiqué dès les années 1950 par l'économiste néomarxiste américain P. Baran, Économie politique de la croissance *(1957), Paris, François Maspero, 1979.*

39. C'est la thèse de l'école développementaliste. Voir, notamment, G. Almond et J. G. Coleman (eds), The Politics of Developing Areas, *Princeton (N. J.), Princeton University Press, 1960.*

40. Telle avait été l'analyse proposée avant les dependentistas *par la CEPAL (Commission économique des Nations unies pour l'Amérique latine) autour de l'Argentin Raul Prebisch.*

Dépendance, centre, périphérie ; voilà les trois concepts clefs de l'École de la *Dependencia*, dont les idées seront généralisées au-delà des économies latino-américaines à l'ensemble des relations entre pays industrialisés et pays sous-développés par André Gunder Frank[41], Arghiri Emmanuel, et Samir Amin. Selon ces auteurs, le « développement du sous-développement[42] » des pays du Tiers Monde, leur « croissance sans développement[43] », s'explique par la dépendance de la périphérie par rapport au centre, dépendance concernant aussi bien le domaine commercial (détérioration des termes de l'échange entre pays du Tiers Monde exportant des produits primaires et pays capitalistes exportant des biens industriels) que le domaine financier (l'industrialisation de la périphérie dépend des capitaux du centre et les profits des investissements sont rapatriés vers les pays du centre), le domaine technologique (le sous-développement est perpétué par l'absence de transferts de technologie) que le domaine social (les biens produits par les firmes multinationales sont réservés aux élites de la périphérie). Pour sortir de « l'échange inégal[44] », une seule stratégie alors : sinon la révolution socialiste, du moins la rupture avec l'économie capitaliste mondiale, car la relation de dépendance est inscrite dans la structure de ce système, vu que l'exploitation de la périphérie par le centre a pour fonction la reproduction du système dans son ensemble au profit du centre et au détriment de la périphérie.

---

41. Précisons que A. G. Frank parle de « métropoles » et de « satellites » plutôt que de « centre » et de « périphérie ».

42. A. G. Frank, « The Development of Underdevelopment », Monthly Review, *18 (3), avril 1966, p. 17-31.*

43. S. Amin, L'Accumulation à l'échelle mondiale, *Paris, Anthropos, 1970.*

44. A. Emmanuel, L'Échange inégal, *Paris, François Maspero, 1969.*

Pour être conforme à l'appel léniniste à l'unité d'action anti-impérialiste du prolétariat et des mouvements nationaux de libération des colonisés contre le capitalisme, cette stratégie de « déconnexion[45] » prônée par les *dependentistas* n'a plus grand-chose à voir avec l'analyse marxienne originelle, qui raisonnait en termes non pas de sous-développement, mais de retard dans le développement[46] : en ne retenant que la critique moralisatrice du capitalisme par Marx, l'École de la *Dependencia* frôle le rejet de l'industrialisation en tant que telle, de même qu'elle substitue un nationalisme auto-centré à l'internationalisme prolétarien[47]. Ce n'est pas le Norvégien Johan Galtung qui mettra fin à cette réorientation, ne serait-ce que parce qu'il se dit structuraliste et non pas marxiste, comme l'indique le titre donné à sa « théorie structurelle de l'impérialisme ».

---

45. *S. Amin,* La Déconnexion. Pour sortir du système mondial, *Paris, La Découverte, 1986.*

46. *Dans la préface à son* Capital, *K. Marx n'hésite pas à affirmer, à propos de l'Angleterre du milieu du* XIXe *siècle, que « le pays le plus développé industriellement montre aux pays moins développés l'image de leur propre avenir » (K. Marx et F. Engels,* Werke, op. cit., *vol. 23 :* Das Kapital, *livre I, p. 12). Il est donc bien plus proche de W. Rostow, qui n'avait pourtant pas hésité à qualifier de « manifeste non communiste » son ouvrage sur* Les Étapes de croissance économique, *que des néo-marxistes qui se réclament de lui.*

47. *Pour une critique de l'École de la* dependencia *de la part d'un marxiste orthodoxe, voir B. Warren,* Imperialism. Pioneer of Capitalism, *Londres, Verso, 1980. Pour d'autres critiques, voir P. Hassner, « On ne badine pas avec la paix »,* Revue française de science politique, *23 (6), décembre 1973, p. 1268-1303 ; A. C. Peixoto, « La théorie de la dépendance. Bilan critique »,* Revue française de science politique, *27 (4-5), août-septembre 1977, p. 601-629 ; ainsi que J. Caporaso, « Dependence, Dependency and Power in the Global System »,* International Organization, *32 (1), hiver 1978, p. 13-44.*

Galtung délaisse la notion de *dependencia* au profit de la seule dialectique centre-périphérie qu'il voit à l'œuvre à la fois au niveau mondial et au niveau national : « Le monde est composé de nations du centre et de nations de la périphérie, et chaque nation a de son côté son propre centre et sa propre périphérie ». Entre ces centres et ces périphéries se nouent des relations qui sont constitutives d'un impérialisme structurel lorsque « le centre d'une nation du centre érige dans une nation de la périphérie un centre en vue de la satisfaction de leurs intérêts communs » et au détriment des intérêts de leur périphérie respective. Concrètement, dans une relation impérialiste, le centre du centre s'allie au centre de la périphérie pour exploiter à la fois la périphérie du centre et la périphérie de la périphérie. Grâce à l'exploitation relativement plus grande de la périphérie de la périphérie par son propre centre, le centre du centre associe partiellement sa propre périphérie aux surplus tirés de l'exploitation de la périphérie, et notamment de la périphérie de la périphérie. Ainsi, le système capitaliste peut se reproduire dans son ensemble, car la divergence d'intérêts entre périphéries empêche toute solidarité d'intérêts susceptible de remettre éventuellement en cause ledit système[48].

Dans une certaine mesure, cette conception de l'impérialisme est compatible avec la perspective de Lénine et Boukharine car, sans utiliser les dénominations de bourgeoisie et de prolétariat, Galtung étend le modèle marxiste des relations sociales à l'échelle mondiale : il y a un centre et une périphérie au niveau de chaque société nationale, *id est* une bourgeoisie nationale et un prolétariat national, mais il y aussi un centre mondial et une périphérie mondiale, *id est*

---

48. *Les citations de cet alinéa sont extraites de J. Galtung, « A Structural Theory of Imperialism »,* Journal of Peace Research, *8 (2), 2e trimestre 1971, p. 81-117.*

des économies capitalistes et des économies non capitalistes. Mais se contenter de ce parallèle reviendrait à oublier l'autre contribution aux Relations internationales de Galtung qu'est la *Peace Research*. Avant de proposer sa théorie structurelle de l'impérialisme, Galtung avait en effet défini la paix comme synonyme de justice sociale, comme synonyme de répartition égalitaire du pouvoir et des ressources, et cette définition découlait elle-même de la notion de violence structurelle, qui existe d'après Galtung dès que « des êtres humains sont influencés de telle façon que leur accomplissement actuel, somatique et mental, est inférieur à leur accomplissement potentiel[49] ». Et c'est précisément à cette notion de violence structurelle que renvoie la théorie structurelle de l'impérialisme chez Galtung : l'impérialisme n'est ni une étape du processus d'unification du monde en marche vers la société sans classe, ni le stade suprême du capitalisme qui ne fait que retarder sa chute finale, mais une relation de domination par l'intermédiaire de laquelle une entité collective influence une autre entité collective, que ce soit dans le domaine de la production des biens que cette dernière est autorisée

---

49. J. Galtung, « Violence, paix et recherche sur la paix » (1969), dans P. Braillard, Théories des relations internationales, op. cit., *p. 297-319. Très en vogue dans les années 1970, la* Peace Research *associée à la revue scandinave* Journal of Peace Research, *fondée sur une conception positive de la paix comme justice sociale, une démarche qualitative et une inspiration critique, s'est progressivement rapprochée de la variante américaine des recherches sur la paix autour de la revue* Journal of Conflict Resolution, *fondée sur une conception négative de la paix comme simple absence de violence armée, une démarche quantitative et une inspiration* problem-solving. *Pour une analyse de cette évolution historique et un plaidoyer en faveur d'une* Peace Research *de nouveau critique, voir M. Jutila, S. Pekhonen et T. Väyrinen, « Resuscitating a Discipline : An Agenda for Critical Peace Research »,* Millennium, *36 (3), mai 2008, p. 623-640.*

à produire, des institutions politiques qu'elle est amenée à adopter, de la protection militaire qu'elle peut espérer, ou des informations et des valeurs qu'elle a le droit d'importer. Surtout, une telle relation existe indépendamment de tout recours à la violence armée : de même qu'il y a violence structurelle sans qu'il n'y ait violence physique, personnelle, intentionnelle, manifeste, de même « il n'y a que l'impérialisme imparfait qui ait besoin de recourir aux armes ; l'impérialisme professionnel s'appuie plutôt sur la violence structurelle que sur la violence armée[50] ».

Autrement dit, chez Galtung, la notion d'impérialisme perd toute connotation marxienne directe pour se rapprocher des notions de domination, d'hégémonie, voire de puissance, tant la seule spécificité de la théorie structurelle de l'impérialisme par rapport à ces notions consiste à faire reposer la capacité d'un État à dicter la conduite d'un autre sur la collaboration privilégiée entre leurs centres respectifs. En allant ainsi au-delà de la seule dimension économique de la domination impérialiste privilégiée par les *dependentistas*, Galtung ouvre la voie à la théorie du système-monde d'Immanuel Wallerstein.

Wallerstein renoue avec la volonté d'une science sociale totale, et se propose de saisir la totalité sous-jacente à la surface des manifestations visibles des relations internationales. Estimant qu'il n'y a pas de « phénomènes économiques séparés et distincts des phénomènes politiques et sociaux », il se dit désireux de « réorganiser, à une échelle globale, les fondements du savoir dans les sciences sociales[51] », et en déduit que « dans cette optique, le seul véritable

---

50. *J. Galtung, « A Structural Theory of Imperialism », art. cité.*

51. *I. Wallerstein,* Impenser la science sociale. Pour sortir du XIXe siècle, *Paris, PUF, 1995, p. 298.*

système social (est) le système mondial[52] ». C'est à l'étude de ce système mondial qu'il se consacre dans son Centre de recherche new-yorkais Fernand-Braudel, ainsi nommé en hommage à l'historien français[53].

Défini comme un fragment de l'univers englobant à plus ou moins grande échelle non pas plusieurs États, mais plusieurs entités politiques, économiques et culturelles, reliées entre elles par une auto-suffisance économique et matérielle fondée sur une division du travail et des échanges privilégiés, le système social mondial a pris deux formes concrètes dans l'histoire : d'un côté, il y a eu des empires-mondes, « dans lesquels un seul système politique règne sur presque toute la zone considérée » et utilise sa domination politique pour redistribuer les ressources de l'ensemble en sa faveur ; de l'autre, il y a eu des économies-mondes, dans lesquelles « il n'y a pas de système politique unique s'étendant sur tout l'espace politique considéré[54] », mais multiplicité de centres de puissance en compétition les uns avec les autres, et où le mécanisme de transfert des ressources est assuré par l'intermédiaire du marché, toujours en faveur du centre. De nos jours, le système-monde est une économie-monde qui, née à la fin du cycle de croissance de l'empire-monde féodal, s'est progressivement diffusée des villes-États italiennes à l'Angleterre en

52. *I. Wallerstein,* Le Système du monde du XVe siècle à nos jours, *vol. 1 :* Capitalisme et économie-monde, 1450-1640, *Paris, Flammarion, 1980, p. 12.*

53. *Voir, entre autres, F. Braudel,* La Méditerranée et le monde méditerranéen à l'époque de Philippe II, *Paris, Armand Colin, 1966 [2e éd.], ainsi que F. Braudel,* Civilisation matérielle, économie et capitalisme, *Paris, Armand Colin, 1979.*

54. *I. Wallerstein,* Capitalisme et économie-monde, 1450-1640, op. cit., *p. 313.*

passant par la vallée rhénane, avant de couvrir, par États-Unis interposés, le globe entier[55].

Capitaliste, au sens où les biens qui y sont produits sont destinés à être vendus en vue de créer un profit[56], cette économie-monde se caractérise par une double structure. D'un côté, elle est composée d'une multiplicité de centres de puissance en compétition les uns avec les autres, étant donné que, par définition, il n'existe pas au sein d'une économie-monde d'autorité politique centrale prenant en charge le mécanisme d'allocation des ressources. De l'autre, elle est divisée en trois zones, reliées entre elles par des relations d'échanges inégales et d'exploitation :

---

55. Chez Wallerstein – comme chez Braudel – le qualificatif « monde » dans l'expression « système-monde » ne signifie pas nécessairement que le système en question englobe la planète entière au sens géographique du terme. Le qualificatif « monde » se réfère plutôt au fait pour un système de constituer un espace en soi, autonome, autosuffisant, parce que se déploient de manière privilégiée en son sein des liens et échanges économiques, commerciaux, culturels, qu'il y ait présence d'un système politique central, comme dans le cas d'un empire-monde, ou non, comme dans le cas d'une économie-monde. Seule l'économie-monde capitaliste contemporaine est également un système social mondial au sens planétaire du terme, et ce depuis le XXe siècle ; mais elle était une économie-monde dès son émergence au XVe siècle, lorsqu'elle était encore confinée à une partie de l'Europe post-médiévale, de même que les réseaux phéniciens ont constitué une économie-monde dans l'Antiquité, et l'Empire romain un empire-monde.

56. Voilà une importante différence entre Wallerstein et le marxisme orthodoxe : pour ce dernier, ce qui caractérise le mode de production capitaliste, c'est non pas l'échange au cours duquel s'affrontent vendeurs et acheteurs, mais l'appropriation privée des moyens de production et la création du surplus lors du processus de production, par l'intermédiaire de l'exploitation de la force de travail du prolétariat par la bourgeoisie.

– le centre, qui comprend les économies au sein desquelles sont localisées les productions nécessitant les degrés de qualification du facteur travail et de concentration du facteur capital les plus élevés ;

– la périphérie, qui comprend les économies au sein desquelles sont localisées les matières premières et dont est extrait le surplus qui va enrichir le centre, grâce à la collusion qu'entretient la classe dominante de la périphérie avec les élites du centre ;

– la semi-périphérie, de nature hybride, car tout à la fois pénétrée par le capital du centre sans pour autant disposer d'une base industrielle autonome, et jouant un rôle vital dans la reproduction du système dans son ensemble grâce à la présence de gouvernements autoritaires garantissant la reproduction de cette zone dans son double rôle de délocalisation des industries du centre qui n'y sont plus rentables et de réserve de main-d'œuvre permettant de contrecarrer la tendance à la hausse des salaires dans le centre synonyme de baisse tendancielle des taux de profit[57].

Autrement dit, le système mondial contemporain se singularise par la cœxistence d'une économie unitaire capitaliste hiérarchisée et d'un système interétatique pluraliste anarchique. Loin d'être une coïncidence, cette cœxistence est la condition *sine qua non* du bon fonctionnement de l'économie-monde et de sa reproduction dans le long terme : non seulement les États jouent un rôle doublement vital au sein d'une économie de type capitaliste, en fournissant et le cadre institutionnel d'élaboration du droit de propriété et les biens publics palliant les défaillances du marché, mais surtout la rivalité entre centres de puissance contribue à une émulation entre

57. *La zone appelée « semi-périphérie » est l'apport spécifique de Wallerstein par rapport à Galtung et aux* dependentistas.

classes capitalistes issues de ces différents centres, émulation dont profite le système dans son ensemble. Cette rivalité est cependant maîtrisée, grâce à la structure hiérarchique qui caractérise les relations internes au centre, dominé par une puissance hégémonique qui, du fait de sa supériorité tant économique que militaire par rapport aux autres États du centre, joue un rôle de *leadership* en proposant, voire en imposant, les pratiques et institutions qui, tout en étant définies pas rapport à ses propres intérêts, n'en assurent pas moins le bon fonctionnement de l'économie-monde capitaliste au bénéfice de tous les membres du centre.

Plus exactement, la puissance hégémonique – successivement les Pays-Bas au XVIIe siècle, la Grande-Bretagne au XIXe, et les États-Unis au XXe – maintient l'économie-monde capitaliste dans une position de juste milieu entre les deux extrêmes également mortels pour elle que seraient l'état de guerre et l'empire-monde : la puissance hégémonique est en effet assez puissante pour empêcher le système interétatique anarchique de se transformer en désordre synonyme d'imprévisibilité dommageable à la reproduction d'une économie de type capitaliste, sans pour autant être capable de transformer l'économie-monde en empire-monde synonyme de disparition de la concurrence entre classes capitalistes dommageable à la croissance d'une économie de type capitaliste.

C'est également au sein de cette puissance hégémonique que sont élaborés les deux piliers géoculturels légitimant l'économie-monde capitaliste, à savoir le libéralisme, idéologie dominante qui a réussi à diffuser l'idée que l'économie-monde capitaliste existante est le seul modèle rationnel, voire concevable, d'organisation de la société mondiale, et le scientisme à l'origine de l'idée de l'exploitation instrumentale de la nature par l'homme telle qu'elle a été mise en œuvre par les sciences exactes dont l'épistémologie passe aujourd'hui pour être la seule voie possible d'accès à la connaissance.

Ce sont justement ces deux piliers idéologiques qui de nos jours sont en crise : d'un côté, l'hégémonie du libéralisme est en train d'être minée par l'idéologie soixante-huitarde libertaire à l'origine des nouveaux mouvements sociaux qui, contrairement aux anciennes forces anti-systémiques qui cherchaient essentiellement à accéder aux fruits de la croissance, remettent en cause le modèle même de croissance capitaliste, et qui sont d'autant plus difficilement cooptables qu'ils sont transnationaux et subvertissent l'ordre interétatique existant ; de l'autre, le scientisme est lui aussi contesté par la concurrence croissante que livre le relativisme à l'universalisme, grâce aux approches post-positivistes en sciences sociales. Jointe aux limites de la croissance économique et à l'incapacité des États à réguler la mondialisation, cette crise de légitimité pourrait signifier le début de la fin de l'actuelle économie-monde capitaliste, que Wallerstein prévoit pour un avenir plus ou moins proche, en incitant le chercheur à joindre ses analyses à l'action individuelle et collective pour que cette fin soit synonyme de triomphe du socialisme et non pas de barbarie...

Voilà qui bien sûr n'est pas sans rappeler la fameuse 11e thèse de Marx sur Feuerbach, appelant les philosophes à changer le monde, plutôt que de se contenter de l'interpréter. Et pour cause : de tous les internationalistes contemporains d'inspiration marxisante, Wallerstein est celui qui est le plus proche du jeune Marx, du Marx de l'autonomie du politique, dont l'esprit critique avait été sauvé de l'ossification dogmatique par Lukács, Korsch, Gramsci et autres membres de l'École de Francfort. Dans un certain sens, Wallerstein prépare ainsi le terrain à la théorie critique des Relations internationales, voire à l'ensemble des approches post-positivistes, comme l'indique le recours à des notions telles qu'hégémonie, légitimation, culture.

Bibliographie

Pendant une partie de la guerre froide, le marxisme a été considéré comme le troisième paradigme en Relations internationales, mais sa place y est ambiguë, comme le montrent :

BROWN (Chris), « Marxism and International Ethics », dans Terry Nardin et David Mapel (eds), *Traditions of International Ethics*, Cambridge, Cambridge University Press, 1992, p. 225-249.

HALLIDAY (Fred), *Rethinking International Relations*, Londres, Macmillan, 1994, 290 p.

KUBALKOVA (Vendulka) et CRUICKSHANK (Albert), *Marxism and International Relations*, Oxford, Clarendon, 1985, 281 p.

MACLEAN (John), « Marxism and International Relations. A Strange Case of Mutual Neglect », *Millennium*, 17 (2), été 1988, p. 295-319.

ROSENBERG (Justin), *The Empire of Civil Society*, Londres, Verso, 1994, 236 p.

THORNDIKE (Tony), « The Revolutionary Approach. The Marxist Perspective », dans Trevor Taylor (ed.), *Approaches and Theories in International Relations*, New York (N. Y.), Longman, 1978, p. 54-99.

Le moindre succès du marxisme, comparé à celui connu dans d'autres sciences sociales, renvoie au fait que Marx et Engels ont produit moins une théorie internationale que des analyses dispersées dans l'ensemble de leurs œuvres :

MARX (Karl) et ENGELS (Friedrich), *Werke*, Berlin-Est, Dietz Verlag, 1981.

Celles-ci restent relativement ignorées, malgré les études de :

GALLIE (William B.), « Marx and Engels on Revolution and War », dans William B. Gallie, *Philosophers of Peace and War*, Cambridge, Cambridge University Press, 1978, p. 66-99.

Molnar (Miklos), *Marx, Engels et la politique internationale*, Paris, Gallimard, 1975, 385 p.

En fait, ce n'est qu'au début du XXe siècle que les dimensions internationales contenues dans la théorie marxiste générale sont appliquées directement aux relations internationales, et ce dans le cadre des théories de l'impérialisme :

Boukharine (Nikolas), *L'Économie mondiale et l'impérialisme* (1915), Paris, Anthropos, 1977, 178 p.

Hilferding (Rudolf), *Le Capital financier* (1910), Paris, Minuit, 1970, 500 p.

Lénine, *L'Impérialisme, stade suprême du capitalisme* (1916), Paris, Le Temps des cerises, 2001, 221 p.

Luxemburg (Rosa), *L'Accumulation du capital* (1911), Paris, François Maspero, 1967, 330 p.

De ces théories, seule la problématique des échanges entre économies du Nord et du Sud a été reprise par les néomarxistes, ou structuralistes, des années 1960 et 1970 :

Amin (Samir), *L'Accumulation à l'échelle mondiale*, Paris, Anthropos, 1970, 590 p.

Cardoso (F. Henrique) et Faletto (Enzo), *Dépendance et développement en Amérique latine*, Paris, PUF, 1969, 222 p.

Emmanuel (Arghiri), *L'Échange inégal*, Paris, François Maspero, 1969, 368 p.

Frank (André Gunder), « The Development of Underdevelopment », *Monthly Review*, 18 (3), avril 1966, p. 17-31.

Galtung (Johan), « A Structural Theory of Imperialism », *Journal of Peace Research*, 8 (2), 2e trimestre 1971, p. 81-117.

GALTUNG (Johan), « Violence, paix et recherche sur la paix » (1969), dans Philippe Braillard, *Théories des relations internationales*, Paris, PUF, 1977, p. 297-319.

WALLERSTEIN (Immanuel), « The Rise and Future Demise of the World Capitalist System », *Comparative Studies in Society and History*, 16 (4), septembre 1974, p. 387-415.

WALLERSTEIN (Immanuel), *The Capitalist World Economy*, Cambridge, Cambridge University Press, 1979, 305 p.

WALLERSTEIN (Immanuel), *Le Système du monde du XVe siècle à nos jours*, vol. 1. : *Capitalisme et économie-monde, 1450-1640*, Paris, Flammarion, 1980 ; vol. 2 : *Le Mercantilisme et la consolidation de l'économie-monde européenne, 1600-1750*, Paris, Flammarion, 1985 ; vol. 3 : *The Second Era of Great Expansion of the Capitalist-Economy, 1730-1840*, San Diego (Calif.), Academic Press, 1989 ; vol. 4 : *Centrist Liberalism Triumphant, 1789-1914*, Berkeley (Calif.), University of California Press, 2011.

WALLERSTEIN (Immanuel), *Geopolitics and Geoculture. Essays on the Changing World System*, Cambridge, Cambridge University Press, 1991, 242 p.

WALLERSTEIN (Immanuel), « The Inter-State Structure of the Modern World-System », dans Steve Smith, Ken Booth et Marysia Zalewski (eds), *International Theory. Positivism and Beyond*, Cambridge, Cambridge University Press, 1996, p. 87-107.

WALLERSTEIN (Immanuel), *Comprendre le monde. Introduction à l'analyse des systèmes-monde*, Paris, La Découverte, 2006, 174 p.

Depuis la fin de la guerre froide, le renouveau de la perspective marxiste est passé par des analyses s'inspirant de Gramsci et de l'École de Francfort, ce qui nous renvoie à la théorie critique des relations internationales d'un côté (chap. 8), à l'économie politique internationale de l'autre (chap. 13). Restent de nos jours fidèles à un marxisme classique qu'ils tentent de renouveler :

ANIEVAS (Alexander) (ed.), *Marxism and World Politics : Contesting Global Capitalism*, Londres, Routledge, 2010, 296 p.

HALLIDAY (Fred), *Revolution and World Politics*, Basingstoke, Macmillan, 1999, 416 p.

TESCHKE (Benno), *The Myth of 1648 : Class, Geopolitics and the Making of Modern International Relations*, Londres, Verso, 2003, 308 p.

Chapitre 8 / LES APPROCHES RADICALES

> « *Une théorie est toujours pour quelqu'un*
> *et pour quelque chose.* »
> *Robert Cox*[1]

Après avoir connu un succès certain autour des années 1970, le (néo-)marxisme a progressivement vu diminuer sa crédibilité au sein de la discipline des Relations internationales. Deux raisons expliquent cette évolution. Tout d'abord, et bien avant la fin de la guerre froide, synonyme de disparition de la quasi-totalité des États se réclamant du marxisme, l'analyse marxiste en termes de dépendance et d'impérialisme a été démentie : au niveau politique, l'unité proclamée du Tiers Monde face au centre a cédé la place à une multiplication de conflits y compris armés au sein même de la périphérie (Éthiopie-Somalie, Irak-Iran...) ; au niveau économique, les seules sociétés périphériques qui soient sorties du sous-développement ne sont pas celles qui ont rompu avec le centre, mais celles qui se sont résolument branchées sur le marché mondial capitaliste[2]. Ensuite – et surtout, vu l'indépendance du néomarxisme des professeurs par rapport au dogme et à la pratique des États marxisants –, c'est au sein même de la discipline que les internationalistes insatisfaits du débat inter-paradigmatique ont commencé à emprunter d'autres voies pour contester la suprématie des approches dominantes. En la matière, les premières manifestations se produisent

1. *R. Cox, « Social Forces, States and World Orders », art. cité.*

2. *Dans une certaine mesure, la* success story *des NPI sudest-asiatiques est compatible avec la notion de semi-périphérie chère à Wallerstein. Mais elle invalide sûrement le néomarxisme structuraliste, et notamment la théorie structurelle de l'impérialisme de Galtung : en effet, en obéissant au moins autant au scénario de F. List (rôle primordial de l'État et*

dès 1981 : d'un côté Robert Cox[3], de l'autre Richard Ashley[4], publient deux critiques radicales du néoréalisme exposé par Kenneth Waltz dans sa *Theory of International Politics.* Certes, le premier renvoie, au moins partiellement, au jeune Marx et au marxisme de Gramsci[5], mais par la suite la théorie critique à l'origine de laquelle il se trouve abandonnera partiellement la paternité gramscienne au profit de celle de l'École de Francfort, qui plus est celle de Habermas plutôt que celle de Horkheimer ; quant au second, il évoluera de façon irréversible vers le postmodernisme et son rejet d'inspiration nietzschéenne et heideggérienne des Lumières aussi bien hégéliano-marxistes que kantiennes. Si on ajoute à ce courant postmoderniste les approches féministes, ainsi que le post-colonialisme, alors il est évident que ce qui réunit les approches radicales contemporaines en Relations internationales, c'est non pas le marxisme, mais le post-positivisme[6].

---

protectionnisme) qu'à celui de D. Ricardo (avantages comparatifs et libre-échange), l'émergence des NPI démontre la possibilité d'intérêts nationaux dans certains pays de la périphérie, ce qui va à l'encontre de l'idée que les intérêts dominants au sein de la périphérie sont nécessairement inféodés aux intérêts dominants du centre. Nous retrouvons là une faiblesse intrinsèque au marxisme, désarmé face à des facteurs superstructurels tels que les idéologies nationalistes, et a fortiori, *les identités ethniques ou les croyances religieuses.*

3. *R. Cox, « Social Forces, States and World Orders », art. cité.*

4. *R. Ashley, « Political Realism and Human Interests »,* International Studies Quarterly, *25 (2), juin 1981, p. 204-246.*

5. *L'autre influence que reconnaît Cox est l'historicisme du philosophe italien G. Vico, voyant dans les institutions sociales et politiques des réponses collectives aux contraintes dans lesquelles se trouvent les hommes.*

6. *Nous résumerons dans ce chapitre quatre approches post-positivistes radicales, c'est-à-dire la théorie critique, le post-modernisme, les approches féministes et le post-colonialisme,*

« Discipline arriérée » encore en 1986, aux dires d'un Mervyn Frost[7] soulignant que les Relations internationales étaient restées à l'abri de tout « moment critique[8] » du fait et de la spécificité de leur objet d'étude et de leur stratégie de recherche, les Relations internationales finissent en effet par s'intéresser aux questionnements méta-théoriques omniprésents dans les autres sciences sociales[9], questionnements dus au scepticisme croissant envers le

---

sachant que le constructivisme – au sens soft *ou* light *– se caractérise par sa volonté de faire la synthèse entre approches positivistes et post-positivistes, en combinant l'épistémologie des premières avec l'ontologie des secondes, ce pourquoi il mérite un traitement à part dans le chapitre 9. Sont également considérées comme approches post-positivistes, mais non radicales, l'approche normative et la sociologie historique que, faute de place et de compétence, nous ne traiterons pas. Au sujet de la théorie normative, qui réfléchit sur comment le monde devrait être plutôt que sur comment il est, voir notamment C. Brown,* International Relations Theory. New Normative Approaches, *Hemel Hempstead, Harvester Wheatsheaf, 1992 ; ainsi que M. Frost,* Ethics in International Relations. A Constitutive Theory, *Cambridge, Cambridge Uni versity Press, 1996. À propos de la sociologie historique, qui cherche à dépasser le cloisonnement disciplinaire entre Relations internationales et sociologie historique comparée, voir notamment M. Mann,* The Sources of Social Power, *Cambridge, Cambridge University Press, tome 1, 1986, et tome 2, 1993 ; C. Tilly,* Coercion, Capital and European States. AD 990-1990, *Oxford, Blackwell, 1990 ; S. Hobden et J. Hobson (eds),* Historical Sociology of International Relations, *Cambridge, Cambridge University Press, 2002 ; l'article de synthèse de G. Lawson, « The Promise of Historical Sociology in International Relations »,* International Studies Review, *8 (3), septembre 2006, p. 397-423 ; ainsi que le « Forum on Historical Sociology » dirigé par G. Lawson dans* International Politics, *44 (4), 2007, p. 341 et suiv.*

7. *M. Frost,* Towards a Normative Theory of International Relations, *Cambridge, Cambridge University Press, 1986, p. 39.*

8. *R. Walker,* Inside/Outside. International Relations As Political Theory, op. cit., *p. 7.*

9. *Pour ne citer qu'un seul exemple de débat épistémologique, ce qui a été appelé la querelle positiviste dans la sociologie*

postulat cartésien de la capacité humaine à décrire objectivement et à contrôler efficacement ce qui existe : la connaissance scientifique de la réalité sociale est-elle possible ? consiste-t-elle à comprendre ou à expliquer ? quelles relations cette connaissance entretient-elle avec la pratique ? avec l'idéologie ? avec les valeurs ? la connaissance scientifique est-elle un vecteur de domination ? de domination masculine ? quels intérêts guident la recherche scientifique ? existe-t-il une vérité scientifique ? les concepts scientifiques sont-ils universellement valables ou n'ont-ils de sens que dans des contextes discursifs et géoculturels bien délimités ?, etc. À ces différentes questions, qui sont à l'origine d'une véritable « explosion de théories des relations internationales[10] » et *ipso facto* du quatrième débat de la discipline[11], les théoriciens critiques, les postmodernistes, également appelés post-structuralistes, les féministes et les post-colonialistes apporteront des réponses différentes, au grand étonnement des théoriciens parties prenantes au troisième débat inter-paradigmatique qui n'hésitent d'ailleurs pas à les attaquer de façon parfois virulente[12].

---

allemande – opposant l'École de Francfort au courant de Karl Popper – remonte à 1957. Voir à ce sujet T. Adorno et al., De Vienne à Francfort. La querelle allemande des sciences sociales *(1957), Bruxelles, Complexe, 1979.*

10. S. Smith, « Introduction », dans T. Dunne, M. Kurki et S. Smith (eds), International Relations Theories, op. cit., *p. 5.*

11. Rappelons que d'aucuns parlent de troisième débat, à l'image de Y. Lapid, « The Third Debate. On the Prospects of International Theory in a Post-Positivist Era », art. cité, ou de E. Navon, « The "Third Debate" Revisited », Review of International Studies, *27 (4), octobre 2001, p. 611-625.*

12. Ainsi, pour le réaliste S. Krasner, « The Accomplishments of International Political Economy », dans S. Smith, K. Booth et M. Zalewski, International Relations : Positivism and Beyond, op. cit., *p. 125, le post-modernisme « conduit directement au nihilisme », alors que pour le marxiste*

Pour être en désaccord entre eux quant à l'unité d'analyse (État, individu, classe), à l'objet d'étude (politique, économie et politique, économie), ou à la variable indépendante (rapports de force militaires, préférences individuelles, rapports de production), les réalistes et les libéraux, mais aussi les transnationalistes et les marxistes partagent la même conception « positiviste[13] » de la démarche scientifique, en ce qu'ils sont d'accord pour postuler l'unité de la méthode scientifique en sciences sociales et en sciences naturelles, la distinction entre les faits et les valeurs, l'existence de régularités causales au sein du monde social susceptibles d'être découvertes par la recherche scientifique, la possibilité de vérifier empiriquement la validité des explications données de ces régularités.

C'est ce consensus qui est remis en cause par l'orientation post-positiviste en Relations internationales, « consciemment réflexive, intentionnellement interprétative, explicitement critique de l'ordre

F. Halliday, « The Future of International Relations : Fears and Hopes », dans ibid., *p. 327, les « épigones de Gramsci, Foucault et Bourdieu [...] ne produisent que du méta-bafouillage » !*

13. Les guillemets entourant le qualificatif « positiviste » s'expliquent par le fait que ceux que les post-positivistes qualifient de la sorte ne se reconnaissent pas comme tels, ou seulement en réaction à cette dénomination par les post-positivistes : ainsi, R. Keohane (positiviste aux yeux des post-positivistes), « International Institutions. Two Approaches », art. cité, parle des « rationalistes » pour définir les positivistes, et des « réflexivistes » que seraient les post-positivistes. Reste que cette dernière terminologie ne fait allusion qu'à l'une des divergences introduites par les post-positivistes par rapport aux positivistes, ce pourquoi nous allons garder le couple positivisme/post-positivisme, en supprimant les « », vu le renvoi justifié de ce terme à la sociologie positive d'A. Comte. Cela étant, la définition du positivisme lui-même pose problème : P. Halfpenny, Positivism and Sociology, *Londres, Allen and Unwin, 1982, énumère jusqu'à douze conceptions de ce en quoi consiste(rait) le positivisme.*

global actuel[14] ». Estimant de façon générale que la connaissance scientifique ne saurait être objective, c'est-à-dire philosophiquement ou culturellement neutre, éthiquement vierge de toute pollution pratico-politique ; persuadés que la méthode scientifique ne saurait se limiter à l'ordonnancement de données[15] autour d'hypothèses, de généralisations, d'expérimentations empiriquement vérifiables et réfutables ; convaincus que la pratique scientifique ne saurait se réduire à l'accumulation de connaissances extérieures au chercheur et à son contexte, les post-positivistes ont pour point de départ épistémologique le refus de séparer le sujet et l'objet de recherche, le chercheur qui étudie la réalité sociale et les faits qui composent cette réalité étudiée, refus qui s'appuie sur deux arguments : d'une part, la théorie n'est pas indépendante de la réalité qu'elle étudie ; d'autre part, la réalité n'est pas extérieure à la théorie qui l'analyse.

D'après les approches post-positivistes, il n'est pas possible de concevoir le monde comme un ensemble de faits déjà donnés qui

---

14. M. Neufeld, The Restructuring of International Relations Theory, *Cambridge, Cambridge University Press, 1995, p. 123-124.*

15. R. Cox, « The Point Is not just to Explain the World but to Change It », dans C. Reus-Smit et D. Snidal (eds), The Oxford Handbook of International Relations, op. cit., *p. 84-93, souligne avec beaucoup de pertinence l'opposition entre étudier des « données » sociales, comme le font d'après lui les positivistes, et étudier des « faits » sociaux, comme le font d'après lui les post-positivistes : comme l'indique l'étymologie de ces deux termes, les données – du verbe donner (en latin* dare, *d'où l'anglais* data*) – sont des réalités qui existent indépendamment des acteurs sociaux auxquels elles s'imposent* ispo facto, *alors qu'à l'inverse les faits – du verbe faire (en latin* facere, *d'où l'anglais* facts*) – sont des réalités qui sont fabriquées, construites, par des acteurs sociaux et qui sont donc susceptibles d'être formées ou trans-formées, produites ou re-produites selon ce que lesdits acteurs en font.*

attendent d'être découverts grâce à la méthode scientifique. Car postuler que « la perception de ces "faits" (est) complètement indépendante du contexte social au sein duquel cette perception a lieu[16] », c'est oublier que le résultat auquel aboutit une recherche théorique ne dépend pas seulement de la qualité de la méthode employée pendant la recherche, de la pertinence des questions posées à l'objet étudié, de l'excellence de la procédure de vérification ou de falsification mise en œuvre. Contrairement à ce qu'affirment les positivistes, à l'image d'un Popper parlant de contexte de la validité[17], le résultat d'une recherche dépend aussi de divers facteurs extérieurs à l'objet sur lequel porte la recherche et à la méthode utilisée pour aborder ce dernier, tant dans toute élaboration théorique se mêlent forcément considérations théoriques et influences métathéoriques.

Plus précisément, toute théorie, toute analyse du monde, du réel, des faits sociaux et donc internationaux, est conditionnée, au-delà des données endogènes, par des données exogènes, étant donné la solidarité situationnelle qui lie le chercheur à tout un contexte environnemental, composé de ce que Wittgenstein a appelé les « jeux de langage[18] », Kuhn le « paradigme[19] », Holton les « *thêmata*[20] », Bourdieu le « champ scientifique[21] », Foucault les *épistémès* et les

16. *M. Hoffmann, « Critical Theory and the Inter-Paradigm Debate »,* Millennium, *16 (2), été 1987, p. 231-250.*

17. *K. Popper,* Conjectures et réfutations, op. cit.

18. *L. Wittgenstein, « Investigations philosophiques », dans L. Wittgenstein,* Tractatus logico-philosophicus ; *suivi de* Investigations philosophiques, *Paris, Gallimard, 1989.*

19. *T. Kuhn,* La Structure des révolutions scientifiques, op. cit.

20. *G. Holton,* L'Imagination scientifique, *Paris, Gallimard, 1981.*

21. *P. Bourdieu, « La spécificité du champ scientifique et les conditions sociales du progrès de la raison », art. cité.*

« régimes de vérité[22] », Habermas les « métathéories » et l'« intérêt cognitif[23] », Harding le « point de vue[24] ». Loin d'être toujours « axiologiquement neutre », comme le prône Weber[25], loin d'avoir surmonté « l'obstacle épistémologique », comme le présume Bachelard[26], toute recherche est influencée :

– par le contexte de la découverte personnel, psychologique, politique, social, historique, économique d'ensemble, dans lequel se trouve un/e scientifique, le *Zeitgeist* qu'est l'air du temps, l'esprit du moment, mais aussi la perspective géopolitique ou géoculturelle à travers laquelle la société dont il/elle fait partie perçoit sa place sur la scène mondiale, et dont celui/celle-ci ne saurait s'abstraire au sein d'une espèce de tour d'ivoire ;

– par la signification culturelle et socio-historique des formes de vie qui donnent un sens aux concepts qui sont utilisés pour aborder la réalité sociale, qui n'a pas d'essence et donc pas de sens en dehors de celui construit par les mots utilisés pour la décrire ;

– par l'ensemble des pratiques cognitives reconnues dans une discipline à un moment donné au sein d'une école donnée, et relatives aux questions à poser, aux concepts à utiliser, aux méthodes à employer, aux réponses à chercher aussi, tant en effet une

---

22. *M. Foucault,* L'Archéologie du savoir, *Paris, Gallimard, 1969.*

23. *J. Habermas,* Sociologie et théorie du langage, *Paris, Armand Colin, 1995, et « La technique et la science comme idéologie », art. cité.*

24. *S. Harding,* Is Science Multicultural ? Postcolonialisms, Feminisms, and Epistemologies, *Bloomington (Ind.), Indiana University Press, 1998.*

25. *M. Weber,* Essais sur la théorie de la science, op. cit.

26. *G. Bachelard,* La Formation de l'esprit scientifique *(1938), Paris, Vrin, 1983 [12e éd.].*

recherche ne consiste pas à chercher ce que l'on trouve, mais à trouver ce que l'on cherche ;

– par la lutte que se livrent au sein d'une discipline ou d'un champ scientifique national les différent/e/s chercheur/e/s pour le monopole du pouvoir scientifique, pour la maîtrise du savoir légitime, avec les stratégies de conservation et de reproduction ou bien de subversion de la science normale qui s'ensuivent ;

– par les motivations politiques et en tout cas extra-scientifiques – souvent inconscientes – qui sous-tendent une recherche, guidée par l'intention soit d'expliquer le monde pour mieux le contrôler, soit de l'interpréter pour mieux y communiquer, soit de le démystifier pour mieux le changer.

C'est ce dernier point qui est plus particulièrement développé par Robert Cox, à l'origine de l'introduction en Relations internationales de la théorie critique, qui doit son nom à Max Horkheimer[27], lui-même inspirateur du triptyque habermasien de l'intérêt cognitif technique, pratique et émancipatoire. D'après Cox, toute théorie est située à la fois dans le temps et dans l'espace, avec pour conséquence non seulement qu'il n'y a pas de théorie en soi, guidée par la seule recherche de la vérité scientifique, mais aussi et surtout qu'« une théorie est toujours pour quelqu'un et pour quelque chose » : lorsqu'une théorie « accepte comme cadre donné pour l'action le monde tel qu'elle le trouve, avec ses relations sociales et de pouvoir et les institutions qui l'organisent », il s'agit d'une *problem-solving theory* qui se propose d'être un simple guide aux problèmes à résoudre dans la perspective qui est la sienne et dont le but est de « faire fonctionner sans heurts ces relations et institutions en s'occupant avec succès de certaines sources de

---

27. *M. Horkheimer,* Théorie traditionnelle et théorie critique, op. cit.

désordres » ; en revanche, lorsqu'une théorie s'interroge sur le processus de production théorique lui-même, est consciente du lien que ce processus entretient avec la perspective qui se trouve à son origine, il s'agit d'une *critical theory* qui « ne considère pas comme allant de soi les institutions et les relations sociales et de pouvoir mais les remet en question en s'intéressant à ses origines et en se demandant si et comment elles pourraient entrer en changement[28] ».

D'après Cox, le néoréalisme de Waltz est l'exemple type de la théorie *problem-solving*, car *Theory of International Politics* est tout sauf une explication objective de la politique internationale : situé dans le contexte de la guerre froide dont les spécificités sont abusivement érigées en *covering laws*[29] ; écrit, de l'aveu même de Waltz, à partir d'un besoin d'expliquer la politique internationale né non pas « de la seule curiosité » mais « également produit par le désir de contrôler, ou du moins par le désir de savoir si le contrôle est possible, plutôt que par le seul désir de prédire[30] », cet ouvrage est en réalité représentatif d'« une science au service de la gestion

---

28. R. Cox, « Social Forces, States and World Order », art. cité. Ce sont ces concepts de problem-solving theory *et de* critical theory *qui renvoient directement aux notions de « théorie traditionnelle » et de « théorie critique » de Horkheimer, même si Cox ne se réfère pas au fondateur de l'École de Francfort. Précisons, pour éviter tout risque de malentendu, que ce que l'École de Francfort appelle la « théorie traditionnelle » n'a rien à voir avec la signification qu'a la théorie traditionnelle dans le deuxième débat inter-paradigmatique (cf. chap. 3), mais qu'elle est synonyme de théorie positiviste ne s'intéressant, comme le disait A. Comte, qu'à la « loi du phénomène », et non au mode d'émergence de ce dernier.*

29. C. Hempel, Aspects of Concept Formation in Empirical Science, *Chicago (Ill.), Chicago University Press, 1967.*

30. K. Waltz, Theory of International Politics, op. cit., *p. 6.*

du système international par les grandes puissances[31] ». Mais il n'y a pas que le néoréalisme – ou le débat néo-néo (cf. chap. 12)[32] –, qui se retrouve dans la ligne de mire des approches radicales à cause de l'intérêt cognitif technique de contrôle de l'ordre existant qui préside à ses recherches sans que ses adeptes n'en soient conscients ; le réalisme classique fait lui aussi l'objet de critiques, féministes notamment, et relatives aux préjugés masculins et autres hiérarchies de genre qui le sous-tendent lui et ses « modèles soi-disant neutres, tels "l'homme rationnel" et "l'équilibre des puissances" »[33].

Ainsi, d'après J. Ann Tickner, les six principes du réalisme selon Morgenthau – la politique est gouvernée par des lois générales qui

---

31. R. Cox, « Social Forces, States and World Order », art. cité. Dans la réponse qu'il donne à R. Cox et à ses autres critiques, K. Waltz, « Reflections on Theory of International Politics *: A Response to My Critics », dans R. Keohane,* Neorealism and Its Critics, op. cit., *p. 338-339 et suiv., Waltz reconnaît qu'il fait de la* problem-solving theory, *ce qu'il peut difficilement nier étant donné qu'il indique lui-même dans une note de bas de page, p. 129, que des parties des chapitres 7 et 8 proviennent d'études commandées par le Département d'État. A. Wendt, « What Is International Relations For ? Notes Toward A Postcritical View », dans R. Wyn-Jones (ed.),* Critical Theory and World Politics, *Boulder (Colo.), Lynne Rienner, 2001, p. 205-223, pose le problème de la pertinence de l'opposition entre théorie émancipatoire et théorie* problem-solving, *car d'après lui, les deux types de théories « cherchent, en dernière analyse, à rendre le monde meilleur ».*

32. Selon R. Cox, « Social Forces, States and World Order », art. cité, le néo-institutionnalisme libéral est également une problem-solving theory, *et là encore Keohane reconnaît, dans* After Hegemony, op. cit., *p. 63, que les régimes jouent un rôle essentiel pour les États en facilitant « le fonctionnement lisse de systèmes politiques internationaux décentralisés ».*

33. A.-M. D'Aoust, « Les approches féministes en Relations internationales », dans A. MacLeod et D. O'Meara (dir.), Théories des relations internationales, op. cit., *p. 281-304.*

s'enracinent dans la nature humaine, le principal référent du réalisme est le concept d'intérêt national défini en termes de puissance, l'intérêt défini comme puissance est une catégorie objective universellement valide, le réalisme est conscient des tensions entre les exigences de la conduite politique et les principes moraux, le réalisme refuse de faire des aspirations morales d'un État-nation des lois morales universellement applicables, le réalisme affirme l'autonomie du politique – sont « basés sur des hypothèses partiales de la nature humaine privilégiant la masculinité ». Rappelant que si le sexe masculin ou féminin est certes une donnée biologique, la masculinité et la féminité comme genres se réfèrent-elles à des catégories socialement construites prescrivant ce que l'homme et la femme devraient être et comment ils et elles auraient à se comporter, J. Ann Tickner se demande « où étaient les femmes dans l'état de nature de Hobbes », et estime que c'est parce qu'ils ont délibérément ignoré le rôle des femmes, « engagées dans des pratiques de reproduction et d'éducation plutôt que dans des activités guerrières », que les réalistes en sont venus à dépeindre les relations internationales comme essentiellement conflictuelles, alors que dans la réalité « les éléments de coopération et de régénération sont tout autant des aspects des relations internationales[34] ». Autrement dit, le réalisme et, au-delà, la discipline entière des Relations internationales, dressent un portrait incorrect du monde contemporain, parce que partial et partiel, biaisé qu'il est par la « masculinité

---

34. *Toutes les citations sont extraites de J. A. Tickner, « Hans Morgenthau's Principles of Political Realism. A Feminist Reformulation » (1988), dans Der Derian (ed.),* International Theory. Critical Investigations, op. cit.*, p. 53-71. J. A. Tickner fait partie de ce qui est généralement appelé le* stand-point feminism, *c'est-à-dire la branche du féminisme qui estime qu'il existe un point de vue spécifiquement féminin du monde, distinct du point de vue masculin, et susceptible de changer la*

hégémonique », *id est* occidentale, blanche, hétérosexuelle[35], qui préside à ses recherches, comme le prouvent les titres des livres de Waltz – Man, *the State and War* –, mais aussi de Linklater – Men *and Citizens in the Theory of International Relations* (souligné par nos soins). En quelque sorte, le discours masculin ou, au mieux, asexué, sous couvert d'universalisation et d'abstraction, des Relations internationales oublie d'intégrer le point de vue de l'autre

---

politique mondiale dans un sens plus coopératif et pacifique. Ce stand-point feminism *cohabite, au sein du féminisme, avec – pour ne nommer que les catégories consensuelles – le féminisme libéral, qui réclame que les femmes jouissent du même traitement que les hommes, le féminisme marxiste, qui lie questions de genre et questions de classe, le féminisme post-moderne, qui reproche aux trois précédents de produire un nouveau discours répressif sous prétexte de vouloir libérer les femmes, et le féminisme postcolonial, qui reproche aux quatre types de féministes précédents de négliger l'importance des dichotomies binaires racistes/impérialistes* vs *non occidentales/subalternes. Les plus petits dénominateurs communs à toutes les féministes en Relations internationales, qui ont aujourd'hui à leur disposition une revue universitaire, le* Feminist Journal of International Studies, *consistent à postuler ontologiquement que les relations internationales ne sont que des relations de genres hiérarchisés parmi d'autres, à affirmer épistémologiquement que la lecture de la politique globale à travers des lunettes genrées permet une vision complètement différente des relations internationales en rendant les femmes visibles, et à réclamer normativement une plus grande place pour les/des femmes dans la (conduite de la) politique mondiale.*

35. J. A. Tickner et L. Sjoberg, « Feminism », dans T. Dunne, M. Kurki et S. Smith (eds), International Relations Theories, op. cit., *p. 186. Dans V. S. Peterson et A. Runyan,* Global Gender Issues, *Boulder (Colo.), Westview, 1999 [2e éd.], p. 31, le masculinisme est défini comme une vision idéologique « tenant pour acquis l'existence d'une différence fondamentale entre hommes et femmes, présumant la normalité de l'hétérosexualité, acceptant de façon acritique la division sexuelle du travail, et cautionnant le rôle politique dominant des hommes dans les sphères à la fois publiques et privées ».*

moitié de l'humanité, alors que pourtant les femmes sont présentes sur la scène mondiale, dans les organisations non gouvernementales par exemple, mais aussi, même si indirectement, dans les domaines de la *high politics* accaparée par les élites mâles, où leur rôle est essentiel en matière de fourniture de services divers – armée de réserve dans l'économie de guerre, mères et épouses de soldats, infirmières dans les hôpitaux, prostituées autour des bases militaires, etc.[36].

« Autiste »[37], la discipline des Relations internationales l'est aussi à l'encontre des acteurs et enjeux marginaux invisibles que sont les enjeux et acteurs du Tiers Monde ou de la périphérie. Telle est l'hypothèse centrale des auteurs d'inspiration post-colonialiste tels que Arlene B. Tickner qui posent la question générale de « la perspective en relations internationales[38] » depuis le point de vue des pays, sociétés et cultures issus des ex-colonies dont la voix n'est guère entendue dans des « Relations internationales [qui] ne sont

---

36. *Voir à ce sujet C. Enloe,* Bananas, Beaches and Bases, *Londres, Pandora, 1989.*

37. *A. B. Tickner, « Seeing IR Differently : Notes From the Third World »,* Millennium, *32 (2), 2003, p. 195-324. A. B. Tickner souligne aussi les facteurs relatifs au fonctionnement et à la reproduction de la discipline telle qu'elle existe – rôle des revues, des fondations, des colloques comme autant de gardiens du temple – pour expliquer l'exclusion des internationalistes issus de la périphérie.*

38. *Voir H. Pellerin (dir.),* La Perspective en relations internationales, *Outremont, Athéna, 2010. En Relations Internationales, l'approche post-coloniale relève de la même interrogation méta-théorique que la question de la perspective : la seconde réfléchit aux origines géopolitiques et géoculturelles des théories en général, pour montrer ce qui se fait ailleurs que dans le monde non anglo-américain, et elle est donc plus large que l'approche post-coloniale qui se focalise elle sur la production – et surtout l'absence de production – de théories de Relations Internationales dans les sociétés ex-coloniales.*

guère internationales dans leur pratique »[39] parce qu'accaparées par des théoriciens occidentalo-centrés. Le réalisme ici encore est au centre des critiques : en posant le postulat de la politique internationale comme étant par définition politique de puissance, le réalisme, à l'instar de Waltz estimant « ridicule de construire une théorie de la politique internationale basée sur la Malaisie ou le Costa Rica »[40], aborde l'étude du système international par le biais de ses acteurs les plus puissants qu'ont été, successivement, les pays européens puis les États-Unis, ce qui l'amène à ignorer d'emblée le point de vue des acteurs non-puissants que sont les pays dominés et, *a fortiori*, les acteurs subalternes au sein de ces pays – citoyens ordinaires, ouvriers, paysans, femmes[41]. Mais le libéralisme n'échappe pas à la critique, tout au contraire. En effet, au sein des puissances dominantes, les Relations internationales ont été créées pendant l'entre-deux-guerres lorsque prévalait l'idéalisme : or, autant cet idéalisme était synonyme d'anti-réalisme pour ce qui est de son analyse des relations entre grandes puissances, sous-entendu occidentales, autant il justifiait le colonialisme des puissances coloniales de l'époque, Grande-Bretagne en tête. Le libéralisme est donc associé à l'impérialisme[42], sinon à

---

39. *A. Benessaieh, « La perspective post-coloniale », dans A. MacLeod et D. O'Meara (dir.),* Théories des relations internationales. Contestations et résistances, *Outremont, Athéna, 2010 [2e éd.], p. 365-378.*

40. *K. Waltz,* Theory of International Politics, op. cit., *p. 72.*

41. *Le terme « subalterne » avait été forgé par A. Gramsci pour désigner des groupes sociaux subissant un tel assujettissement et mépris au sein de leur société qu'ils étaient exclus des activités locales et nationales, voire étaient niés dans l'histoire et la mémoire nationales.*

42. *Voir à ce sujet D. Long et B. Schmidt (eds.),* Imperialism and Internationalism in the Discipline of International

« l'orientalisme[43] », dans la critique post-coloniale qui en est faite, de même qu'il est placé dans le même sac que le réalisme tant il relève d'un seul et même euro-centrisme, ainsi pour ce qui est de l'analyse de la seconde guerre mondiale : que l'on voie dans celle-ci un conflit de grandes puissances pour cause de structure déséquilibrée, nature hétérogène, ou transition hégémonique du système international concerné comme le font les différentes variantes du réalisme, ou comme un conflit entre démocraties et totalitarismes comme le fait le libéralisme, toujours on oublie que la guerre a commencé bien avant 1939 pour les Chinois ou les Éthiopiens et qu'elle a continué bien après 1945 pour les Indonésiens, les Vietnamiens, les Coréens, de même que l'on oublie les millions de Bengalis victimes de la famine des années 1943-45 due aux fluctuations du marché des grains dans une Inde qui à l'époque était

---

Relations, op. cit., *ainsi que I. Parmar, « Anglo-American Elites in the Interwar Years : Idealism and Power in the Intellectual Roots of Chatham House and the Council on Foreign Relations »,* International Relations, *16 (1), avril 2002, p. 53-75, qui montre le rôle des* thinks tanks *libéraux, tant britanniques qu'américains, dans l'idéalisme impérialiste prédominant de l'entre-deux-guerres.*

43. E. Said, L'Orientalisme. L'Orient créé par l'Occident *(1978), Paris, Seuil, 2005. Au sens strict, l'orientalisme désigne les représentations dont le Moyen- et l'Extrême-Orient font l'objet dans la littérature, la pensée, et les œuvres d'art occidentaux depuis l'expédition de Napoléon en Égypte : en résumé, ces représentations font passer les peuples et sociétés concernés comme à la fois rétrogrades par rapport au, et dangereuses pour le, monde occidental. Au sens large, il renvoie aux discours sur – et aux politiques à l'encontre de – ces régions traitées non pas telles qu'elles sont ou telles qu'elles se perçoivent elles-mêmes, mais telles que les Occidentaux se les représentent et/ou aimeraient qu'elles soient : ces pratiques vont du colonialisme aux politiques contemporaines de* state-building *en passant par les traités inégaux et les mandats de la SDN et autres protectorats.*

colonie britannique[44]. Même le néomarxisme des *dependentistas* ou d'Immanuel Wallerstein ne trouve guère grâce aux yeux des post-colonialistes, car si cette approche fait certes porter ses analyses sur les acteurs de la périphérie, elle n'en insiste pas moins davantage sur la domination structurelle dont ceux-ci font d'après lui l'objet de la part du centre que sur les potentiels dynamiques qu'ils recèlent, ce qui revient à victimiser les acteurs subalternes à partir d'une posture implicitement condescendante.

Enfin, en tant que théories *malestream*[45], en tant que théories *problem-solving*, en tant que théories euro- ou occidentalo-centrées, le réalisme et les autres théories établies constituent non seulement des représentations orientées des réalités internationales ; les valeurs normatives implicites qui le sous-tendent contribuent également à légitimer et donc à reproduire le *statu quo*, en le naturalisant, en le réifiant en seule réalité possible et envisageable. Plus que Arlene B. Tickner, J. Ann Tickner ou Robert Cox, c'est Richard Ashley qui est le plus explicite ici[46]. S'attaquant au réalisme, celui-ci distingue d'abord le « réalisme technique » de Waltz et le « réalisme pratique » de Morgenthau, puis avoue sa préférence pour le « réalisme émancipatoire » de John Herz[47], avant de dévoiler dans

44. *T. Barkawi et M. Laffey, « The Post-Colonial Moment in Security Studies »,* Review of International Studies, *32 (2), avril 2006, p. 329-352.*

45. *Jeu de mots féministe :* malestream *est utilisé en lieu et place de «* mainstream *».*

46. *Ainsi que S. Peterson et A. Runyan,* Global Gender Issues, *Boulder (Colo.), Westview, 1999 [2e éd.], pour ce qui est de l'approche féministe.*

47. *R. Ashley,* Political Realism and Human Interests, *art. cité. Si R. Ashley est à juste titre considéré comme l'un des principaux représentants du post-modernisme en Relations internationales, il ne faut pas oublier que son penchant pour le post-modernisme ne date que de la deuxième moitié des*

un deuxième temps ce qu'il appelle la « pauvreté du néoréalisme », en qualifiant le néoréalisme structuraliste de « ramassis autosuffisant et autarcique de proclamations statistes, utilitaires, positivistes, et structuralistes. Bien qu'il revendique les acquis des deux révolutions américaines, celle de la révolution réaliste contre l'idéalisme et celle de la révolution scientifique contre le traditionalisme, [le néoréalisme structuraliste] trahit en réalité les deux. Il trahit l'engagement de la première en faveur de l'autonomie du politique au profit d'une pratique politique réduite à une logique économique ; et il neutralise les facultés critiques de la seconde au profit de règles méthodologiques qui transforment la science en une entreprise purement technique. Du réalisme, il ne garde que l'intérêt pour la puissance ; de la science il ne retient que l'augmentation du contrôle qu'elle permet. [...] Il s'ensuit un structuralisme positiviste qui traite l'ordre existant comme un ordre naturel, qui limite plutôt qu'il n'enrichit le discours politique, qui nie ou banalise la signification des différences dans le temps et l'espace, [...] qui prive toute interaction politique de toute possibilité d'apprentissage social et de changement créatif[48] ».

---

années 1980 ; ses deux premiers articles que sont « Political Realism and Human Interests », art. cité, ainsi que « The Poverty of Neo-Realism » (1984), dans R. Keohane (ed.), Neorealism and Its Critics, op. cit., *p. 255-300, relèvent bien davantage de la théorie critique, comme le prouve la reprise des concepts habermasiens d'intérêts cognitifs technique, pratique et émancipatoire. En quelque sorte, l'évolution de Ashley rappelle celle de Horkheimer, passant de l'optimisme de* Théorie traditionnelle et théorie critique *au pessimisme dans l'essai* Dialectique de la raison, *écrit en collaboration avec T. Adorno, lui-même auteur d'une* Dialectique négative.

48. R. Ashley, « The Poverty of Neo-Realism », art. cité. Rappelons que la critique anti-structuraliste de Ashley s'adresse également au structuralisme marxiste, que ce soit celui – général – d'Althusser, ou celui – international – de Wallerstein.

Cette critique de Ashley résume parfaitement la deuxième dimension du credo post-positiviste du sujet et de l'objet comme « totalité intimement reliée dans un monde historique[49] » : non seulement la théorie n'existe pas indépendamment de la réalité, mais la réalité n'existe pas indépendamment de la théorie qui l'étudie, car elle est affectée par le langage qui la nomme, par les concepts qui la définissent, par les modèles qui se proposent d'en donner une représentation idéal-typique. Pour les approches radicales en Relations internationales, il ne saurait y avoir de théorie simplement explicative (ou même compréhensive, cf. chap. 1) de la réalité politique internationale : autant en sciences naturelles les théories sont des théories explicatives parce qu'il existe un monde naturel, extérieur, objectif, à celui qui l'étudie, autant en sciences sociales toute théorie est nécessairement constitutive, étant donné que la réalité du monde qu'étudie la théorie est elle-même façonnée par la pratique induite par cette théorie, vu que la façon dont nous analysons le monde social nous fait nous comporter d'une façon telle que nous imprimons notre marque sur celui-ci. Pour l'exprimer autrement, une théorie est non pas « une réaction cognitive à la réalité », mais bel et bien « une partie intégrante de la construction de celle-ci[50] », contribuant à faire d'elle ce qu'elle est.

Ainsi, dire que les États sont entre eux en état de guerre, que ce soit à cause de la nature humaine, comme l'affirme le réalisme classique, ou à cause de la structure anarchique, comme le dit le néoréalisme, amène à conseiller et à adopter sur la scène

---

49. R. Cox, « Towards A Post-Hegemonic Conceptualization of World Order. Reflections on the Relevancy of Ibn Khaldoun », dans E.-O. Czempiel et J. Rosenau (eds), Governance Without Government, *Cambridge, Cambridge University Press, 1992, p. 132-159.*

50. J. George, Discourses of Global Politics, op. cit., *p. 132.*

internationale une politique de course à la puissance conforme à l'adage « si tu veux la paix, prépare la guerre ». La théorie réaliste, loin de se contenter de décrire les relations interétatiques comme conflictuelles, sinon les constitue comme telles, en ce que la *Realpolitik* induite par l'analyse est susceptible de faire de celle-ci une prophétie auto-réalisante, mais du moins contribue à les reproduire comme telles, en excluant d'emblée la conception même d'une politique autre que le *self-help* qui permettrait de sortir de l'état de guerre[51]. De même, dire que l'individu *lambda* est incompétent en politique extérieure, et qu'il ne faut donc pas tenir compte de son avis lorsqu'il s'agit de prendre des décisions diplomatico-stratégiques, revient à réserver le monopole de la prise de décision en politique extérieure au prince souverain car, en excluant les citoyens de toute participation à la définition de l'intérêt national et des objectifs de la politique étrangère, on maintient, voire on renforce une ignorance postulée à l'origine, ignorance qui ne pourrait être combattue que grâce à la participation effective des citoyens, mais dont la reproduction finit par corroborer le postulat initial transformé en prophétie auto-réalisante[52]. Enfin, présenter la guerre extérieure comme activité assumée par des soldats-hommes disposés à sacrifier leur vie pour la protection de la mère-patrie reproductrice de l'identité nationale contribue, à la fois, à consolider la dichotomie masculinité militarisée/féminité

---

51. *Cette critique avait été faite dès 1983 par J. Vasquez, dans la première édition de son ouvrage* The Power of Power Politics, op. cit.

52. *Dans notre thèse :* Le Discours de l'intérêt national. Politique étrangère et démocratie, *Université d'Amiens, 1995, nous avons essayé de montrer le rôle joué par le discours réaliste de l'intérêt national dans cette reproduction du monopole tendanciel des gouvernants en matière de prise de décision diplomatico-stratégique.*

domestiquée, et à justifier le recours à la violence internationale sous prétexte de légitime défense nationale[53]. Cette violence est d'ailleurs également justifiée par les théories de la sécurité qui analysent les recours à la force à travers les traditions militaires occidentales et qui, ce faisant, voient dans les méthodes non conventionnelles de faire la guerre que sont le terrorisme suicidaire ou les sabotages non pas les formes de guerres auxquelles recourent les faibles pour pallier leur infériorité stratégique, mais des pratiques lâches et sournoises, ce qui revient *a contrario* à légitimer de façon a-critique les guerres menées contre la terreur globale et leurs dérives[54].

Bien entendu, disent les post-positivistes, cette faculté constitutive de la réalité qui est inhérente à toute théorie est indépendante du chercheur, de sa conscience, ou de sa bonne ou mauvaise foi ; il peut lui-même croire sincèrement dans le caractère objectif de ses recherches, mais celles-ci n'en sont pas moins constitutives de réalité. C'est ce que montre notamment l'approche post-moderniste.

---

53. Voir à ce sujet J. Elshtain, Women and War, *New York (N. Y.), Basic Books, 1987. Dans un ouvrage qu'elle a dirigé,* Just War Theory, *New York (N. Y.), Blackwell, 1991, J. Elshtain écrit aussi que la tradition de la guerre juste produit l'image des soldats masculins héroïques comme autant de « guerriers justes » protégeant les populations civiles féminines innocentes décrites comme de « belles âmes dévouées », et justifiant ce faisant la violence censée protéger les femmes tout en négligeant celle dont les femmes sont victimes. Cette critique ne l'a pas empêché de publier douze ans plus tard un plaidoyer en faveur de la guerre juste menée d'après elle par les États-Unis contre le terrorisme, que ce soit en Afghanistan ou en Irak :* Just War Against Terror : The Burden of American Power in a Violent World, *New York (N. Y.), Basic Books, 2003.*

54. Voir T. Barkawi, « The Pedagogy of Small Wars », International Affairs, *80 (1), janvier 2004, p. 19-37.*

Influencés par l'assaut nietzschéen contre l'idée même de vérité et de morale, partisans du « tournant linguistique » associé à Richard Rorty[55] considérant que toute recherche historique doit nécessairement s'intéresser au langage et au discours, adeptes de la méthode « généalogique » par l'intermédiaire de laquelle Michel Foucault[56], dans le cadre de son hypothèse des relations immanentes entre pouvoir et connaissance, s'était attaché à démontrer qu'un discours perçu de nos jours comme allant de soi n'est devenu légitime qu'en marginalisant les discours alternatifs, les post-modernistes se fixent pour objectif de démystifier les concepts, de problématiser les conventions, de désessentialiser les évidences, de dénaturaliser les fétiches. Ici encore, Ashley a joué un rôle essentiel. Appliquant aux Relations internationales les analyses de Jacques Derrida[57] voyant dans le monde non pas une réalité objective mais un texte ou, mieux, affirmant que le monde est constitué tel un inter/texte, avec pour conséquence que l'on ne peut y accéder qu'à travers l'interprétation/les ré-interprétations que l'on en donne[58],

---

55. *R. Rorty (ed.),* The Linguistic Turn, *Chicago (Ill.), University of Chicago Press, 1967. Voir aussi F. Beer et R. Hariman (eds),* Post-Realism. The Rhetorical Turn in International Relations, *East Lansing (Mich.), Michigan State University Press, 1996.*

56. *Voir à ce sujet M. Foucault,* L'Archéologie du savoir, op. cit.

57. *Voir à ce sujet J. Derrida,* De la grammatologie, *Paris, Minuit, 1967.*

58. *Entendons-nous bien : les post-modernistes ne nient pas le monde réel, ils nient la possibilité de pouvoir étudier le monde réel, et donc étudient des textes interprétant le monde réel. Cela dit, ils sont passablement contradictoires : ainsi, D. Campbell écrit en même temps que « rien n'existe en dehors du discours » et que « l'indéniable existence du monde en dehors de la pensée n'est pas un problème » – citations dans C. Wight, « Philosophy of Science and International Relations », art. cité.*

Ashley procède à la « déconstruction » par « double lecture » des concepts fondamentaux de la discipline, à commencer par le concept d'anarchie. Plutôt que d'être une donnée objective de la scène internationale qui s'imposerait comme « point de départ de toute réflexion théorique sur la vie internationale[59] », l'anarchie n'est en fait qu'une représentation contextuelle dont on ne peut saisir la signification que par opposition au concept de souveraineté avec lequel elle entretient des relations antonymiques : définie dans sa conception réifiée comme absence de toute autorité centrale au-dessus d'une multiplicité d'États ayant chacun des capacités et des intérêts différents, la notion d'anarchie n'est rien d'autre que l'antithèse de la notion de souveraineté dont elle valorise – *a contrario* – l'idéal régulatoire. Autrement dit, fonder les Relations internationales sur la problématique de l'anarchie a pour effet de représenter l'ordre interne de l'État souverain comme le fondement légitime et stable de la communauté politique moderne grâce à la représentation de l'ordre international non soumis à la souveraineté comme désordre instable et dangereux ; loin d'être des termes neutres ou équivalents, les notions de souveraineté et d'anarchie et, plus généralement, les oppositions « interne/externe, unité/diversité, nous/eux, identité/différence », etc.[60], constituent des couples conceptuels manichéens à forte charge normative, en faveur du premier de ces concepts et au détriment du second[61].

---

59. H. Bull, « Society and Anarchy in International Relations », art. cité, p. 75.

60. R. B. J. Walker, Inside/Outside, op. cit.

61. D'après les féministes, il en va de même des dichotomies conceptuelles public/privé, raison/passion, esprit/corps, culture/nature, objectivité/subjectivité, qui toutes traduisent, à partir d'un point de vue masculin, l'opposition homme-femme, en valorisant le premier et en dévalorisant la seconde.

Au-delà des valeurs qu'elle véhicule, la problématique de l'anarchie implique également deux conséquences pratiques, politiques, toujours d'après Ashley. D'un côté, les autorités de l'État sont amenées à réprimer toute trace d'anarchie, *id est* de dissidence, en leur sein, et à convertir les différences au sein des États souverains en différences entre États souverains, car c'est là la condition *sine qua non* pour que cette problématique continue de faire sens, en apparaissant comme allant de soi ; de l'autre, elles se doivent de cultiver l'anarchie internationale, tant « l'articulation constante du danger par la politique étrangère est non pas une menace pour l'existence et l'identité d'un État, [... mais...] la condition de sa possibilité[62] » comme État souverain protecteur de l'ordre interne, tant la « violence stratégique » à laquelle recourt un État ne sert pas seulement à « contrôler les frontières d'un État, mais aide à constituer celles-ci[63] », tant « l'anarchie dehors soutient la hiérarchie sexuée dedans[64] ».

Bref, le concept d'anarchie ne se contente pas de constater, d'étudier, et d'expliquer les relations internationales telles qu'elles sont. Croire qu'une théorie puisse accéder immédiatement, grâce à l'observation empirique, à la réalité politique internationale telle qu'elle est donnée là – *out there* –, c'est tomber dans le piège de la soumission au monde hypostasié en fétiche, c'est adhérer – consciemment ou inconsciemment – à l'ordre existant, érigé en seule réalité envisageable, c'est exclure *a priori* tout autre pratique

---

62. *D. Campbell,* Writing Security. United States Foreign Policy and the Politics of Identity, *Manchester, Manchester University Press, 1992, p. 12.*

63. *B. Klein,* Strategic Studies and World Order, *Cambridge, Cambridge University Press, 1994, p. 3.*

64. *C. Sylvester,* Feminist Theory and International Relations in A Postmodern Era, *Cambridge, Cambridge University Press, 1994, p. 104.*

politique, voire toute façon de penser autrement la politique. Que faire alors si toute théorie qui se contente d'expliquer – ou croit pouvoir se contenter d'expliquer – contribue en fait à produire et à reproduire la réalité qu'elle se propose d'analyser ? Que faire si toute théorie contribue à façonner le monde qu'elle étudie ? Que faire si la réalité que nous croyons objective est en fait créée – en partie en tout cas – par le discours que nous tenons sur elle ?

À cette question, les réponses apportées par les post-positivistes divergent. Car autant ils ont pour plus petit dénominateur commun le postulat de la nature constitutive de toute théorie en sciences sociales, autant ils se divisent lorsqu'il s'agit de tirer les conséquences du refus de la séparation entre sujet et objet de recherche en sciences sociales. Cette division a trait à la question de l'existence ou non d'« un ensemble de données empiriques auxquelles se référer pour évaluer le caractère neutre ou objectif de nos connaissances du monde », à la question de la possibilité ou non d'une « connaissance ultime, [...] qui corresponde effectivement à la réalité *per se*[65] ». Selon les théoriciens critiques – et les féministes libérales, marxistes, et *stand-point* –, la réponse à cette question est affirmative : les connaissances que nous avons, en sciences sociales, sur le monde en général et les relations internationales en particulier, peuvent être évaluées à l'aide de procédés neutres, et il est *in fine* possible de juger de la véracité ou de la fausseté d'un énoncé ; selon les féministes post-modernes[66] et les post-modernistes en général, la réponse est au contraire négative : il n'y a pas de fondement méta-théorique, *id est* au-dessus ou au-delà

---

65. *J. George,* Discourses of Global Politics, op. cit., *p. 24.*
66. *Sur l'évolution du féminisme post-moderniste, voir les trois dossiers de la revue* Millennium *publiés à dix années d'intervalle : 17 (3), décembre 1988 ; 27 (4), décembre 1998 ; 37 (1), janvier 2008.*

d'une théorie particulière ; il n'y a pas de point d'Archimède qui nous permette de juger de la véracité ou de la fausseté de celle-ci ; il n'y a pas de base empirique indépendante permettant de tester des énoncés, car toute théorie délimite elle-même les faits par rapport auxquels évaluer sa validité et par rapport auxquels les énoncés d'une théorie rivale ne sauraient être testés[67]. À mi-chemin entre les premiers et les seconds, les post-colonialistes ne croient quant à eux nullement en l'universalisme des énoncés scientifiques quels qu'ils soient mais, refusant tout relativisme, pensent néanmoins que la multiplicité des perspectives doit permettre la production de savoirs diversifiés susceptibles de saisir le monde dans une authentique globalité.

Critique, au sens où, par opposition aux théories *problem-solving*, elle « s'écarte de l'ordre dominant du monde et se demande d'où il vient », la théorie critique se veut également utopique, tant elle est sous-tendue par « un choix normatif en faveur d'un ordre social et politique différent de l'ordre prédominant[68] ». Exprimé autrement, elle estime possible de différencier, au sein du monde réellement existant, ce qui relève des invariants de l'activité sociale et ce qui relève de l'arbitraire humain, et ne désespère pas de substituer aux théories « réifiant la *techné* » une « praxis émancipatoire[69] ». C'est

---

67. *Dans ses présentations synthétiques sur l'évolution et l'état de la discipline, S. Smith qualifie ces deux positions de « fondationnaliste » et de « antifondationnaliste ». Toutes les théories positivistes, ou orthodoxes, ou* mainstream, *ou rationalistes, sont bien sûr fondationnalistes. La même typologie est utilisée dans le manuel de A. MacLeod et D. O'Meara (dir.),* Théories des relations internationales, op. cit.

68. *R. Cox, « Social Forces, States and World Orders », art. cité.*

69. *J. George,* Discourses of Global Politics, op. cit., *p. 151 et 152.*

dans cette perspective que Cox applique aux relations internationales le concept d'hégémonie. Défini non pas au sens commun de simple relation impériale ou de domination politique exercée par un État, mais au sens gramscien[70] d'ordre fondé sur une domination non ressentie comme telle par ceux qui la subissent, ce concept lui permet à la fois de donner une explication de l'ordre existant alternative à celle proposée par les néoréalistes ou les néolibéraux et au-delà, à travers la notion associée de contre-hégémonie, d'« illuminer la question de l'émancipation dans la politique mondiale[71] ». Plus précisément, Cox estime que l'anarchie des relations internationales cache un ordre hégémonique, suite à la capacité d'un État – en l'occurrence les États-Unis de nos jours – à « proposer et à protéger un ordre mondial universel dans sa conception, c'est-à-dire compatible avec les intérêts des autres États[72] ». Se manifestant sous la forme de normes légitimées et reproduites par les organisations internationales qui ne sont elles-mêmes que le produit de l'ordre existant, cet ordre hégémonique est loin d'être une matrice exclusivement interétatique : conséquence de « l'expansion externe de l'hégémonie interne établie par une classe sociale dominante », il est

70. *A. Gramsci,* Quaderni del Carcere *(1929-1935), Turin, Einaudi, 1975.*

71. *R. Wyn-Jones,* Critical Theory and World Politics, op. cit., *p. 9.*

72. *R. Cox, « Gramsci, Hegemony and International Relations »,* Millennium, *12 (2), été 1983, p. 162-175. Malgré une conception différente de la notion d'hégémonie, l'analyse de Cox rappelle les théories réalistes de la stabilité hégémonique de Kindleberger et des cycles hégémoniques de R. Gilpin (cf. chap. 12 et 13). Il est d'ailleurs à noter que la carrière académique de Cox démarre de la même façon que celle de Gilpin : sous forme d'une contribution au colloque* Transnational Relations and World Politics *de R. Keohane et J. Nye,* op. cit., *p. 204-234 : « Labor and Transnational Relations ».*

en fait fondé sur les capacités de la société civile de cet État à opérer à l'échelle mondiale, à créer ce que Gramsci avait appelé un « bloc historique », en diffusant ses « institutions sociales et économiques, sa culture et sa technologie » comme autant de « modèles à l'étranger[73] ». Voilà pourquoi c'est au sein des forces sociales qu'il faut aller chercher les traces d'un éventuel changement de l'ordre existant, en favorisant la création d'un bloc historique contre-hégémonique, composé des marginaux dans les pays du centre et des nouvelles classes ouvrières générées par l'internationalisation du mode de production capitaliste.

Loin d'avoir été découragé par la fin de la guerre froide et le triomphe apparent de ce qu'il considère être du capitalisme mondialisé, Cox reprend la même idée face à ce qu'il estime être les méfaits de la globalisation économique. Celle-ci, écrit-il, représente une phase majeure de restructuration de l'ordre mondial, en ce que l'intégration accélérée des marchés nationaux, couplée à la privatisation et à la dérégulation, libère les forces du marché au profit des classes privilégiées. Gérer les conséquences néfastes de ce processus que sont « les conflits sociaux dus à la polarisation entre riches et pauvres, le recours à des formes violentes de protestations, les risques d'effondrement financier, et la menace d'une crise biosphérique[74] », tout en sauvegardant une justice sociale équitable, exige d'après lui l'émergence d'un large contre-mouvement social

---

73. Ibid. *Le concept gramscien de « bloc historique » de Cox entretient des affinités avec les notions de « puissance structurelle » et d'« empire transnational » de S. Strange (cf. chap. 13).*

74. *R. Cox, « Power and Knowledge : Towards a New Ontology of World Order », dans R. Cox et M. Schechter (eds),* The Political Economy of a Plural World : Critical Reflections on Power, Morals and Civilisation, *Londres, Routledge, 2002, p. 76-95.*

seul susceptible de contenir « les excès du capitalisme hyper-libéral globalisé[75] ».

De même, Andrew Linklater est lui aussi désireux de proposer une théorie de la politique mondiale « contribuant à l'émancipation de l'espèce humaine[76] ». Moins inspiré par Marx à travers Gramsci que par Kant à travers Habermas[77] ou, pour être plus précis, désireux de « reconstruire le projet critique » en « préservant les atouts des perspectives kantienne et marxienne tout en effaçant leurs faiblesses profondes[78] », Linklater accorde davantage d'importance aux mouvements de la sphère morale-culturelle qu'aux évolutions du mode de production. Fixant à la théorie critique l'objectif de contribuer à la « transformation de la communauté politique » fondée jusqu'à ce jour sur l'inclusion des citoyens et l'exclusion des étrangers, il procède à une analyse sociologique du processus de globalisation-fragmentation en cours – déjà décrit par Kant et Marx justement (cf. chap. 2) – pour en déduire normativement, et dans une perspective résolument universaliste, les opportunités qui

---

75. *R. Cox, « The International in Evolution »,* Millennium, *35 (3), septembre 2007, p. 513-527. Dans sa contribution à l'ouvrage collectif de C. Reus-Smit et D. Snidal (eds),* The Oxford Handbook of International Relations, op. cit., *R. Cox récidive dans son attachement à une théorie émancipatoire, comme l'indique le titre « The Point Is not just to Explain the World But to Change It », reprise quasiment mot par mot de la onzième thèse de Marx sur Feuerbach.*

76. *A. Linklater,* Beyond Realism and Marxism. Critical Theory and International Relations, *Basingstoke, Macmillan, 1990, p. 8.*

77. *Sur les différents apports de Habermas à la discipline des Relations internationales, voir notamment le « Forum on Habermas »,* Review of International Studies, *31 (1), janvier 2005, p. 127-209.*

78. *A. Linklater,* The Transformation of Political Community, *Cambridge, Polity Press, 1998, p. 5.*

s'offrent à la création de ce qu'il appelle une « communauté communicationnelle (*dialogic community*) » : conçue comme une entité dont les membres, rationnels et guidés par une visée d'entente, entretiennent des relations fondées sur le langage, moyennant des réunions publiques d'information ou de débat, une telle communauté est susceptible tout à la fois de promouvoir les droits universels de tous, de respecter les droits à la différence pour chacun, de réduire les inégalités matérielles, et ce aussi bien au niveau national qu'au niveau cosmopolite[79].

Bref, les disciples d'un Siècle des Lumières revisité que sont Cox et Linklater[80] estiment que si toute théorie est constitutive de réalité, il est possible de remplacer les théories qui reproduisent la réalité déjà existante par celles qui, en déconstituant l'ordre dominant, contribuent à transformer celui-ci et à le reconstituer en une nouvelle réalité, non pas tellement en dessinant, comme le faisaient les marxistes critiques, « le modèle d'une société future qui doit être l'objectif final à atteindre [..., mais...] en se concentrant sur les possibilités de déclenchement d'un mouvement social[81] » capable

---

79. Linklater se rapproche ici de la notion de démocratie cosmopolite de D. Held, Democracy and the Global Order. From the Modern State to Cosmopolitan Governance, *Cambridge, Polity Press, 1995, lui aussi influencé par la lecture de Kant proposée par J. Habermas,* La Paix perpétuelle. Le bicentenaire d'une idée kantienne, *Paris, Cerf, 1996, ainsi que :* Die postnationale Konstellation. Politische Essays, *Francfort, Suhrkamp, 1998.*

80. En dehors des analyses de portée générale proposées par Cox et Linklater, la théorie critique a également connu une application sectorielle, dans les domaines de l'économie politique internationale, avec S. Gill notamment (cf. chap. 13), et de la sécurité, avec K. Booth notamment (cf. chap. 14).

81. R. Cox, Production, Power and World Order, *New York (N. Y.), Columbia University Press, 1987, p. 393.*

de diriger « les dimensions progressives » des contradictions existantes « contre les contraintes superflues[82] ».

Cette croyance en la capacité d'une théorie à « changer non pas notre point de vue sur le monde, mais le monde[83] », qui caractérise également certaines féministes comme Cynthia Enloe, lorsqu'elle montre en quoi la lutte des mères de soldats soviétiques engagés en Afghanistan a contribué à la délégitimisation de l'URSS et à sa dislocation finale[84], est aussi partagée par les auteurs postcolonialistes qui, non seulement désireux de « décoloniser les Relations Internationales[85] » en les « mondialisant[86] » après avoir « provincialisé l'Europe[87] », cherchent aussi et surtout à rendre visibles les subalternes dans l'espoir « d'agir sur un monde en mouvance dans un esprit émancipateur[88] ». En la matière, la volonté de redécouvrir des auteurs anciens autres que les traditionnels Thucydide et Machiavel, et pourquoi pas Ibn Khaldoun, le dispute à celle de voir le monde contemporain différemment grâce au

---

82. *A. Linklater,* The Transformation of Political Community, op. cit., *p. 6.*

83. *M. Hoffmann, « Critical Theory and the Inter-Paradigm Debate », art. cité.*

84. *Voir C. Enloe,* The Morning After. Sexual Politics at the End of the Cold War, *Berkeley (Calif.), California University Press, 1993.*

85. *Allusion à l'ouvrage de B. Gruffyd Jones (ed.),* Decolonizing International Relations, *Londres, Rowman & Littlefield, 2006.*

86. *Allusion à la collection* Worlding Beyond the West *dirigée par A. B. Tickner et O. Waever chez l'éditeur Routledge à Londres.*

87. *Allusion à l'ouvrage de D. Chakrabarty,* Provincialiser l'Europe. La pensée postcoloniale et la différence historique *(2000), Paris, Éd. Amsterdam, 2009.*

88. *A. Benessaieh, « La perspective post-coloniale », art. cité.*

« déplacement de perspective[89] » que permet la prise en compte de la voix des « damnés[90] » de la discipline occidentalo-centrée des Relations internationales. Concrètement, le « réalisme subalterne » d'un Mohamed Ayoob[91] qui fait partir l'analyse portant sur les États du Tiers Monde d'un postulat néoréaliste inversé – anarchie en interne, hiérarchie en externe – en vue de favoriser l'émergence d'une société internationale – au sens de l'École anglaise – authentiquement pluraliste, côtoie des recherches plus originales portant sur les migrants, les réfugiés, les enfants du Tiers monde à partir d'analyses de documents peu conventionnels exprimant directement le point de vue de ces derniers – témoignages oraux, lettres privées, journaux personnels, fictions littéraires, chansons populaires[92] : ainsi, Anna Agathangelou étudie l'exploitation des employées domestiques migrantes comme travailleuses du sexe et y voit une forme de marchandisation et de chosification liée à la mondialisation, alors que Geeta Chowdry dévoile l'hypocrisie des discours occidentaux des droits de l'homme au vu du rôle des entreprises multinationales occidentales dans la délocalisation des industries permettant d'employer des enfants auxquels ne

---

89. A. B. Tickner, « Seeing IR Differently », art. cité.

90. Allusion à F. Fanon, Les Damnés de la terre *(1961), Paris, La Découverte, 2002, l'un des inspirateurs indirects de l'approche post-coloniale, à côté d'E. Said,* L'Orientalisme, op. cit.

91. M. Ayoob, « Inequality and Theorizing in International Relations : The Case for Subaltern Realism », International Studies Review, *4 (3), automne 2002, p. 27-48.*

92. Recueillir ces matériaux pose le problème de la méthode : G. Spivak, Les Subalternes peuvent-elles parler ?, *Paris, Éd. Amsterdam, 2009, estime ainsi qu'un acteur subalterne ne saurait communiquer sur un pied d'égalité avec un chercheur non subalterne, ce dernier étant* in fine *un vecteur de reproduction des structures de la domination néocoloniale.*

s'appliquent pas les normes sociales en vigueur dans les pays d'origine de ces multinationales[93].

Un tel « parti pris humaniste[94] » n'existe pas chez les post-modernistes. Affirmant que tous les objets et sujets de la réalité sont construits socio-linguistiquement, les post-modernistes estiment, à la suite de Jean-François Lyotard définissant le post-modernisme comme l'« incrédulité envers toute méta-narrative[95] », qu'il n'y a pas de vérité universelle, ou absolue, mais seulement des régimes de vérité, pour reprendre le terme de Foucault, pour qui « la vérité n'est pas hors pouvoir ni sans pouvoir[96] » et selon qui ce qui est vrai ou faux dépend de la perspective particulière adoptée au sein d'un certain discours à prétention scientifique, tant les faits par rapport auxquels tester les énoncés scientifiques sont non seulement *theory-laden*, mais *theory-determined* : par exemple, « la composition organique du capital et le taux de profit représentent des "faits" clés pour la plupart des marxistes, mais sont tout bonnement ignorés des réalistes[97] ». Pas question pour eux de croire comme Habermas en la possibilité de démystifier les « rapports idéologiquement figés mais en principe modifiables[98] », tant « il n'y a pas de significations fixes,

---

93. *Les deux études se trouvent dans G. Chowdhry et S. Nair (eds),* Power, Post-Colonialism and International Relations : Reading Race, Gender and Class, *Londres, Routledge, 2002.*

94. *A. Benessaieh, « La perspective post-coloniale », art. cité.*

95. *J.-F. Lyotard,* La Condition post-moderne, *Paris, Minuit, 1979.*

96. *M. Foucault,* Dits et écrits II, 1976-1988, *Paris, Gallimard, 2001, p. 158.*

97. *D. O'Meara, « Sortir d'un long sommeil. Comment évaluer et comparer les théories en Relations internationales », dans A. MacLeod et D. O'Meara (dir.),* Théories des relations internationales, op. cit., *p. 402.*

98. *J. Habermas, « La science et la technique comme idéologie », art. cité, p. 149. Rappelons que Habermas a fortement*

de fondements sûrs, de structures finales de l'histoire. [...] Il n'y a que de l'interprétation. L'histoire elle-même est une série d'interprétations imposées à d'autres interprétations – aucune originelle, toutes arbitraires[99] ». Tout au contraire, et parce qu'ils refusent l'idée même de progrès ou d'évolution historique, les post-modernistes reprochent aux théoriciens critiques, qui ne désespèrent pas de « dévoiler les contradictions internes à l'ordre existant, parce que c'est de la connaissance de ces contradictions que peut naître le changement[100] », d'avoir une position fondamentalement compatible avec celle des positivistes croyant, à l'image de Morgenthau, en la thèse de la vérité comme correspondance, c'est-à-dire « en la possibilité de distinguer en politique entre la vérité et l'opinion, entre ce qui est vrai objectivement et rationnellement, soutenu par l'évidence et éclairé par la raison, et ce qui est seulement un jugement subjectif, séparés des faits tels qu'ils sont, et animé par un préjugé et une pensée mue par le désir[101] ».

Il s'ensuit, pour les post-modernistes, qu'il n'y a pas que le réalisme qui soit un « discours du pouvoir et de régulation de la vie globale moderne[102] », qu'il n'y a pas que le néoréalisme qui « tende à exclure des agendas cachés et à ignorer les complaintes émises au sujet du fonctionnement du système en provenance des sans-privilège, des non-affranchis, et des générations futures[103] » : étant

---

critiqué le post-modernisme dans Le Discours philosophique de la modernité, *Paris, Gallimard, 1988.*

99. R. Ashley, « The Geopolitics of Geopolitical Space », Alternatives, *12, octobre 1987, p. 403-434.*

100. R. Cox, Production, Power and World Order, op. cit., *p. 393.*

101. H. Morgenthau, Politics Among Nations, op. cit., *p. 4.*

102. R. Ashley, « The Geopolitics of Geopolitical Space », art. cité.

103. J. George, Discourses of Global Politics, op. cit., *p. 134.*

donné que « le pouvoir est partie intégrante de toutes les pratiques discursives, de nos façons de penser et d'agir, de la façon dont nous sommes définis comme penseurs et acteurs[104] », tout concept véhicule nécessairement une visée dominatrice ou oppressive, et aboutit à réprimer les pratiques dissidentes, à excommunier les discours anticonformistes, à surveiller et à punir les tendances déviantes.

Il en va ainsi, par exemple, des notions de « quasi-État » ou d'« État en panne ». *A priori*, ces notions ont été forgées pour rendre compte de la diversité de l'entité universelle « État », postulée de façon a-historique et a-spatiale dans les approches dominantes, parce que censée être unitaire et rationnelle. On pourrait donc estimer qu'elles participent de la problématisation des vérités reçues, qui est l'un des objectifs fixés à la recherche théorique par l'ensemble des post-positivistes, y compris les post-modernistes ; pourtant, d'après Ashley, ces notions n'en contribuent pas moins aux « pratiques cognitives normalisées[105] ». Pourquoi ? Parce que tout en prenant en compte la diversité du réel social, ces notions ne font jamais que référence à des cas empiriques d'États déviant par rapport au modèle essentialiste de l'État souverain exemplaire tel que conçu par le discours orthodoxe[106], et par là même non seulement elles réhabilitent *a contrario* celui-ci dans le domaine

---

104. Ibid., *p. 157. En voyant partout à l'œuvre le pouvoir/la puissance, le post-modernisme peut être qualifié d'« image-miroir » du réalisme, comme l'affirment J. Sterling-Folker et R. Shinko, « Discourses of Power : Traversing the Realist-Post-modern Divide »,* Millennium, *33 (3), décembre 2005, p. 637-664.*

105. R. Ashley, « Imposing International Purpose. Notes on A Problematic of Governance », dans E.-O. Czempiel et J. Rosenau (eds), Global Changes and Theoretical Challenges, *Lexington (Ky.), Lexington Books, 1989, p. 269.*

106. Pour des critiques post-modernistes de la notion de souveraineté, voir J. Bartelson, A Genealogy of Sovereignty,

des connaissances théoriques, mais aussi exercent *nolens volens*, en tant que théorie comme *praxis*, des pressions en faveur de l'« aide » militaire ou autre à ces États et de l'intervention « humanitaire » dans ces États, en vue de faire cesser leur caractère déviant de *collapsed state*[107].

Même chose pour la notion de *skilfull individual* proposée par James Rosenau (cf. chap. 6). Voilà encore un concept novateur, en ce qu'il reconnaît à l'individu *lambda* le statut d'acteur à part entière en politique mondiale, rompant ainsi avec le préjugé réaliste de la scène internationale réservée au Prince et à son cabinet noir. Pourtant, d'après Sylvester, en ignorant la dimension sexuée de cette problématique, en négligeant que l'ordre existant est caractérisé par des hiérarchies sexuées défavorables aux femmes, Rosenau omet de montrer que l'augmentation de la compétence politique internationale de certains individus (des hommes) s'est faite au détriment de la compétence politique internationale d'autres individus (des femmes), de même qu'il oublie que les réseaux libres de toute souveraineté qui se forment rendent souverainement invisibles les compétences des femmes, telles que celles des secrétaires de l'ONU, dont la présence

---

Cambridge, Cambridge University Press, 1995, ainsi que C. Weber, Simulating Sovereignty, *Cambridge, Cambridge University Press, 1995.*

107. La notion de quasi-État est due à R. Jackson, Quasi-States. Sovereignty, International Relations and the Third World, *Cambridge, Cambridge University Press, 1993 ; celle de* failed state *est développée chez G. Helman et S. Ratner, « Saving Failed States »,* Foreign Policy, *89, hiver 1992-1993, p. 3-20 ; celle de* collapsed state *a été forgée par W. Zartmann,* Collapsed States. The Desintegration and Restoration of Legitimate Authority, *Boulder (Colo.), Lynne Rienner, 1995.*

indispensable au bon fonctionnement de l'organisation n'est jamais traduite dans la pratique internationale de celle-ci[108].

Bref, d'après les post-modernistes, tout discours est vecteur à la fois de liberté et d'oppression, de libération et de domination, d'ouverture et de fermeture, et en Relations internationales, ce relativisme ou, mieux, ce perspectivisme[109] généralisé[110] les a logiquement amenés à abandonner toute recherche autre que

---

108. C. Sylvester, Feminist Theory and International Relations in a Postmodern Era, op. cit.

109. Par opposition au relativisme, qui stipule que toutes les croyances ou propositions sont également valables parce qu'il n'y a aucune base rationnelle pour en choisir une plutôt qu'une autre, le perspectivisme consiste à considérer toute croyance ou proposition comme étant conditionnée par la perspective, le contexte, la tradition historique, sociopolitique, culturelle, raciale, de genre, etc., dans laquelle elle est ancrée. Qualifier le post-modernisme de « relativiste », c'est bien sûr adopter un jugement négatif à son égard, ce qui n'est pas le cas lorsque l'on emploie l'adjectif « perspectiviste », qui au contraire, dans la foulée de M. Foucault, souligne la primauté du projet postmoderniste désireux de résister à l'arbitraire des interprétations dominantes et d'ouvrir des espaces de pensée au-delà de la rationalité ocidentale. Sur cette différence, voir D. Grondin, « Le post-modernisme », dans A. MacLeod et D. O'Meara (dir.), Théories des relations internationales, op. cit., *p. 255-280.*

110. J. Vasquez, « The Post-Positivist Debate. Reconstructing Scientific Enquiry and International Relations Theory After Enlightenment's Fall », dans S. Smith et K. Booth (eds), International Relations Theory Today, op. cit., *p. 217-240, estime que le relativisme auquel aboutit le post-modernisme constitue la contradiction logique à laquelle il finit par succomber. En effet, d'après les post-modernistes, toute réalité est une construction sociale, et rien n'est jamais « vérité ». Donc, le postmodernisme lui-même n'est autre qu'une construction sociale arbitraire : en affirmant qu'il n'existe aucune vérité, il se contredit lui-même, étant donné que l'énoncé « il n'y aucune vérité » n'est lui-même pas vrai... Bref, le post-modernisme est victime du paradoxe du Crétois cher à K. Mannheim : « Un Crétois m'a dit que tous les Crétois étaient des menteurs... ».*

dé-constructive, inter/textuelle et généalogique, consistant *in fine* à poser des questions du genre « "Comment est constituée ou racontée la réalité ? Quelle est la ou les significations de cet événement ? Qu'est-ce qui fait que cet événement est plus important qu'un autre ?", qui entraînent des réponses, toujours incomplètes, qui nécessitent toujours d'autres questions[111] », etc.

Une telle attitude, qui découle de la remise en cause des fondements même de la discipline, récusée à la fois dans sa façon de rendre compte de son évolution *ante*-disciplinaire[112] et dans son choix de niveaux d'analyses[113], risque de s'exposer à la critique kuhnienne : rejeter un paradigme sans lui en substituer simultanément un autre revient à rejeter la science elle-même, ce qui constitue un acte nihiliste déconsidérant l'être humain (sinon l'homme...) lui-même et non pas seulement la science[114].

---

111. D. Grondin, « Le post-modernisme », art. cité. Pour des exemples d'études empiriques allant dans ce sens, voir les travaux de J. Der Derian sur la diplomatie (J. Der Derian, On Diplomacy. A Genealogy of Western Estrangement, *Oxford, Blackwell, 1987, ainsi que J. Der Derian,* Antidiplomacy. Spies, Terror, Speed and War, *Oxford, Blackwell, 1992) ; les recherches de D. Campbell sur la politique étrangère américaine pendant la guerre du Golfe (*Politics Without Principle. Sovereignty, Ethics, and the Narratives of the Gulf War *; Boulder (Colo.), Lynne Rienner, 1993), et pendant l'intervention en Bosnie (*National Deconstruction. Violence, Identity, and Justice in Bosnia *; Minneapolis (Minn.), Minnesota University Press, 1998) ; les recherches sur la notion de sécurité (D. Campbell,* Writing Security, op. cit., *B. Klein,* Strategic Studies and World Order, op. cit.*)*

112. Voir R. B. J. Walker, Inside/Outside, op. cit.

113. Voir J. A. Tickner, Gender in International Relations, *New York (N. Y.), Columbia University Press, 1992.*

114. Cette critique prend toute son ampleur lorsque l'on voit la posture post-moderniste aboutir à des querelles de clocher

Sans aller aussi loin, Robert Keohane a, dès la fin des années 1980, fait remarquer que les théoriciens réflexivistes, *id est* post-positivistes radicaux, se devraient de proposer des recherches empiriques pour que leur approche puisse avoir des retombées fructueuses dans la discipline : « Les approches réflexivistes ont [...] davantage mis le doigt sur les insuffisances des théories rationalistes qu'elles n'ont été capables de proposer des théories avec un contenu propre. Les adeptes de ce programme de recherche doivent développer des théories susceptibles d'être testées [... et...] surtout, doivent entreprendre des enquêtes empiriques systématiques, guidées par leurs idées. Sans de telles études détaillées, il ne sera pas possible d'évaluer leur apport[115] ».

Une dizaine d'années plus tard, il a endossé une deuxième fois son rôle de gardien éclairé du temple des Relations internationales *mainstream* et a appliqué le même raisonnement aux féministes,

---

entre féministes post-modernistes et post-modernistes non féministes : alors que les post-modernistes masculins reprochent au discours féministe d'être un discours de pouvoir parmi d'autres, les féministes post-modernistes voient dans le discours postmoderniste non féministe une tentative masculine parmi d'autres de marginaliser les femmes... À leur tour, les postcolonialistes reprochent aux post-modernistes qui s'intéressent au subalterne et à l'altérité dans leur mise en perspective des régimes de vérité de la rationalité occidentale de n'être précisément rien d'autre que le dernier avatar de la (duplicité de cette) rationalité occidentale.

115. R. Keohane, « International Institutions. Two Approaches », art. cité. R. Keohane a été rejoint dans sa critique par des auteurs davantage ouverts aux approches radicales, tels que D. Jarvis, International Relations and the Challenge of Postmodernism, *Columbia (S. C.), University of South Carolina Press, 2000, qui reproche aux post-modernistes d'avoir échoué à proposer une quelconque innvation théorique susceptible de faire progresser notre compréhension des relations internationales.*

en se disant prêt à « ajouter les femmes » aux théories existantes à partir du moment où le genre comme hiérarchiee socialement construite est abordé comme « variable » susceptible d'entraîner des « questions pertinentes » pour l'étude des relations internationales à partir de modèles de recherches fondés sur l'inférence et la réfutation[116].

Exprimant ce que Richard Bernstein a appelé « l'anxiété cartésienne » provoquée par la fin de toute certitude scientifique à laquelle aboutit la posture post-moderniste[117], les propositions de Keohane ont été ignorées par les post-modernistes qui, cohérent(e)s avec eux(elles)-mêmes, estiment que les théories en Relations internationales sont moins intéressantes en tant que tentatives substantielles d'explication de la politique mondiale qu'en tant qu'expression de frontières disciplinaires qui – elles – nécessitent une explication[118]. Mais elle semble avoir été entendue par d'autres

---

116. R. Keohane, « Beyond Dichotomy : Conversations between International Relations and Feminist Theory », International Studies Quarterly, *42 (1), mars 1998, p. 193-198. Voir la réponse de J. A. Tickner, « What Is your Research Program ? Some Feminist Answers to International Relations Methodological Questions »,* International Studies Quarterly, *49 (1), mars 2005, p. 1-21, selon qui la recherche féministe est guidée par le postulat des relations internationales comme relations de genre parmi d'autres, par une épistémologie réflexiviste, par un intérêt cognitif émancipatoire, et par le refus des méthodes quantitatives, ce qui revient à refuser la conception* malestream *de la recherche défendue par Keohane.*

117. R. Bernstein, Beyond Objectivism and Relativism : Science, Hermeneutics, and Praxis, *Oxford, Blackwell, 1983, p. 16 et suiv.*

118. R. Ashley et R. B. J. Walker (eds), « Speaking the Language of Exile. Dissident Thought in International Studies », numéro spécial, International Studies Quarterly, *34 (3), septembre 1990. Il existe quelques rares post-modernistes désireux de proposer une théorie alternative aux approches* mainstream

auteurs qui, bien que réceptifs aux critiques post-positivistes, n'en ont pas moins refusé de jeter le bébé scientifique avec l'eau du bain positiviste. Ces auteurs sont à l'origine du constructivisme en Relations internationales : davantage intéressés par l'étude de la construction de la réalité sociale que par les recherches sur la construction sociale de la connaissance[119], les constructivistes, sous-entendu modernistes, conventionnels, *soft*, cherchent à établir un pont entre approches positivistes et approches post-positivistes en combinant l'épistémologie positiviste avec une ontologie post-positiviste.

Bibliographie

Depuis les années 1980, les Relations internationales font l'objet d'un débat métathéorique provoqué par l'irruption d'approches post-positivistes. Pour aborder la théorie critique, le post-modernisme, les approches féministes et la perspective post-colonialiste, voir les articles synthétiques dans les manuels ainsi que :

LAPID (Yosef), « The Third Debate. On the Prospects of International Theory in a Post-Positivist Era », *International Studies Quarterly*, 33 (3), septembre 1989, p. 235-254.

SMITH (Steve), « Positivism and Beyond », dans Steve Smith, Ken Booth et Marysia Zalewski (eds), *International Theory.*

qui ne se contente pas de déconstruire ces dernières : voir B. Blair, « Revisiting the Third Debate (1) », Review of International Studies, *37 (2), avril 2011, p. 825-854.*

119. Sur cette distinction qui est en même temps une complémentarité, voir S. Guzzini, « A Reconstruction of Constructivism in International Relations », European Journal of International Relations, *6 (2), juin 2000, p. 147-182.*

Positivism and Beyond, Cambridge, Cambridge University Press, 1996, p. 11-44.

S'inscrivant dans une filiation marxiste teintée de kantisme, la théorie critique s'inspire de Gramsci et de l'École de Francfort :

ASHLEY (Richard), « Political Realism and Human Interests », *International Studies Quarterly*, 25 (2), juin 1981, p. 204-246.

ASHLEY (Richard), « The Poverty of Neo-Realism » (1984), dans Robert Keohane (ed.), *Neorealism and Its Critics*, New York (N. Y.), Columbia University Press, 1986, p. 255-300.

AYERS (Alison) (ed.), *Gramsci, Political Economy, and International Relations Theory*, Basingstoke, Palgrave-Macmillan, 2008, 258 p.

COX (Robert), « Gramsci, Hegemony and International Relations », *Millennium*, 12 (2), été 1983, p. 162-175.

COX (Robert), « Social Forces, States and World Order » (1981), dans Robert Keohane (ed.), *Neorealism and Its Critics*, New York (N. Y.), Columbia University Press, 1986, p. 204-254.

COX (Robert), *Production, Power and World Order. Social Forces in the Making of History*, New York (N. Y.), Columbia University Press, 1987, 500 p.

COX (Robert) et SINCLAIR (Timothy), *Approaches to World Order*, Cambridge, Cambridge University Press, 1996, 552 p.

HOFFMANN (Mark), « Critical Theory and the Inter-Paradigm Debate », *Millennium*, 16 (2), été 1987, p. 231-250.

LINKLATER (Andrew), *Beyond Realism and Marxism. Critical Theory and International Relations*, Basingstoke, Macmillan, 1990, 205 p.

LINKLATER (Andrew), *The Transformation of Political Community*, Cambridge, Polity Press, 1998, 264 p.

NEUFELD (Mark), *The Restructuring of International Relations Theory*, Cambridge, Cambridge University Press, 1995, 174 p.

RENGGER (Nicholas) *et al.*, « Critical International Relations Theory after 25 Years », numéro spécial, *Review of International Studies*, 33, supplément, avril 2007.

WORTH (Owen), « Recasting Gramsci in International Politics », *Review of International Studies*, 37 (1), 2011, p. 373-392.

WYN-JONES (Richard), *Critical Theory and World Politics*, Boulder (Colo.), Lynne Rienner, 2001, 260 p.

L'approche post-moderniste, influencée par Nietzsche et Heidegger, applique dans le domaine des Relations internationales les analyses de Foucault, Derrida, Lyotard, Rorty, etc.

ASHLEY (Richard), « The Geopolitics of Geopolitical Space », *Alternatives*, 12, octobre 1987, p. 403-434.

ASHLEY (Richard), « Untying the Sovereign State. A Double Reading of the Anarchy Problematique », *Millennium*, 17 (2), été 1988, p. 227-262.

ASHLEY (Richard) et WALKER (Robert B. J.) (eds), « Speaking the Language of Exile. Dissident Thought in International Studies », *International Studies Quarterly*, 34 (3), septembre 1990, p. 259-416.

DER DERIAN (James), *On Diplomacy. A Genealogy of Western Estrangement*, Oxford, Blackwell, 1987, 258 p.

DER DERIAN (James) et SHAPIRO (Michael) (eds), *International/Intertextual Relations. Postmodern Readings in World Politics*, Lexington (Ky.), Lexington Books, 1989, 354 p.

DER DERIAN (James), *Antidiplomacy. Spies, Terror, Speed and War*, Oxford, Blackwell, 1992, 216 p.

GEORGE (Jim), *Discourses of Global Politics. A Critical (Re) Introduction to International Relations*, Boulder (Colo.), Lynne Rienner, 1994, 266 p.

WALKER (Robert J.), « Realism, Change and International Political Theory », *International Studies Quarterly*, 31 (3), mars 1987, p. 65-86.

WALKER (Robert J.), *One World, Many Worlds*, Boulder (Colo.), Lynne Rienner, 1988, 176 p.

WALKER (Robert J.), *Inside/Outside. International Relations as Political Theory*, Cambridge, Cambridge University Press, 1993, 234 p.

Inspirée par Simone de Beauvoir, l'approche féministe est représentée entre autres par :

ELSHTAIN (Jane), *Women and War*, New York (N. Y.), Basic Books, 1987, 288 p.

ENLOE (Cynthia), *Bananas, Beaches and Bases*, Berkeley (Calif.), University of California Press, 1989, 244 p.

ENLOE (Cynthia), *The Morning After. Sexual Politics at the End of the Cold War*, Berkeley (Calif.), California University Press, 1993, 326 p.

GOLDSTEIN (Joshua), *War and Gender. How Gender Shapes the War System and Vice-Versa*, Cambridge, Cambridge University Press, 2001, 524 p.

PETERSON (V. Spike) et RUNYAN (Anne), *Global Gender Issues*, Boulder (Colo.), Westview, 1999 [2e éd.], 280 p.

SHEPHERD (Laura) (ed.), *Gender Matters in Global Politics : A Feminist Introduction to International Relations*, Londres, Routledge, 2009, 416 p.

SYLVESTER (Christine), *Feminist Theory and International Relations in a Postmodern Era*, Cambridge, Cambridge University Press, 1994, 266 p.

SYLVESTER (Christine), *Feminist International Relations : An Unfinished Journey*, Cambridge, Cambridge University Press, 2001, 368 p.

TICKNER (J. Ann), « Hans Morgenthau's Principles of Political Realism. A Feminist Reformulation » (1988), dans James Der Derian (ed.), *International Theory. Critical Investigations*, Basingstoke, Macmillan, 1995, p. 53-71.

TICKNER (J. Ann), *Gender in International Relations*, New York (N. Y.), Columbia University Press, 1992, 180 p.

TICKNER (J. Ann), *Gendering World Politics. Issues and Approaches in the Post-Cold War Era*, New York (N. Y.), Columbia University Press, 2001, 200 p.

YOUNGS (Gillian), « Feminist International Relations : A Contradiction in Terms ? Or : Why Women and Gender Are Essential to Understand the World We Live In », *International Affairs*, 80 (1), janvier 2004, p. 75-87 (suivi d'un débat avec A. Linklater, T. Carver et C. Enloe).

Indirectement influencée par Frantz Fanon et Edward Said, l'approche post-coloniale des relations internationales est défendue par :

CHOWDRY (Geeta) et NAIR (Sheila) (eds), *Power, Post-Colonialism and International Relations. Reading Race, Gender and Class*, Londres, Routledge, 2002, 324 p.

DARBY (Philip), *Postcolonializing the International : Working to Change the Way We Are*, Honolulu (Hawaï), University of Hawaï Press, 2006, 242 p.

NEUMANN (Stephanie) (ed.), *International Relations Theory and the Third World*, New York (N. Y.), St. Martin's Press, 1998, 336 p.

PAOLINI (Albert), *Navigating Modernity : Post-Colonialism, Identity and International Relations*, Boulder (Colo.), Lynne Rienner, 1999, 228 p.

PELLERIN (Hélène) (dir.), *La Perspective en Relations internationales*, Outremont, Athéna, 2010, 282 p.

SETH (Senjay), « Post-Colonial Theory and the Critique of International Relations », *Millennium*, 40 (1), 2011, p. 167-183.

SMOUTS (Marie-Claude) (dir.), *La Situation post-coloniale. Les* post-colonial studies *dans le débat français*, Paris, Presses de Sciences Po, 2007, 452 p.

TICKNER (Arlene B.), « Seeing IR Differently : Notes From the Third World », *Millennium*, 32 (2), été 2003, p. 295-324.

TICKNER (Arlene B.) et WAEVER (Ole) (eds), *International Relations Scholarship Around the World*, Londres, Routledge, 2009, 352 p.

Entre approches radicales et « positivistes », le dialogue qui prévaut est souvent un dialogue de sourds :

KEOHANE (Robert), « International Institutions. Two Approaches » (1988), dans James Der Derian (ed.), *International Theory. Critical Investigations*, Basingstoke, Macmillan, 1995, p. 279-307.

NAVON (Emmanuel), « The "Third Debate" Revisited », *Review of International Studies*, 27 (4), octobre 2001, p. 611-625.

STERLING-FOLKER (Jennifer) et SHINKO (Rosemary), « Discourses of Power : Traversing the Realist-Postmodern Divide », *Millennium*, 33 (3), décembre 2005, p. 637-664.

TICKNER (J. Ann), « You just Don't Understand. Troubled Engagements between Feminists and International Relations Theorists », *International Studies Quarterly*, 41 (4), décembre 1997, p. 611-632 ; suivi du débat entre R. Keohane, M. Marchand et J. A. Tickner dans *International Studies Quarterly*, 42 (1), mars 1998, p. 193-210.

TICKNER (J. Ann), « What Is Your Research Program ? Some Feminist Answers to International Relations Methodological Questions », *International Studies Quarterly*, 49 (1), mars 2005, p. 1-21.

VASQUEZ (John), « The Post-Positivist Debate. Reconstructing Scientific Enquiry and International Relations Theory after Enlightenment's Fall », dans Steve Smith et Ken Booth (eds), *International Relations Theory Today*, Cambridge, Polity Press, 1995, p. 217-240.

WALKER (Robert J.), « History and Structure in the Theory of International Relations » (1989), dans James Der Derian (ed.), *International Theory. Critical Investigations*, Basingstoke, Macmillan, 1995, p. 308-339.

WEBER (Cynthia), « "Good Girls, Bad Girls, and Little Girls" : Male Paranoia in Robert Keohane's Critique of Feminist International Relations », *Millennium*, 23 (2), juin 1994, p. 337-349.

Chapitre 9 / Le projet constructiviste

« L'anarchie est ce que les États en font. »
Alexander Wendt[1]

À la fin des années 1980, le quatrième débat en Relations internationales semble annoncer une division irréductible de la discipline en deux camps, vu le véritable dialogue de sourds qui prévaut entre approches positivistes et post-positivistes. Comme l'a diagnostiqué Robert Keohane[2], cette ignorance mutuelle s'explique non seulement par la conception post-positiviste/réflexiviste de la démarche scientifique, incompatible avec la conception positiviste/rationaliste, mais aussi par l'absence de recherches empiriques de la part des post-positivistes.

En effet, les post-positivistes se caractérisent *a priori* par quatre orientations intellectuelles fondamentales, relatives à l'épistémologie (théorie de la connaissance : quel type de connaissance du monde social est-il possible d'acquérir ?), à la méthodologie (théorie des méthodes : quels outils utiliser pour décrire le monde social et trouver les preuves de nos explications ?), à l'ontologie (théorie de l'être : de quoi le monde social est-il fait ?) et à la normativité (théorie de l'action : que faire dans le – et face au – monde social tel qu'il existe ?) : « Épistémologiquement, [ils] remettent en cause les approches positivistes de la connaissance, et critiquent les tentatives de formuler des énoncés objectifs et empiriquement vérifiables sur le monde naturel et social.

1. *A. Wendt, « Anarchy Is What States Make Of It. The Social Construction of Power Politics » (1992), dans J. Der Derian (ed.),* International Theory. Critical Investigations, op. cit., *p. 129-177.*

2. *R. Keohane, « International Institutions. Two Approaches », art. cité.*

Méthodologiquement, ils rejettent l'hégémonie d'une seule méthode scientifique, et plaident en faveur d'une pluralité de méthodes, de même qu'ils privilégient les stratégies interprétatives. Ontologiquement, ils défient les conceptions rationalistes de la nature et des actions humaines, soulignant tout au contraire la construction sociale des identités des acteurs, ainsi que l'importance de l'identité dans la constitution des intérêts et des actions. Et normativement ils condamnent la théorisation axiologiquement neutre dont ils nient jusqu'à la possibilité même, tant ils en appellent au développement de théories explicitement désireuses de dévoiler et de dissoudre les structures de domination[3]. » Mais autant ils ont multiplié les critiques épistémologiques, méthodologiques, et normatives à l'encontre des positivistes, autant ils ont négligé leur propre credo ontologique, celui de la construction sociale de la réalité, qui aurait pu être à l'origine d'une analyse alternative des relations internationales.

C'est dans cette brèche que va s'engouffrer une nouvelle génération d'internationalistes, aidée en cela par le contexte historique de la fin des années 1980. Ce contexte, c'est celui du « cataclysme tranquille[4] » que représentent les changements dramatiques qu'a connus la politique mondiale autour de la fin de la guerre froide, et que ni les théoriciens orthodoxes, ni les théoriciens hétérodoxes n'ont été capables de prévoir : les premiers, et plus précisément les néoréalistes tels que Kenneth Waltz, parce qu'ils excluent le

---

3. *R. Price et C. Reus-Smit, « Dangerous Liaisons ? Critical International Theory and Constructivism »,* European Journal of International Relations, *4 (3), septembre 1998, p. 259-294.*

4. *J. Mueller,* Quiet Cataclysm. Reflections on the Recent Transformation of World Politics, *Londres, Harper Collins, 1995.*

changement de leur champ d'étude[5] ; les seconds, et plus exactement les post-modernistes, parce qu'ils ne voient dans le changement qu'une ruse du pouvoir. La conclusion s'impose à qui prend au sérieux le changement en relations internationales : il faut abandonner l'épistémologie post-positiviste (il n'y a pas de réalité en dehors de la théorie qui l'étudie), car de toute évidence, la prédominance de la théorie néoréaliste n'a pas empêché la réalité politique internationale d'évoluer dans un sens tout autre que celui prévu par cette théorie, mais il faut aussi se débarrasser de l'ontologie positiviste (la structure anarchique est une constante et/ou les intérêts des acteurs sont donnés une fois pour toutes), car la configuration bipolaire des rapports de puissance n'a pas empêché l'URSS de changer d'intérêt national en adoptant unilatéralement un revirement de politique qui aboutit à mettre fin à la guerre froide.

Exprimé positivement, « adopter un point de vue rafraîchissant sur le monde dans lequel nous vivons[6] » exige de combiner une épistémologie positiviste - la réalité sociale existe et un chercheur peut l'étudier - avec une ontologie post-positiviste - cette réalité n'est ni objective (déjà donnée là), ni subjective (fonction de discours légitimateurs), mais intersubjective (elle est constituée et reconstituée, formée et transformée, à travers les actions et interactions des agents ; elle est ce que les croyances partagées des

---

5. *Dès 1983, J. G. Ruggie, « Continuity and Transformation in the World Polity », dans R. Keohane (ed.),* Neorealism and Its Critics, op. cit., *p. 131-157, avait critiqué l'incapacité du néoréalisme de Waltz à penser le changement, en l'occurrence celui à l'origine du passage du Moyen Âge féodal au système interétatique westphalien. Cet article peut ainsi être considéré comme la première ébauche du constructivisme avant la lettre.*

6. *P. Katzenstein (ed.),* The Culture of National Security, *New York (N. Y.), Columbia University Press, 1996, p. 4.*

acteurs en font). C'est cette synthèse que propose le constructivisme[7] en Relations internationales, avec un succès foudroyant souligné par Stephen Walt : « Alors que le réalisme et le libéralisme tendent à se concentrer sur les facteurs matériels tels que la puissance et le commerce, les [...] constructivistes soulignent l'impact des idées. Au lieu de prendre l'État pour une donnée et de supposer qu'il cherche tout simplement à survivre, les constructivistes considèrent les intérêts et les identités comme des produits extrêmement malléables de processus historiques spécifiques. Ils accordent une grande attention au(x) discours prédominant(s) au sein des sociétés parce que le discours reflète et façonne les croyances et les intérêts, et établit les normes du comportement accepté. Par conséquent, le constructivisme est attiré par les sources du changement, et cette approche a largement remplacé

---

7. *Autrement dit, nous employons le terme de « constructivisme » au sens strict, à l'image de la conception que s'en font P. Katzenstein (ed.),* The Culture of National Security. Norms and Identity in World Politics, op. cit. ; *E. Adler, « Seizing the Middle Ground. Constructivism in World Politics »,* European Journal of International Relations, *3 (3), septembre 1997, p. 319-363 ; J. Checkel, « The Constructivist Turn in International Relations Theory »,* World Politics, *50 (2), janvier 1998, p. 324-348 ; ainsi que A. Klotz et C. Lynch, « Le constructivisme dans la théorie des relations internationales »,* Critique internationale, *2, hiver 1999, p. 51-62. C'est, à notre avis, la seule façon d'éviter tout risque de confusion avec les approches post-positivistes étudiées dans le chapitre 8, comme tend à le prouver,* a contrario, *la conception large défendue par exemple par T. Hopf, « The Promise of Constructivism in International Relations Theory »,* International Security, *23 (1), été 1998, p. 171-200, ou J. G. Ruggie, « What Makes the World Hang Together ? Neo-Utilitarianism and the Social Constructivist Challenge »,* International Organization, *52 (4), automne 1998, p. 855-885, obligés de distinguer entre les constructivismes conventionnel et critique pour ce qui est du premier, néoclassique, post-moderniste et naturaliste pour ce qui est du second.*

le marxisme comme perspective radicale prééminente des relations internationales[8]. »

À l'image de la théorie critique, du post-modernisme, du féminisme, le constructivisme est d'abord « une façon d'étudier les relations sociales, n'importe quelles relations sociales », à partir de l'hypothèse des « êtres humains comme êtres sociaux[9] » : plutôt que d'être des individus instrumentalement rationnels guidés par une logique des conséquences, ou de l'efficacité, c'est-à-dire maximisant leur utilité donnée une fois pour toutes, comme le postulent les approches orthodoxes adeptes du *rational choice*, les sujets sont d'abord guidés par ce que James March et Johan Olson appellent une logique d'appropriation[10], c'est-à-dire qu'ils se comportent en fonction de ce qu'ils estiment approprié au vu des normes de comportement légitimes prévalant au sein des structures sociales dans lesquels ils sont enchâssés. Appliqué en Relations internationales, le constructivisme, qui se concentre de façon générale sur ce que John Searle a appelé les « faits

---

8. *S. Walt, « International Relations. One World, Many Theories », art. cité. Pour avoir une idée du succès du constructivisme, rappelons par exemple que l'École anglaise est* a posteriori *considérée comme constructiviste par T. Dunne,* Inventing International Society op. cit., *et que le constructivisme sert même de grille de lecture d'auteurs d'un passé lointain : Thucydide est ainsi qualifié de constructiviste par R. Lebow, « Thucydides the Constructivist »,* American Political Science Review, *95 (3), septembre 2001, p. 547-560.*

9. *N. Onuf, « Constructivism. A User's Manual », dans V. Kubalkova, N. Onuf et P. Kowert (eds),* International Relations in a Constructed World, *Armonk (N. Y.), Sharpe, 1998, p. 58-78.*

10. *J. March et J. Olson,* Rediscovering Institutions : The Organizational Basis of Politics, *New York (N. Y.), Free Press, 1989.*

sociaux[11] », c'est-à-dire les objets qui, tels l'argent, la souveraineté, les droits, n'ont pas de réalité matérielle mais n'existent que parce qu'un ensemble de personnes croient et disent qu'ils existent et agissent en conséquence[12], est donc moins une théorie *per se* des relations internationales[13] qu'une « théorie sociale sur laquelle fonder des théories de la politique internationale[14] », abordée comme « un projet en construction, un processus en devenir plutôt qu'un état de fait[15] ». « Approche théoriquement informée de l'étude empirique des relations internationales[16] », il consiste en une « perspective sociologique de la politique

---

11. J. Searle, The Construction of Social Reality, *New York (N. Y.), The Free Press, 1995.*

12. J. Searle commençait ses cours en brandissant un billet de un dollar : sans accord social sur sa valeur monétaire, un billet de un dollar est un morceau de papier.

13. Cela explique qu'il y ait pu y avoir des tentatives de rapprochement de la part de certains réalistes. Voir J. Sterling-Folker, « Realism and the Constructivist Challenge : Rejecting, Reconstructing, or Rereading ? », International Studies Review, *4 (1), mars 2002, p. 73-97, S. Barkin,* Realist Constructivism : Rethinking International Relations Theory, *Cambridge, Cambridge University Press, 2010, ainsi que le forum dirigé par P. T. Jackson sur « Bridging the Gap : Towards a Realist-Constructivist Dialogue »,* International Studies Review, *6 (2), juin 2004, p. 337 et suiv. Cela dit, c'est avec le libéralisme, et notamment le néolibéralisme institutionnel, que la plupart des constructivistes* soft *ont fini par faire cause commune, comme nous le verrons dans le chapitre 17.*

14. E. Adler, « Seizing the Middle Ground. Constructivism in World Politics », art. cité.

15. E. Adler, « Constructivism and International Relations », dans W. Carlsnaes, T. Risse et B. Simmons (eds), Handbook of International Relations, op. cit., *p. 95-118.*

16. J. G. Ruggie, « What Makes the World Hang Together ? », art. cité.

mondiale[17] » mettant « l'accent sur le contexte social, l'intersubjectivité et la nature constitutive des règles et normes[18] », et soulignant notamment l'importance des structures normatives tout autant que matérielles, le rôle de l'identité dans la constitution des intérêts et des actions des acteurs, ainsi que la constitution mutuelle des agents et des structures.

Ces trois postulats constituent l'ontologie – ou théorie de l'être – post-positiviste, qui distingue le constructivisme des approches positivistes, ou néo-utilitaristes[19], et que l'on retrouve chez l'ensemble des constructivistes :

– pour ce qui est du premier point, Martha Finnemore estime que la politique mondiale est déterminée moins par une structure objective de rapports de force matériels que par une structure cognitive composée des idées, croyances, valeurs, normes et institutions[20] partagées inter-subjectivement par les acteurs : « Dans ce livre, je développe une approche systémique en vue de comprendre les intérêts et le comportement des États à partir d'une structure

---

17. R. Price et C. Reus-Smit, « Dangerous Liaisons ? Critical International Theory and Constructivism », art. cité.

18. C. Lynch et A. Klotz, « Le constructivisme dans la théorie des relations internationales », art. cité.

19. C'est l'expression de J. G. Ruggie, « What Makes the World Hang Together ? », art. cité.

20. Normes et institutions : ces deux notions sont au centre à la fois du constructivisme et du néolibéralisme institutionnel (cf. chap. 12 sur les régimes) et ne sont pas toujours faciles à distinguer – d'où d'ailleurs le rapprochement contemporain des deux approches que nous analyserons dans le chapitre 17. Pour preuve, la définition de la norme par M. Finnemore et K. Sikkink (« Taking Stock. The Constructivist Research Program in International Relations and Comparative Politics », Annual Review of Political Science, *2001, p. 391-416) : « mode de comportement approprié pour un acteur ayant une identité donnée », et la définition de l'institution par J. March et J. Olson (« The Institutional Dynamics of International Political Orders »,* Inter-

internationale non pas de puissance, mais de signification et de valeur sociale[21] » ;

– en ce qui concerne le deuxième point, Peter Katzenstein et ses co-auteurs postulent que la structure idéelle que constituent les normes partagées non seulement contraint et affecte les comportements des acteurs, mais contribue à constituer les acteurs, façonne leur identité et leurs intérêts, qui ne sont pas déjà donnés là, attendant d'être découverts, mais qui sont construits à travers les interactions sociales : « Les environnements culturels ont un impact non seulement sur les incitations à l'origine des différents comportements des États, mais ils affectent le caractère fondamental des États, ce que nous appelons leur identité[22] » ;

– au sujet du troisième point, Nicholas Onuf pose comme hypothèse que les structures et les agents se co-constituent, dans le sens où les structures, bien que façonnant les intérêts et les identités des acteurs, ne sont pas pour autant des objets réifiés existant indépendamment des acteurs et s'imposant à eux, comme

---

national Organization, *52 (4), automne 1998, p. 943-969) : « ensemble stable de pratiques et de règles définissant des comportements appropriés pour des groupes spécifiques d'acteurs dans des situations spécifiques ». Pour simplifier, disons que pour les constructivistes, les normes non seulement encadrent les comportements, mais les rendent possibles, alors que les institutions des (néo-)libéraux sont de simples éléments du calcul coût-bénéfice des acteurs eu égard à des intérêts déjà donnés là. Pour une analyse synthétique des différentes définitions du concept d'institution en Relations internationales, voir M. Duffield, « What Are International Institutions ? »,* International Studies Review, *9 (1), printemps 2007, p. 1-22.*

21. M. Finnemore, National Interests in International Society, *Ithaca (N. Y.), Cornell University Press, 1996, p. 2.*

22. P. Katzenstein, The Culture of National Security, op. cit., *p. 33.*

chez Waltz et Wallerstein, mais peuvent au contraire être changées par ces derniers, étant donné qu'elles sont aussi issues des pratiques et discours des agents : « Les relations sociales font les gens tels qu'ils sont, les construisent tels les êtres qu'ils sont. Réciproquement, nous faisons le monde tel qu'il est, à partir des matériaux bruts fournis par la nature, en faisant ce que nous faisons les uns avec les autres et en disant ce que nous disons les uns aux autres[23]. »

La meilleure présentation de cette ontologie, on la trouve chez Alexander Wendt, internationaliste d'origine allemande socialisé aux États-Unis[24]. Dans son article de 1992 d'abord – « Anarchy Is What States Make of It » –, dans son livre de 1999 ensuite – *Social Theory of International Politics*[25] –, celui-ci expose, après avoir rappelé le principe de la construction sociale de la connaissance

---

23. N. Onuf, « Constructivism. A User's Manual », art. cité.

24. Rappelons cependant que le premier à avoir introduit la notion de « constructivisme » en Relations internationales a été N. Onuf, dans World of Our Making, *Columbia (S. C.), University of South Carolina Press, 1989, il est vrai dans un sens synonyme de post-positivisme. De nos jours, N. Onuf, tout comme F. Kratochwil,* Rules, Norms and Decisions, *Cambridge, Cambridge University Press, 1989, représentent un constructivisme «* thick *», d'inspiration wittgensteinienne.*

25. A. Wendt, « Anarchy Is What States Make Of It », art. cité, ainsi que Social Theory of International Politics, op. cit. *L'évolution des titres est révélatrice de l'orientation prise par Wendt : alors que le titre de l'article résonne comme un écho de l'ouvrage de Onuf, le titre du livre est une allusion directe à l'ouvrage de K. Waltz,* Theory of International Politics, op. cit., *en réaction auquel Wendt écrit son propre livre. Cette évolution explique sans doute le succès de Wendt, de même qu'elle permet de comprendre les critiques dont il fait l'objet de la part de nombreux constructivistes qui, tels F. Kratochwil, « Constructing the New Orthodoxy ? Wendt's* Social Theory of International Politics *and the Constructivist Challenge »,* Millennium, *29 (1), 2000, p. 73-10, refusent son constructivisme moderniste ou* thin,

au niveau épistémologique[26], la thèse de la construction sociale de la réalité internationale au niveau ontologique.

---

péjorativement qualifié de soft *ou* light. *Faire d'A. Wendt le représentant central du constructivisme ne va pas de soi. Reste qu'on ne prête qu'aux riches :* Social Theory of International Politics *constitue sans aucun doute le chef-d'œuvre de la perspective constructiviste, et la discipline se positionne pendant de longues années encore par rapport aux thèses qui y sont émises. Voilà pourquoi nous allons centrer notre présentation du constructivisme autour de cet ouvrage, quitte à nous référer, lorsque le besoin s'en fait ressentir, aux autres constructivistes, dont les écrits jusqu'à nos jours relèvent d'études de cas sectoriels, et ne prétendent pas proposer une vision d'ensemble des relations internationales. Sur ces travaux, cf. le bilan de M. Finnemore et K. Sikkink, « Taking Stock. The Constructivist Research Program in International Relations and Comparative Politics », art. cité.*

26. *A. Wendt expose ses conceptions épistémologiques dans le chapitre 2 (le premier chapitre tenant lieu d'introduction). Nous n'avons pas la place ici pour rentrer dans les détails de cette épistémologie, mais ce n'est là qu'un moindre mal, tant Wendt considère lui-même que les questions ontologiques sont plus importantes que les questions épistémologiques. Précisons cependant que le positivisme dont il se réclame (« I am a positivist », écrit-il, p. 39) est celui du réalisme scientifique de Roy Bhaskar, caractérisé par les trois postulats suivants : le monde est indépendant de l'esprit et du langage de ceux qui l'observent ; l'objectif d'une théorie scientifique est de rendre compte de ce monde ; même si ce monde n'est pas directement observable. Renvoyant dos à dos et les empiristes pour qui n'existe que la réalité perceptible par nos sens, et les post-modernistes pour qui n'existe aucune réalité sociale en dehors des pratiques discursives, Wendt adopte une* via media *épistémologique : la réalité sociale n'existe pas en dehors de l'idée que nous nous en faisons, et toute idée et théorie sont donc constitutives de réalité ; mais si cette idée est fausse, la réalité sociale existe quand même, parce qu'elle ne se réduit pas à l'idée que l'on peut s'en faire. Exemple : si la réalité des Espagnols débarquant au « Mexique » n'avait existé que par les discours de Montezuma qui prenait Cortès pour un dieu, les Aztèques auraient survécu ; mais la réalité des Espagnols était d'être des conquérants, avec les*

Chez Wendt comme ailleurs, l'ontologie renvoie aux deux grands débats qui traversent depuis toujours les sciences sociales et, au-delà, la philosophie, à savoir :

– la réalité sociale est-elle déterminée par la matière ou par l'idée ?

– qui de la structure sociale/du système social ou de l'agent/de l'acteur détermine l'autre ?

Le premier débat, en son temps résumé – de façon orientée – par Karl Marx dans la formule « ce n'est pas la conscience des hommes qui détermine leur être, mais inversement leur être social qui détermine leur conscience », oppose matérialistes et idéalistes : selon les premiers, l'être détermine la conscience ; selon les seconds, la conscience détermine l'être. Plus précisément, selon les matérialistes, ce sont les rapports de force matériels qui expliquent la réalité sociale, qu'il s'agisse de la nature humaine, comme dans le réalisme classique de Morgenthau, de la distribution des capacités matérielles, comme dans le néoréalisme de Waltz, ou des rapports de production, comme chez les (néo-)marxistes : non pas que les idées ne comptent pas pour les matérialistes, mais leur effet est tout au plus secondaire. À l'inverse, les idéalistes[27] affirment que la signification que les acteurs confèrent aux données matérielles est plus importante que les données elles-mêmes, car la matière ne détermine un objet social que par l'intermédiaire de l'idée que les hommes s'en font : « Un fusil dans la main d'un ami », dit Wendt,

---

conséquences que l'on sait, à savoir la disparition de l'empire aztèque. Bref, la réalité sociale existe en dehors de celui qui l'observe même si elle est aussi reconstruite par son discours, et donc elle est susceptible de faire l'objet d'une étude scientifique.

27. *Inutile de le préciser, l'idéalisme ontologique n'a rien à voir avec « l'idéalisme » de l'entre-deux-guerres, au sens de Carr, ni avec l'idéalisme, au sens de doctrine normative relative à ce que le monde devrait être.*

« n'est pas la même chose qu'un fusil dans la main d'un ennemi ; l'inimitié est une relation sociale, non pas matérielle[28]. » Pour les matérialistes, ce qui compte dans le rapport qu'entretiennent deux États, c'est le rapport de puissance, la force brute dont chacun dispose, et les relations entre les États-Unis et le Canada sont abordées de la même façon que celles entre les États-Unis et Cuba, puisqu'il s'agit à chaque fois d'un rapport mettant aux prises une grande puissance et une puissance moyenne ; pour les idéalistes, l'idée que deux États se font de leur rapport de force est en revanche plus importante que le rapport de force lui-même, et donc le rapport entre les États-Unis et le Canada n'est pas le même que celui entre les États-Unis et Cuba, car le Canada et les États-Unis ne se font pas la même idée de ce rapport inégalitaire que celle que s'en font du leur Cuba et les États-Unis.

Le deuxième débat, concernant la relation entre structure et agent, entre système et acteur, et lui aussi résumé par Marx dans sa phrase « les hommes font leur propre l'histoire, mais ils ne la font pas [...] dans les conditions choisies par eux mais dans des conditions directement données et héritées du passé », oppose quant à lui les individualistes et les holistes. D'après les individualistes, l'agent existe antérieurement à, et indépendamment de, la structure dont il fait partie : le système n'est que la somme des parties et la structure n'a qu'un effet causal sur l'agent ; si elle contraint son comportement, les intérêts et l'identité de l'agent sont donnés une fois pour toutes, et seul le comportement d'un acteur change en fonction de l'évolution de la structure. À l'inverse, pour les holistes, un système a une existence en soi et un agent n'existe pas indépendamment de la structure dans laquelle il agit, car celle-ci a un

---

28. *A. Wendt, « Constructing International Politics »,* International Security, *20 (1), été 1995, p. 71-81.*

effet à la fois causal et constitutif sur lui : non seulement son comportement est affecté par cette structure, mais aussi et surtout ses intérêts et son identité sont construits par cette structure. Concrètement, en Relations internationales, pour les individualistes, chaque État a ses intérêts nationaux à défendre, et seuls changent les moyens auxquels chaque État recourt en vue de satisfaire ses intérêts : ainsi, ce n'est pas parce que l'Union soviétique est devenue la Russie que l'intérêt national américain face à la Russie a changé ; seul a changé le comportement américain en vue de satisfaire cet intérêt national, qui est dorénavant défendu plus efficacement par la coopération que par l'endiguement. Pour les holistes au contraire, la définition même des intérêts nationaux d'un État est affectée par les mutations du système international : la fin de la guerre froide a eu un impact sur le contenu même de l'intérêt national américain (et russe), car cet intérêt national ne peut plus être défini sur la base des relations de méfiance et d'inimitié réciproques qui caractérisaient leurs interactions mutuelles pendant la guerre froide.

D'après Wendt, les différents paradigmes en Relations internationales peuvent être classés en fonction de leur positionnement le long des axes matérialisme/idéalisme et holisme/individualisme. Le réalisme tout d'abord a une conception à la fois matérialiste et individualiste de la vie internationale. C'est vrai pour le réalisme classique de Morgenthau, qui *in fine* impute le comportement étatique à la nature humaine, guidée par un intérêt égoïste, donné une fois pour toutes ; mais c'est vrai aussi pour le néoréalisme de Waltz : celui-ci est clairement matérialiste, en ce qu'il attribue le comportement étatique à la configuration du système international en termes de pôles de puissance, mais il est aussi individualiste, malgré l'apparente fonction structurante de l'anarchie, qui chez lui socialise tous les États en *like units*, en les incitant à une politique du chacun pour soi (cf. chap. 4) : en effet, cette capacité structurante n'affecte que le comportement des États, et ne constitue nullement leur intérêt national[29].

Matérialistes, les différentes variantes du marxisme le sont également, en ce qu'elles soulignent la détermination en dernière instance de l'ordre social, et donc aussi international, par les forces productives, les modes et les rapports de production économiques. C'est vrai pour la théorie de l'économie-monde de Wallerstein, mais c'est également le cas du néomarxisme critique de Cox, inspiré par Gramsci, malgré sa reconnaissance du rôle certain des superstructures idéologiques[30]. Bien entendu, le marxisme n'est pas individualiste, mais holiste : comme l'indique la notion même d'économie-monde chez Wallerstein, le comportement d'un État est déterminé par le système-monde dans lequel il est inséré. L'inverse est vrai pour le libéralisme, à la fois individualiste en ce qu'il attribue le comportement des États aux intérêts immuables des individus et groupes formant leur société civile, et idéaliste en ce que la structure sociale internationale est composée moins des rapports de force que des idées que les différents États se font d'eux-mêmes, ainsi que des attentes qu'ils ont les uns envers les autres,

---

29. Cette réinterprétation de Waltz par Wendt explique que Wendt emploie le terme de « holisme », plutôt que celui de « structuralisme », dans la problématique relative aux relations agent/structure : estimant que le néoréalisme de Waltz est un individualisme qui s'ignore, vu qu'il se fonde sur des analogies microéconomiques et postule la nature donnée une fois pour toutes de l'intérêt national, Wendt cherche à éviter tout risque de confusion avec le néoréalisme de Waltz, considéré comme un « néoréalisme structuraliste ».

30. Pour Wendt, la théorie critique (cf. chap. 8) ne fait donc pas partie des approches post-positivistes des Relations internationales.

elles-mêmes fonctions des régimes politiques, des systèmes économiques, et des institutions internationales[31].

Reste alors une combinaison, à la fois holiste, c'est-à-dire affirmant que les intérêts des États ne sont ni endogènes aux acteurs (États ou individus) ni fixes, mais sont constitués et affectés par le système international, et idéaliste, c'est-à-dire voyant dans ce système international une structure constituée par l'ensemble des idées que les États partagent entre eux plutôt que par la distribution des rapports de force ou l'appropriation des moyens de production. Toujours d'après Wendt, le constructivisme, de même que le postmodernisme, le féminisme, ainsi que l'École anglaise[32], sont partisans d'une telle ontologie, à la fois :

– idéaliste plutôt que matérialiste : les structures sociales sont prioritairement constituées par les idées que partagent les agents

---

31. *En fait, de même qu'il situe le néoréalisme à mi-chemin entre l'individualisme et le holisme, Wendt situe le néolibéralisme institutionnel à cheval entre l'idéalisme et le matérialisme, tant il est vrai que chez Keohane, le rôle des régimes internationaux s'explique* in fine *par les gains (matériels) absolus qu'un État espère pouvoir tirer de son adhésion aux institutions internationales, et que par ailleurs les « idées » dont parlent les (néo-) libéraux n'ont pas le statut intersubjectif qu'elles ont chez les constructivistes, mais sont définies comme des « croyances tenues par des individus ». Sur le rôle des idées chez les (néo-) libéraux, voir J. Goldstein et R. Keohane (eds),* Ideas and Foreign Policy. Beliefs, Institutions and Political Change, *Ithaca (N. Y.), Cornell University Press, 1993.*

32. *Précisons d'emblée que le rapprochement effectué par Wendt entre son propre constructivisme moderniste et le post-modernisme et le féminisme ne concerne que l'ontologie, et non pas l'épistémologie. En fait, c'est dans l'École anglaise que Wendt voit la principale source d'inspiration de son constructivisme moderniste, vu que d'après lui les deux partagent la même ontologie post-positiviste et la même épistémologie positiviste.*

plutôt que par les rapports matériels existant entre eux ; les structures sociales sont donc en fait des cultures, au sens d'ensembles de savoirs socialement partagés ;

– holiste plutôt qu'individualiste : les intérêts et les identités des acteurs sociaux sont construits par les idées que ces derniers partagent, par la culture donc dans laquelle ils sont ancrés, plutôt qu'ils ne s'imposent une fois pour toutes à tout un chacun d'entre eux indépendamment des interactions avec les autres.

Une fois cette ontologie exposée, Wendt l'applique à l'analyse de la politique internationale, dont il donne dans la deuxième moitié de son ouvrage une interprétation substantielle originale, différente de celles existantes, (néo-)réaliste, (néo-)libérale, (néo-)marxiste.

C'est bien la « politique internationale » qu'il analyse, et non pas les relations internationales dans leur ensemble, ou la politique mondiale, au sens que cette expression a depuis Keohane et Nye (cf. chap. 6). Car en effet, ce qui intéresse Wendt, c'est la question de la violence et de sa régulation. Or, d'après lui, la régulation de la violence internationale relève principalement des États : « La régulation de la violence est l'un des problèmes les plus fondamentaux de l'ordre dans la vie sociale, car toutes les autres relations sociales sont profondément affectées par la nature de la technologie de la violence, le contrôle de celle-ci, et son utilisation. [...] C'est cet aspect de la politique mondiale qui m'intéresse dans ce livre. Étant donné que l'État est la structure d'autorité politique dotée du monopole de l'utilisation légitime de la violence organisée [...], les États sont l'unité fondamentale d'analyse lorsque l'on réfléchit sur le problème de la régulation globale de la violence[33]. » Exprimé

---

33. *A. Wendt,* Social Theory of International Politics, op. cit., *p. 8-9.*

autrement, le constructivisme de Wendt est un stato-centrisme. Non pas qu'il nie l'existence des acteurs non étatiques, mais il estime que leur rôle est indirect dans le domaine de la violence internationale : « Tel que je l'entends, le stato-centrisme n'exclut nullement la possibilité pour des acteurs non étatiques, internes ou transnationaux, d'avoir des effets importants, et même décisifs, sur [...] la violence organisée. Tout simplement les États sont le chaînon principal par l'intermédiaire duquel les effets des autres acteurs sur la régulation de la violence sont canalisés vers le système mondial. [...] Dans ce sens, les États sont toujours au centre du système international, et voilà pourquoi il est aussi inutile de reprocher à une théorie de la politique internationale d'être centrée sur les États que de reprocher à une théorie des forêts d'être centrée sur les arbres[34]. »

Une telle attitude peut paraître paradoxale, voire incompatible, avec l'objectif proclamé des constructivistes : penser le changement. Vouloir penser le changement, n'est-ce pas, comme le dit Wendt lui-même, inspiré qui plus est par Richard Ashley, « problématiser ce que les communautés (scientifiques) ont naturalisé » ? Comment alors non seulement considérer *a priori* les États comme acteurs dominants de la scène internationale, mais en plus prétendre que « les États aussi sont des personnes », et leur imputer « des qualités anthropomorphiques telles que des désirs, des croyances, une intentionnalité[35] » ? N'est-ce pas là faire siens les deux postulats réalistes de l'État comme acteur unique et de l'État comme acteur unitaire, et donc oublier que l'État est un construit social ?

---

34. Ibid., *p. 9.*

35. Ibid., *p. 89, 215 et 197. Sur l'État comme personne chez Wendt, voir le dossier « Forum on the State as a Person »,* Review of International Studies, *30 (2), avril 2004, p. 255-316.*

En fait, ce qui intéresse Wendt, c'est non pas l'étude de la construction sociale interne[36] ni même historique des États, mais l'analyse de la construction sociale des États au niveau du système international, l'étude de leur socialisation par les réseaux de relations interétatiques dans lesquels ils sont ancrés et qui façonnent leurs perceptions du monde et le rôle qu'ils y jouent. Autrement dit, si Wendt considère l'État comme une entité pré-sociale, précédant le système inter-étatique[37], en faisant abstraction des processus d'émergence et de diffusion de l'entité étatique dans le temps et l'espace ainsi que de l'influence des acteurs sub-étatiques sur le

---

36. *On retrouve un stato-centrisme de principe comparable chez la quasi-totalité des constructivistes modernistes, à l'instar de M. Finnemore,* National Interests in International Society, op. cit., *p. 2 : « La politique interne peut jouer un rôle important, voire déterminant par moments, dans la définition des objectifs et intérêts nationaux, mais [...] la politique interne et les conditions locales ne peuvent guère expliquer l'articulation des intérêts et les choix politiques effectués. » Cela s'explique par le fait qu'il s'agit de constructivistes systémiques, situant la variable explicative fondamentale au niveau d'analyse du système. Il existe cependant ce qu'on pourrait appeler des constructivistes internistes, qui situent les facteurs déterminants des identités et intérêts des États au niveau d'analyse de l'acteur, et privilégient donc des variables indépendantes internes. Ainsi, P. Katzenstein, (dir.),* Tamed Power : Germany in Europe, *Ithaca (N. Y.), Cornell University Press, 1997, montre comment les normes internes, sociales et légales, de l'Allemagne, ont changé son comportement depuis l'après-seconde guerre mondiale ; de même, J. Weldes,* Constructing National Interests. The United States and the Cuban Missile Crisis, *Minneapolis (Minn.), Minnesota University Press, 1996, s'intéresse elle à la construction sociale interne de l'intérêt national des États-Unis pendant la crise des missiles de Cuba, en voyant dans cet intérêt national la résultante d'un ensemble des représentations par l'intermédiaire desquelles les autorités américaines donnaient un sens au monde qui les entourait.*

37. *Voir à ce sujet les critiques de S. Smith, dans R. Keohane* et al., *« Forum on Alexander Wendt »,* Review of International Studies, *26 (1), janvier 2000, p. 123-180.*

comportement externe des États, c'est parce qu'il s'intéresse à l'impact des idées internationalement partagées sur la définition par les États de leurs intérêts nationaux, et les conséquences qui s'ensuivent au niveau du comportement international d'un État[38].

D'après Wendt, ce comportement est bel et bien guidé par les intérêts nationaux : « Personne ne nie que les États agissent sur la base des intérêts tels qu'ils les perçoivent, ni même que ces intérêts sont souvent égoïstes. Pas moi en tout cas. Dans une certaine mesure, je suis donc un réaliste », écrit-il[39], allant jusqu'à distinguer quatre types d'intérêts nationaux que n'aurait pas reniés Morgenthau – la survie physique, l'autonomie, le bien-être économique et la valorisation collective de soi. Mais il précise tout de suite les limites de ce réalisme : « Les intérêts ne devraient pas être considérés comme une variable exclusivement réaliste[40]. » Et ce pour deux raisons complémentaires.

Tout d'abord parce que les intérêts des États dépendent non pas de la configuration objective des rapports de force matériels, mais des identités des États, c'est-à-dire de la représentation que les États se font d'eux-mêmes et d'autrui, du système international, et de leur propre place ainsi que de celle des autres au sein de ce système international : « Les identités se réfèrent à ce que les acteurs sont. [...] Les intérêts se réfèrent à ce que les acteurs veulent. [...] Les

---

38. Dans une réponse à ses critiques intitulée « On the Via Media : *A Reponse to the Critics »,* Review of International Studies, *26 (1), janvier 2000, p. 165-180, Wendt reproche à ceux qui critiquent son stato-centrisme de se tromper de cible : « Tout dépend de la question que l'on pose. Plutôt que de dire à un livre sur le système étatique "Arrête de réifier l'État", il faudrait lui dire "Change de sujet" ».*

39. A. Wendt, Social Theory of International Politics, op. cit., *p. 113-114.*

40. Ibid., *p. 114.*

intérêts présupposent les identités parce qu'un acteur ne peut savoir ce qu'il veut avant de savoir qui il est[41]. » Ensuite parce que ces identités sont elles-mêmes de nature non pas subjective, mais intersubjective, dans la mesure où l'idée qu'un État se fait de lui-même dépend non seulement de lui mais aussi des idées que les autres États se font de lui, ainsi que des réactions – conformes ou non – des autres États à cette idée, etc.

Dans les détails, Wendt distingue quatre identités à l'origine de la constitution des intérêts nationaux, les identités de corps, de type, de rôle, et collective. Certes, l'identité de corps (*corporate identity*), qui renvoie aux éléments spécifiques de l'État comme entité sociale permettant de le différencier des autres structures sociales – entreprise, groupe, famille, tribu... – existe en tant que telle, tant il y a État dès que l'on se trouve en présence d'« un acteur organisationnel relié à une société qu'il gouverne par l'intermédiaire d'une structure d'autorité politique[42] ». Mais les trois autres identités sont façonnées par les interactions qu'un État entretient avec les autres États :

– l'identité de type (*type identity*) renvoie aux éléments qui, au-delà des éléments corporatifs d'un État, sont relatifs à son régime politique, son système économique, etc. Or, ces éléments sont de nature partiellement sociale, un État étant démocratique

41. Ibid., *p. 231.*

42. Ibid., *p. 201. Dans cette définition, Wendt combine de façon éclectique trois conceptions de l'État, celle wébérienne de l'État comme organisation exerçant sur un territoire le monopole de la violence physique légitime, celle libérale de l'État comme mandataire des intérêts des individus-membres de la société civile, celle marxiste de l'État comme structure d'autorité relativement autonome que se donnent les membres dominants d'une société pour assurer la reproduction de l'ordre social existant.*

ou capitaliste par rapport à et aux yeux d'un autre qui l'est ou ne l'est pas lui-même ;

- l'identité de rôle (*role identity*) concerne les propriétés qui caractérisent les relations d'un État avec les autres États, qui le perçoivent comme une puissance hégémonique ou comme un État satellite, comme un État partisan du *statu quo* ou comme une puissance insatisfaite, etc. ;

- l'identité collective (*collective identity*) a trait à l'identification qui existe entre deux ou plusieurs États, lorsque *ego* ne considère plus *alter* comme autrui, mais comme une part de lui-même, et à l'égard de qui il se comporte non plus de façon égoïste mais altruiste.

Exprimé autrement, si le comportement international d'un État est guidé par les intérêts nationaux, ces intérêts sont fonction des identités d'un État, elles-mêmes co-constituées par les idées que partagent à son sujet les autres États. Lorsque par exemple les États-Unis agissent sur la scène internationale, ils se doivent bien sûr de défendre avec succès leur intégrité territoriale, sous peine de perdre leur identité de corps, c'est-à-dire de ne plus être un État. Comme l'affirment les réalistes, ils sont donc guidés par l'objectif d'assurer leur survie, leur autonomie, leur bien-être. Mais parce qu'ils ont également des identités de type, de rôle, et collective, leur comportement est également façonné par les croyances partagées par les autres États qui, en interaction avec eux, s'attendent à certains comportements de leur part : ils sont ainsi amenés à afficher une politique de promotion des droits de l'homme, sauf à perdre leur identité de type (ne plus passer pour une démocratie de marché) ; ils se doivent de continuer à maintenir l'ordre existant, sous peine de perdre leur identité de rôle (ne plus apparaître comme une puissance hégémonique) ; ils sont obligés de prendre en compte les intérêts de leurs alliés de l'Alliance atlantique, à la base de leur identité collective comme membre de la communauté de sécurité nord-atlantique.

En résumé, chez Wendt, l'intérêt national qui guide le comportement d'un État, bien qu'il se réfère aux exigences de sécurité et de survie d'un État, est enchâssé (*embedded*) dans les normes et valeurs qui façonnent (*shape*) ses identités[43]. Alors que chez les réalistes l'intérêt national d'un État s'impose à lui – ou à ses décideurs – de par la configuration des rapports de puissance, alors que chez les libéraux il est la résultante des préférences sociétales, chez les constructivistes les intérêts nationaux sont constitués par les idées et croyances internationalement partagées qui « structurent la vie politique internationale et lui donnent signification[44] ».

Au niveau systémique, ces normes et valeurs partagées entre les États au sujet d'eux-mêmes, des autres, et de leurs relations, forment alors une culture internationale, un système de significations partagées. Pour être anarchique, étant donné qu'il n'existe aucune autorité au-dessus des États, cette culture n'est cependant pas une donnée constante, imposant à tous les États une politique du *self-help* ; tout au contraire, parce qu'il s'agit d'une structure sociale composée « de normes et de significations internationalement partagées sur ce qui est bon et approprié[45] », il existe trois sortes de

---

43. *Pour des études empiriques montrant l'influence de l'identité sur les intérêts nationaux, dans le sens d'un moindre égoïsme de ces derniers, voir le recueil collectif de G. Chafetz* et al., The Origins of National Interests, *Londres, Frank Cass, 1999. Pour une étude sur les différences entre les conceptions réaliste, libérale et constructiviste de l'intérêt national, voir D. Battistella, « L'intérêt national. Une notion, trois discours », dans F. Charillon (dir.),* Politique étrangère. Nouveaux regards, *Paris, Presses de Sciences Po, 2002, p. 139-166.*

44. *M. Finnemore,* National Interests in International Society, op. cit., *p. 3.*

45. Ibid., *p. 2.*

cultures anarchiques[46], variables et évolutives dans le temps et l'espace selon à la fois les conceptions que les États se font de leurs relations mutuelles :

- il y a anarchie hobbesienne lorsque les États se conçoivent les uns les autres comme ennemis ;
- il y a anarchie lockienne lorsque les États se conçoivent les uns les autres comme rivaux ;
- il y a anarchie kantienne lorsque les États se conçoivent les uns les autres comme amis[47] ;

---

46. *Wendt parle également de logiques d'anarchie, en allusion à B. Buzan, C. Jones et R. Little,* The Logic of Anarchy, *New York (N. Y.), Columbia University Press, 1993. Mais au-delà de B. Buzan, à l'origine de la distinction entre « anarchie mature » et « anarchie immature » dans son* People, States and Fear, *Hemel Hempstead, Harvester Wheatsheaf, 1983 [1re éd.] (cf. chap. 14), la principale source d'inspiration de Wendt est l'École anglaise, car les trois types d'anarchie distingués renvoient directement à H. Bull (cf. chap. 5), lui-même inspiré par M. Wight (cf. chap. 2).*

47. *« Ami, rival, ennemi » : la typologie de Wendt renvoie* a priori *à C. Schmitt,* La Notion de politique *(1927), Paris, Flammarion, 1972, tout en ajoutant une troisième catégorie – « rival » – au couple « ami-ennemi » de ce dernier. Cela dit, même si Wendt se réfère à Schmitt en notes infra-paginales (*Social Theory of International Politics, op. cit., *p. 258, 260 et 298), la conception respective des deux auteurs nous paraît différente. Le rival wendtien résume à lui tout seul le binôme Schmittien car, chez Schmitt, un État est susceptible de prendre la forme de l'ami ou de l'ennemi selon que l'on coopère avec lui comme allié ou selon qu'on le combat comme adversaire, ce qui est justement le cas du rival chez Wendt au sein de la culture anarchique intermédiaire qu'est l'anarchie lockienne. Quant à l'ennemi wendtien, il serait une entité* ante-*politique chez Schmitt, vu l'extermination réciproque à laquelle procèdent les ennemis wendtiens, alors que l'ami wendtien serait lui une entité* post-*ou* méta-*politique chez Schmitt, étant donné que la fin du recours à la force entre amis chez Wendt signifie la mort du politique chez Schmitt. Sur ce débat et, au-delà, la notion*

et les degrés d'intériorisation dont le système de sens partagé fait l'objet de la part des États :

– au premier degré, un État ne partage une culture que parce qu'il est contraint de le faire – c'est l'hypothèse sous-jacente aux réalistes, pour qui le comportement des acteurs s'explique par les rapports de force ;

– au second degré, un État partage une culture parce qu'il est dans son intérêt d'agir ainsi – c'est l'hypothèse sous-jacente aux libéraux, pour qui le comportement des acteurs s'explique par leur intérêt éclairé ;

– au troisième degré, un État partage une culture parce qu'il la perçoit comme légitime – c'est l'hypothèse spécifique au constructivisme, car dans cette configuration, la culture devient un véritable facteur structurel et structurant, c'est-à-dire constituant et reconstituant les États à travers leurs identités et intérêts[48].

La culture anarchique hobbesienne existe lorsqu'un État « ne reconnaît pas à un autre État le droit d'exister comme entité indépendante et qu'en conséquence il ne restreint pas de sa propre

---

d'amitié en relations internationales, voir le dossier dirigé par A. Oelsner et A. Vion, « Friendship in International Relationship », International Politics, *48 (1), 2011, p. 1 et suiv.*

48. *L'idée de l'intériorisation des valeurs internationales par les différents États reflète parfaitement la conception que Wendt se fait des rapports entre agents et structure. En effet, lorsque Wendt dit que les États se conçoivent comme ennemis/rivaux/amis les uns les autres, il faut bien comprendre que les conceptions que les États ont les uns des autres, bien que partagées par les États individuellement, n'en sont pas moins des représentations collectives qui, une fois émises par les États, ou en tout cas un nombre important d'États, s'émancipent par rapport à ceux-ci avant d'être intériorisées par eux, devenant ainsi une structure sociale, mentale en l'occurrence et non pas matérielle, susceptible de reconstituer les agents que sont les États, c'est-à-dire susceptible non seulement de contraindre leur*

initiative la violence dont il fait preuve à son égard[49] ». À vrai dire, une telle culture hobbesienne, synonyme d'état de guerre de chacun contre chacun, de *self-help*, de *Machtpolitik*, etc., est presque un *oxymoron*. En effet, ce n'est que lorsque des entités distinctes se rencontrent pour la première fois qu'elles sont susceptibles de ne reconnaître aucun droit à la survie de l'autre, comme ce fut le cas par exemple des Huns face à l'Empire romain, ou des *conquistadores* espagnols face aux Aztèques ; or, par définition, lors des premières rencontres, il ne peut y avoir de culture partagée, étant donné qu'un tel partage présuppose des contacts préalables. Néanmoins, Wendt estime que la culture hobbesienne a prévalu de l'Antiquité jusqu'au Moyen Âge compris, lorsqu'elle était intériorisée au troisième degré, comme tendent à l'indiquer la violence endémique qui caractérisait les relations entre unités politiques et le taux élevé de destruction de celles-ci[50]. Depuis lors, elle ne réapparaît plus que de façon intermittente ou localisée : ainsi, lors des guerres de la Révolution et de l'Empire et lors de la seconde guerre mondiale, lorsque le comportement hors normes (au sens constructiviste d'un État ne se comportant pas de façon appropriée, c'est-à-dire conformément aux attentes que les autres ont de lui) des deux États révisionnistes qu'ont été la France napoléonienne et

---

comportement, mais aussi et surtout leurs identités et donc leurs intérêts nationaux. Sur l'ensemble de la problématique « structure/agent », voir la synthèse de C. Wight, Agents, Structures and International Relations : Politics as Ontology, *Cambridge, Cambridge University Press, 2006.*

49. A. Wendt, Social Theory of International Politics, op. cit., *p. 260.*

50. Wendt cite p. 266 une étude de 1978, due à R. Carneiro, selon qui le monde est passé de quelque 600 000 entités indépendantes en l'an 1000 avant Jésus-Christ à quelque deux cents de nos jours.

l'Allemagne hitlérienne a contraint les autres puissances majeures à adopter – temporairement et au premier degré d'intériorisation – cette culture hobbesienne ; de même, de nos jours, cette culture prédomine dans certaines régions, au Proche-Orient par exemple, entre Israéliens et Palestiniens[51].

Deuxième type d'anarchie internationale, la culture lockienne. Elle existe lorsque les États se perçoivent comme des rivaux, et sont susceptibles de recourir à la force entre eux en vue de s'imposer leur volonté, mais sans pour autant se nier le droit à l'existence. D'après Wendt, cette culture prévaut, de façon générale et abstraction faite des exceptions passées ou contemporaines, dans le système international westphalien. Depuis 1648, le fait que le taux de mortalité des États existants soit pratiquement égal à zéro tend en effet à prouver que les États sont favorables au *statu quo*. Ne recourant à la violence que pour défendre leur sécurité, même si celle-ci peut-être définie largement, les États fondent leurs relations sur la reconnaissance mutuelle de la souveraineté, qui est l'institution centrale de la culture lockienne, formalisée dans le droit international : c'est ce qui s'est passé lors de la seconde guerre du Golfe lorsque l'Irak, bien que niant le droit à l'existence du Koweït, a été simplement refoulé vers son territoire, mais n'a pas

---

51. *Pour une analyse du conflit israélo-palestinien comme conflit hobbésien, voir D. Battistella,* Paix et guerre au XXIe siècle, *Auxerre, Éditions Sciences Humaines, 2011, p. 111 et suiv. Depuis la publication de* Social Theory of International Politics, *les attentats du 11 septembre et leurs conséquences directes ou indirectes jusqu'à l'opération* Iraqi Freedom *sont susceptibles d'être analysés dans une perspective wendtienne comme signifiant le retour de valeurs hobbesiennes, du fait du comportement du réseau d'Al-Qaida, d'un côté, et des initiatives des États-Unis de G. W. Bush, de l'autre. Sur ce dernier point, voir D. Battistella,* Retour de l'état de guerre, op. cit.

été traité en « ennemi » par la coalition mise sur pied en vue de rétablir la souveraineté bafouée du Koweït. L'institution de la souveraineté[52] explique la survie des petits États qui n'auraient pas les moyens de perdurer si les grands ne les reconnaissaient pas ; davantage, le fait que cette reconnaissance se fasse ni sous contrainte – les États-Unis ne sauraient par exemple être forcés de reconnaître la souveraineté des Bahamas –, ni par intérêt – aucun calcul rationnel évaluant le rapport coûts/avantages d'une éventuelle reconnaissance de la souveraineté n'a précédé la reconnaissance des Bahamas par Washington –, montre que la culture lockienne est intériorisée au troisième degré : « Les États-Unis perçoivent comme légitime la norme de la souveraineté, et voilà pourquoi les Bahamas ont un droit à la vie et à la liberté que les États-Unis n'imaginent même pas pouvoir violer[53]. »

Prédominante, la culture lockienne n'est pas pour autant indépassable. Bien qu'elle prévale depuis qu'existe le système interétatique westphalien, le recours limité à la force, inhérent à l'anarchie lockienne, est de moins en moins fréquent entre les États en général, et surtout entre certains d'entre eux. Cet écart par rapport à la culture lockienne, Wendt l'explique par l'émergence d'une

---

52. *C'est dans cette deuxième catégorie qu'est l'anarchie lockienne que l'on retrouve l'influence directe que subit – et reconnaît – Wendt de la part de Bull, qui fonde justement sa notion de société internationale sur l'institution de la souveraineté (cf. chap. 5). C'est là un exemple parmi d'autres des affinités qui existent entre le libéralisme et le constructivisme. Il n'y a pas moins une différence entre Wendt et Bull : chez Wendt, les arrangements intersubjectifs constituent une véritable structure sociale internationale socialisant les acteurs, qui est caractérisée par plus « d'épaisseur » que la société internationale de Bull,* in fine *simple reflet des intérêts des grandes puissances.*

53. *A. Wendt,* Social Theory of International Politics, op. cit., *p. 289-290.*

culture anarchique kantienne, au sein de laquelle les États se conçoivent les uns les autres comme des amis : « Le système international contemporain est majoritairement lockien, avec des éléments kantiens de plus en plus nombreux[54]. » L'amitié est plus précisément une structure de rôle au sein de laquelle des États s'attendent à ce que chacun d'eux observe la règle du non-recours à la force (les conflits sont résolus de façon pacifique, par la négociation, le compromis, le dialogue) et celle de l'aide mutuelle (les États combattent ensemble lorsque l'un d'entre eux voit sa sécurité mise en danger par un État tiers) ; elle existe lorsque des États forment à la fois une communauté pluraliste de sécurité[55], au sens où ils respectent la règle du non-recours à la violence entre eux et ne considèrent plus la guerre comme un moyen de règlement des conflits, et un système de sécurité collective, au sens où ils s'identifient à autrui et se comportent de façon altruiste en

---

54. Ibid., *p. 43. Au-delà de l'ontologie constructiviste propre à Wendt, d'un point de vue substantiel c'est cette troisième catégorie de l'anarchie kantienne qui fait la spécificité de l'analyse que Wendt propose de la politique internationale contemporaine : les deux catégories que sont les cultures hobbesienne et lockienne rappellent en effet non seulement l'opposition système international-société internationale de Bull, ou système hétérogène-système homogène de Aron, ou anarchie immature-anarchie mature de Buzan, mais même la distinction réalisme offensif-réalisme défensif.*

55. *Wendt subit ici l'influence de K. Deutsch* et al., Political Community and the North Atlantic Area, op. cit. *(cf. chap. 14). Pour une approche constructiviste revisitant la notion de communauté de sécurité, voir E. Adler et M. Barnett,* Security Communities, *Cambridge, Cambridge University Press, 1998. Le même E. Adler, dans «* Constructivism and International Relations *», art. cité, voit dans Deutsch l'ancêtre du constructivisme moderniste, car les constructivistes contemporains sont plus ou moins tous passés entre ses mains, sinon directement, du moins par l'intermédiaire de ses étudiants devenus professeurs.*

considérant l'intérêt national d'autrui comme faisant partie intégrante du leur.

Toujours d'après Wendt, cette culture kantienne reste à l'heure actuelle cantonnée au sein de la seule aire nord-atlantique[56]. Cela étant, tout un ensemble de variables, telles que l'interdépendance croissante que la mondialisation favorise entre les États, la communauté de destin dont ils font partie à cause des défis globaux qu'ils doivent affronter, ainsi que l'homogénéisation grandissante de leurs régimes socio-politico-économiques constituent autant de tendances lourdes incitant les États à se comporter en amis ou du moins, dans un premier temps, à faire preuve d'auto-restriction dans leur comportement à l'égard d'autrui[57]. Si un tel comportement, que l'on a vu à l'œuvre de la part de l'Allemagne et du Japon depuis 1945, de Sadate à l'encontre d'Israël, et de Gorbatchev à la

---

56. *D'après Wendt, l'Alliance atlantique est non pas une alliance mais une communauté de sécurité pluraliste et un système de sécurité collective : sa survie et son extension depuis la fin de la guerre froide prouvent qu'il ne s'agit pas d'une simple alliance, car le propre d'une alliance est d'être temporaire et d'être dirigée contre une menace bien identifiée dans le temps et l'espace ; or, si l'Alliance atlantique a pu être créée sur de telles bases intéressées, face à la menace soviétique, elle a évolué vers des relations d'amitié entre des États-membres se sentant liés entre eux par un* we-feeling, *un sentiment de solidarité et d'identité collective. Dans le même sens, D. Battistella,* Un monde unidimensionnel, op. cit., *p. 72 et suiv.*

57. *En invoquant ainsi le rôle de facteurs* in fine *matériels comme cause du changement culturel, A. Wendt s'expose à la critique de l'incohérence ontologique : si les idées partagées et les comportements qui en découlent sont la conséquence de changements matériels, l'ontologie constructiviste n'est plus idéaliste mais matérialiste. R. Jervis, « Theories of War in an Era of Leading Power Peace »,* American Political Science Review, *96 (1), mars 2002, p. 14, en déduit ce qu'il estime être la principale critique susceptible d'être faite au constructivisme, celle de ne pas s'interroger sur les origines des facteurs idéels :*

fin de la guerre froide[58], pouvait se généraliser, alors la culture kantienne finirait par être intériorisée au troisième degré par un nombre de plus en plus grand d'acteurs étatiques, au point de se transformer en variable systémique, susceptible de provoquer l'avènement d'une « communauté de non-guerre[59] » au niveau global.

En prévoyant ainsi la possibilité d'un passage de l'actuelle anarchie lockienne à une « communauté d'inter-subjectivité[60] » kantienne, Wendt montre bien que « le système du *self-help* et la politique de puissance ne s'appuient pas logiquement ou causalement sur l'anarchie et que si [...] nous nous retrouvons dans un monde du *self-help*, cela est dû aux processus et non pas à la structure. Il n'y a pas de "logique" de l'anarchie en dehors des pratiques qui créent et reproduisent une structure des identités et de l'intérêt plutôt qu'une autre. La structure n'a pas d'existence ni de pouvoir causal en dehors du processus. Le *self-help* et la politique de puissance sont des institutions, plutôt que des caractéristiques essentielles de l'anarchie. L'anarchie est ce que les États en font[61] ». Ce faisant, il rend justice au projet constructiviste qui

---

« L'objection évidente au constructivisme est qu'il prend les effets pour des causes : sa description est correcte, mais les identités, images et images de soi relèvent de la superstructure (...). Ce qui compte ce n'est pas tant ce que pensent les gens, mais les facteurs qui commandent ces pensées ».

58. *Sur le rôle crucial de Gorbatchev dans la fin de la guerre froide, voir R. Lebow et T. Risse-Kappen (eds),* International Relations Theory and the End of the Cold War, *New York (N. Y.), Columbia University Press, 1995.*

59. *L'expression de «* non-war communununity *» est utilisée par O. Waever à propos de l'Europe occidentale, dans E. Adler et M. Barnett (eds),* Security Communities, op. cit., *p. 69 et suiv.*

60. *T. Hopf, « The Promise of Constructivism in International Relations Theory », art. cité.*

61. *A. Wendt, « Anarchy Is What States Make of It », art. cité.*

cherche à prouver que nous vivons dans « un monde de notre fabrication[62] » et désireux de démontrer que des changements dans la politique internationale sont susceptibles de se produire lorsque des acteurs, par leurs pratiques, changent les règles et les normes constitutives de l'interaction internationale. Loin d'être naïvement optimiste ou utopique[63], la perspective d'une anarchie kantienne est conforme au tableau d'un « monde plus large, plus contingent, plus inattendu, plus surprenant et doté de plus de possibilités[64] » que le monde des rationalistes, tout en étant parfaitement plausible d'un point de vue de pure logique conceptuelle : structure vide,

---

62. *Tel est le titre du livre de N. Onuf,* A World of Our Making, op. cit.

63. *Parmi d'autres critiques, J. Checkel, « The Constructivist Turn in International Relations Theory », art. cité, reproche aux constructivistes d'être victime d'un optimisme béat quant à l'avenir de la planète, du fait de leur tendance à avoir une conception normative,* id est *morale, des normes, qui les amènerait à souligner de préférence l'impact des normes et idées « progressistes » (anti-apartheid, droit d'ingérence humanitaire, etc.). Le reproche n'est pas entièrement infondé, car on a parfois l'impression que le monde des normes, institutions et autres structures linguistiques et idéationnelles cher aux constructivistes est libre de toute dimension de pouvoir, sinon même de toute politique, d'autant que Wendt a lui aussi une conception de l'interdépendance heureuse et de la diffusion quasi linéaire de la démocratie que ne renierait pas Francis Fukuyama. Mais n'oublions pas la substance de la théorie du changement de Wendt : s'il affirme que la prise de conscience de la réification des institutions autorise le changement, il souligne tout autant la difficulté de celui-ci, en montrant comment les institutions internationales (la souveraineté par exemple), pour être fondées sur des significations collectives qui ont été créées* ex nihilo *par la pratique humaine, n'en ont pas moins été diffusées et consolidées au point d'être intériorisées au troisième degré et d'être ainsi considérées comme allant de soi.*

64. *E. Adler, « Constructivism and International Relations », art. cité.*

l'anarchie renvoie à l'absence de quelque chose, en l'occurrence l'absence d'une autorité centrale, et non à la présence de quelque chose, en l'occurrence une politique de puissance ou d'intérêt plus ou moins égoïste ou éclairé ; l'amitié y a donc tout autant sa place que l'hostilité ou la rivalité.

La fidélité dont Wendt fait ainsi preuve à l'égard de l'esprit émancipatoire de la théorie critique[65] ne l'amène pas pour autant à rompre avec le (néo-)réalisme et/ou le (néo-)libéralisme, et à proposer une explication censée se substituer à celles avancées par ces derniers. Tout au contraire, *Social Theory of International Politics* constitue non seulement une *via media* entre l'épistémologie positiviste et l'ontologie post-positiviste dans l'espoir de dresser un pont entre le rationalisme et le réflectivisme, mais aussi une tentative de synthèse substantielle entre le réalisme et le libéralisme[66].

---

65. *Dans son ensemble, le constructivisme peut-être considéré comme étant sous-tendu par une normativité réformiste, après avoir été émancipatoire à ses débuts. E. Adler, « Constructivism and International Relations », art. cité., écrit que le constructivisme est un « savoir* pour *le monde » (souligné par nos soins), et il demande aux constructivistes d'assumer « les conséquences pratiques et politiques de leur approche » et de construire un pont entre leur théorie et la pratique des relations internationales. Wendt s'est lui-même prononcé sur son intérêt cognitif émancipatoire dans sa contribution à un ouvrage collectif sur la théorie critique : « What Is International Relations For ? Notes Toward A Postcritical View », dans R. Wyn-Jones (ed.),* Critical Theory and World Politics, op. cit., *p. 205-223.*

66. *On retrouve ce besoin d'œcuménisme substantiel chez une majorité de constructivistes. Ainsi, d'après E. Adler, « Seizing the Middle Ground. Constructivism in World Politics », art. cité, « les théories constructivistes de la politique internationale [... ne sont...] en soi ni antiréalistes ni antilibérales par conviction idéologique, ni optimistes ni pessimistes par dessein ». De même, selon M. Finnemore,* National Interests in International

Le prix à payer pour ce syncrétisme, qui revient à affirmer que selon les régions et/ou les époques, prévaut soit l'amitié, soit l'hostilité, soit la rivalité entre les États, est bien sûr l'irréfutabilité de son analyse : comme le dit Dale Copeland, « lorsque le comportement des États tourne au conflit, Wendt peut affirmer que la culture est devenue hobbesienne ; lorsque leur comportement devient plus coopératif, le système évolue vers une culture lockienne ou kantienne[67] ».

À cette critique, Wendt échappe en partie depuis qu'il a annoncé l'inévitabilité de l'État mondial[68]. Combinant la perspective kantienne de l'insociable sociabilité avec l'approche hégélienne de la lutte pour la reconnaissance, il estime que les conflits entre États déboucheront forcément sur la formation d'une identité collective entre États, synonyme d'avènement d'un État mondial[69] : il en est

---

Society, op. cit., *p. 27, « la relation entre [...] constructivisme et réalisme et libéralisme [...] est une relation de complémentarité, et non pas de concurrence. Je ne dis pas que les normes comptent et que les intérêts ne comptent pas, ni même que les normes comptent davantage que les intérêts. Tout simplement les normes façonnent les intérêts. Par conséquent, les deux ne peuvent être logiquement opposés. [...] En fait, le néoréalisme et le néolibéralisme ne sont pas erronés, mais incomplets ». Nous reviendrons dans le chapitre 17 sur l'évolution de cette volonté de complémentarité, qui a fini par se faire essentiellement en faveur des (néo-)libéraux.*

67. D. Copeland, « The Constructivist Challenge to Structural Realism », International Security, *25 (2), automne 2000, p. 187-212.*

68. A. Wendt, « Why a World State is Inevitable », European Journal of International Relations, *9 (4), décembre 2003, p. 491-542.*

69. Ce faisant, il rompt avec ses deux inspirateurs, qui en étaient restés à l'horizon de l'anarchie comme stade final du système international, qu'il s'agisse de la fédération d'États libres chez Kant, ou de l'état de guerre opposant des totalités étatiques auto-suffisantes chez Hegel.

notamment ainsi à cause des développements technologiques dramatiques récents, dont l'impact est à la fois négatif – ils rendent les recours à la force armée de plus en plus coûteux –, et positif – ils rendent possible l'organisation d'un État à l'échelle mondiale. L'avènement de ce dernier viendra couronner une évolution ayant vu passer la politique internationale par le système des États (anarchie hobbesienne), la société des États (anarchie lockienne), la société mondiale ou cosmopolite (anarchie lockienne étendue aux individus) et la sécurité collective (anarchie kantienne incluant les individus). Un tel État mondial pourra très bien prendre une constitution inédite par rapports aux États existants, et par exemple ressembler à une Union européenne étendue à l'échelle mondiale plutôt que d'avoir un gouvernement centralisé à sa tête ou même une armée permanente à sa disposition. Dans tous les cas, il sera synonyme de fin de l'anarchie, car il prendra des décisions contraignantes pour ses membres, après délibération entre ceux-ci ; surtout, et cela explique pourquoi il sera synonyme de fin de l'histoire, en son sein, chacun y aura acquis la liberté positive de se voir reconnaître dans sa spécificité subjective par autrui, et aura abandonné sa liberté négative de recourir à la force armée de façon unilatérale.

Reste à savoir si une telle logique téléologique de l'anarchie, en quelque sorte condamnée de par son essence à sa propre disparition, est compatible avec le projet constructiviste : comment affirmer sans se contredire que l'anarchie est tout à la fois la résultante des actions des agents et engagée dans un processus finaliste, dont l'issue est déterminée à l'avance[70] ?

---

70. *Voir à ce sujet la critique de V. Shannon, « Wendt's Violation of the Constructivist Project. Agency and Why a World State is Not Inevitable »,* European Journal of International

Dans tous les cas, si le progressisme assumé de Wendt lui permet d'échapper à la critique de l'éclectisme, il reste exposé à celle de vouloir proposer une nouvelle théorie synthétique des relations internationales[71]. D'autant plus qu'il projette un nouvel ouvrage, annoncé sous le titre de *Quantum Mind and Social Science*, dans lequel il ambitionne une nouvelle synthèse, entre sciences de la société et sciences de la nature cette fois-ci. Cette volonté synthétique s'inscrit dans l'air du temps de la discipline telle qu'elle se pratique de plus en plus de nos jours aux États-Unis et sur laquelle nous reviendrons dans notre chapitre 17.

Auparavant, il nous faut consacrer notre troisième partie à la présentation des terrains concrets d'application dont les théories générales rivales ont fait l'objet dans le cadre d'approches sectorielles. Ce sont en effet les vérifications empiriques auxquelles les différentes approches générales donnent lieu dans les domaines de recherche sectoriels de la discipline qui sont susceptibles de nous donner une idée un tant soit peu précise de leur valeur heuristique relative.

Bibliographie

Renvoyant à la sociologie d'Émile Durkheim, Georg Simmel et Max Weber, ainsi qu'à l'épistémologie d'Alfred Schütz, Peter Berger et Thomas Luckmann, et John Searle, le constructivisme a été explicitement introduit en Relations internationales par :

Relations, *11 (4), décembre 2005, p. 581-587, suivie de la réponse d'A. Wendt.*

71. Voir les critiques rassemblées par S. Guzzini et A. Leander (eds), Constructivism and International Relations. Alexander Wendt and his Critics, *Londres, Routledge, 2005.*

KRATOCHWIL (Friedrich), *Rules, Norms and Decisions*, Cambridge, Cambridge University Press, 1989, 318 p.

ONUF (Nicholas), *World of Our Making. Rules and Rule in Social Theory and International Relations*, Columbia (S. C.), University of South Carolina Press, 1989, 342 p.

Nous l'associons à la version moderniste d'Alexander Wendt :

WENDT (Alexander), « The Agent-Structure Problem in International Relations Theory », *International Organization*, 41 (3), été 1987, p. 335-370.

WENDT (Alexander), « Anarchy Is What States Make of It. The Social Construction of Power Politics » (1992), dans James Der Derian (ed.), *International Theory. Critical Investigations*, Basingstoke, Macmillan, 1995, p. 129-177.

WENDT (Alexander), « On Constitution and Causation in International Relations », *Review of International Studies*, 24 (5), décembre 1998, p. 101-117.

WENDT (Alexander), *Social Theory of International Politics*, Cambridge, Cambridge University Press, 1999, 429 p.

WENDT (Alexander), « Why a World State Is Inevitable », *European Journal of International Relations*, 9 (4), décembre 2003, p. 491-542.

WENDT (Alexander), « The State as Person in International Theory », *Review of International Studies*, 30 (2), avril 2004, p. 289-316.

WENDT a fait l'objet de très nombreuses critiques, dont on peut trouver les plus intéressantes chez :

GUZZINI (Stefano) et LEANDER (Anna) (eds), *Constructivism and International Relations. Alexander Wendt and his Critics*, Londres, Routledge, 2005, 272 p.

KEOHANE (Robert) *et al.*, « Forum on Alexander Wendt », *Review of International Studies*, 26 (1), janvier 2000, p. 123-180.

ZEHFUSS (Maja), *Constructivism in International Relations. The Politics of Reality*, Cambridge, Cambridge University Press, 2002, 290 p.

Pour ce qui est des études empiriques relevant du constructivisme, retenons :

ADLER (Emanuel), *Communitarian International Relations : The Epistemic Foundations of International Relations*, Londres, Routledge, 2005, 334 p.

ADLER (Emanuel) et BARNETT (Michael) (eds), *Security Communities*, Cambridge, Cambridge University Press, 1998, 462 p.

BARNETT (Michael) et FINNEMORE (Martha), *Rules for the World. International Organization in Global Politics*, Ithaca (N. Y.), Cornell University Press, 2004, 226 p.

CHAFETZ (Glenn), SPIRTAS (Michael) et FRANKEL (Benjamin) (eds), *The Origins of National Interests*, Londres, Frank Cass, 1999, 414 p.

FINNEMORE (Martha), *National Interests in International Society*, Ithaca (N. Y.), Cornell University Press, 1996, 154 p.

HURD (Ian), *After Anarchy. Legitimacy and Power in the United Nations*, Princeton (N. J.), Princeton University Press, 2007, 240 p.

KATZENSTEIN (Peter) (ed.), *The Culture of National Security. Norms and Identity in World Politics*, New York (N. Y.), Columbia University Press, 1996, 562 p.

KECK (Margaret) et SIKKINK (Kathryn), *Activists Beyond Borders. Transnational Advocacy Networks in International Politics*, Ithaca (N. Y.), Cornell University Press, 1998, 228 p.

KLOTZ (Audie), *The Struggle against Apartheid. Norms in International Relations*, Ithaca (N. Y.), Cornell University Press, 1995, 184 p.

LAPID (Yosef) et KRATOCHWIL (Friedrich) (eds), *The Return of Culture and Identity in International Relations Theory*, Boulder (Colo.), Lynne Rienner, 1996, 256 p.

LEBOW (Richard Ned) et RISSE-KAPPEN (Thomas) (eds), *International Relations Theory and the End of the Cold War*, New York (N. Y.), Columbia University Press, 1995, 292 p.

RUGGIE (John G.), *Constructing the World Polity. Essays on International Institutionalization*, Londres, Routledge, 1998, 336 p.

WELDES (Jutta), *Constructing National Interests. The United States and the Cuban Missile Crisis*, Minneapolis (Minn.), University of Minnesota Press, 1996, 264 p.

Pour des présentations synthétiques du constructivisme, voir :

ADLER (Emanuel), « Seizing the Middle Ground. Constructivism in World Politics » (1997), dans Emanuel Adler, *Communitarian International Relations. The Epistemic Foundations of International Relations*, Londres, Routledge, 2005, p. 89-115.

ADLER (Emanuel), « Constructivism and International Relations », dans Walter Carlsnaes, Thomas Risse et Beth Simmons (eds), *Handbook of International Relations*, Londres, Sage, 2002, p. 95-118.

CHECKEL (Jeffrey), « The Constructivist Turn in International Relations Theory », *World Politics*, 50 (2), janvier 1998, p. 324-348.

FINNEMORE (Martha) et SIKKINK (Kathryn), « Taking Stock. The Constructivist Research Program in International Relations and Comparative Politics », *Annual Review of Political Science*, 2001, p. 391-416.

GUZZINI (Stefano), « A Reconstruction of Constructivism in International Relations », *European Journal of International Relations*, 6 (2), juin 2000, p. 147-182.

HOPF (Ted), « The Promise of Constructivism in International Relations Theory », *International Security*, 23 (1), été 1998, p. 171-200.

JEPPERSON (Ronald), WENDT (Alexander) et KATZENSTEIN (Peter), « Norms, Identity, and Culture in National Security », dans Peter Katzenstein (ed.), *The Culture of National Security. Norms and Identity in World Politics*, New York (N. Y.), Columbia University Press, 1996, p. 33-75.

KLOTZ (Audie) et LYNCH (Cecelia), « Le constructivisme dans la théorie des relations internationales », *Critique internationale*, 2, hiver 1999, p. 51-62.

ONUF (Nicholas), « Constructivism. A User's Manual », dans Vendulka Kubalkova, Nicholas Onuf et Paul Kowert (eds), *International Relations in a Constructed World*, Armonk (N. Y.), Sharpe, 1998, p. 58-78.

PALEN (Ronan), « A World of their Making. An Evaluation of the Constructivist Critique in International Relations », *Review of International Studies*, 26 (4), octobre 2000, p. 575-598.

PRICE (Richard) et REUS-SMIT (Christian), « Dangerous Liaisons ? Critical International Theory and Constructivism », *European Journal of International Relations*, 4 (3), septembre 1998, p. 259-294.

RUGGIE (John G.), « What Makes the World Hang Together ? Neo-Utilitarianism and the Social Constructivist Challenge », *International Organization*, 52 (4), automne 1998, p. 855-885.

STERLING-FOLKER (Jennifer), « Competing Paradigms or Birds of a Feather ? Constructivism and Neoliberal Institutionalism Compared », *International Studies Quarterly*, 44 (1), mars 2000, p. 97-119.

Troisième partie

Débats sectoriels

Si en Relations internationales il faut davantage parler de théories au pluriel que de théorie au singulier (cf. chap. 1), ce n'est pas seulement parce que la discipline est caractérisée par la cœxistence de plusieurs théories générales (cf. deuxième partie). C'est aussi parce que les controverses théoriques sont omniprésentes dans les approches sectorielles.

Depuis l'entre-deux-guerres, la discipline a en effet vu la publication d'une œuvre majeure par décennie en moyenne, de Carr à Wendt, en passant par Morgenthau, Aron, Bull, Waltz, Wallerstein, Rosenau ; d'un point de vue quantitatif, autrement dit, la majorité des travaux publiés en Relations internationales est consacrée non pas à des tentatives d'explication globale des relations internationales, mais à l'étude de domaines particuliers, de processus et d'interactions sectoriels. Or, que ces études portent sur des thèmes classiques – la conduite de la politique étrangère, les causes de la guerre et les conditions de la paix, la notion de sécurité – ou qu'elles privilégient au contraire des problématiques plus contemporaines – les phénomènes d'intégration régionale, les processus de coopération, l'économie politique internationale –, il s'agit d'autant de terrains d'application privilégiés des débats inter-paradigmatiques.

Plus précisément, les débats qui ont fait et qui font toujours les riches heures de la discipline mettent aux prises, dans le domaine d'un secteur de recherches particulier, le réalisme d'une part, l'une ou l'autre des approches non réalistes d'autre part. Alors que la présentation globale de la discipline à laquelle nous avons procédé dans notre deuxième partie, pour des raisons pédagogiques, peut donner l'impression d'une parité approximative entre les différentes approches générales, une analyse détaillée des domaines d'analyses partielles permet de constater[1]

---

1. *Constater la prééminence du réalisme ne revient pas, contrairement à ce qu'avancent les critiques du réalisme, à*

la prééminence au moins implicite – tout au long de l'histoire de la discipline – du paradigme réaliste, en ce qu'elle montre que les principaux débats sont tous nés de critiques adressées aux insuffisances du réalisme : dès la révolution behaviouraliste, les postulats réalistes de l'État acteur unitaire et rationnel ont fait l'objet de critiques de la part de l'analyse décisionnelle en politique étrangère (chap. 10), de même qu'il a été reproché aux réalistes de ne pas pouvoir rendre compte des processus d'intégration régionale, et notamment européenne (chap. 11) ; dans les années 1970 et 1980, l'influence des approches marxisantes a permis de prendre conscience de l'importance du facteur économique sur la scène internationale, largement négligé par les réalistes, avec pour conséquence, lorsque sont entrés en crise les systèmes de régulation mis en place dans l'après-seconde guerre mondiale, les débats provoqués par les théories de la coopération (chap. 12) et de l'économie politique internationale (chap. 13) ; enfin, depuis le tournant de la fin de la guerre froide, le bastion par excellence du réalisme qu'est le domaine de la guerre et de la paix fait à son tour l'objet d'analyses divergentes, avec les mutations des études de sécurité (chap. 14) et l'apparition de la théorie de la paix démocratique (chap. 15).

---

saluer ou à justifier cette supériorité ; ce constat n'aboutit pas davantage, contrairement à ce qu'affirment les post-positivistes, à reproduire cette prééminence en minorant l'importance des autres approches.

Chapitre 10 / La politique étrangère

« Pour comprendre le pourquoi, il faut analyser le comment. »
Richard Snyder, H. W. Bruck et Burton Sapin[1]

Définie de façon générale comme « l'instrument par lequel un État tente de façonner son environnement politique international[2] », par lequel il tente d'y préserver les situations qui lui sont favorables et d'y modifier les situations qui lui sont défavorables[3], la politique étrangère constitue la matière première par excellence des Relations internationales, étant donné que l'objet de celles-ci – les interactions se déroulant en dehors de l'espace contrôlé par un seul État (cf. chap. 1) – inclut par définition les actions et décisions des États envers les autres acteurs – étatiques et non étatiques – de la scène internationale. Cela explique la place qu'occupe au sein de la discipline l'analyse de la politique étrangère : sinon depuis la création des Relations internationales au lendemain de l'après-première guerre mondiale, du moins dès la fin de la seconde guerre mondiale, les internationalistes n'ont eu de cesse de vouloir « comprendre la politique étrangère[4] ».

Certes, la séduction exercée par un Kenneth Waltz privilégiant l'étude de la politique internationale au niveau systémique a abouti à ce que la *Foreign Policy Analysis*, approche « réductionniste » (cf. chap. 4) expliquant le comportement international d'un

1. *R. Snyder, H. Bruck et B. Sapin,* Foreign Policy Decision-Making, op. cit., *p. 33.*
2. *F. Charillon, « Introduction », dans F. Charillon (dir.),* Politique étrangère. Nouveaux regards, op. cit., *p. 13-29.*
3. *Émise par J. Rosenau,* The Scientific Study of Foreign Policy, op. cit., *cette hypothèse est au cœur du livre de G. Palmer et C. Morgan,* A Theory of Foreign Policy, *Princeton (N. J.), Princeton University Press, 2006.*
4. *H. Morgenthau,* Politics Among Nations, op. cit., *p. 6.*

État au niveau d'analyse de l'acteur, n'exerce plus de nos jours le même attrait que dans les années 1950 à 1970[5]. Certes aussi, pour cause de trans-nationalisation et de mondialisation (cf. chap. 6), la politique étrangère se limite de moins en moins à la seule « partie de l'activité *étatique* dirigée vers le dehors[6] », étant donné l'existence de politiques étrangères « privées » des entreprises multinationales ou des organisations non gouvernementales, de diplomaties infra-étatiques des collectivités locales, voire de politiques extérieures potentiellement « post-souveraines », comme la PESC de l'Union européenne[7].

Dans la perspective de l'histoire des Relations internationales, il n'en reste pas moins que c'est dans le domaine de l'étude de la politique étrangère qu'ont eu lieu les premières passes d'armes entre paradigmes concurrents et, davantage, que c'est l'hypothèse de l'État

---

5. *La séduction de Waltz a opéré non seulement sur des constructivistes tels que A. Wendt (cf. chap. 9), mais aussi sur certains spécialistes de politique étrangère : le J. Rosenau de* Turbulence in World Politics, op. cit., *n'a plus grand-chose à voir, d'un point de vue substantiel, avec le Rosenau de « Pre-Theories and Theories of Foreign Policy », art. cité, ou bien celui de* The Scientific Study of Foreign Policy, op. cit.

6. *Telle est la définition de la politique étrangère proposée par M. Merle,* La Politique étrangère, *Paris, Economica, 1984, p. 7. C'est nous qui soulignons.*

7. *La place nous manque ici pour résumer en détail ces recherches. Voir, notamment, C. Hermann, C. Kegley et J. Rosenau (eds),* New Directions in the Study of Foreign Policy, *Londres, Allen and Unwin, 1987 ; B. Hocking,* Localizing Foreign Policy. Non Central Governments and Multilayered Diplomacy, *New York (N. Y.), St. Martin's Press, 1993 ; J. Rosati, J. Hagan et M. Simpson,* Foreign Policy Restructuring. How Governments Respond to Global Change, *Columbia (S. C.), University of South Carolina Press, 1994 ; F. Charillon (dir.),* Politique étrangère. Nouveaux regards, op. cit. *; C. Hill,* The Changing Politics of Foreign Policy, *New York (N. Y.), Palgrave, 2002.*

comme « unité d'analyse principale de la politique étrangère[8] » qui est à l'origine des recherches les plus fructueuses : après la révolution behaviouraliste, l'approche décisionnelle de la politique étrangère a remis en cause les postulats réalistes par l'intermédiaire desquels celle-ci était traditionnellement abordée, à savoir l'unité de l'acteur étatique personnifié dans le décideur ultime, la rationalité des choix de ce dernier, et la radicale séparation des décisions de politique étrangère par rapport à la politique intérieure.

« J'estime qu'il peut être vrai que la fortune soit maîtresse de la moitié de nos œuvres, mais qu'*etiam* elle nous en laisse gouverner à peu près la moitié ». Mieux que de longs discours, le *Prince*[9] de Machiavel résume à merveille la vision sous-jacente à la conception que se font les réalistes[10] de la politique étrangère : celle-ci

---

8. F. Charillon, « Introduction », art. cité.

9. N. Machiavel, Le Prince *(1513), dans N. Machiavel,* Œuvres complètes, *Paris, Gallimard, coll. « La Pléiade », 1952, p. 365.*

10. Précisons d'emblée que par réalistes on entend ici les seuls réalistes classiques (Morgenthau, Aron, Kissinger), ainsi que les réalistes néoclassiques (cf. chap. 4), à l'exclusion autrement dit des néoréalistes tels que K. Waltz qui s'intéresse à la politique internationale, ensemble de résultantes systémiques façonnées par la structure anarchique du système international et sa configuration en pôles de puissances, et non pas à la politique étrangère, au sens de comportement d'un État au niveau de l'acteur. Sur les potentialités du néoréalisme en matière de théorie de la politique étrangère, voir C. Elman, « Horses for Courses. Why Not *Neorealist Theories of Foreign Policy ? »,* Security Studies, *6 (1), automne 1996, p. 7-53 ; S. Telhami, « K. Waltz, Neo-Realism and Foreign Policy »,* Security Studies, *11 (3), printemps 2002, p. 158-170 ; ainsi que A. Wivel, « Explaining Why State X Made a Certain Move Last Tuesday : The Promise and Limitations of Realist Foreign Policy Analysis »,* Journal of International Relations and Development, *8 (4), 2005, p. 355-380.*

est considérée comme un ensemble d'actions et de décisions intentionnelles entreprises par le chef de l'État (« nous ») en vue de maximiser les objectifs (« nos œuvres ») que se doit d'essayer de satisfaire un État dans un environnement contraignant (« fortune »). Pour preuve, la phrase suivante du plus théoricien des praticiens de la politique étrangère contemporaine, Henry Kissinger, véritable écho au niveau d'analyse de l'acteur individuel de la formule située au niveau d'analyse systémique proposée par le Florentin : « La valeur d'un homme d'État tient [...] à son talent à évaluer la relation exacte des forces, puis à faire servir cette évaluation aux fins qu'il s'est assignées[11]. »

Pour les réalistes, la politique étrangère d'un État, c'est tout d'abord la politique étrangère du « prince », chef de l'État ou du pouvoir exécutif. En effet, la *state-centric assumption* qui caractérise le réalisme contemporain signifie non seulement l'unicité de l'État comme acteur exclusif ou, dans tous les cas, principal, de la scène internationale, mais aussi son unité, c'est-à-dire sa personnification, son incarnation, dans l'autorité qui se trouve à sa tête (cf. chap. 4) : la *state-as-sole-actor approach* se double de la *state-as-unitary-actor approach*[12], de Edward Carr notant que « l'attribution de la personnalité à l'État est une fiction ou une hypothèse nécessaire, un outil inventé par l'esprit humain pour [...] discuter de la politique internationale[13] » à Raymond Aron affirmant que la conduite diplomatico-stratégique est menée par « le diplomate »

---

11. H. Kissinger, Le Chemin de la paix *(1957), Paris, Denoël, 1972, p. 401.*

12. Pour un plaidoyer en faveur de ces deux postulats, voir S. Krasner, Defending the National Interest. Raw Material Investments and US Foreign Policy, *Princeton (N. J.), Princeton University Press, 1978.*

13. E. Carr, The Twenty Years' Crisis, op. cit., *p. 137. La citation complète est la suivante : « La controverse sur l'attribution de*

qui parle au nom de la collectivité étatique à laquelle il appartient et par « le soldat » qui tue au nom de ladite collectivité étatique[14], en passant par Hans Morgenthau selon qui l'examen des actes de politique étrangère implique la découverte de « ce que les hommes d'État ont réellement fait » pour, « à partir des conséquences prévisibles de leurs actes, [...] supposer quels ont pu être leurs objectifs[15] ».

Cette dernière citation esquisse le deuxième postulat clef de l'analyse réaliste de la politique étrangère qu'est la rationalité du chef de l'État. Pour les réalistes, l'homme d'État est un acteur rationnel qui, confronté à une situation internationale donnée, compte tenu des objectifs à atteindre, et vu les préférences qui sont les siennes, envisage les différentes alternatives qui se présentent à lui, évalue leurs coûts respectifs et, sur la base de l'information parfaite dont il dispose, prend la décision garantissant la maximisation des avantages et/ou la minimisation des désavantages. Si l'on veut expliquer la politique étrangère, dit Morgenthau, il faut se placer « dans la situation de l'homme d'État qui doit faire face à un certain problème de politique étrangère », et se demander « quelles sont les alternatives rationnelles parmi lesquelles un homme d'État, confronté avec ce problème et dans ces circonstances (en supposant toujours qu'il agisse d'une manière rationnelle), peut opérer un choix et laquelle de ces alternatives

---

la personnalité à l'État n'est pas fallacieuse, mais dénuée de sens. Nier la personnalité d'un État est aussi absurde que lui en attribuer une. La personnalité d'un État n'est pas un fait vérifiable ou réfutable. [...] C'est une fiction ou une hypothèse nécessaire, un outil inventé par l'esprit humain pour venir à bout de la structure d'une société développée [...]. En particulier, il ne semble pas possible de discuter de la politique internationale d'une autre manière. »

14. *R. Aron,* Paix et guerre entre les nations, op. cit., *p. 17.*
15. *H. Morgenthau,* Politics Among Nations, op. cit., *p. 4.*

rationnelles cet homme d'État particulier, agissant dans ces circonstances, est capable de choisir[16] ».

Quels sont alors les objectifs que poursuit le chef d'État rationnel ? Selon Morgenthau, il n'y en a qu'un seul, l'intérêt national défini en termes de puissance : « Nous supposons que les hommes d'État pensent et agissent en termes d'intérêt défini comme puissance[17] » ; selon Aron, étant donné la nature indéterminée de la conduite diplomatico-stratégique, toute politique étrangère cherche à satisfaire plusieurs objectifs, et notamment « la puissance, la gloire et l'idée[18] ». Mais qu'il y ait un ou plusieurs objectifs, toujours la politique extérieure est contrainte par la structure particulière, *id est* anarchique, de l'environnement international : si la politique étrangère cherche à satisfaire l'intérêt national défini en termes de puissance chez Morgenthau, c'est parce que « la politique internationale [...] est une lutte pour la puissance[19] » ; et c'est parce que les unités politiques « sont rivales par le fait même qu'elles sont autonomes » que chez Aron « la conduite du diplomate-stratège a pour sens spécifique d'être dominée par le risque de guerre[20] ».

Or, si la politique étrangère est contrainte par le seul milieu international, alors elle est séparée de la politique intérieure. Cette dernière dimension de la conception réaliste de la politique étrangère a deux significations. D'un côté, elle signifie l'exclusion de toute considération interne au moment de la prise de

---

16. Ibid., *p. 4-5.*
17. Ibid., *p. 5.*
18. *R. Aron,* Paix et guerre entre les nations, op. cit., *p. 81 et suiv.*
19. *H. Morgenthau,* Politics Among Nations, op. cit., *p. 29.*
20. *R. Aron,* Paix et guerre entre les nations, op. cit., *p. 82 et 88.*

décision diplomatique : « L'intérêt national [...] rappelle aux gouvernants d'un jour que la sécurité et la grandeur de l'État doivent être les objectifs de l'homme diplomatique, quelle que soit l'idéologie qu'ils invoquent[21]. » De l'autre, elle implique l'exclusion de l'opinion publique dans la conduite diplomatique accaparée par le seul « prince » : « Le raisonnement qu'exige une conduite réussie de la politique extérieure est souvent à l'opposé de celui susceptible d'être apprécié par les masses et leurs représentants. L'homme d'État doit penser en termes d'intérêt national. [...] L'homme d'État doit avoir une vision à long terme, l'opinion publique veut des résultats immédiats, et est prête à sacrifier le vrai bénéfice du lendemain au profit de l'apparent avantage d'aujourd'hui. [...] Confronté au dilemme de choisir entre une bonne politique extérieure et celle, mauvaise, exigée par l'opinion publique, un gouvernement doit résister à la tentation de sacrifier sur l'autel de l'opinion publique ce qu'il considère être une bonne politique, car sinon il abdiquerait son *leadership* et substituerait un avantage précaire immédiat aux intérêts permanents du pays[22]. »

Pour les réalistes, cette séparation renvoie à la différence de nature entre sphère politique internationale – anarchique et décentralisée – et ordre politique interne – centralisé et hiérarchique –, voire à la primauté de principe de la politique étrangère, synonyme de haute politique, sur la politique interne, synonyme de basse politique : s'il est vrai qu'« est souverain celui qui décide de la situation exceptionnelle [...], celui qui décide en cas de conflit, en quoi consistent l'intérêt public et celui de l'État, [...] celui qui a le

---

21. Ibid., *p. 101.*

22. *H. Morgenthau,* Politics Among Nations, op. cit., *p. 159 et 161.*

monopole de cette décision ultime[23] », alors il n'y a pas lieu de distinguer en politique extérieure entre la puissance de l'État et le pouvoir dans l'État, car la politique internationale, en tant qu'état anarchique, est une situation exceptionnelle permanente qui exige que la conduite diplomatique soit un domaine réservé[24]. C'est précisément ce postulat de l'incommensurabilité entre sphères politiques interne et externe qui constitue le point d'ancrage de la remise en cause de la conception réaliste de la politique étrangère au moment de la révolution behaviouraliste.

Le behaviouralisme souligne moins le besoin d'un critère de délimitation propre aux Relations internationales – l'anarchie – que l'unité de l'ensemble des sciences sociales et leur rupture avec les « abstractions métaphysiques[25] » qui caractérisent d'après eux le savoir *ante*-scientifique (cf. chap. 3). Sans faire allusion au normativisme qui hante en permanence les principes réalistes de la primauté de la politique extérieure et de la nécessaire éviction de l'opinion publique de toute conduite réussie de la politique extérieure[26], sans même souligner les liaisons dangereuses que le

---

23. *Telle est la définition de la souveraineté de C. Schmitt,* Théologie politique *(1922), Paris, Gallimard, 1988, p. 15, 16 et 23, inspiré en l'occurrence par J. Bodin,* Les Six Livres de la République, op. cit.

24. *À vrai dire, le plaidoyer en faveur du « domaine réservé » en politique extérieure ne caractérise pas les seuls réalistes, comme l'indiquent les notions de « faculté éminente » chez Grotius,* Le Droit de la guerre et de la paix, op. cit., *p. 36, ou de « prérogative » chez J. Locke,* Traité du gouvernement civil, op. cit., *p. 303. Voir à ce sujet D. Battistella, « De la démocratie en politique extérieure. Après-guerre froide et domaine réservé »,* Le Débat, *88, janvier-février 1996, p. 117-134 et suiv.*

25. *R. Snyder, H. Bruck et B. Sapin,* Foreign Policy Decision-Making, op. cit., *p. 53.*

26. *Le postulat de la séparation interne-externe conduit H. Morgenthau,* In Defense of the National Interest, op. cit.,

postulat réaliste de l'État personnifié entretient avec le sens commun, les behaviouralistes reprochent aux réalistes d'emprunter à la pensée philosophique et de procéder à une utilisation anecdotique de l'histoire : d'un côté, le postulat de la nature spécifique de l'ordre international date de la vision de l'état de nature de Hobbes, tout comme la « fiction nécessaire » de l'État personnifié s'inspire de l'homme artificiel qu'est le Léviathan (cf. chap. 2), alors que le concept d'intérêt national, qui renvoie à la doctrine machiavélienne de la raison d'État, a été rationalisé dès la guerre de Trente Ans par le duc Henri de Rohan, bras droit de Richelieu[27] ; de l'autre, c'est dans leur interprétation de la tradition diplomatique de Richelieu à Churchill, en passant par Metternich et Bismarck, que les réalistes vont chercher leur conception de l'homme d'État rationnel, censé avoir « fait de l'intérêt national le critère ultime de (sa) politique[28] » et capable de mener une politique étrangère « quasi scientifique », « libre de tout impératif moral » et « pleine de sang froid[29] ».

---

p. 224, à préconiser le développement « des techniques constitutionnelles et des pratiques politiques tendant à minimiser les dangers inhérents à une conduite démocratique de la politique extérieure ». Quant à R. Aron, Penser la guerre, Clausewitz, op. cit., *tome 2, p. 253, il affirme qu'étant donné « les passions des foules (et) les intransigeances idéologiques, il faut regretter que les États ne ressemblent pas davantage à des personnes et non déplorer la personnification de l'État ».*

27. *H. de Rohan,* De l'intérêt des Princes et États de la Chrétienté *(1639), Paris, PUF, 1995. Nous avons essayé de retracer la généalogie du concept d'intérêt national et sa dimension normative dans notre thèse de doctorat en science politique,* Le Discours de l'intérêt national. Politique étrangère et démocratie, op. cit.

28. *H. Morgenthau,* In Defense of the National Interest, op. cit., *p. 34.*

29. *H. Kissinger,* Diplomatie, op. cit., *p. 130 et 62-63.*

Pour les behaviouralistes, une telle plongée a-critique dans l'histoire des idées et des faits est révélatrice d'une analyse « pas vraiment scientifique », comme le rappelle *a posteriori* James Rosenau à propos de Morgenthau : « Si vous lisez le premier chapitre de son texte, il affirme que les réalistes savent pourquoi les gouvernants font ce qu'ils font à cause de l'ordre objectif du monde social. Aucune méthode de recherche scientifique n'est mise en œuvre[30]. » Ils substituent alors à la démarche réaliste leur propre programme de recherche, fondé sur le rassemblement de « données systématiques » testées « contre des hypothèses établies préalablement[31] », ce qui débouchera sur l'approche décisionnelle de la politique étrangère que l'on peut définir comme l'étude des transactions officielles entre unités étatiques à partir des circonstances internes qui produisent ces transactions[32].

---

30. J. Rosenau, Interview à la Review of International Studies, *26, juillet 2000, p. 465-475.*

31. Ibid.

*32. Rappelons que l'approche décisionnelle en politique étrangère est concomitante de la révolution cognitive associée à H. Simon selon qui la rationalité des décideurs est limitée (*bounded rationality*) ou procédurale et non pas substantielle, et ce à cause de l'imperfection humaine qui fait qu'un décideur, rarement conscient de ses valeurs, se contente la plupart du temps de décisions satisfaisantes (*satisficing, good enough*) plutôt qu'optimales et tente tout simplement de se débrouiller quand il doit prendre une décision, parce qu'il ne possède ni ne cherche l'information parfaite, parce qu'il est incapable de prendre en compte plus de deux ou trois alternatives en même temps, parce qu'il traite l'information différemment en temps de crise qu'en situation routinière, parce que ses prédispositions psychologiques et expériences personnelles influent ce traitement, parce que le calcul rationnel coûts/bénéfices est affecté par des agendas cachés (maintenir la cohésion du groupe décideur, satisfaire des intérêts sociétaux, se maintenir au pouvoir), etc. Cf. H. Simon,* Administration et processus de décision *(1947), Paris, Economica, 1983.*

À l'origine de l'approche décisionnelle se trouve essentiellement le projet *Foreign Policy Decision-Making As an Approach to the Study of International Politics*, dû à Richard Snyder et ses collègues.

À première vue, le point de départ de ce projet n'est pas sans rappeler le stato-centrisme des réalistes – « Nous pensons que ceux qui étudient la politique internationale sont principalement intéressés aux actions, réaction et interactions entre unités politiques appelées États-nations » –, et ce d'autant plus qu'il identifie l'État à ses dirigeants : « L'action de l'État est l'action de ceux qui agissent au nom de l'État. L'État est donc identifié à ses dirigeants. Quand on parle de l'État X comme acteur, on parle en fait des acteurs que sont ses dirigeants. Un de nos postulats consiste à prendre pour objectif analytique la reconstitution de l'univers des dirigeants tel qu'ils l'envisagent[33]. » Mais la « reconstitution » à laquelle procèdent Snyder et son équipe n'a rien à voir avec « la connaissance des actions des grands personnages » que se proposait de donner déjà Machiavel[34]. Tout au contraire, Snyder, Bruck et Sapin s'intéressent à la façon dont le « Prince » définit la situation à laquelle il doit faire face – « La clé pour comprendre pourquoi un État se comporte de la façon dont il se comporte réside dans la façon dont les décideurs définissent leur situation[35] » –, ce qui constitue la négation même du portrait du chef de l'État kissingérien capable de « saisir immédiatement l'essentiel d'une situation[36] ».

Bref, ils refusent d'expliquer la politique étrangère à partir des finalités supposées des décisions des responsables politiques ou des

33. *R. Snyder, H. Bruck et B. Sapin,* Foreign Policy Decision-Making, op. cit., *p. 60 et 65.*
34. *N. Machiavel,* Le Prince, op. cit., *p. 289.*
35. *R. Snyder, H. Bruck et B. Sapin,* Foreign Policy Decision-Making, op. cit., *p. 65.*
36. *H. Kissinger,* Le Chemin de la paix, op. cit., *p. 395.*

résultats obtenus par leurs actions, ils refusent d'y voir un dessein poursuivi intentionnellement par un acteur rationnel confronté à « l'ordre objectif du monde » qui s'impose à lui, et passent « d'une vision de la politique étrangère comme *outcome* à une vision de la politique étrangère comme *process*[37] ». Abandonnant toute référence à un quelconque intérêt national objectif au profit d'une conception subjective de l'intérêt défini comme étant tout simplement « ce que [...] le décideur décide qu'il est[38] », récusant l'idée réaliste d'une politique étrangère abordée tel « un continuum intelligible, rationnel, dans l'ensemble conséquent avec lui-même, indépendamment des différents motifs, préférences et qualités morales ou intellectuelles des hommes d'États successifs[39] », ils proposent d'ouvrir la boîte noire du processus de prise de décision, et préconisent l'étude de la dynamique interne du processus de formulation des objectifs de politique étrangère en amont de la décision finale : « Si l'on désire explorer le pourquoi des événements, conditions, et modèles d'interactions qui reposent sur les actions étatiques, alors l'analyse du processus de prise de décision est sûrement nécessaire. Nous irions jusqu'à dire que pour comprendre le "pourquoi" (des actions étatiques), il faut analyser le "comment"[40]. »

Concrètement, la première direction que prendra l'étude du comportement du décideur au moment de la « définition de la situation » soulignera l'impact des processus cognitifs, c'est-à-dire la façon dont les informations sont perçues par les décideurs et les conséquences qui s'ensuivent au moment de leur transformation

---

37. *F. Charillon, « Introduction », art. cité.*
38. *R. Snyder et E. Furniss,* An Introduction to American Foreign Policy, *New York (N. Y.), Rinehart, 1955, p. 5.*
39. *H. Morgenthau,* Politics Among Nations, op. cit., *p. 5.*
40. *R. Snyder, H. Bruck et B. Sapin,* Foreign Policy Decision-Making, op. cit., *p. 33.*

en choix politiques. Après que Harold et Margaret Sprout eurent distingué le « milieu psychologique » des décideurs, c'est-à-dire le monde tel que perçu par les dirigeants, et le « milieu opérationnel » auquel ils sont confrontés, c'est-à-dire le monde réel dans lequel les décisions et actions vont être mises en œuvre[41] ; après qu'Ole Holsti ait rappelé que dans une décision compte moins la réalité objective que « l'image » que les décideurs s'en font[42] ; Robert Jervis montre le rôle des *misperceptions*[43] qui viennent biaiser la rationalité du décideur au moment de la prise de décision.

Le point de départ de Jervis, c'est l'anomalie que représentent par rapport à l'analyse réaliste de la politique étrangère les attitudes dont ont fait preuve les responsables britanniques à l'égard de Hitler pendant les années 1930 : alors que Arnold Wolfers avait affirmé qu'une maison qui brûle incite tous les individus à se précipiter vers la sortie « quelles que soient leurs prédispositions psychologiques[44] », les attitudes divergentes de la part des décideurs britanniques soulignent d'après Jervis « que pour Churchill, la maison brûlait dès l'accession de Hitler au pouvoir ; que pour Chamberlain, ce n'est qu'après mars 1939 qu'elle s'est mise à brûler ; et que pour d'autres encore, il n'y a jamais eu de feu[45] ». De toute évidence,

---

41. *H. Sprout et M. Sprout,* Man-Milieu Relationship Hypotheses in the Context of International Politics, *Princeton (N. J.), Center for International Studies, 1956.*

42. *O. Holsti, « The Belief System and National Images. A Case Study »,* Journal of Conflict Resolution, *6 (3), septembre 1962, p. 244-252.*

43. *R. Jervis, « Hypotheses on Misperception »,* World Politics, *20 (3), avril 1968, p. 454-479, ainsi que :* Perception and Misperception in International Relations, *Princeton (N. J.), Princeton University Press, 1976.*

44. *A. Wolfers, « The Actors in World Politics », art. cité.*

45. *R. Jervis,* Perception and Misperception in International Relations, op. cit., *p. 20.*

conclut Jervis, si même des circonstances aussi extrêmes que le risque d'une guerre mondiale – la maison qui brûle – ne débouchent pas sur une seule et unique attitude, *a fortiori* la structure anarchique des relations internationales en général est peu susceptible d'introduire la « discipline rationnelle » que Morgenthau prétend déceler « du côté de l'acteur[46] ». Est-ce à dire pour autant qu'il faut prendre en compte les « différents motifs, préférences et qualités morales ou intellectuelles des hommes d'État » que Morgenthau avait écartés pour expliquer ces attitudes divergentes ? ou même l'idéologie des hommes diplomatiques dont Aron avait dit qu'elle doit céder à l'intérêt national ? Non, car d'après Jervis, si les décisions et actions de politique étrangère divergent d'un décideur à l'autre, c'est parce que « même une personne parfaitement prudente et maîtresse de ses émotions[47] » ne réagit à l'égard du monde extérieur que par l'intermédiaire de la perception qu'elle a de ce monde extérieur, et que par conséquent elle est susceptible d'être victime de perceptions erronées ou inadéquates.

Psychologue de formation, Jervis explique ces perceptions inadéquates, définies comme des perceptions subjectives ne correspondant pas à la réalité objective de la situation, par les processus de dissonance et de consonance cognitive : d'un côté, et à cause de la complexité du monde à laquelle est confronté tout individu, il existe des dispositifs cognitifs permettant à tout un chacun d'intégrer les informations nouvelles dans un schéma d'interprétations préétablies et de maintenir ce faisant un ensemble relativement simple, stable et cohérent de croyances et de convictions ; de l'autre, et à cause du stress psychologiquement inconfortable causé

---

46. *H. Morgenthau,* Politics Among Nations, op. cit., *p. 5.*
47. *R. Jervis,* Perception and Misperception in International Relations, op. cit., *p. 3.*

par une information dissonante par rapport à ses croyances, chaque individu s'efforce de réduire toute dissonance et de retrouver de la consonance en évitant les situations et informations susceptibles d'aller à l'encontre de ses convictions et de le désorienter dans son environnement. En politique étrangère, cela veut dire qu'un décideur est amené à ne percevoir que les événements auxquels il s'attend (*wishful thinking*), à nuancer des informations nouvelles de façon à ce qu'elles soient consistantes avec les croyances et images préétablies, à se contenter d'une interprétation connue plutôt que d'explorer d'autres interprétations possibles d'un événement inattendu, à réinterpréter ou à ignorer une information inconsistante avec ses croyances préexistantes, surtout si elle provient d'une source avec qui préexiste déjà un désaccord. Le risque de perception inadéquate varie bien évidemment d'un décideur à l'autre, et dépend des événements qui ont marqué sa vie, selon qu'ils ont ou non été vécus directement et se sont produits tôt dans la vie, selon qu'ils ont ou non eu des conséquences personnelles importantes sur sa vie d'adulte et sa carrière, selon qu'ils ont ou non été compensés par d'autres événements offrant des possibilités de perceptions alternatives ; mais quelle que soit son intensité, l'inadéquation de la perception par rapport à la réalité rend impossible le modèle rationnel de prise de décision, car les facteurs cognitifs ne permettent guère une définition de la situation conforme avec la réalité de celle-ci.

Pour preuve, toujours d'après Jervis, les erreurs qui, commises par de nombreux hommes politiques, ont favorisé le déclenchement de guerres : en se méprenant sur les intentions de Hitler, Chamberlain a facilité l'expansionnisme de ce dernier ; en sous-estimant les capacités du Japon, le tsar Nicolas II a engagé la guerre de 1905 qu'il a ensuite perdue ; en se trompant sur la fiabilité des alliances franco-polonaise et anglo-polonaise, Hitler a fini par liguer contre lui la coalition à laquelle il a succombé, tout comme l'erreur d'interprétation du discours sur le périmètre défensif d'Acheson a conduit Mao Zedong et Staline à donner à tort le feu vert à l'invasion de la Corée du Sud par Kim Il-sung ; en surestimant les capacités offensives de l'armée allemande, l'empereur Guillaume II a précipité la première guerre mondiale, persuadé qu'elle allait être courte, etc. Au-delà de ces situations, Jervis multiplie les exemples de responsables politiques – Dulles, Eisenhower, Nixon – portés de façon routinière à méconnaître les causes profondes des faits, tentés de privilégier les solutions qui se sont révélées efficaces par le passé plutôt que d'évaluer l'ensemble des alternatives à leur disposition, amenés à se laisser séduire par de fausses analogies historiques[48].

Reste que si Jervis parvient ainsi à jeter des doutes sur la rationalité censée être substantielle du décideur, en montrant « comment, quand et pourquoi des hommes d'États très intelligents et consciencieux perçoivent leurs environnements de façon erronée et

---

48. L'exemple idéal-typique de la fausse analogie est la conférence de Munich de 1938, invoquée depuis l'affaire de Suez par de nombreux décideurs politiques occidentaux, de A. Eden et G. Mollet à F. Mitterrand et les deux G. Bush. Voir à ce sujet, M. Rasmussen, « The History of a Lesson. Versailles, Munich, and the Social Construction of the Past », Review of International Studies, *29 (4), octobre 2003, p. 499-519. Autre analogie, plus récente, celle de l'Holocauste : voir à ce sujet M. Desch, « The Myth of Abandonment : The Use and Abuse of the Holocaust Analogy »,* Security Studies, *15 (1), janvier-mars 2006, p. 106-145, et le débat dans* Security Studies, *15 (4), octobre-décembre 2006, p. 706-717. Les praticiens n'ont pas le monopole des analogies discutables ; les universitaires sont tout autant tentés d'y recourir dans leurs analyses, comme le montre Y.-K. Heng, « Ghosts in the Machine : Is IR Eternally Haunted by the Spectre of Old Concepts ? »,* International Politics, *47 (5), 2010, p. 535-556.*

aboutissent à des décisions inappropriées[49] », il n'en aborde pas moins l'État comme acteur unitaire, incarné dans le chef de l'État. La remise en cause de ce deuxième postulat de la conception réaliste de la politique étrangère sera le fait de Graham Allison, dans son analyse sociologique du processus de prise de décision diplomatique.

Analysant la crise des missiles de Cuba[50], Allison reprend à son compte le programme de recherche de Snyder, Bruck et Sapin : « Nous ne devrions pas nous demander quels buts rendent compte des choix d'action d'une nation, mais plutôt quels facteurs déterminent les résultats. » Mais pour mieux faire ressortir la pertinence d'une interrogation du type « Pourquoi X s'est-il produit ? », il propose dans un premier temps une explication de cette crise à partir de l'interrogation traditionnelle : « Pourquoi cette nation a-t-elle choisi X[51] ? »

Pour ce faire, il applique la démarche que lui ont apprise les maîtres de l'époque, en l'occurrence Morgenthau, selon qui l'explication d'une décision de politique extérieure exige la reconstruction *a posteriori* du raisonnement tenu par l'autorité politique : « Nous supposons que les hommes d'État pensent et agissent en termes d'intérêt défini comme puissance, et [...] cette supposition

---

49. R. Jervis, Perception and Misperception in International Relations, op. cit., *p. 3 et 29.*

50. G. Allison, Essence of Decision. Explaining the Cuban Missile Crisis, *Boston (Mass.), Little Brown, 1971. Apogée de la guerre froide, la crise de Cuba se déroule entre le 15 octobre 1962 – des avions espions américains découvrent des fusées soviétiques offensives installées à Cuba – et le 28 octobre 1962 – les Soviétiques, dont les navires amenant le matériel et du personnel militaires sont interceptés par la marine américaine, démantèlent leurs fusées en échange d'un retrait des missiles américains en Turquie et de la promesse de non-invasion de Cuba.*

51. Ibid., *p. 255 et 253.*

nous permet de retracer et de prévoir les pas qu'un homme d'État a fait [...] sur la scène politique. [...] Pensant en termes d'intérêt défini comme puissance, nous jugeons comme lui, et, en tant qu'observateurs désintéressés, nous comprenons ses pensées et ses actions peut-être mieux que lui, l'acteur sur la scène politique, ne les comprend lui-même[52] ». Ce raisonnement de type « X a fait Y en vue d'obtenir Z » donne les réponses suivantes aux trois questions que se pose Allison :

– 1re question : pourquoi l'URSS (c'est-à-dire Khrouchtchev) a-t-elle entreposé des missiles tactiques et balistiques sur le sol cubain, à quelques milles des côtes américaines ? Pour faire face à l'infériorité stratégique face à son rival américain, car il ne peut s'agir de simplement défendre Cuba contre une nouvelle tentative d'invasion américaine, étant donné que des missiles défensifs auraient suffi pour ce faire ;

– 2e question : pourquoi les États-Unis (*id est* Kennedy) ont-ils choisi la quarantaine de l'île de Cuba ? Parce que l'armée de l'air ne peut pas éliminer avec succès les sites des fusées nucléaires soviétiques à Cuba sans tuer des soldats russes et sans devoir de toute façon envahir Cuba, et que le recours à la marine permet à Washington de gagner du temps en renvoyant la balle dans le camp soviétique ;

– 3e question : pourquoi l'URSS retire-t-elle les missiles ? Parce que la supériorité stratégique américaine – qu'elle voulait justement rattraper par le déploiement de fusées à Cuba, faute de disposer elle-même de missiles balistiques intercontinentaux – est telle qu'aux yeux de Khrouchtchev un retrait est un moindre mal par rapport à une guerre – potentiellement – nucléaire perdue d'avance[53].

---

52. *H. Morgenthau,* Politics Among Nations, *op. cit., p. 5.*
53. *Ces trois questions portent exclusivement sur le comment et pourquoi des décisons américaines et soviétiques.*

D'après Allison, ces réponses montrent *a priori* que le modèle de l'acteur étatique unitaire et rationnel est tout à fait crédible lorsqu'il s'agit d'expliquer des décisions diplomatiques. Mais la structure parfaitement huilée qu'est l'(homme d')État monolithique est perturbée par un détail : les fusées soviétiques à Cuba ne sont pas camouflées, sinon les avions espions U2 n'auraient pas pu les photographier. Davantage, ces fusées ont été déployées avant que n'aient été installés des missiles sol-air qui auraient pu permettre aux Soviétiques d'abattre les avions espions et de les empêcher ainsi de prendre des photographies compromettantes. Et Allison de se dire que cela n'est pas très rationnel : les Soviétiques ont passé leur temps à nier vouloir installer (et avoir installé) des missiles offensifs sur Cuba[54] ; ils auraient donc dû tout faire pour cacher ceux-ci. Comment expliquer cette incohérence, étant donné que Moscou devait bien se douter que Washington n'accepterait pas un

---

Autrement dit, le rôle de Cuba est complètement ignoré : c'est ce que reprochent de nos jours des recherches d'inspiration post-coloniale, telle celle de M. Laffey et J. Weldes, « Decolonizing the Cuban Misile Crisis », International Studies Quarterly, *52 (3), septembre 2008, p. 555-577.*

54. R. Lebow, A Cultural Theory of International Relations, op. cit., *p. 447 et suiv., souligne le rôle joué par ce qu'il apelle la « colère aristotélicienne » qu'aurait ressentie d'après lui le président Kennedy lorsqu'il apprit que les Soviétiques avaient déployé des missiles alors que son* alter ego *Krouchtchev lui avait promis que jamais ils n'allaient procéder à un tel déploiement : « Il ne peut pas me faire ça », s'était exclamé Kennedy, et Lebow d'en déduire que c'est le fait pour Kennedy de s'être senti « trahi et offensé » par un Krouchtchev lui-même assoiffé de reconnaissance pour lui-même et l'URSS qui est à l'origine immédiate de la crise des missiles. À l'image de l'approche psychologique de R. Jervis, R. Lebow reste donc fidèle au postulat de l'État unitaire incarné dans l'homme d'État, mais chez lui la rationalité de l'homme d'État est biaisée par un dérèglement de ses pulsions plutôt que par des perceptions inadéquates.*

tel déploiement, à la suite de multiples mises en garde tout au long de l'été 1962 ?

L'explication proposée par Allison réside dans ce qu'il appelle les « routines organisationnelles[55] » : l'absence de camouflage renvoie moins à une éventuelle irrationalité des décideurs soviétiques qu'à la routine avec laquelle ceux-ci, comme tous les décideurs au sein d'une organisation, prennent les décisions. En effet, l'Armée rouge n'a jamais déployé de missiles à l'étranger, et elle est habituée à ne pas les camoufler en URSS : en décidant de les installer à Cuba, elle s'est tout simplement comportée comme d'habitude[56]. Généralisant cette hypothèse, Allison en déduit le « modèle organisationnel[57] » d'explication de la politique étrangère : la politique

55. *G. Allison,* Essence of Decision, op. cit., *p. 79.*

56. *Une anecdote racontée par Allison permet de se rendre compte de l'importance de la routine organisationnelle : lors de ses entretiens avec les acteurs de la crise, il apprend de la part de McNamara que les Soviétiques avaient débarqué à Cuba avec dans leurs bagages des skis. Et McNamara de lui confier que les décideurs américains n'avaient appris cette information qu'après la crise, et heureusement, car cela leur avait évité d'intégrer dans leurs calculs la perspective de soldats soviétiques s'apprêtant à envahir les Montagnes Rocheuses.*

57. *G. Allison,* Essence of Decision, op. cit., *p. 67-100. Allison applique le modèle organisationnel également à l'Administration Kennedy : ainsi, le retard dans la découverte par les États-Unis du déploiement des missiles soviétiques à Cuba s'explique par les désaccords entre les différents services (CIA, armée de l'air) qui se disputaient la responsabilité des vols d'espionnage au-dessus de Cuba ; de même, si le choix de la quarantaine s'explique par le refus de recourir à des frappes chirurgicales après l'assurance du chef de l'armée de l'air que le taux de réussite de telles frappes n'était que de l'ordre de 90 %, cette assurance elle-même avait été prise non pas après un examen approfondi des possibilités réelles de frappes sur Cuba, mais sur la base d'estimations antérieures établies par une armée de l'air minimisant ses capacités pour pouvoir bénéficier de budgets plus importants ; enfin, l'exécution concrète de*

étrangère n'est pas le fait du seul homme d'État, car celui-ci ne constitue que le sommet de l'appareil gouvernemental défini comme un conglomérat d'organisations administratives plus ou moins corporatistes, à l'esprit de clocher bien développé, tant bien que mal coordonnées entre elles, et qui agissent moins en fonction des instructions gouvernementales ou d'une stratégie globale et d'objectifs à long terme que selon des routines et des procédures préétablies en vue de résoudre essentiellement des problèmes à court terme. Exprimé autrement, la politique étrangère, loin d'être le résultat final d'une décision rationnelle mûrement réfléchie de la part d'un homme d'État, n'est qu'un ensemble de débits (*outputs*) produits par les grandes organisations composant l'administration et dont les décideurs ultimes sont les tributaires, aussi bien pour ce qui est de l'information qu'ils reçoivent que pour ce qui est de l'exécution des ordres qu'ils donnent.

Une fois ce deuxième modèle proposé, Allison fait cependant remarquer que – dans le cas soviétique – l'Armée rouge qui a déployé les missiles à Cuba n'est pas la seule organisation au sein de l'appareil de prise de décision soviétique : tout aussi importants sont *a priori* le ministère des Affaires étrangères, le KGB, les instances dirigeantes du Parti communiste, etc. ; comment expliquer alors que ce soit l'Armée rouge qui ait été à l'origine de la décision de déployer des missiles à Cuba ? D'après Allison, la réponse est à chercher du côté des relations entretenues entre l'Armée rouge et les autres administrations soviétiques. Plus précisément, il estime qu'au sein de l'appareil de décision soviétique, l'Armée rouge est

---

la quarantaine ne se déroule nullement de la façon voulue, car la marine US arrête et inspecte les bateaux soviétiques beaucoup plus loin des côtes cubaines que ne l'avait ordonné le président Kennedy.

parvenue au cours d'un processus de négociations et tractations, de marchandages et de compromis successifs (*pulling and hauling*[58]), à imposer sa conception des forces nucléaires stratégiques aux autres organisations de l'appareil soviétique et à Khrouchtchev lui-même. Il en déduit alors le « modèle bureaucratique »[59] : pour comprendre une décision ou une action de politique étrangère, il faut savoir que celle-ci est non seulement le fait d'une administration plus que du décideur ultime, mais qu'elle constitue aussi un compromis âprement négocié entre tout un ensemble d'acteurs collectifs et individuels qui tentent tous, selon leur perception de la situation et leurs intérêts, à influencer la décision finale prise par l'autorité politique autorisée à la prendre, et qui n'hésitent pas pour ce faire à s'affronter ou à s'allier les uns aux autres selon leur position au sein de la machine gouvernementale – *Where you stand depends on where you* sit[60].

D'après Allison, une telle décision est rarement une décision optimale, étant donné que les acteurs bureaucratiques sont davantage guidés par des objectifs parochiaux que par une vision globale de la politique étrangère à mener : ainsi, la décision américaine d'instaurer une quarantaine apparaît comme le compromis qu'ont réussi à faire accepter aux partisans d'un bombardement et d'une invasion de Cuba le frère du président Robert Kennedy, le ministre de la Défense McNamara et le conseiller personnel du président Sörensen. Pourtant, c'est bel et bien ce compromis qui a permis de désamorcer la crise de Cuba : confronté au risque d'une escalade nucléaire, Khrouchtchev a préféré céder plutôt que de donner l'ordre à la marine soviétique de s'opposer aux interceptions. Est-ce

58. *G. Allison,* Essence of Decision, op. cit., *p. 144.*
59. Ibid., *p. 144-184.*
60. Ibid., *p. 176.*

à dire que l'homme d'État garde une marge de manœuvre ? Allison l'admet dans la deuxième édition de son *Essence of Decision*[61].

À la suite des innombrables critiques qu'a suscitées la première édition[62] et de la déclassification partielle des archives relatives à

---

61. *G. Allison et P. Zelikow,* Essence of Decision. Explainig the Cuban Missile Crisis, *New York (N. Y.), Longman, 1999 [2e éd.].*

62. *La place nous manque ici pour rendre compte de ces critiques qui reprochent notamment à Allison d'avoir surestimé et noirci le rôle de la bureaucratie et d'avoir sous-estimé la marge de manœuvre du chef de l'exécutif qui après tout choisit ses conseillers, ou bien d'avoir exagéré les contraintes organisationnelles et le poids des routines et négligé les capacités d'adaptation des administrations et la souplesse des agents qui y travaillent, ou bien d'avoir été victime du syndrome de Robinson Crusoé en traitant les décideurs américains et russes comme s'ils agissaient en vase clos alors qu'il s'agissait davantage de joueurs en interaction comme les aborde la théorie des jeux, ou bien d'avoir oublié que le caractère exceptionnellement grave de la crise cubaine empêche de généraliser à l'ensemble des processus de prise de décision diplomatico-stratégiques les explications que l'on peut en donner. Voir, entre autres : S. Krasner, « Are Bureaucracies Important ? (Allison Wonderland) »,* Foreign Policy, *7, été 1972, p. 159-179 ; L. Freedman, « Logic, Politics and Foreign Policy Processes. A Critique of the Bureaucratic Politics Model »,* International Affairs, *52 (3), juillet 1976, p. 434-449 ; S. Smith, « Allison and the Cuban Missile Crisis. A Review of the Bureaucratic Politics Model of Foreign Policy Decision-Making »,*Millennium, *9 (1), printemps 1980, p. 21-40 ; J. Bendor et T. Hammond, « Rethinking Allison's Models »,* American Political Science Review, *86 (2), juin 1992, p. 301-322 ; D. Welch, « The Organizational Process and Bureaucratic Politics Paradigms. Retrospect and Prospect »,* International Security, *17 (2), automne 1992, p. 112-146 ; L. Scott et S. Smith, « Lessons of October. Political Scientists, Policy Makers and the Cuban Missile Crisis »,* International Affairs, *70 (4), octobre 1994, p. 659-684 ; N. Michaud, « G. Allison et le paradigme bureaucratique. 25 ans plus tard est-il encore utile ? »,* Études internationales, *27 (4), décembre 1996, p. 769-794.*

la crise[63], Allison réhabilite le rôle de l'homme d'État : si la crise s'est bien terminée, admet-il, c'est surtout parce que aux deux « princes » « K. et K. » incombait seule la responsabilité de déclencher le feu nucléaire : « Kennedy et Khrouchtchev demeurent des acteurs clefs de l'histoire [...], influencés par leurs responsabilités particulières, le fardeau singulier qui pèse sur les épaules de cette personne unique qui a l'autorité de donner l'ordre de la guerre nucléaire. C'est un fardeau solitaire que le président et le secrétaire général ont partagé, et il a établi le lien qui lors de l'apogée de la crise leur a permis de sortir de celle-ci[64] ». Mais reconnaître ainsi le rôle de « l'éthique de la responsabilité et de la peur salutaire[65] » des deux décideurs ultimes ne signifie nullement le retour de l'homme d'État des réalistes : c'est plutôt le portrait d'un président négociateur que dresse la nouvelle édition de *Essence of decision*, à mi-chemin entre le président souverain du modèle de l'acteur rationnel et du président prisonnier des modèles organisationnel et bureaucratique[66].

---

63. *E. May et P. Zelikow,* The Kennedy Tapes. Inside the White House During the Cuban Missile Crisis, *Cambridge (Mass.), The Belknap Press of Harvard University Press, 1997. Le recours aux archives, à l'aide de l'historien P. Zelikow, a permis à Allison de répondre à la critique méthodologique dont avait fait l'objet sa première édition, à savoir qu'il avait cru pouvoir démontrer ses hypothèses par la seule technique des entretiens.*

64. *G. Allison et P. Zelikow,* Essence of Decision, op. cit., *p. 383.*

65. *J.-Y. Haine, « Kennedy, Khrouchtchev et les missiles de Cuba. Choix rationnel et responsabilité individuelle »,* Cultures et conflits, *36, hiver 1999-printemps 2000, p. 79-150. L'analyse de J.-Y. Haine accompagne la traduction du premier chapitre de la deuxième édition de* Essence of Decision.

66. *Voir à ce sujet E. Friedberg, « Comment lire les décisions ? »,* Cultures et conflits, *36, hiver 1999-printemps 2000, p. 151-164. Parmi les autres critiques de la deuxième édition de*

Surtout, Allison reste fidèle au projet de Snyder, Bruck et Sapin pour qui « seuls les détenteurs de responsabilités officielles au sein d'un gouvernement doivent être considérés comme décideurs ou acteurs[67] ». En effet, en se concentrant sur ce qu'il appelle les « acteurs majeurs (*senior players*) » au détriment des « acteurs mineurs (*junior players*) »

Essence of Decision, *voir B. Bernstein, « Understanding Decision-making »,* International Security, *25 (1), été 2000, p. 134-164, ainsi que D. Houghton, « Essence of Excision »,* Security Studies, *10 (1), automne 2000, p. 151-178. Dans une recherche récente, D. Mitchell,* Making Foreign Policy. Presidential Management of the Decision-Making Process, *Aldershot, Ashgate, 2005, montre que l'impact des conseillers varie en fonction de la structure d'organisation des conseillers mise en place par un président, selon que cette structure est formelle ou collégiale et selon que son fonctionnement est hiérarchisé ou non. Il montre que Nixon était partisan d'une organisation à la fois très rigide et centralisée (les objectifs précis à atteindre sont fixés par le chef d'État qui, par ailleurs, évalue lui-même la faisabilité des options envisageables ; il existe un homme de confiance qui sert d'intermédiaire privilégié entre le président et les autres conseillers qui, entre eux, se consultent selon des procédures fixes ; les conflits et marchandages entre conseillers sont découragés et les voix dissidentes marginalisées), alors que B. Clinton faisait tout au contraire confiance à une structure collégiale et décentralisée (le président délègue volontiers l'autorité aux conseillers compétents ; le conflit entre conseillers est encouragé et on ne recherche pas le compromis à tout prix ; l'accès au président est assez libre et il n'y a pas d'homme de confiance). À mi-chemin entre ces deux systèmes purs, l'Administration de J. Carter était à la fois collégiale et centralisée (le président discute avec tout le monde mais selon des procédures pré-établies et en vue d'aboutir à un consensus allant dans le sens de ses préférences propres), par opposition à celles de R. Reagan et de G. W. Bush, formalisées mais décentralisées (le président choisit l'option finale ; celle-ci sera retenue parmi celles qui lui sont présentées par son homme/sa femme de confiance après qu'ont eu lieu au niveau subalterne les conflits et marchandages entre conseillers ne respectant pas toujours l'organigramme existant et tentant d'avoir l'oreille du président).*

67. R. Snyder, H. Bruck et B. Sapin, Foreign Policy Decision-Making, op. cit., *p. 99.*

que sont d'après lui l'opinion publique, les médias, les groupes d'intérêt, voire le pouvoir législatif[68], Allison ne tient nullement compte des éventuelles raisons de politique intérieure qui auraient pu guider les choix du président Kennedy. Or, les archives ont montré que si Kennedy a opté pour le choix de la quarantaine, c'est parce qu'un tel compromis minimisait certes le risque d'escalade nucléaire, mais aussi parce qu'il évitait l'humiliation qu'aurait représentée aux yeux de son opinion publique l'acceptation du fait accompli soviétique que ses adversaires internes auraient exploitée à quelques semaines des *mid-term elections* de novembre 1962. Autrement dit, les décisions lors de la crise de Cuba n'étaient pas exemptes de considérations de « basse politique », comme le prouve *a contrario* le fait que Kennedy entoure du plus grand secret l'offre qu'il fait à Khrouchtchev de retirer les missiles américains en Turquie en échange du démantèlement des fusées soviétiques à Cuba[69].

Ce sont ces considérations relatives au front domestique[70] qui sont alors au centre du troisième axe de recherche au sein de

---

68. *G. Allison et M. Halperin, « Bureaucratic Politics. A Paradigm and Some Implications »,* World Politics, *24 (3), avril 1972, p. 40-79.*

69. *Ce secret est d'autant plus révélateur de l'impact de la politique intérieure que le démantèlement des fusées américaines en Turquie n'était en rien une concession aux Soviétiques, étant donné qu'il avait été décidé bien avant la crise de Cuba, et ce à cause de l'obsolescence technologique des fusées concernées.*

70. *Nous n'évoquons pas dans nos développements la thèse de la diplomatie comme « jeu à deux niveaux », qui relève davantage de l'étude des interactions diplomatiques bi-ou multilatérales (au niveau de l'intégration européenne par exemple, cf. chap. 11) que de l'analyse des prises de décision unilatérales. Voir R. Putnam, « Diplomacy and Domestic Policy. The Logic of Two-Level Games »,* International Organization, *42 (3), été 1988, p. 427-460, et P. Evans, H. Jacobson et R. Putnam (eds),* Double-Edged Diplomacy. International Bargaining and Domestic Politics, *Berkeley (Calif.), California University Press, 1993.*

l'approche décisionnelle, qui refuse, lui, de poser comme hypothèse que la « politique extérieure commence là où s'arrête la politique interne[71] ».

Lorsque Morgenthau affirme que « les hommes politiques pensent et agissent en termes d'intérêt national[72] », lorsque Kissinger condamne les hommes politiques qui cherchent à « mesurer le succès de leur politique (étrangère) à l'aune des réactions du journal télévisé[73] », ils reprennent à la fois la conception clausewitzienne de la politique étrangère comme se faisant au profit des intérêts de la « communauté entière » et non pas au service « des ambitions, des intérêts particuliers ou de la vanité des dirigeants[74] », et la recommandation tocquevillienne d'une politique étrangère comme devant être conduite « hors de l'influence directe et journalière du peuple » qui « sent bien plus qu'il ne raisonne[75] ».

Rationalisé au sein du paradigme dit « minimaliste » selon lequel l'opinion publique est, au pire, indifférente aux relations internationales ou, au mieux, composée de réactions d'humeur par

---

71. H. Kissinger, « Domestic Structure and Foreign Policy (1966) », dans J. Rosenau (ed.), International Politics and Foreign Policy. A Reader in Research and Theory, *New York (N. Y.), Free Press, 1969, p. 261-275.*

72. H. Morgenthau, Politics Among Nations, op. cit., *p. 5.*

73. H. Kissinger, Diplomatie, op. cit., *p. 136.*

74. C. von Clausewitz, De la guerre *(1816-1827), Paris, Minuit, 1955, p. 705. À vrai dire, Clausewitz ne nie pas que des intérêts autres que ceux de « la communauté entière » puissent guider la politique étrangère, mais il n'approfondit pas ce cas de figure : « Cela ne nous regarde pas pour le moment », écrit-il très exactement, « car nous ne pouvons envisager ici la politique qu'au titre de représentant des intérêts de la communauté entière ».*

75. A. de Tocqueville, De la démocratie en Amérique *(1835-1840), Paris, Garnier-Flammarion, 1981, tome 1, p. 316-323.*

définition imprévisibles parce que incohérentes, versatiles et instables[76], le lieu commun tocquevillien a rapidement été démenti par des recherches approfondies sur l'état et l'évolution effectifs de l'opinion publique : loin d'être désintéressée, superficielle, capricieuse, celle-ci est apparue comme susceptible de s'intéresser aux questions internationales, apte à discerner et à hiérarchiser les enjeux internationaux, et tout à fait capable de rester stable à travers le temps et de ne changer qu'en fonction des informations à sa disposition. En quelque sorte, l'opinion publique confrontée à la politique internationale s'est révélée parfaitement comparable à l'opinion publique sondée à propos de la politique interne[77].

---

76. Le « paradigme minimaliste », également appelé « consensus Almond-Lippmann », ou mood theory *(théorie des humeurs) est dû à G. Almond,* The American People and Foreign Policy, op. cit., *ainsi qu'à W. Lippmann,* Essays in Public Philosophy, *New York (N. Y.), New American Library, 1956.*

77. Le premier à avoir remis en cause le consensus Almond-Lippmann a été W. Caspary, « The Mood Theory. A Study of Public Opinion and Foreign Policy », American Political Science Review, *64 (2), juin 1970, p. 536-547. Ses intuitions ont été confirmées par R. Hinckley, « Public Attitudes Toward Key Foreign Policy Events »,* Journal of Conflict Resolution, *32 (2), juin 1988, p. 295-318, et J. Aldrich, J. Sullivan et E. Borgida, « Foreign Affairs and Issue Voting. Do Presidential Candidates Waltz Before A Blind Audience ? »,* American Political Science Review, *83 (1), mars 1989, p. 123-142, ainsi que, à plus grande échelle, par E. Wittkopf,* Faces of Internationalism. Public Opinion and American Foreign Policy, *Durham, Duke University Press, 1990, et B. Page et R. Shapiro,* The Rational Public. Fifty Years of Trends in American's Policy Preferences, op. cit. *Pour un résumé de ces études, voir M. Nincic, « A Sensible Public. New Perspectives on Popular Opinion and Foreign Policy »,* Journal of Conflict Resolution, *36 (4), décembre 1992, p. 772-789, et M. Nincic,* Democracy and Foreign Policy. The Fallacy of Political Realism, *New York (N. Y.), Columbia University Press, 1992.*

Or, de ce fait même, le premier postulat réaliste – relatif à la non prise en compte de l'opinion publique en politique étrangère – est lui aussi sur la sellette : si l'opinion publique s'intéresse à la politique étrangère, celui qui la conduit ne peut l'ignorer, pas davantage qu'il n'ignore cette opinion dans ses décisions de politique interne[78].

Partant de l'hypothèse que, les gouvernants voulant rester au pouvoir, il y a de fortes chances de les voir favoriser les politiques susceptibles de leur faciliter cette tâche, de nombreuses études ont alors confirmé le rôle des considérations internes dans les décisions diplomatico-stratégiques, en tout cas dans les décisions relatives à l'usage politique de la force, c'est-à-dire aux menaces adressées à un autre État de recourir à la force contre lui sans rendre cette menace effective[79].

---

78. *Rappelons que les réalistes néoclassiques contemporains (cf. chap. 4) réintègrent eux les variables internes – dites intermédiaires – par lesquelles sont filtrées les variables systémiques – dites indépendantes – qui* in fine *façonnent la politique étrangère d'un État. Mais ils ne s'intéressent pas à l'étude du processus de prise de décision, mais au comportement externe sur le long terme d'un État : autrement dit, ils posent comme hypothèse l'existence d'une politique étrangère nationale que leaders mettent en œuvre face aux contraintes que représentent potentiellement des variables internes comme une opinion publique réticente ou des intérêts sociétaux opposés à l'intérêt national. Si donc ils abandonnent eux aussi la séparation stricte externe/interne dans leur analyses de la politique étrangère, cet abandon n'a rien à voir avec l'idée d'une utilisation à des fins internes d'opportunités offertes par la scène internationale : tout au contraire, le postulat de la priorité de la politique extérieure reste valable, tout comme celui de la rationalité du décideur unitaire.*

79. *Il ne faut pas confondre l'usage politique de la force et l'usage effectif de la force armée à des fins de politique intérieure, dont l'étude relève du cadre de la théorie de la guerre comme diversion. Voir à ce sujet J. Levy, « The Diversionary Theory of War. A Critique », dans M. Midlarsky (ed.),* Handbook of War Studies, *Londres, Unwin Hyman, 1989, p. 259-288.*

Successivement, Charles Ostrom et Brian Job[80], Bruce Russett[81], et Kurt Gaubatz[82] ont montré que, dans ses décisions de politique extérieure, le président américain tient certes compte de l'environnement international (degré global de tension, niveau de l'équilibre de la balance stratégique, engagement des États-Unis dans un autre conflit), mais aussi de l'environnement politique (attitude du public envers les risques d'engagement militaire, aversion générale du public à l'égard de la guerre, état de l'économie nationale), et de son environnement personnel (niveau de soutien de l'opinion publique, image du chef de l'État, calendrier des échéances électorales). Autrement dit, les décisions diplomatiques obéissent aussi au « souci de se maintenir au pouvoir[83] », grâce à l'effet d'aubaine que constitue pour un homme politique l'« effet-ralliement autour du drapeau (*rally-round-the-flag-effect*)[84] » provoqué par une crise internationale.

Stimulant, ce troisième ensemble d'études de la prise de décision en politique étrangère de l'approche décisionnelle est cependant difficilement compatible avec les conclusions tirées de l'approche cognitive de Jervis et des modèles organisationnel et bureaucratique de Allison : par quel miracle un chef de l'exécutif victime de perceptions inadéquates et/ou contraint par son environnement

---

80. C. Ostrom et B. Job, « The President and the Political Use of Force », American Political Science Review, *80 (2), juin 1986, p. 541-566.*

81. B. Russett, Controlling the Sword. The Democratic Governance of National Security, *Cambridge (Mass.), Harvard University Press, 1990.*

82. K. Gaubatz, Elections and War, *Stanford (Calif.), Stanford University Press, 1999.*

83. B. Russett, Controlling the Sword, op. cit., *p. 49.*

84. J. Mueller, War, Presidents and Public Opinion, *NewYork (N. Y.), Wiley, 1973.*

sociologique parviendrait-il à retrouver sa marge de manœuvre face à son opinion publique, au point de l'utiliser à sa guise au profit de ses propres intérêts mesquins ? N'est-ce pas là réintroduire par la fenêtre le « prince » expulsé par la porte[85] ?

Une issue à cette impasse a été proposée par le modèle poliheuristique[86] de politique étrangère proposé par Alex Mintz et ses collègues. Fondé notamment sur la théorie des *prospects*[87], ce modèle divise le processus de prise de décision en deux étapes. Dans un premier temps, l'homme politique envisage les différentes solutions qui se présentent à lui lorsqu'il est confronté à l'obligation de prendre une décision, notamment en cas de crise. Cette première étape, relative à la matrice des décisions, ne consiste pas en « l'évaluation et la comparaison de toutes les alternatives » envisageables, mais seulement en la prise en compte de celles qui n'exigent pas « des comparaisons détaillées et compliquées d'alternatives pertinentes »[88] ; plus précisément sont pris en compte les seuls scénarios

---

85. *Parmi les études soulignant le retour du* leadership *en politique étrangère, voir M. Hermann et J. Hagan, « International Decision Making. Leadership Matters »,* Foreign Policy, *110, printemps 1998, p. 124-137 ; J. Hagan, « Does Decision Making Matter ? Systemic Assumptions* vs. *Historical Reality in International Relations Theory »,* International Studies Review, *3 (2), été 2001, p. 5-46 ; M. Hermann* et al., *« Who Leads Matters. The Effect of Powerful Individuals »,* International Studies Review, *3 (2), été 2001, p. 83-131.*

86. *Le terme « poliheuristique » est composé de « poli », jeu de mot combinant à la fois l'idée de pluriel (*poly*) et la notion de politique (*polis*), et de « heuristique », renvoyant aux différents instruments cognitifs utilisés pour faire face à la complexité.*

87. *Voir D. Kahneman et A. Tversky, « Prospect Theory. An Analysis of Decision Under Risk »,* Econometrica, *47 (2), mars 1979, p. 263-292.*

88. *A. Mintz et N. Geva, « The Poliheuristic Theory of Foreign Policy Decision Making », dans N. Geva et A. Mintz*

pour lesquels est disponible une certaine information, ce qui revient à postuler le principe de la rationalité limitée. Une fois ce premier tri effectué, le décideur prend la décision, en prenant en compte les différentes dimensions concernées – dimension externe, interne, personnelle, etc. En la matière, la perception qu'il a des conséquences politiques de ses actions joue un rôle essentiel dans son choix, et ce parce qu'il est d'abord un politicien soucieux de sa survie politique : davantage guidé par l'idée d'éviter tout échec que par l'obsession de réussir à tout prix, il rejette toute solution susceptible d'entamer son capital politique. Un score élevé dans une dimension – par exemple, le triomphe probable qu'engendrerait la décision retenue dans le domaine militaire – ne compense pas l'échec attendu dans une autre dimension – par exemple, la perte de popularité qu'engendrerait cette même décision dans sa dimension interne. Autrement dit, si une alternative est inacceptable selon un critère donné, cette alternative est définitivement éliminée, et « la recherche de solutions cesse lorsqu'une alternative acceptable résiste à l'examen des différentes dimensions clefs[89] ».

Parmi les études de cas analysées figure ainsi la décision de George H. Bush de recourir à l'opération *Tempête du désert*. Une fois qu'il avait déployé l'opération *Bouclier du désert* à la suite de l'invasion et de l'annexion du Koweït par l'Irak en 1990, G. H. Bush avait le choix entre trois alternatives, estime Mintz[90] : le retrait

---

(eds), Decision Making on War and Peace. The Cognitive Rational Debate, *Boulder (Colo.), Lynne Rienner, 1997, p. 81-102.*

89. E. Stern, « Contextualizing and Critiquing the Poliheuristic Theory », Journal of Conflict Resolution, *48 (1), février 2004, p. 105-126.*

90. A. Mintz, « The Decision to Attack Iraq.A Non compensatory Theory of Decision Making », Journal of Conflict Resolution, 34 (4), décembre 1993, p. 595-618.

unilatéral des troupes pour éviter tout enlisement susceptible de rappeler le Vietnam, la poursuite de la stratégie indirecte de lutte contre Saddam Hussein par l'intermédiaire de la politique d'embargo, le recours à la force dans le cadre d'une stratégie de refoulement de l'armée irakienne du territoire koweïtien. C'est le troisième terme de l'alternative qui a été retenu : le premier choix a été écarté à cause des coûts politiques intérieurs qu'aurait impliqués une telle décision, en termes de baisse de la cote de popularité du président ; quant au deuxième terme, il a été éliminé parce qu'il aurait nécessité un engagement des troupes américaines sur place à moyen ou long terme, ce qui était inacceptable tout à la fois pour des raisons de coûts financiers et logistiques, et parce qu'il comportait le risque d'un éventuel recours ultérieur à la force dans des conditions difficiles, en l'occurrence pendant les mois d'été.

Il y a donc une différence non négligeable entre le modèle poliheuristique et les explications des décisions de politique extérieure en termes de front domestique. Mintz concède volontiers que G. H. Bush a gagné en popularité après sa victoire en Irak : cette dernière était effectivement susceptible d'être bénéfique en termes aussi bien de distraction de la crise conjoncturelle que traversait à l'époque l'économie américaine, de redressement de sa propre cote de popularité en voie d'érosion auprès de l'opinion publique américaine, et de rétablissement de son image au sein d'un parti républicain dont l'aile conservatrice avait été gâtée par les deux mandats de Ronald Reagan. Mais il insiste pour souligner que ce n'est que par « défaut » que cette option a été choisie, après que les deux autres avaient été écartées, à cause de leurs conséquences escomptées négatives.

Le modèle poliheuristique de prise de décision en politique étrangère couronne ainsi l'ensemble des approches décisionnelles d'analyse de la politique étrangère, en combinant l'étude du « pourquoi » et du « comment » des décisions de politique étrangère ; il parvient même à établir un lien entre modèles rationnels et cognitifs d'étude de la politique étrangère, en avançant la thèse d'une rationalité par défaut du décideur à l'intérieur d'une matrice de décisions simplifiée[91].

Il constitue de ce fait un programme de recherche prometteur, susceptible de venir concurrencer la vision certes cohérente, mais trop simplifiée, que propose le paradigme réaliste classique de la politique étrangère avec son postulat dépassé de l'homme d'État omniscient et a-politique.

Bibliographie

À la base de l'analyse décisionnelle de la politique étrangère, il y a l'étude behaviouraliste pionnière de :

SNYDER (Richard), BRUCK (H. W.) et SAPIN (Burton), *Foreign Policy Decision-Making. An Approach to the Study of International Politics* (1954), New York (N. Y.), The Free Press, 1962, 274 p. (nouvelle édition *Foreign Policy Decision-Making, Revisited,*

91. *Citons un autre exemple de combinaison entre les différentes théories de la politique étrangère, « l'approche intégrée » de la politique étrangère que propose S. Yetiv,* Explaining Foreign Policy : U.S. Decision-Making in the Gulf Wars, *Baltimore (Md.), The Johns Hopkins University Press, 2011 [2e éd.]. Les décisions américaines de recourir à la force contre l'Irak en 1990-1991 et en 2003 sont abordées à partir des différents modèles explicatifs de la politique étrangère, du modèle de l'acteur rationnel au modèle bureaucratique en passant par l'explication en termes de pressions domestiques, de* groupthink *et de perception cognitive.*

éditée par Valérie Hudson, Derek Chollet et James Goldgeier, Basingstoke, Palgrave-Macmillan, 2003).

Cette analyse refuse d'endosser le postulat réaliste de l'homme d'État personnifiant sur la scène internationale l'État unitaire, rationnel et intentionnel, tel que le font leur :

ARON (Raymond), *Paix et guerre entre les nations* (1962), Paris, Calmann-Lévy, 2004 [8e éd.], 832 p.

KISSINGER (Henry), *Le Chemin de la paix* (1957), Paris, Denoël, 1972, 441 p.

KISSINGER (Henry), *Diplomatie*, Paris, Fayard, 1996, 860 p.

MORGENTHAU (Hans), *Politics Among Nations. The Struggle for Power and Peace* (1948), New York (N. Y.), MacGraw-Hill, 7e éd. revue par K. Thompson et D. Clinton, 2005, 752 p.

Au sein de cette approche décisionnelle, une première piste de recherche souligne le rôle des facteurs psychologiques biaisant la rationalité de l'acteur au moment de la prise de décision :

HOLSTI (Ole), « The Belief System and National Images. A Case Study », *Journal of Conflict Resolution*, 6 (3), septembre 1962, p. 244-252.

JANIS (Irving), *Victims of Groupthink. A Psychological Study of Foreign Policy Decisions and Fiascoes*, Boston (Mass.), Houghton Mifflin, 1972, 278 p.

JERVIS (Robert), « Hypotheses on Misperception », *World Politics*, 20 (3), avril 1968, p. 454-479.

JERVIS (Robert), *Perception and Misperception in International Relations*, Princeton (N. J.), Princeton University Press, 1976, 464 p.

RIVERA (Joseph de), *The Psychological Dimension in Foreign Policy*, Columbus (Ohio), Merril, 1968, 442 p.

SPROUT (Harold et Margaret), *Man-Milieu Relationship Hypotheses in the Context of International Politics*, Princeton (N. J.), Center for International Studies, 1956, 102 p.

VERBA (Sidney), « Assumptions of Rationality and Non-Rationality in Models of the International System », dans Klaus Knorr et Sidney Verba (eds), *The International System. Theoretical Essays*, Princeton (N. J.), Princeton University Press, 1961, p. 93-117.

Associée aux travaux d'Allison, une deuxième direction de recherche souligne les contraintes organisationnelles et bureaucratiques subies par le décideur :

ALLISON (Graham), *Essence of Decision. Explaining the Cuban Missile Crisis*, Boston (Mass.), Little Brown, 1971, 338 p.

ALLISON (Graham) et HALPERIN (Morton), « Bureaucratic Politics. A Paradigm and Some Implications », *World Politics*, 24 (3), avril 1972, p. 40-79.

ALLISON (Graham), « Modèles conceptuels et la crise des missiles de Cuba » (1969), dans Philippe Braillard, *Théories des relations internationales*, Paris, PUF, 1977, p. 172-196.

ALLISON (Graham) et ZELIKOW (Philip), *Essence of Decision. Explainig the Cuban Missile Crisis*, New York (N. Y.), Longman, 1999 [2e éd.], 416 p.

Un troisième axe de recherches dévoile l'impact de l'opinion publique et des considérations intérieures sur les décisions de politique extérieure :

GAUBATZ (Kurt), *Elections and War*, Stanford (Calif.), Stanford University Press, 1999, 224 p.

Holsti (Kalevi), « Public Opinion and Foreign Policy. Challenges to the Almond-Lippmann Consensus », *International Studies Quarterly*, 36 (4), décembre 1992, p. 439-466.

Marra (Robin), Ostrom (Charles) et Simon (Dennis), « Foreign Policy and Presidential Popularity. Creating Windows of Opportunity in the Perpetual Election », *Journal of Conflict Resolution*, 34 (4), décembre 1990, p. 588-623.

Mueller (John), *War, Presidents and Public Opinion*, New York (N. Y.), Wiley, 1973, 300 p.

Ostrom (Charles) et Job (Brian), « The President and the Political Use of Force », *American Political Science Review*, 80 (2), juin 1986, p. 541-66.

Powlick (Philip), « The Sources of Public Opinion for American Foreign Policy Officials », *International Studies Quarterly*, 39 (4), décembre 1995, p. 427-451.

Pressmann (Jeremy), « September Statements, October Missiles, November Elections. Domestic Politics, Foreign Policy Making and the Cuban Missile Crisis », *Security Studies*, 10 (3), printemps 2001, p. 80-114.

Russett (Bruce), *Controlling the Sword. The Democratic Governance of National Security*, Cambridge, Harvard University Press, 1990, 202 p.

Enfin, il existe une tentative de synthèse, l'approche poliheuristique de la politique étrangère :

Brulé (David), « The Poliheuristic Research Program : An Assessment and Suggestions for Further Progress », *International Studies Review*, 10 (2), juin 2008, p. 266-293.

GEVA (Nehemia) et MINTZ (Alex) (eds), *Decision Making on War and Peace. The Cognitive Rational Debate*, Boulder (Colo.), Lynne Rienner, 1997, 258 p.

MINTZ (Alex), « The Decision to Attack Iraq. A Non-compensatory Theory of Decision Making », *Journal of Conflict Resolution*, 37 (4), décembre 1993, p. 595-618.

MINTZ (Alex), *Integrating Cognitive and Rational Theories of Foreign Policy Decision Making*, Basingstoke, Palgrave-Macmillan, 2003, 192 p.

MINTZ (Alex) (ed.), « The Poliheuristic Theory of Foreign Policy Decision Making », numéro spécial, *Journal of Conflict Resolution*, 48 (1), février 2004, p. 3-126.

L'ensemble de ces études, ainsi que les autres recherches en politique étrangère, font l'objet de synthèses régulières. Parmi les plus récentes, voir :

CHARILLON (Frédéric), « Fin ou renouveau des politiques étrangères ? », dans Frédéric Charillon (dir.), *Les Politiques étrangères. Ruptures et continuités*, Paris, La Documentation française, 2001, p. 13-33.

CHARILLON (Frédéric) (dir.), *Politique étrangère. Nouveaux regards*, Paris, Presses de Sciences Po, 2002, 437 p.

COHEN (Samy), « Décision, pouvoir et rationalité dans l'analyse de la politique étrangère », dans Marie-Claude Smouts (dir.), *Les Nouvelles Relations internationales. Pratiques et théories*, Paris, Presses de Sciences Po, 1998, p. 75-101.

HUDSON (Valerie), *Foreign Policy Analysis : Classic and Contemporary Theory*, Lanham (Md.), Rowman and Littlefield, 2007, 225 p.

Roosens (Claude), Rosoux (Valérie) et de Wilde d'Estamael (Tanguy) (dir.), *La Politique étrangère, le modèle classique à l'épreuve*, Bruxelles, PIE-Peter Lang, 2004, 454 p.

Smith (Steve), Hadfield (Amelia) et Dunne (Tim) (eds), *Foreign Policy : Theories, Actors, Cases*, Oxford, Oxford University Press, 2007, 480 p.

Chapitre 11 / L'INTÉGRATION

« Les gens applaudissent les déclarations de droits mais en appellent d'abord à la satisfaction de leurs besoins. »
David Mitrany[1]

« La guerre froide a été la raison principale qui explique l'épanouissement des relations à l'intérieur de la Communauté européenne. [...] Tout d'abord, une Union soviétique puissante et potentiellement dangereuse a obligé les démocraties occidentales à s'unir pour affronter ensemble la menace commune. La Grande-Bretagne, l'Allemagne et la France ne se souciaient plus les unes les autres, étant donné que chacune avait affaire à la plus grande menace soviétique. [...] Ensuite, la position hégémonique des États-Unis au sein de l'OTAN, contrepartie militaire de la Communauté européenne, a tempéré les effets de l'anarchie sur les démocraties occidentales et facilité la coopération entre elles. L'Amérique a non seulement fourni une protection contre l'Union soviétique, mais a également garanti les différents États européens contre une attaque de tout autre État européen. [...] Sans menace soviétique commune, et sans gardien américain, les États d'Europe occidentale commenceront à se regarder de nouveau en chiens de faïence, comme ils l'ont fait durant les siècles précédant la guerre froide. La coopération sera plus difficile que pendant la guerre froide. Les conflits vont augmenter. »

Émis trois mois après la chute du mur de Berlin, le scénario d'avenir de l'Europe imaginé par John Mearsheimer[2] illustre à

1. *D. Mitrany,* A Working Peace System, op. cit., *p. 56.*
2. *J. Mearsheimer, « Back To the Future. Instability in Europe After the Cold War », art. cité. L'article est tiré d'une conférence tenue par Mearsheimer en février 1990 en Grande-Bretagne, devant un parterre d'ex-responsables politiques occidentaux, MM. Ford, Giscard d'Estaing, Schmidt et Callaghan.*

merveille l'approche (néo-)réaliste de l'intégration européenne : au moment où, à la suite de l'Acte unique européen et du traité de Maastricht, la Communauté européenne est en train de se transformer en Union européenne, au moment où l'Union économique et monétaire succède au Marché unique et la Politique étrangère et de sécurité commune à la coopération politique européenne, les réalistes continuent de lire l'intégration européenne à travers leur grille privilégiée de la guerre et de la paix, des conflits et de la sécurité.

Certes, quelques années après Mearsheimer, le néoréaliste Joseph Grieco propose son explication de l'évolution en cours de la Communauté européenne, qu'il situe au[3] sein de ce qu'il appelle un néoréalisme amendé[4]. Partant du triptyque hirschmannien *exit, voice, loyalty*[5], il pose comme hypothèse que tout État qui rejoint une institution le fait à la fois pour augmenter les avantages que

---

3. L'hypothèse d'une opportunité de prise de parole est formulée de la façon suivante par J. Grieco, « State Interests and International Rule Trajectories. A Neorealist Interpretation of the Maastricht Treaty and European Economic and Monetary Union », art. cité. : « Si des États partagent un intérêt commun et s'ils s'engagent dans des négociations en vue de la mise sur pied de règles constitutives d'une coopération, alors les partenaires les plus faibles et néanmoins influents chercheront à s'assurer que les règles en question seront construites de telle sorte qu'elles leur offrent suffisamment d'opportunités pour exprimer leurs intérêts et leur permettent ainsi de prévenir ou, du moins, de limiter, la domination dont ils font l'objet de la part des partenaires les plus forts ».

4. J. Grieco, « State Interests and International Rule Trajectories. A Neorealist Interpretation of the Maastricht Treaty and European Economic and Monetary Union », dans B. Frankel (ed.), Realism. Restatements and Renewal, *Londres, Frank Cass, 1996, p. 251-305.*

5. A. Hirschmann, Défection et prise de parole *(1970), Paris, Fayard, 1995.*

lui procure cette adhésion et pour influencer les partenaires à la coopération : vue sous cet angle, la création d'une monnaie unique s'explique par la *voice opportunity* qu'offre à Paris la création de l'Union économique et monétaire qui, mieux que le Système monétaire européen, lui permet de peser sur les décisions monétaires jusque-là dominées *de facto* par la puissance économique allemande ; en effet, depuis 1983, la France a définitivement accepté de participer à l'unification monétaire européenne, et donc l'option *exit* est exclue, alors que la fidélité à l'option *loyalty* signifierait la soumission à la domination économique allemande, ce qu'exclut le postulat néoréaliste de la recherche privilégiée par les États des gains relatifs par rapport aux gains absolus[6].

Mais Grieco est l'exception qui confirme la règle, car il est l'un des rares réalistes à estimer que « le fait que les États européens essaient obstinément d'édifier des institutions plus fortes » constitue un défi pour le (néo-)réalisme, même dans le cas où leurs efforts « échoueraient ou ne connaîtraient qu'un succès partiel[7] ». Dans leur majorité, les réalistes continuent d'analyser la construction européenne à travers la seule perspective de l'équilibre des puissances : à l'image d'un Kenneth Waltz attribuant la coopération européenne à la conjoncture spécifique de la guerre froide[8], Henry Kissinger s'attend ainsi à ce qu'avec la fin de la guerre froide

---

6. J. Grieco s'inscrit dans la théorie néoréaliste de la coopération et des régimes internationaux ; cf. chap. 12.

7. J. Grieco, « State Interests and International Rule Trajectories. A Neorealist Interpretation of the Maastricht Treaty and European Economic and Monetary Union », art. cité.

8. Selon K. Waltz, Theory of International Politics, op. cit., *p. 70-71, « l'émergence des superpuissances américaine et soviétique a créé une situation qui a permis une coopération plus étendue et plus effective entre les États d'Europe occidentale. [...] Tous les obstacles à la coopération n'ont pas été*

les institutions européennes soient incapables de maintenir l'équilibre entre l'Allemagne et ses partenaires européens[9].

Cette orientation particulière qu'a l'approche réaliste de l'intégration européenne peut paraître surprenante quand on connaît la séduction exercée par l'ancêtre des théories modernes de l'intégration, le fonctionnaliste David Mitrany, sur le père du réalisme américain, Hans Morgenthau : non seulement Morgenthau accepte de rédiger une préface à la deuxième édition d'*A Working Peace System* mais, prenant prétexte du retour du nationalisme qu'il voit à l'œuvre dans la crise de la chaise vide provoquée par le général de Gaulle, il estime que de « l'opposition entre le nationalisme et le fonctionnalisme dépend le sort du monde », n'hésitant pas à écrire que « l'avenir du monde civilisé est étroitement lié à l'avenir de l'approche fonctionnelle de l'organisation internationale[10] ». En réalité, le

---

enlevés, à part l'un d'entre eux : la peur que le plus grand avantage qu'en tirerait l'un d'entre eux serait utilisé comme force militaire contre les autres. Vivant à l'ombre des superpuissances, la Grande-Bretagne, la France, l'Allemagne et l'Italie ont vite vu que la guerre serait une aberration. Parce que la sécurité de tout un chacun dépendait de la politique de tous les autres, il était possible de travailler en commun en faveur de l'unité ».

9. *H. Kissinger,* Diplomatie, op. cit. *Dans le dernier chapitre de cet ouvrage, Kissinger fait preuve d'hésitations, sinon de contradictions, quant à ses prévisions relatives à l'avenir de l'Europe : d'un côté, il s'attend à ce que l'Europe fasse partie des six grandes puissances du système international multipolaire du XX*e *siècle, mais de l'autre il continue à raisonner comme si l'Union européenne n'existait pas, en notant que l'Amérique et l'Europe ont un intérêt commun à empêcher la Russie et l'Allemagne de se battre pour la domination du centre du Vieux Continent.*

10. *H. Morgenthau, préface à D. Mitrany,* A Working Peace System, op. cit., *p. 11. D. Mitrany est le seul internationaliste*

paradoxe n'est qu'apparent, et il s'explique par la polysémie de la notion d'intégration utilisée dans les théories du même nom.

Lorsqu'on regarde les définitions de l'intégration, on constate qu'elles établissent souvent un lien direct entre la problématique de l'intégration et celle de la paix : ainsi, Karl Deutsch définit l'intégration comme « l'obtention, au sein d'un territoire, d'un sens de la communauté et d'institutions et de pratiques suffisamment fortes et diffusées pour assurer, pendant un long moment, des attentes de changement pacifique parmi (la) population » concernée[11] ; Ernst Haas voit, lui, dans l'intégration « la tendance vers la création volontaire d'unités politiques plus larges, chacune évitant consciemment le recours à la force dans ses relations avec les autres unités participantes[12] » ; quant à Joseph Nye, il va jusqu'à affirmer que les organisations politiques régionales ont contribué « à la création d'îlots de paix au sein du système international[13] ». Mais une lecture approfondie des analyses que la plupart de ces auteurs proposent de l'intégration permet de constater que l'intérêt porté à l'impact pacifique de l'intégration relève bien davantage de l'invocation rituelle qu'elle ne s'inscrit dans la filiation des programmes de paix qui, depuis le *Projet pour rendre la*

---

libéral de l'avant-seconde guerre mondiale à trouver grâce aux yeux des réalistes (cf. chap. 3 et 5).

11. *K. Deutsch* et al., Political Community and the North Atlantic Area, op. cit., *p. 5 (cf. chap. 14).*

12. *E. Haas, « The Study of Regional Integration. Reflections on the Joy and Anguish of Pretheorizing », dans L. Lindberg et S. Scheingold (eds), « Regional Integration. Theory and Research », numéro spécial,* International Organization, *24 (4), automne 1970, p. 607-646.*

13. *J. Nye,* Peace in Parts. Integration and Conflict in Regional Organization, *Boston (Mass.), Little Brown, 1971, p. 182.*

paix perpétuelle en Europe de l'abbé de Saint-Pierre[14], fondent leurs espoirs d'une paix durable sur l'avènement d'une « union permanente et perpétuelle entre souverains [...] représentés par leurs députés dans un Congrès ou Sénat perpétuel » plutôt que sur le « malheureux système » de l'équilibre des puissances[15]. Plus précisément, c'est en tant que processus de « création et de maintien d'interactions intenses et diversifiées entre unités préalablement autonomes[16] » que l'intégration intéresse la plupart des théoriciens, moins fidèles à l'orientation iréniste initiale des études sur l'intégration qu'attirés par le pourquoi et le comment d'un processus qui, partant d'un marché commun économique, est censé aboutir à une fusion de nature politique d'institutions et d'entités séparées en une entité plus large au sein d'une même région[17]. Et c'est probablement cette réorientation des études de l'intégration qui explique que les réalistes se sont détournés de celles-ci[18],

---

14. *Sur tous ces projets, depuis* Le Nouveau Cynée *d'Émeric de Crucé jusqu'à la Charte des Nations unies, voir S. Goyard-Fabre,* La Construction de la paix. Ou le travail de Sisyphe, *Paris, Vrin, 1994.*

15. *Abbé de Saint-Pierre,* Projet pour rendre la paix perpétuelle en Europe *(1713), Paris, Fayard-Corpus, 1986, p. 161-162 et 39.*

16. *W. Wallace,* The Dynamics of European Integration, *Londres, F. Pinter, 1990, p. 9.*

17. *Parmi les différents théoriciens de l'intégration, seul Deutsch continuera à voir l'intégration à travers la grille de lecture de la guerre et de la paix : ajoutée au fait que sa notion de « communauté de sécurité » ne concerne pas la construction européenne en tant que telle, cette spécificité deutschienne explique que nous présenterons sa théorie cybernétique non pas dans ce chapitre, mais dans le chapitre 14 relatif à la sécurité.*

18. *Logiquement, les prémices d'une politique étrangère et de sécurité européenne commune ont récemment relancé l'intérêt du réalisme pour l'intégration européenne : voir A. Hyde-Price, « "Normative" Power Europe : A Realist Critique »,* Journal of

abandonnant l'explication théorique de l'intégration européenne[19] aux néofonctionnalistes dans un premier temps, aux inter-gouvernementalistes dans un second temps[20].

Comme leur nom l'indique, les néofonctionnalistes renvoient aux fonctionnalistes et, plus exactement, à l'approche fonctionnaliste des organisations internationales associée à Mitrany, diplomate et universitaire britannique d'origine roumaine. Appartenant à la deuxième génération des internationalistes libéraux de la première

---

European Public Policy, *13 (2), mars 2006, p. 217-234, ainsi que S. Collard-Wexler, « Integration Under Anarchy : Neorealism and the European Union »,* European Journal of International Relations, *12 (3), septembre 2006, p. 397-432. Le scepticisme n'en reste pas moins de mise parmi les réalistes quant aux perspectives de faire de l'UE autre chose qu'une institution internationale parmi d'autres plutôt qu'un acteur unifié et donc unitaire : voir S. Rosato, « Europe's Troubles. Power Politics and the State of the European Project »,* International Security, *35 (4), printemps 2011, p. 45-86.*

19. L'intégration européenne n'est bien sûr pas le seul processus d'intégration régionale. Nous nous contenterons néanmoins d'exposer ici les théories élaborées à partir et à propos de l'intégration européenne, étant donné la primauté à la fois quantitative et qualitative de celles-ci, sans parler de la spécificité de l'intégration européenne, qu'ont d'ailleurs fini par reconnaître les théoriciens qui avaient tenté d'appliquer leurs analyses à d'autres intégrations régionales, à l'image de E. Haas dans la préface à la deuxième édition de son Uniting of Europe. *Un simple coup d'œil sur les réflexions publiées sur les régionalisations autres qu'européenne permet d'ailleurs de constater leur faiblesse théorique ; dans ce sens, voir, entre autres, L. Fawcett et A. Hurrell (eds),* Regionalism in World Politics, *Oxford, Oxford University Press, 1995.*

20. Nous exposerons ici les théories s'attachant à expliquer le pourquoi de l'intégration européenne plutôt que celles se contentant de décrire le comment du fonctionnement de ses institutions ou s'interrogeant sur les processus d'émergence d'une identité européenne. Cela explique que nous négligerons les analyses en termes de policy networks, multi-level governance *ou*

moitié du XXe siècle[21], Mitrany part de l'écart grandissant qu'il constate entre, d'un côté, l'interdépendance croissante du monde des

---

path-dependency *néo-institutionnaliste, de même que les approches constructivistes, cognitivistes et discursives de l'Europe. Nous faisons ainsi nôtre le plaidoyer en faveur de la pertinence des théories internationales* stricto sensu *de l'intégration européenne dressé par B. Rosamond,* Theories of European Integration, *New York (N. Y.), St. Martin's Press, 2000, qui cependant présente aussi les autres théories (p. 98-129). Pour un panorama complet de toutes les approches, voir S. Saurugger,* Théories et concepts de l'intégration européenne, *Paris, Presses de Sciences Po, 2010 ; l'ouvrage collectif de A. Wiener et T. Diez (eds),* European Integration Theory, *Oxford, Oxford University Press, 2003, qui consacre une partie entière aux potentialités du constructivisme en matière d'étude de l'intégration européenne, avec notamment une synthèse due à T. Risse, p. 159-176 : « Social Constructivism and European Integration » ; ainsi que la première partie d'un autre ouvrage collectif dirigé par K. Jorgensen, M. Pollack, et B. Rosamond (eds),* Handbook of European Union Politics, *Londres, Sage, 2007, avec notamment le chapitre 3 dû à J. Checkel : « Constructivist Approaches to European Integration ». Il n'existe pas, à notre connaissance, d'étude d'ensemble de l'intégration européenne en termes constructivistes, mais certains de ces aspects sont abordés dans cette perspective. Voir, entre autres, le numéro spécial consacré à « Social Construction and Integration » par la revue* European Journal of Public Policy, *6 (4), septembre 1999, sous la direction de J. Checkel ; ainsi que l'ouvrage collectif de T. Christiansen, K. Jörgensen et A. Wiener (eds),* The Social Construction of Europe, *Londres, Sage, 2001. Parmi les études de cas, voir C. Parsons, « Showing Ideas as Causes. The Origins of the European Union »,* International Organization, *56 (1), hiver 2002, p. 47-84 ; B. Tonra, « Constructing the CFSP. The Utility of a Cognitive Approach »,* Journal of Common Market Studies, *41 (4), septembre 2003, p. 731-756 ; T. Aalberts, « The Future of Sovereignty in Multi-level Governance Europe. A Constructivist Reading »,* Journal of Common Market Studies, *F. Schimmelfennig (1), mars 2004, p. 23-46.*

21. *Aussi bien P. Wilson et D. Long (eds),* Thinkers of the Twenty Years' Crisis, op. cit. *(cf. chap. 5), que J. de Wilde,* Saved

échanges de toutes sortes rendus possibles par les progrès scientifiques et, de l'autre, la division persistante du monde politique en une multiplicité de souverainetés étatiques. Il en déduit que la principale tâche qui incombe aux hommes d'État est « non pas de maintenir les nations pacifiquement séparées les unes des autres, mais de contribuer à les unir activement les unes aux autres[22] », seule façon d'éviter que la division politique ne débouche sur des recours à la force néfastes aux sociétés humaines. Par opposition à Alfred Zimmern et autres Leonard Woolf (cf. chap. 5), ce n'est cependant pas à une association entre États qu'il fait appel pour ce faire, ni même à une union fédérale dont l'idée avait été développée dans les années 1920 par Richard de Coudenhove-Kalergi et son mouvement paneuropéen, mais à « un système d'arrangements fonctionnels[23] ». À l'en croire, une association d'États, du type Société des Nations ou Organisation des Nations unies, est utile pour faciliter une action conjointe entre ses membres, mais a pour désavantage de ne pouvoir leur prescrire aucune action précise, et encore moins de prendre des décisions de sa propre initiative ; quant à une union fédérale, si elle permet de surmonter cette faiblesse, elle n'est dans la meilleure des hypothèses envisageable qu'au stade final d'un processus d'intégration[24], en ce qu'elle présuppose l'existence d'un enthousiasme

---

From Oblivion, op. cit. *(cf. chap. 6), consacrent l'un de leurs chapitres à D. Mitrany. Il est vrai que si son principal ouvrage* A Working Peace System *date de 1944, ses premières publications remontent au début des années 1930.*

22. D. Mitrany, A Working Peace System, op. cit., *p. 15.*

23. D. Mitrany, « The Functional Approach to International Organization », dans D. Mitrany, A Working Peace System, op. cit., *p. 149-166.*

24. D. Mitrany, A Working Peace System, op. cit., *p. 83, parle de* federalism by instalment, *ce que l'on peut traduire par « fédéralisme par feuilleton ».*

partagé pour un gouvernement commun qui est justement démenti par la prolifération des nationalismes ; en revanche, une organisation fonctionnelle, qui a le mérite de s'appuyer sur l'interdépendance existante, est tout à fait susceptible « de rendre les changements de frontières superflus en rendant les frontières sans raison d'être du seul fait du développement continu d'activités et d'intérêts communs transfrontaliers[25] ».

D'après Mitrany, les besoins humains sont à la base de toutes les relations sociales : si « les gens applaudissent les déclarations de droits, ils n'en appellent pas moins d'abord à la satisfaction de leurs besoins[26] ». Étant donné que « de nombreux besoins traversent les frontières[27] », il est parfaitement inutile d'échafauder des grands édifices internationaux lorsque l'on veut rapprocher les nations : il suffit de mettre sur pied des organisations internationales techniques qui, telles que l'Union postale universelle ou l'Organisation internationale du travail[28], sont acceptées par les États parce qu'elles remplissent des fonctions de bien-être sans empiéter sur la souveraineté des États. Fondées sur les besoins universels politiquement neutres de tous les êtres humains, s'occupant de dossiers sociaux qui unissent plutôt que d'enjeux politiques qui

---

25. Ibid., *p. 62.*
26. Ibid., *p. 56.*
27. *D. Mitrany, « The Functional Approach to International Organization », art. cité.*
28. *Mitrany est également influencé par le succès de l'expérience américaine du* New Deal, *dont il a été le témoin lors de son séjour aux États-Unis : vu le système fédéral américain mettant aux prises des États fédérés qu'il s'agit de persuader de travailler en commun en vue de la satisfaction de besoins partagés par leurs populations respectives, la Tennessee Valley Authority représente au sein des États-Unis une organisation inter-« étatique » comparable à ce que représentent les organisations internationales au niveau inter-« national ».*

divisent, de telles agences internationales finissent par pacifier les relations internationales, non pas en gelant les relations de puissance, comme se proposent de le faire Société des Nations et Organisation des Nations unies, mais en assurant la « sécurité sociale » plutôt que la « sécurité militaire[29] » : au fur et à mesure que les individus se rendent compte que leurs besoins en matière de transport, de communication, d'échanges, etc., sont mieux assurés par ces organisations que par les États dont ils sont originaires, ils déplacent leurs attentes des États vers ces organisations dont ils constatent les bienfaits, avec pour conséquence une lente érosion des nationalismes et l'avènement progressif d'une « communauté mondiale pacifique[30] » en lieu et place des vieilles oppositions politiques et des rivalités de puissances[31].

---

29. *D. Mitrany,* A Working Peace System, op. cit., *p. 15. Il oppose également la sécurité définie en termes de « vie sociale paisible » et celle définie en termes de « territoire adéquatement protégé » : une telle idée de « monde-providence » n'est pas sans rappeler les conceptions élargies de la sécurité contemporaines, même si Mitrany n'est pas cité dans les études de sécurité (cf. chap. 14).*

30. Ibid., *p. 18.*

31. *Pour revenir aux rapports entre D. Mitrany et H. Morgenthau, précisons que le respect que H. Morgenthau porte à D. Mitrany ne l'empêche pas de se montrer un tant soit peu condescendant à l'encontre de la thèse de la paix par le transfert des loyautés à des organisations fonctionnelles internationales, comme le montre son commentaire dans* Politics Among Nations, op. cit., *p. 528-529 : « Imagine-t-on quelqu'un, en postant une lettre adressée à l'étranger, penser à remercier l'Union postale universelle pour sa contribution à la bonne marche de l'expédition de ladite lettre ? [...] La négligence avec laquelle le public traite les agences fonctionnelles internationales n'est que le reflet exagéré du rôle mineur que ces agences jouent dans la solution des enjeux internationaux majeurs. »*

L'idée d'un « recouvrement des frontières de la division politique par tout un réseau de relations et d'administrations partagées[32] » sera reprise par Ernst Haas. À l'image de Mitrany, persuadé qu'une « société mondiale est bien davantage susceptible de résulter des interactions ayant lieu sur une place de marché que des pactes signés dans les chancelleries[33] », Haas estime lui aussi que « les buts économiques convergents imbriqués dans la vie bureaucratique, pluraliste et industrielle de l'Europe moderne » expliquent davantage « l'élan décisif » de l'intégration européenne que « les slogans sur les gloires passées de Charlemagne, des papes (ou) de la civilisation occidentale » ou même « la crainte de l'Union soviétique (et) l'envie des États-Unis[34] ». Par opposition à Mitrany cependant, très hostile à l'idée d'une fédération européenne synonyme d'entité supranationale « engluée dans le vieux concept d'organisation politique de nature souveraine et territoriale[35] », Haas s'intéresse lui à l'intégration économique parce qu'il y voit la première étape d'une évolution susceptible d'aboutir « à une nouvelle communauté

---

32. *D. Mitrany, « The Functional Approach to International Organization », art. cité.*

33. *D. Mitrany,* A Working Peace System, op. cit., *p. 25.*

34. *Citation de E. Haas dans M.-E. de Bussy, H. Delorme et F. de La Serre, « Approches théoriques de l'intégration européenne »,* Revue française de science politique, *21 (3), juin 1971, p. 615-53.*

35. *Citation dans C. Navari, « David Mitrany and International Functionalism », dans P. Wilson et D. Long (eds),* Thinkers of the Twenty Years' Crisis, op. cit., *p. 214-246. Cette différence d'appréciation relative à l'unification européenne souligne le caractère complexe de la filiation entre Haas et Mitrany, qui considérait le néofonctionnalisme comme une sorte de fonctionnalisme fédéraliste. Ce qui rapproche les deux auteurs, c'est surtout la croyance commune en le contournement possible des enjeux politiques par l'intermédiaire d'une gouvernance technique des enjeux non politiques confiée à des gestionnaires ; à l'inverse, alors que la vision technocratique de Mitrany*

politique se surimposant aux communautés pré-existantes[36] ». Et c'est le mouvement vers un tel résultat que dans sa théorie néo-fonctionnaliste de l'intégration il analyse à propos du cas européen.

Contemporain de la révolution behaviouraliste (cf. chap. 3) et pluraliste convaincu, Haas définit l'intégration non pas comme un état, mais comme un « processus par lequel des acteurs politiques de nationalité différente sont amenés à transférer leurs allégeances, attentes, et activités politiques vers un centre nouveau dont les institutions ont, ou cherchent à avoir, compétence sur les États nationaux pré-existants[37] ». Ce point de départ l'amène à aborder la construction européenne, et plus exactement la création de la Communauté européenne du charbon et de l'acier (CECA), qui est son terrain empirique de prédilection, à partir du comportement des acteurs sociétaux fondamentaux, motivés non pas par

---

cherche à remplacer les autorités politiques basées sur un territoire par des autorités fonctionnelles, Haas ne désespère pas de voir ces autorités fonctionnelles fusionner en une autorité acquérant une assise territoriale sans laquelle il ne saurait y avoir de gouvernement légitime : dans Beyond the Nation-State, *Stanford (Calif.), Stanford University Press, 1964, p. 9, Haas va d'ailleurs jusqu'à reprocher à Mitrany, qui effectivement voyait dans le gouvernement « une chose pratique » (« The Functional Approach to International Organization », art. cité.), d'être favorable au remplacement du « gouvernement des hommes » par l'« administration des choses » prônée par les marxistes-léninistes.*

36. *E. Haas,* The Uniting of Europe, *Stanford (Calif.), Stanford University Press, 1968 [2e éd.], p. 16.*

37. Ibid., *p. 16. Cette définition de l'intégration, au sens donc de mouvement vers la création d'une nouvelle entité politique, renvoie elle-même à la conception que Haas se fait de la communauté politique, définie comme « la situation dans laquelle des groupes et des individus spécifiques rendent allégeance à leurs institutions politiques centrales plutôt qu'à toute autre autorité politique, dans une période et un espace donnés » (*ibid., *p. 5).*

des valeurs altruistes ou idéalistes, mais guidés par le besoin de satisfaire de la façon la plus rationnelle possible leurs intérêts égoïstes. Habitués, du fait des relations d'échange de toutes sortes, à rencontrer leurs *alter ego* dans les pays voisins, « le technicien économique, le haut fonctionnaire, l'industriel innovant, et le syndicaliste[38] » qui incarnent l'élite des groupes sociétaux politiquement significatifs, se rendent compte que leurs intérêts sont mieux satisfaits au sein d'un espace politique élargi qu'au sein de leur espace politique d'origine. Confrontées à ces demandes mais conscientes de l'impossibilité de procéder à une unification politique entre États qui viennent de sortir d'une guerre mondiale, les autorités politiques nationales, liées entre elles par une croyance commune aux valeurs politiques défendues par la démocratie chrétienne et la social-démocratie, décident alors « d'abandonner le jeu de la politique de puissance et de se vouer à la construction de l'Europe pour atteindre des buts plus modestes[39] ».

Parmi ces buts plus modestes, il y a notamment l'intégration dans un secteur économique délimité, en l'occurrence celui du charbon et de l'acier, qui a l'avantage de faire l'unanimité entre les autorités politiques allemandes désireuses d'échapper au contrôle des Alliés sur la Ruhr, les autorités politiques françaises désireuses de surveiller la renaissance industrielle de l'Allemagne, les industriels du secteur concerné intéressés par un élargissement de leurs débouchés, et les syndicalistes de ce même secteur persuadés des bienfaits d'une organisation transnationale de leurs revendications. Vu que le bon fonctionnement d'une telle

---

38. Ibid., *p. XIX. Haas oppose ces élites économiques aux « politiciens, intellectuels, poètes, écrivains ».*

39. Citation de E. Haas dans M.-E. de Bussy, H. Delorme et F. de La Serre, « Approches théoriques de l'intégration européenne », art. cité.

intégration exige la présence d'une bureaucratie centrale, une institution supranationale, composée de membres nommés par les gouvernements nationaux sur la base de leurs compétences techniques reconnues, est mise sur pied par les différents États membres. Chargée de superviser la bonne marche des activités mises en commun, cette bureaucratie – en l'occurrence la Haute Autorité de la CECA – se rend vite compte que le secteur intégré entretient des liens avec le reste de l'économie, et en conclut que le succès dudit secteur demande un élargissement de l'intégration aux secteurs adjacents. Ce faisant, l'autorité centrale contribue « à briser l'autonomie inhérente aux contextes fonctionnels[40] » car, en empêchant que l'intégration ne reste confinée au seul secteur initialement concerné, elle favorise le transfert des attentes des acteurs économiques concernés par les secteurs potentiellement intégrés qui, nouant des contacts de plus en plus nombreux avec elle, finissent par exercer une pression auprès à la fois des autorités nationales et des autorités supranationales en faveur d'actions et de législations communes dans les secteurs concernés.

Conséquence : la demande convergente des élites de ces secteurs vient s'agréger aux propositions des institutions supranationales pour ensemble faire déborder l'intégration vers de plus en plus de secteurs – le transport, l'agriculture, la pêche, et ainsi de suite. D'après Haas, c'est cet effet d'engrenage – *spill-over*[41] –, défini par

---

40. E. Haas, « International Integration. The European and the Universal Process », International Organization, *15 (3), été 1961, p. 366-392.*

41. Le fonctionnement en détail de l'effet spill-over *est décrit dans le chapitre 8, intitulé « La logique expansive de l'intégration par secteur » (*The Uniting of Europe, op. cit.*, p. 283-317).*

Leon Lindberg comme « une situation dans laquelle une action donnée, en rapport avec un but spécifique, crée une situation dans laquelle le but initial ne peut être atteint que par de nouvelles actions, qui à leur tour créent les conditions et les besoins d'autres actions encore, etc.[42] », qui est à l'origine de la dynamique ascendante de l'intégration économique vers l'unification politique finale. En effet, en amenant les acteurs économiques à se réorganiser au niveau des institutions supranationales, les décisions prises par ces dernières finissent par étendre l'intégration vers l'ensemble des secteurs économiques, y compris ceux initialement hostiles à l'intégration, et même vers les pays extérieurs. Or, un tel processus incrémentiel est synonyme de politisation graduelle : avec le transfert de plus en plus de loyautés sociétales vers les nouvelles autorités supranationales, les acteurs politiques de toutes sortes, y compris les partis politiques, sont incités à intensifier leurs interventions sur le nouveau centre de décision supranationale, et celui-ci récupère de plus en plus de fonctions traditionnellement exercées par les États. L'intégration arrive ainsi à son terme, parce que l'évolution de l'intégration économique crée les conditions d'émergence d'« une communauté politique nouvelle réunissant les nations pré-existantes qui se sont rejointes [...] sur la base d'une nouvelle conscience nationale[43] ».

Pour être automatique, souligne cependant Haas, le passage d'un marché économique intégré à une entité politique unifiée, exige, au-delà des intérêts des acteurs sociétaux fondamentaux, « la présence d'institutions et de pratiques formellement

---

42. *L. Lindberg,* The Political Dynamics of European Economic Integration, *Stanford (Calif.), Stanford University Press, 1963, p. 10.*

43. *E. Haas,* The Uniting of Europe, op. cit., *p. 14.*

gouvernementales[44] » au niveau supranational : sans la présence de cette véritable « cheville ouvrière[45] » de l'intégration européenne, la CECA aurait connu un sort comparable à celui de la Commission du Danube ou de l'Union postale universelle. En réintroduisant ainsi l'agent politique au centre de son schéma, Haas non seulement rompt avec le postulat implicite de la « main invisible » inhérent au fonctionnalisme techniciste de Mitrany, mais aussi rend justice au rôle joué par la Haute Autorité de la CECA et, si on oublie le contexte de son étude, par les autres institutions européennes, de la Commission[46] à la Cour de Justice[47]. Son analyse est d'ailleurs susceptible d'être interprétée comme une rationalisation *a posteriori* de la méthode Monnet, résumée de la façon suivante par Robert Schuman : « L'Europe ne se fera pas d'un coup, ni dans une construction d'ensemble : elle se fera par des réalisations concrètes créant d'abord une solidarité de fait. [...] Dans ce but, le gouvernement français propose de porter immédiatement l'action sur un point limité mais décisif : [...] placer l'ensemble de la production franco-allemande de charbon et d'acier sous une Haute Autorité commune, dans une organisation ouverte à la

---

44. Ibid., *p. 7.*

45. *M.-E. de Bussy, H. Delorme et F. de La Serre, « Approches théoriques de l'intégration européenne », art. cité.*

46. *Voir à ce sujet l'analyse de J. Tranholm-Mikkelsen, « Neo-Functionalism. Obstinate or Obsolete ? »,* Millennium, *20 (1), 1991, p. 1-22, qui analyse ce qu'il appelle le* cultivated spill-over *de la Commission, c'est-à-dire sa capacité en tant que courtier à placer à un niveau supérieur l'intérêt commun des différentes parties (étatiques et sociétales) engagées dans une négociation au niveau européen.*

47. *Le rôle de la CJCE est analysé, dans une perspective néofonctionnaliste, par A.-M. Burley et W. Mattli, « Europe Before the Court. A Political Theory of Legal Integration »,* International Organization, *47 (1), hiver 1993, p. 41-77.*

participation des autres pays d'Europe. La mise en commun des productions de charbon et d'acier assurera immédiatement l'établissement de bases communes de développement économique, première étape de la Fédération européenne [...][48].

Ce n'est pas là le seul lien que la théorie de Haas entretient avec le contexte immédiat qui l'a vu naître : autant sa théorie a, dans l'ensemble, été corroborée tant que l'effet *spill-over* a parfaitement fonctionné, c'est-à-dire jusqu'au début des années 1960, avec notamment la création de la Politique agricole commune, autant elle semble incapable de rendre compte de la politique d'obstruction pratiquée par le général de Gaulle vers le milieu des années 1960 – crise de la chaise vide résolue par le compromis de Luxembourg, double refus de la candidature britannique.

Haas s'est lui-même rendu compte de ces insuffisances. Après avoir retenu, dans la préface à la deuxième édition de *The Uniting of Europe*, l'importance des « leçons que [nous] a enseignées le général de Gaulle[49] » – il n'y a pas lieu de postuler la supériorité de principe de l'économique sur le politique ni de proclamer la fin des idéologies, il ne faut pas omettre le contexte exogène à l'intégration européenne, c'est-à-dire le système international Est-Ouest –, il est allé jusqu'à remettre en cause l'utilité même de sa recherche, en publiant d'abord un réflexion sur les « joies et angoisses » du chercheur en intégration régionale[50], et ensuite un ouvrage intitulé, de façon révélatrice, *The Obsolescence of Regional Integration*

---

48. Déclaration de R. Schuman du 9 mai 1950, dans P. Gerbet, F. de La Serre et G. Nafilyan (documents rassemblés par), L'Union politique de l'Europe. Jalons et textes, *Paris, La Documentation française, 1998, p. 54-56.*

49. E. Haas, The Uniting of Europe, *op. cit., p. XIV et XXIII.*

50. E. Haas, « The Study of Regional Integration. Reflections on the Joy and Anguish of Pretheorizing », art. cité.

Theory[51]. Une telle autocritique semble pourtant tout aussi excessive que l'optimisme béat dont il fait preuve dans les années 1950. En effet, à la fois dans la préface de 1958 et dans celle de 1968, Haas prévoit l'hypothèse d'un processus non linéaire de l'intégration européenne : en 1958, il note que des « gouvernements nationaux [...] peuvent à l'occasion tenter de combattre, ignorer, ou saboter les décisions de l'autorité fédérale [...] ; cependant, ils reconnaissent également le point au-delà duquel de telles attitudes sont contre-productives, et à long terme finissent par se soumettre aux décisions fédérales, ne serait-ce que pour ne pas que leur précédent n'inspire d'autres gouvernements[52] » ; en 1968, il fait remarquer que même lorsque des actions telles que celles du général de Gaulle « freinent la tendance au *spill-over*, elles n'impliquent pas pour autant un *spill-back*, ou retour à des actions purement nationales. Elles peuvent très bien signifier une période plus ou moins longue de stagnation, sorte de plateau d'intégration[53]. »

Avec le recul qui est le nôtre, il est facile de constater que cette analyse semble se confirmer un peu plus tard : non seulement le *spill-over* géographique s'est poursuivi dès le départ du général de Gaulle et n'a cessé depuis, mais le *spill-over* fonctionnel (extension de l'intégration d'un secteur vers d'autres secteurs) et politique (augmentation du rôle manipulateur des institutions centrales) a repris à partir de la deuxième moitié des années 1980 avec, successivement, l'Acte unique européen et le Marché unique ainsi que, après la fin de la guerre froide, les traités de Maastricht, Amsterdam, Nice et Lisbonne. Par ailleurs, si le stade final de l'unification politique

51. *E. Haas,* The Obsolescence of Regional Integration Theory, *Berkeley (Calif.), Center for International Studies, 1975.*
52. *E. Haas,* The Uniting of Europe, op. cit., *p. XXXIV.*
53. Ibid., *p. XXIX.*

ne s'est pas produit, entre autres à cause d'une autre dimension largement ignorée par Haas, à savoir la non-répercussion de la convergence des élites au niveau des populations que l'on peut déduire des difficultés ou absences de ratifications des traités en question dans plusieurs États membres, cette relance de l'intégration européenne a permis au néofonctionnalisme de connaître un deuxième souffle[54] : d'après Wayne Sandholtz et John Zysman, la création de l'Union économique et monétaire s'explique, au-delà des changements de la structure économique internationale – déclin relatif des États-Unis et montée en puissance économique du Japon et des nouveaux pays industrialisés asiatiques –, par le dynamisme de la Commission présidée par Jacques Delors qui a su tirer profit de ces changements pour, « en accord avec les groupes industriels européens, mobiliser une coalition d'élites gouvernementales en faveur de l'objectif d'unification des marchés européens[55] ».

Ce néofonctionnalisme revisité, qui corrige la non-prise en compte par Haas du contexte extérieur au processus d'intégration européenne, n'a cependant pas permis de supplanter l'inter-gouvernementalisme qui, à partir justement des « leçons données par le général de Gaulle », avait entre-temps proposé une explication alternative de cette intégration, susceptible qui plus est de mieux rendre compte de la concomitance entre, d'un côté, la poursuite de l'intégration dans les domaines économiques, monétaires y compris et, de l'autre, la stagnation de l'intégration dans les domaines des politiques étrangère et de défense.

---

54. Nous faisons ici abstraction des analyses néofonctionnalistes proposées par L. Lindberg, S. Scheingold et P. Schmitter à la fin des années 1960 : elles restent dans le sillage immédiat des réflexions de Haas.

55. W. Sandholtz et J. Zysman, « Recasting the European Bargain », World Politics, *42 (1), octobre 1989, p. 95-128.*

Alors que Mitrany avait postulé la nature non politique des besoins économiques et des décisions techniques, en affirmant que « la méthode fonctionnaliste traverse les divisions politiques, idéologiques, géographiques et raciales existantes, sans en créer de nouvelles[56] » ; alors que Haas avait affirmé l'automaticité du passage de l'intégration économique à l'unification politique, en postulant « la supériorité des décisions économiques limitées sur les choix politiques cruciaux[57] », « l'inter-gouvernementalisme originel[58] », par la voix de son principal représentant, Stanley Hoffmann, postule d'emblée que la décision de traiter certaines questions comme des questions techniques est elle-même une décision politique, ce qui l'amène à refuser tout déterminisme socio-économique du processus d'intégration.

Stato-centré, Hoffmann reproche tout d'abord aux néofonctionnalistes de surestimer aussi bien le poids de l'action revendicative des groupes d'intérêts sociétaux au niveau supranational que l'impact d'une socialisation communautaire des hauts fonctionnaires européens au sein des arènes centrales de prise de décision : certes, les élites économiques ou syndicales se mobilisent au niveau européen, mais les réseaux transnationaux qu'elles activent ce faisant demeurent un épiphénomène en comparaison de la densité des interactions inter-gouvernementales ; quant aux comportements des élites politiques et administratives, ils sont davantage structurés par leurs mandats nationaux que par les effets de la fréquentation de leurs homologues européens. Anti-behaviouraliste, il les accuse

56. *D. Mitrany, « The Functional Approach to International Organization », art. cité.*

57. *E. Haas,* The Uniting of Europe, op. cit., *p. XXIII.*

58. *Expression empruntée à C. Lequesne, « Comment penser l'Union européenne ? », dans M.-C. Smouts (dir.),* Les Nouvelles Relations internationales, op. cit., *p. 103-134.*

ensuite de négliger, à force de se focaliser sur le processus endogène de l'intégration européenne, le contexte international. Plus précisément, il souligne que les différents États parties prenantes à l'intégration sont, au-delà des relations qu'ils entretiennent entre eux, situés dans un système international : les tensions anciennes, dues aux positions spécifiques occupées par chaque État pris individuellement au sein de ce système, ne disparaissent nullement avec le processus d'intégration vers une éventuelle nouvelle entité politique supranationale, et ce parce que les États membres ne se font la même idée ni de la place que celle-ci pourrait occuper au sein de ce système international, ni des relations qu'elle devrait entretenir avec les États-Unis. Par ailleurs, estime Hoffmann, l'intégration crée des tensions nouvelles, en ce qu'elle pose tôt ou tard la question de la souveraineté des États : or, autant les États sont prêts à consentir à la suppression des obstacles de toute sorte au libre-échange économique tant que cette intégration constitue un jeu à somme positive pour l'ensemble des participants, autant il y a peu de chances de voir déborder cette intégration économique vers une unification politique complète, car là où les intérêts nationaux vitaux sont en jeu, les États « préfèrent les certitudes, ou les incertitudes autocontrôlées, de l'indépendance nationale, aux incertitudes non contrôlées d'une fusion qui nulle part encore n'a fait ses preuves[59] ».

Bref, l'inter-gouvernementalisme classique aborde l'intégration européenne à partir de la traditionnelle distinction entre *high politics* et *low politics*. D'un côté, Hoffmann reconnaît

---

59. *S. Hoffmann, « Obstinate or Obsolete ? The Fate of the Nation-State and the Case of Western Europe » (1966), dans S. Hoffmann,* The European Sisyphus. Essays on Europe 1964-1994, *Boulder (Colo.), Westview, 1995, p. 71-106.*

l'importance des interactions non politiques, tout comme il accepte leur autonomie par rapport aux relations politiques, mais il souligne que ce sont toujours les États, ou plus exactement les autorités étatiques, qui restent maîtres du processus d'intégration, qui n'a donc rien d'automatique, ni ne dépend de la seule convergence d'élites technocratiques. De l'autre, s'il estime que la « haute politique » demeure dans l'ensemble immunisée contre les impulsions intégratives, s'il affirme que l'effet d'engrenage favorisé par les institutions centrales européennes et les acteurs sociétaux ne peut se produire contre la volonté des gouvernements, son intergouvernementalisme ne constitue pas pour autant une n-ième variante du réalisme[60] : par opposition à Waltz ou Mearsheimer, le scepticisme dont il fait preuve envers toute forme d'intégration positive, au sens d'avènement automatique d'une nouvelle entité politique supranationale, ne l'empêche pas d'admettre la réalité d'une intégration négative, tant que ne sont en jeu ni la souveraineté des gouvernements (au sens schmittien de droit de vie et de mort sur leurs ressortissants), ni les composantes essentielles de l'identité nationale.

On retrouve une telle position intermédiaire, qui fait des gouvernements nationaux des « gardiens du temple » européen plutôt

---

60. *Il n'est pas facile de coller une étiquette paradigmatique sur S. Hoffmann : sachant qu'il a été l'élève de Raymond Aron, la moins mauvaise façon de le définir consiste peut-être à voir en lui un aronien (les États sont guidés par leurs intérêts nationaux mais ceux-ci sont autant définis par les forces politiques et les valeurs idéologiques internes que par la seule configuration matérielle des rapports de puissance internationaux et la nature homogène ou hétérogène d'un système international, cf. chap. 4) qui a évolué vers le libéralisme stato-centré, en accordant au fur et à mesure de ses réflexions davantage de poids aux facteurs internes par rapport aux facteurs externes.*

que des « abdicateurs » de la souveraineté nationale[61], dans *l'aggiornamento* auquel procède Hoffmann de son analyse à la fin des années 1980. Après avoir *a priori* été corroborée pendant « les années noires des théories comme du processus d'intégration[62] » qu'ont été les années 1970 et 1980, la thèse de Hoffmann est en effet confrontée à son tour à l'épreuve de la réalité que constitue la relance de l'intégration européenne sous l'impulsion de la Commission Delors. Pourtant, dans une publication commune avec Robert Keohane, Hoffmann continue d'estimer que le passage de la Communauté à l'Union européenne n'a nullement mis fin à la capacité des principales autorités étatiques, en l'occurrence les gouvernements français et allemand, à continuer de contrôler le rythme de l'intégration. Partant de la nature hybride de l'entité Europe[63], dont ils affirment qu'elle relève davantage d'un « réseau de partage et de mise en commun de la souveraineté » que d'un « transfert ou un abandon de souveraineté à une autorité supérieure[64] », Hoffmann et Keohane répètent que de même qu'il n'y aurait pas eu de CECA sans accord franco-allemand, de même le renouveau européen que représente l'Acte unique (et, pourrait-on ajouter aujourd'hui, l'Union européenne dans son ensemble) est le résultat de décisions prises par des gouvernements désireux, dans leur

---

61. *Expressions empruntées à A. Milward,* The European Rescue of the Nation State, *Londres, Routledge, 1992.*

62. *J. Caporaso et J. Keeler, « The European Union and Regional Integration Theory », dans C. Rhodes et S. Mazey (eds),* The State of the European Union, *3,* Building A European Polity ?, *Boulder (Colo.), Lynne Rienner, 1995, p. 29-62.*

63. *Rappelons que J. Delors avait vu dans la Communauté européenne un « objet politique non identifié ».*

64. *R. Keohane et S. Hoffmann, « Institutional Change in Europe in the 1980s », dans R. Keohane et S. Hoffmann (eds),* The New European Community. Decision Making and International Change, *Boulder (Colo.), Westview, 1991, p. 1-39.*

propre intérêt, de procéder à des changements institutionnels : pour qu'un engrenage puisse se produire, écrivent-ils, « il faut au préalable un accord programmatique entre gouvernements, exprimé dans un marchandage inter-gouvernemental[65] ».

On retrouve cette notion de « grand marchandage » dans la nouvelle variante de l'inter-gouvernementalisme proposée depuis la fin de la guerre froide par Andrew Moravcsik. Libéral, Moravcsik prend au sérieux la piste de recherche entrouverte par Hoffmann et Keohane : « Loin de nous l'idée de déclarer que la perspective stato-centrée fournisse une explication de l'Acte unique européen. Tout simplement, une telle explication se doit de commencer par les actions gouvernementales, car ce sont elles qui ont directement mené à l'Acte. Le chercheur doit par la suite aller au-delà de ces marchandages interétatiques vers les processus politiques internes aux États membres[66]. » En effet, tout en accordant aux inter-gouvernementalistes classiques que « la source la plus importante d'intégration repose dans l'analyse des intérêts des États eux-mêmes et le pouvoir relatif que chacun emmène avec lui en allant à Bruxelles[67] », il refuse de considérer les États comme des boules de billard ou des boîtes noires dont les positions face à la construction européenne seraient rigides, estimant que les intérêts nationaux que les gouvernements défendent auprès de la Commission trouvent eux-mêmes leur source dans les marchandages infragouvernementaux qui ont lieu entre les autorités étatiques et les acteurs sociétaux internes avant que les gouvernements ne se rendent à

65. Ibid.

66. Ibid.

67. *A. Moravcsik, « Negotiating the Single European Act.National Interests and Conventional Statecraft in the European Community »,* International Organization, *45 (1), hiver 1991, p. 19-56.*

Bruxelles[68] : « Les intérêts nationaux [...] proviennent des conflits politiques internes au cours desquels des groupes sociétaux se livrent à une compétition en vue d'influencer les décideurs politiques, des coalitions nationales et transnationales se forment, et des politiques alternatives sont reconnues par les gouvernements. La compréhension de la politique interne est une condition préalable, et non pas un supplément, à l'analyse des interactions stratégiques entre États[69]. »

Postulant la rationalité de l'acteur étatique, Moravcsik combine l'hypothèse inter-gouvernementaliste de l'exercice du pouvoir comme résultante d'un marchandage stratégique entre États et l'hypothèse libérale de la formation des préférences nationales au niveau sociétal. Cela l'amène à situer son explication dans le cadre du schéma de la diplomatie comme « jeu à deux niveaux » proposé par Robert Putnam[70], selon lequel toute négociation diplomatique est un jeu à deux niveaux, ou « à double tranchant (*double-edged diplomacy*) » : en effet, tout gouvernement qui négocie sur la scène

---

68. Dans une certaine mesure, les réflexions de S. Bulmer, The Domestic Structure of European Community Policy-Making, *New York (N. Y.), Garland, 1986, constituent une première tentative de prendre en compte les facteurs nationaux internes et de proposer une analyse* bottom up *de la construction européenne.*

69. A. Moravcsik, « Preferences and Power in the European Community. A Liberal Inter-governmentalist Approach », art. cité. Cette théorie de la formation des positions nationales annonce la théorie libérale de la politique internationale défendue par Moravcsik quelques années plus tard, et, fondée sur l'idée que les préférences nationales défendues par les autorités étatiques sont issues des demandes sociétales ayant accès aux autorités gouvernementales. Voir A. Moravcsik, « Taking Preferences Seriously », art. cité (cf. chap. 5).

70. R. Putnam, « Diplomacy and Domestic Policy. The Logic of Two-Level Games », art. cité.

internationale est doublement contraint dans sa marge de manœuvre, parce que, à la fois tiraillé entre la volonté de trouver une entente avec ses partenaires extérieurs et l'obligation de défendre les intérêts des groupes sociétaux intérieurs, et désireux de ne pas se soumettre aux exigences de ses partenaires extérieurs tout en espérant pouvoir se dégager des pressions qu'exercent sur lui ses propres acteurs politiques internes.

Dans les détails, Moravcsik aboutit à une image de l'intégration – et de la non-intégration – européenne originale. Alors que Haas explique l'intégration par la convergence des élites économiques nationales et technocratiques supranationales, alors que selon Hoffmann elle est redevable à la volonté des gouvernements nationaux de mettre en commun certains pans de leur souveraineté, chez Moravcsik elle est la résultante de l'interaction entre, d'un côté, la pression exercée auprès de leurs gouvernements respectifs par les acteurs sociétaux dont l'intérêt est mieux satisfait au niveau européen mais qui, pour ce faire, chargent leurs gouvernements d'agir en leur nom en favorisant par la création d'institutions centrales cette intégration[71], et, de l'autre, l'intérêt qu'ont les gouvernements, guidés eux aussi comme tous les acteurs politiques par leurs intérêts en tant que gouvernants, de favoriser la création de telles institutions centrales vu la marge de manœuvre que celles-ci leur permettent de récupérer dans leurs rapports avec leurs propres

---

71. Chez Moravcsik, la mobilisation des acteurs sociétaux se fait au niveau national, et non pas au niveau supranational comme chez les fonctionnalistes : « Les groupes sociétaux articulent les intérêts ; les gouvernements les agrègent », écrit-il. De ce fait, les instances inter-gouvernementales, telles que le Conseil des ministres et a fortiori *le Conseil européen, ont d'après Moravcsik un pouvoir de décision incommensurablement supérieur à la Commission, à la CJCE ou au Parlement européen.*

acteurs sociétaux internes : « Les institutions européennes augmentent la marge de manœuvre et la capacité d'influence des gouvernements nationaux en leur fournissant une légitimité pour, et un pouvoir de contrôle de l'agenda de, leurs initiatives intérieures[72] ». Exemple : l'ouverture commerciale aux débuts de la construction européenne s'explique à la fois par la pression exercée par les industriels allemands auprès de leur gouvernement pour qu'il obtienne de la part de son homologue français l'ouverture du marché industriel français et la pression exercée par les agriculteurs français auprès de leur gouvernement pour qu'il obtienne de la part de son homologue allemand l'ouverture du marché agricole allemand, ainsi que par l'intérêt qu'avait le gouvernement français de favoriser une européanisation du marché des industries pour, ce faisant, légitimer sa politique de modernisation industrielle qu'il voulait imposer aux entreprises françaises et dont celles-ci ne voulaient pas. De même, le passage à l'unification économique et monétaire à partir de la deuxième moitié des années 1980 s'explique par les préférences des acteurs sociétaux, et notamment les consommateurs, en faveur d'une monnaie unique, et par l'intérêt qu'ont les principaux gouvernements européens à instaurer une autorité monétaire européenne centrale indépendante pour mettre à l'abri des pressions populaires les ajustements monétaires auxquels ils procèdent dans le cadre de la politique de libre circulation des capitaux à laquelle ils ont souscrit en se convertissant à la doctrine néolibérale au détriment du keynésianisme. Étant donné que la stabilité monétaire est un bien public en faveur duquel il y a eu à la fois moins de demandes sociétales directes et moins

72. A. Moravcsik, « *Preferences and Power in the European Community. A Liberal Inter-governmentalist Approach* », art. cité.

d'oppositions frontales de la part d'acteurs sociétaux bien déterminés, il est logique que cette unification monétaire se soit produite bien après la suppression des barrières commerciales ou la mise sur pied d'une politique agricole commune.

D'où aussi la non-intégration de certains secteurs, tels que la politique étrangère. Alors que, chez Haas, la non-intégration de la politique étrangère et de sécurité s'explique par la survivance de leaders charismatiques nationalistes plus ou moins anachroniques, alors que pour Hoffmann elle est due à la nature intrinsèque de la haute politique dont relèvent les questions diplomatiques, Moravcsik estime que l'absence d'intégration en matière de conduite diplomatique renvoie au fait qu'il n'existe ni intérêt sociétal ni intérêt gouvernemental à la mettre en commun : d'un côté, « les coûts et bénéfices créés par la coopération politique[73] sont diffus et incertains pour les groupes privés », avec pour conséquence que l'influence interne sur cette politique est laissée à des élites partisanes ; de l'autre, les autorités gouvernementales ne cherchent pas à échapper à une contrainte qui n'existe, de la part du « grand public », que de façon indirecte et « par intermittence », d'où leur refus d'abandonner à des autorités centrales européennes une politique qu'ils continuent de maîtriser sans trop de problèmes.

L'inter-gouvernementalisme libéral de Moravcsik constitue ainsi une sorte de synthèse entre les approches néofonctionnaliste et inter-gouvernementaliste originelles de l'intégration européenne : à mi-chemin entre ces deux explications dominantes de l'avènement d'institutions centrales de nature ni nationale ni supra-nationale, ni fédérale ni confédérale, il attribue l'existence de ces organes

---

73. N. B. : la « Coopération politique européenne » est le nom de la diplomatie « commune » européenne avant la création de la PESC par le traité de Maastricht.

inédits à la fois aux acteurs sociétaux et aux acteurs gouvernementaux ou, plus exactement, y voit la résultante des interactions stratégiques des gouvernements entre eux et avec leurs sociétés civiles internes respectives.

Pertinent, y compris aux yeux de ses détracteurs[74], pour expliquer les grandes étapes de la construction européenne en termes de *grand bargains*, de Messine à Maastricht en passant par la Politique agricole commune, le Système monétaire européen, et le Marché unique européen[75], l'inter-gouvernementalisme libéral a aussi le mérite d'éviter le dérapage normatif ou, dans tous les cas, téléologique, qui guette les deux autres thèses : alors que Haas est guidé par un intérêt cognitif favorable à la création d'une entité européenne unifiée, alors que Hoffmann apprécie que l'État-nation s'obstine à refuser son obsolescence programmée, Moravcsik parvient à repolitiser la construction européenne, en la faisant dépendre de la volonté et de la capacité des acteurs concernés à « s'adapter de façon rationnelle aux contraintes et opportunités que représentent les évolutions d'une économie mondiale interdépendante, la distribution relative de la puissance

---

74. *Tels que C. Lequesne, « Comment penser l'Union européenne ? », art. cité, ainsi que C. Lequesne et A. Smith, « Union européenne et science politique. Où en est le débat théorique ? »,* Cultures et conflits, *28, hiver 1997, p. 7-31.*

75. *Ce sont ces grands marchandages que Moravcsik étudie en détail dans son ouvrage* The Choice for Europe, *Londres, UCL Press, 1998. Parmi les comptes rendus de cet ouvrage, voir le symposium réunissant H. Wallace, J. Caporaso et F. Scharpf,* Journal of European Public Policy, *6 (1), mars 1999, p. 155-179, ainsi que la critique de D. Puchala, « Institutionalism, Intergovernmentalism, and European Integration »,* Journal of Common Market Studies, *37 (2), juin 1999, p. 317-331.*

entre les États au sein du système international, et la susceptibilité des institutions internationales à renforcer la crédibilité des engagements interétatiques[76] ».

Bibliographie

La seule analyse réaliste de l'intégration européenne est celle, très conjoncturelle, de :

GRIECO (Joseph), « State Interests and International Rule Trajectories. A Neorealist Interpretation of the Maastricht Treaty and European Economic and Monetary Union », dans Benjamin Frankel (ed.), *Realism. Restatements and Renewal*, Londres, Frank Cass, 1996, p. 251-305.

Au niveau de la discipline des Relations internationales, l'étude théorique de l'intégration européenne est fondée sur le fonctionnalisme de :

MITRANY (David), *A Working Peace System* (1944), Chicago (Ill.), Quadrangle, 1966 [2e éd.], 222 p.

MITRANY (David), « The Functional Approach to International Organization » (1948), dans David Mitrany, *A Working Peace System*, Chicago (Ill.), Quadrangle, 1966 [2e éd.], p. 149-166.

L'approche néofonctionnaliste regroupe :

BURLEY (Anne-Marie) et MATTLI (Walter), « Europe Before the Court. A Political Theory of Legal Integration », *International Organization*, 47 (1), hiver 1993, p. 41-77.

---

76. *A. Moravcsik,* The Choice for Europe, op. cit., *p. 472.*

HAAS (Ernst), *Beyond the Nation-State*, Stanford (Calif.), Stanford University Press, 1964, 596 p.

HAAS (Ernst), *The Uniting of Europe. Political, Social and Economic Forces. 1950-1957* (1958), Stanford (Calif.), Stanford University Press, 1968 [2e éd.], 552 p.

HAAS (Ernst), « The Study of Regional Integration. Reflections on the Joy and Anguish of Pretheorizing », dans Leon Lindberg et Stuart Scheingold (eds), « Regional Integration. Theory and Research », numéro spécial, *International Organization*, 24 (4), automne 1970, p. 607-646.

HAAS (Ernst), *The Obsolescence of Regional Integration Theory*, Berkeley (Calif.), Institute of International Studies, Working Paper, 1975, 123 p.

LINDBERG (Leon) et SCHEINGOLD (Stuart) (eds), « Regional Integration. Theory and Research », numéro spécial, *International Organization*, 24 (4), automne 1970, p. 607-1020.

LINDBERG (Leon), *The Political Dynamics of European Economic Integration*, Stanford (Calif.), Stanford University Press, 1963, 368 p.

SANDHOLTZ (Wayne) et ZYSMAN (John), « Recasting the European Bargain », *World Politics*, 42 (1), octobre 1989, p. 95-128.

TRANHOLM-MIKKELSEN (Jeppe), « Neo-Functionalism. Obstinate or Obsolete ? », *Millennium*, 20 (1), mars 1991, p. 1-22.

L'approche inter-gouvernementaliste classique est due à :

HOFFMANN (Stanley), « Obstinate or Obsolete ? The Fate of the Nation-State and the Case of Western Europe » (1966), dans Stanley Hoffmann, *The European Sisyphus. Essays on Europe 1964-1994*, Boulder (Colo.), Westview, 1995, p. 71-106.

HOFFMANN (Stanley), « Reflections on the Nation-State in Western Europe Today » (1982), dans Stanley Hoffmann, *The European*

Sisyphus. Essays on Europe 1964-1994, Boulder (Colo.), Westview, 1995, p. 211-226.

KEOHANE (Robert) et HOFFMANN (Stanley), « Institutional Change in Europe in the 1980s », dans Robert Keohane et Stanley Hoffmann (eds), *The New European Community. Decision Making and International Change*, Boulder (Colo.), Westview, 1991, p. 1-39.

L'approche inter-gouvernementaliste libérale est associée à :

MORAVCSIK (Andrew), « Negotiating the Single European Act. National Interests and Conventional Statecraft in the European Community », *International Organization*, 45 (1), hiver 1991, p. 19-56.

MORAVCSIK (Andrew), « Preferences and Power in the European Community. A Liberal Inter-governmentalist Approach », *Journal of Common Market Studies*, 31 (4), décembre 1993, p. 473-524.

MORAVCSIK (Andrew), *The Choice for Europe*, Londres, UCL Press, 1999, 532 p.

MORAVCSIK (Andrew), « Le grain et la grandeur. Les origines économiques de la politique européenne du général de Gaulle », *Revue française de science politique*, 49 (4-5), août-octobre 1999, p. 507-544 (1re partie) et 50 (1), février 2000, p. 73-124 (2e partie).

Pour une présentation d'ensemble de ces théories, voir :

CAPORASO (James) et KEELER (John), « The European Union and Regional Integration Theory », dans Carolyn Rhodes et Sonia Mazey (eds), *The State of the European Union*, 3, *Building A European Polity ?*, Boulder (Colo.), Lynne Rienner, 1995, p. 29-62.

JORGENSEN (Knud), POLLACK (Mark) et ROSAMOND (Ben) (eds), *Handbook of European Union Politics*, Londres, Sage, 2007, 616 p.

LEQUESNE (Christian) et SMITH (Andy), « Union européenne et science politique. Où en est le débat théorique ? », *Cultures et conflits*, 28, hiver 1997, p. 7-31.

LEQUESNE (Christian), « Comment penser l'Union européenne ? », dans Marie-Claude Smouts (dir.), *Les Nouvelles Relations internationales. Pratiques et théories*, Paris, Presses de Sciences Po, 1998, p. 103-134.

POLLACK (Mark), « Theorizing the European Union. International Organization, Domestic Polity, or Experiment in New Governance ? », *Annual Review of Political Science*, 8, 2005, p. 357-398.

ROSAMOND (Ben), *Theories of European Integration*, New York (N. Y.), St. Martin's Press, 2000, 232 p.

ROSAMOND (Ben), « European Integration and the Social Science of EU Studies : The Disciplinary Politics of A Subfield », *International Affairs*, 83 (2), mars 2007, p. 231-252.

SAURUGGER (Sabine), *Théories et concepts de l'intégration européenne*, Paris, Presses de Sciences Po, 2010, 484 p.

WIENER (Antje) et DIEZ (Thomas) (eds), *European Integration Theory*, Oxford, Oxford University Press, 2003, 312 p.

Chapitre 12 / LA COOPÉRATION

« Donnant-donnant. »
Robert Axelrod[1]

Les relations internationales sont en état d'anarchie. Pour être synonyme d'absence d'autorité centrale, l'anarchie ne signifie pas désordre et chaos débridé. Non seulement un simple coup d'œil sur la scène internationale présente et passée permet de constater que des périodes de concert entre puissances succèdent à des périodes de guerre, que les courses aux armements n'empêchent pas des processus de contrôle des armements voire de désarmement, que le libre-échange organisé le dispute au libre-échange prédateur, etc. ; mais les théoriciens eux-mêmes admettent que les conflits entre États n'excluent pas des relations de coopération entre eux : c'est vrai pour les constructivistes (cf. chap. 9), selon qui l'anarchie est ce que les États en font ; c'est vrai pour les libéraux (cf. chap. 5), qui admettent l'existence d'une société internationale ; et c'est même vrai pour les réalistes (cf. chap. 4), pour qui la notion d'état de guerre implique par définition l'existence d'un ordre stable plus ou moins éphémère ou durable. Exprimé autrement, il existe un consensus pour estimer que l'anarchie signifie non pas tellement « l'absence de gouvernement *per se*, mais plutôt que le gouvernement réside dans les unités du système[2] », au moins temporairement capables de mettre sur pied une « gouvernance sans gouvernement », au sens d'ensemble « de mécanismes de régulation fonctionnant même s'ils n'émanent pas d'une autorité centrale[3] ».

---

1. *R. Axelrod,* Donnant-donnant. Théorie du comportement coopératif *(1984), Paris, Odile Jacob, 1992.*
2. *B. Buzan,* People, States and Fear, op. cit., *p. 21.*
3. *J. Rosenau et E.-O. Czempiel (eds),* Governance Without Government, op. cit., *p. 4.*

Depuis que la discipline existe, cette question de la régulation par les acteurs internationaux de leurs propres relations a été abordée en termes de « gouvernement international », d'« organisation internationale », de « gouvernance globale[4] » : tout au long de l'entre-deux-guerres, de la guerre froide, de l'après-guerre froide, des chercheurs se sont intéressés au « gouvernement de la société des nations par elle-même[5] », ont étudié les « moyens politiques susceptibles de faire du monde un lieu sûr[6] », se sont interrogés sur les « façons dont les individus et les institutions, publics et privés, gèrent leurs affaires communes[7] ».

Plus que ces différentes notions, c'est le concept de « régimes internationaux » qui a été à l'origine du débat le plus heuristique relatif à la problématique de l'ordre dans un monde anarchique. Prenant le relais des études focalisées sur les organisations

---

4. *Titre, entre autres, d'un livre de L. Woolf, la notion de « gouvernement international » est omniprésente chez les internationalistes libéraux de l'entre-deux-guerres (cf. chap. 5).* International Organization *est le titre de l'une des plus importantes revues scientifiques de relations internationales, créée en 1947. Même chose pour* Global Governance, *nom donné à une revue née en 1995.*

5. *Telle est la définition de l'expression « gouvernement international » donnée en 1929 par E. Mower, cité par F. Kratochwil et J. G. Ruggie, « International Organization. A State of the Art of an Art of the State »,* International Organization, *40 (4), automne 1986, p. 753-775.*

6. *Telle est la définition de la notion d'« organisation internationale » (au singulier, et donc à différencier des organisations internationales existantes) proposée par I. Claude,* Swords Into Plowshares, *New York (N. Y.), Random House, 1956.*

7. *Telle est la définition du concept de « gouvernance globale » d'après la* Commission on Global Governance *créée par W. Brandt après 1989 ; citation dans M.-C. Smouts, « Du bon usage de la gouvernance en relations internationales »,* Revue internationale des sciences sociales, *155, mars 1998, p. 85-94.*

internationales[8] et, au niveau régional, sur les intégrations (cf. chap. 11), les recherches sur les régimes internationaux ont vu s'affronter, tout au long des années 1980, les variantes « néo » des deux principaux paradigmes que sont le réalisme et le libéralisme, désireuses toutes les deux d'expliquer « comment la coopération peut se développer dans des situations où chacun a des raisons d'être égoïste[9] ».

Présente dès l'entre-deux-guerres dans les écrits des spécialistes du droit international[10], la notion de régime international apparaît

---

8. *Pour une vue d'ensemble de ces théories, voir A. J. R. Groom et P. Taylor (eds),* International Institutions at Work, *Londres, F. Pinter, 1988 ; ainsi que A. J. R. Groom et P. Taylor (eds),* Frameworks for International Cooperation, *Londres, F. Pinter, 1990. Sur la continuité entre ces études sur les organisations internationales et celles sur les régimes internationaux, voir F. Kratochwil et J. G. Ruggie, « International Organization. A State of the Art of an Art of the State », art. cité. ; pour une vue contraire, voyant dans l'engouement pour la notion de régimes internationaux une simple mode, voir S. Strange, «* Cave ! Hic Dragones. *A Critique of Regime Analysis », dans S. Krasner (ed.),* International Regimes, op. cit., *p. 337-354.*

9. *R. Axelrod,* Donnant-donnant. Théorie du comportement coopératif, op. cit., *p. 15. Nous nous contentons dans notre exposé de ce débat néoréaliste-néolibéral, tout en précisant d'emblée qu'il existe d'autres approches des régimes internationaux. Voir à ce sujet les écrits de l'École de Tübingen (A. Hasenclever, P. Mayer et V. Rittberger,* Theories of International Regimes, *Cambridge, Cambridge University Press, 1997, ainsi que « Integrating Theories of International Regimes »,* Review of International Studies, *26 (1), janvier 2000, p. 3-33), qui regroupe sous le qualificatif d'approche cognitive les analyses aussi diverses que proposent des régimes internationaux P. Haas, F. Kratochwil et J. G. Ruggie, R. Cox, l'École anglaise des relations internationales, etc.*

10. *Voir à ce sujet R. Keohane et J. Nye,* Power and Interdependance, op. cit., *p. 272.*

en Relations internationales dans les années 1970. En 1975, John G. Ruggie y voit « un ensemble d'anticipations communes, de règles et de régulations, de plans, d'accords et d'engagements [...] qui sont acceptés par un groupe de pays[11] », alors que Robert Keohane et Joseph Nye le définissent deux ans plus tard comme un ensemble de « normes, règles et procédures qui gouvernent l'interdépendance dans différents domaines[12] ». L'idée substantielle sous-jacente à ces deux définitions est la même : malgré la structure anarchique du système international, le « comportement international est institutionnalisé[13] » ; autrement dit, la plupart du temps, les États, bien qu'égoïstes, coopèrent entre eux dans le cadre des règles qu'ils ont établies pour réguler leurs relations dans les domaines les plus divers – paix et sécurité internationales (ONU), échanges commerciaux (GATT, OMC), relations monétaires et financières (FMI et BIRD), course aux armements (TNP, ABM), etc.[14]

Le concept de régime international passe inaperçu dans un premier temps, même si au même moment, l'École anglaise fonde sa propre analyse des relations internationales sur la notion proche d'institution, en affirmant l'existence d'une « société internationale », au sens d'ensemble d'États ayant établi par « voie de

---

11. *J. G. Ruggie, « International Responses to Technology. Concepts and Trends »,* International Organization, *29 (3), été 1975, p. 557-583.*

12. *R. Keohane et J. Nye,* Power and Interdependance, op. cit., *p. 19.*

13. *J. G. Ruggie, « International Responses to Technology. Concepts and Trends », art. cité.*

14. *Cette liste n'est pas exhaustive ; elle énumère les régimes les plus importants existant à la fin des années 1970. Depuis, le nombre de régimes a explosé, dans tous les domaines, et notamment celui de l'environnement, où il existe quelque 140 traités multilatéraux et pas loin d'un millier d'accords bilatéraux.*

dialogue et de consentement un ensemble de règles communes et d'institutions pour la conduite de leurs relations et reconnaissant leur intérêt mutuel à maintenir ces arrangements[15] ». Ce n'est qu'à partir des années 1980 qu'elle sera redécouverte, à la suite du colloque organisé par la revue *International Organization* et de la définition proposée par Stephen Krasner : « Les régimes internationaux sont des ensembles explicites ou implicites de principes, de normes, de règles et de procédures de prise de décision autour desquels les attentes des acteurs convergent dans un domaine donné des relations internationales[16]. » Le succès[17] de cette notion, pourtant for-

---

15. A. Watson et H. Bull, The Expansion of International Society, op. cit., *p. 1. L'ignorance dont a été victime l'École anglaise de la part des théoriciens américains s'explique par deux raisons : d'une part, le champ académique américain est resté fermé aux écrits de l'École anglaise, d'autant plus que celle-ci est restée à l'écart du behaviouralisme à l'origine de l'individualisme méthodologique et de la théorie du choix rationnel qui fondent l'ontologie du débat « néo-néo » ; de l'autre, Bull a une conception trop large de la notion d'institution, définie comme tout « ensemble d'habitudes et de pratiques organisées en vue de la réalisation d'objectifs communs » (*The Anarchical Society, op. cit., *p. 71), et incluant « l'équilibre des puissances, le droit international, la diplomatie, le système de gestion du système international par les grandes puissances, et la guerre » (*ibid., *p. 71). Il existe pourtant un lien substantiel réel entre l'École anglaise et la théorie des régimes, comme le montrent, entre autres, B. Buzan, « From International System to International Society. Structural Realism and Regime Theory Meet the English School », art. cité, p. 327-352, et A. Hurrell, « International Society and the Study of Regimes. A Reflective Approach », dans V. Rittberger (ed.),* Regime Theory and International Relations, *Oxford, Clarendon, 1993, p. 49-72.*

16. S. Krasner, « Structural Causes and Regime Consequences. Regimes As Intervening Variables » (1982), dans S. Krasner (ed.), International Regimes, op. cit., *p. 1-21.*

17. Preuve a contrario, *la redéfinition par R. Keohane de la notion d'institution comme « ensemble durable et cohérent de règles formelles et informelles qui prescrivent les comporte-*

tement critiquée, notamment par Susan Strange[18], s'explique par le contexte de l'époque, à la fois académique et politique.

---

ments, contraignent l'activité, et façonnent les attentes » des acteurs internationaux (R. Keohane, « Neoliberal Institutionalism. A Perspective in World Politics », dans R. Keohane, International Institutions and State Power. Essays in International Relations Theory, *Boulder (Colo.), Westview, 1989, p. 1-20). Le terme de « multilatéralisme », défini par J. G. Ruggie, « Multilateralism. The Anatomy of An Institution »,* International Organization, *46 (3), été 1992, p. 561-598, comme « une forme institutionnelle de coordination des relations entre trois ou plusieurs États sur la base de principes généraux de conduite », peut lui aussi être considéré comme synonyme de régime et d'institution.*

18. *S. Strange, «* Cave ! Hic Dragones. *A Critique of Regime Analysis », art. cité, reproche entre autres le caractère « imprécis et flou » de la notion de régime international : quelle différence entre régimes internationaux et organisations internationales ? Comment parler d'ensembles implicites de principes, normes, règles et procédures de prise de décision ? Quelle différence entre les éléments composants que sont ces principes, normes, règles et procédures de prise de décision ? Les réponses à ces critiques sont faciles. Concernant la distinction entre régimes internationaux et organisations internationales, il suffit de rappeler que toutes les organisations internationales sont des régimes, mais tous les régimes ne donnent pas naissance à des organisations. Autrement dit, les États coopèrent aussi bien de façon informelle que de façon formelle ; pas besoin de créer une institution bureaucratisée, avec un siège, du personnel, un budget, etc., pour coordonner des actions dans un domaine donné, même si, souvent, des organisations internationales viennent concrétiser des régimes : ainsi, l'OMC est venue couronner en 1994 le régime international commercial du GATT, de même que la CSCE de 1975 s'est transformée en OSCE après la fin de la guerre froide. Pour ce qui est de la notion d'ensembles « implicites »de principes, normes, règles et procédures de prise de décision, elle renvoie à l'existence de régimes tacites, par opposition aux régimes classiques : ainsi, le régime monétaire international des taux de change fixes de Bretton Woods a été un régime classique, prescrivant explicitement aux États-membres tel comportement ; à l'inverse, le régime des taux de change flottants qui lui a suc-*

La théorie qui à l'époque domine – indirectement[19] – l'approche des régimes internationaux est la théorie de la stabilité hégémonique, qui est une théorie réaliste. D'un point de vue réaliste strict, il ne saurait y avoir ni coopération, ni règles régulant les relations interétatiques : de même que le chasseur primitif cher à Rousseau (cf. chap. 2) fait prévaloir son intérêt personnel immédiat à l'intérêt commun à plus long terme, de même chaque État cherche à

---

cédé est un régime tacite, en ce qu'il est à l'origine d'une concertation régulière entre États quant aux comportements à adopter en matière de régulation monétaire, sans qu'il n'y ait cependant de règles de comportement explicites en la matière. Enfin, quant à la différence entre les éléments composants des régimes que sont les principes, normes, règles et procédures de prise de décision, l'exemple du régime de non-prolifération nucléaire permet de bien comprendre de quoi il s'agit : ce régime est basé sur le principe qu'est la croyance dans le caractère déstabilisateur de la prolifération nucléaire militaire ; il prévoit comme normes de comportement l'obligation pour les États membres nucléaires de ne pas assister les États non nucléaires dans l'acquisition d'armes nucléaires, ainsi que l'obligation pour les États membres non nucléaires de ne pas chercher à acquérir l'arme nucléaire ; les règles qu'il contient sont relatives à la liste de produits dont l'exportation est interdite aux États nucléaires, ou à la liste des sanctions auxquelles s'exposent les États non nucléaires ne respectant pas les engagements pris ; alors que les procédures de prise de décision concernent l'ensemble des techniques prévues pour modifier le régime existant, qu'il s'agisse des procédures de révision du traité de non-prolifération nucléaire, ou de réforme de l'Agence internationale de l'énergie atomique de Vienne, etc.

19. *Indirectement parce que la théorie de la stabilité hégémonique n'a été considérée qu'a* posteriori *comme théorie réaliste des régimes par les néolibéraux, et notamment par R. Keohane,* After Hegemony, op. cit., *à qui l'on doit cette dénomination. Du point de vue de la discipline des sciences économiques, la thèse de Kindleberger est bien plus proche de Hobson et Keynes, vu son raisonnement en termes de biens publics et de gouvernance de l'économie internationale.*

satisfaire son intérêt national défini en termes égoïstes, avec pour conséquence que les « traités n'ont point communément d'autres garants que les parties contractantes[20] ». Les réalistes ne peuvent cependant pas ignorer que sur la scène internationale, des périodes de « trêves passagères[21] » existent bel et bien. Comment expliquer ces périodes pendant lesquelles les États coopèrent, c'est-à-dire « ajustent leur comportement aux préférences réelles ou anticipées d'autrui, à travers un processus de coordination[22] », plutôt que de pratiquer une politique du *self-help* qui ne tient pas compte des règles et normes existantes ? Toujours d'après Rousseau, elles s'expliquent par l'existence d'une puissance capable d'imposer le respect des règles de comportement international : « Le droit public de l'Europe n'étant point établi ou autorisé de concert, n'ayant aucuns principes généraux, et variant incessamment selon les temps et les lieux, il est plein de règles contradictoires qui ne se peuvent concilier que par le droit du plus fort[23]. » C'est dans cette filiation que s'inscrit – indirectement en tout cas – la théorie de la stabilité hégémonique émise par Charles Kindleberger[24].

---

20. *J.-J. Rousseau,* Écrits sur l'Abbé de Saint-Pierre, *op. cit., p. 568.*

21. Ibid., *p. 568.*

22. *Telle est la définition de la coopération proposée par R. Keohane,* After Hegemony, *op. cit., p. 51.*

23. *J.-J. Rousseau,* Écrits sur l'Abbé de Saint-Pierre, *op. cit., p. 568-569.*

24. *C. Kindleberger,* La Grande Crise mondiale, 1929-1939 *(1973), Paris, Economica, 1988. Il existe des liens étroits entre la théorie de la stabilité hégémonique de Kindleberger et d'autres théories réalistes de l'équilibre unipolaire, plus générales et non limitées au domaine économique, telles que la théorie des transitions de puissance de Organski-Kugler ou celle des guerres hégémoniques de Gilpin (cf. les chapitres 4, relatif au réalisme, 13, relatif à l'économie politique internationale, et 15, relatif à la guerre et à la paix). Une version avant la lettre de cette théorie*

Analysant la grande dépression économique de l'entre-deux-guerres, Kindleberger attribue celle-ci à l'absence de puissance hégémonique. En effet, lorsque prévalait la *pax britannica* au cours du XIXe siècle, il existait une « infrastructure économique internationale » faite d'échanges garantis, de liquidités suffisantes, et de droits de propriété reconnus, qu'avait instituée et que faisait respecter la Grande-Bretagne, car l'avantage dont Londres disposait en termes de ressources matérielles lui permettait de supporter les coûts que représentait la mise sur pied d'une telle infrastructure ainsi que le comportement de passager clandestin (*free rider*) auquel avaient recours les économies secondaires. Comme il en va de même avec la *pax americana* dans les vingt à vingt-cinq années qui ont suivi la seconde guerre mondiale, on peut en déduire, toujours d'après Kindleberger, que « pour que l'économie mondiale soit stabilisée, il faut un stabilisateur, *un seul* stabilisateur (*a stabilizer, one stabilizer*)[25] », au sens

---

fut même proposée en pleine phase de transition entre les leaderships *britannique et américain par E. Carr,* The Twenty Years' Crisis, op. cit., *p. 213-214 : « La puissance est un ingrédient nécessaire à tout ordre politique. Historiquement, toute marche vers une société mondiale a été le produit de l'ascendance d'une seule grande puissance. Au XIXe siècle, la flotte britannique n'a pas seulement empêché des guerres majeures, mais elle a aussi policé les océans et offert de la sécurité pour tous ; le marché monétaire de Londres a établi une devise internationale pour le monde entier ou presque ; le commerce britannique a assuré une acceptation généralisée du principe du libre-échange ; et l'anglais est devenu la* lingua franca *des quatre continents. [...] L'hypothèse d'un ordre international fut créée par une puissance prééminente. Cette hypothèse a été détruite par le déclin, relatif ou absolu, de cette puissance. La marine britannique n'est plus suffisamment forte pour empêcher la guerre ; le marché de Londres ne peut imposer une seule devise que dans une aire limitée [...] ».*

25. *C. Kindleberger,* La Grande Crise mondiale, op. cit., *p. 312. C'est nous qui soulignons.*

donc de puissance hégémonique à la fois capable et désireuse de mettre sur pied les institutions susceptibles de permettre un déroulement de l'économie internationale bénéfique à tout le monde, comme l'ont fait les États-Unis à partir du plan Marshall[26]. À l'inverse, lorsqu'un tel *leadership* bienveillant[27] fait défaut, il n'y a personne pour prendre en charge le bien public international qu'est la stabilité économique. Ce fut le cas pendant l'entre-deux-guerres, période de transition entre la *pax britannica* et la *pax americana* : la crise de 1929 est due au fait que chaque pays agissait unilatéralement, étant donné l'absence de règles du jeu faute de puissance hégémonique capable d'imposer et de faire respecter de telles règles.

Davantage, et toujours d'après cette théorie, non seulement l'absence, mais même le déclin de la puissance prédominante met en danger la stabilité économique internationale. Tel est exactement le contexte politique international des années 1970. Avec le déclin relatif des États-Unis, défiés par l'OPEP et rattrapés par leurs rivaux commerciaux que sont la Communauté européenne et le

---

26. *B. Cohen,* International Political Economy : An Intellectual History, op. cit., *p. 67-68, rappelle que C. Kindleberger a fait partie de l'équipe qui a préparé le discours de G. Marshall annonçant le plan éponyme, et de celle qui a évalué les besoins des pays bénéficiaires de l'aide. Il en déduit que « la théorie de la stabilité hégémonique est le simple reflet théorique du plan Marshall ».*

27. *Kindleberger refuse la notion d'*hegemon *; il parle de* leadership *bienveillant qu'exercerait la puissance prédominante, véritable bienfaitrice charitable, car mettant sur pied un ordre qui va non seulement dans son propre intérêt, mais qui profite à tout le monde, d'autant plus que les puissances secondaires ne supportent pas le coût de cet ordre. En quelque sorte, la théorie de la stabilité hégémonique procède à l'inversion de la traditionnelle dialectique du mauvais maître et des bons serviteurs, en remplaçant le principe de l'exploitation du petit par le grand par celui de l'exploitation du grand par le petit.*

Japon, les crises monétaire (1971) et énergétique (1974) se multiplient. Kindleberger en déduit logiquement que le danger auquel fait face l'ordre économique international « n'est pas celui de trop de puissance, mais celui de pas assez ; non pas celui d'un excès de domination, mais celui de trop de passagers clandestins[28] ». Autrement dit, d'après la théorie de la stabilité hégémonique, le déclin des États-Unis annonce une remise en cause des régimes internationaux mis sur pied après la seconde guerre mondiale, à commencer par le FMI et le GATT.

Or, quel constat font les observateurs ? Les institutions en question survivent aux tensions des années 1970. Expliquer cette anomalie apparente exige alors l'abandon de cette théorie qui, élargie au-delà du seul domaine économique, revient à affirmer : 1. que les régimes sont créés et maintenus par des États qui disposent d'une prépondérance en ressources matérielles de puissance, et 2. que les régimes perdent leur effectivité lorsque ces ressources matérielles de puissance sont distribuées de façon plus équilibrée entre les différents États. C'est en tout cas ce qu'affirme la théorie néolibérale institutionnaliste : postulant que « la persistance de tentatives de coopération dans les années 1970 suggère que le déclin de l'hégémonie ne signifie pas nécessairement la mort de la coopération[29] », celle-ci se propose d'expliquer les régimes internationaux non pas en termes de puissance, mais en termes d'intérêt.

L'acteur de référence des néolibéraux institutionnalistes est le même que celui des réalistes, à savoir l'État comme acteur unitaire

---

28. C. Kindleberger, « Dominance and Leadership in the International Economy. Exploitation, Public Goods and Free Rides », International Studies Quarterly, *25 (2), 28. juin 1981, p. 242-254.*

29. R. Keohane, After Hegemony, op. cit., *p. 9.*

et rationnel, cherchant à maximiser ses intérêts donnés une fois pour toutes et définis en termes égoïstes[30], de même que leur structuralisme est celui des néoréalistes – le comportement des États s'explique par les caractéristiques structurelles du système international[31]. Mais, par opposition aux néoréalistes, ils ne postulent pas la nécessité pour un État de pratiquer une politique exclusive du *self-help*, non seulement parce qu'une telle politique peut produire des effets pervers, des résultats inférieurs à ceux théoriquement possibles, mais aussi parce que la diffusion de l'information plus que la répartition de la puissance est le principal facteur structurant du système international. Pour étayer ces postulats, ils ont recours à la théorie des jeux, et plus

---

30. Il s'agit là du postulat ontologique de base du néolibéralisme institutionnel au niveau d'analyse de l'acteur. Chez R. Keohane, ce postulat a partiellement évolué depuis les années 1990, en acceptant, sous l'influence du constructivisme soft *de A. Wendt, la prise en compte des idées à côté des seuls intérêts matériels (cf. J. Goldstein et R. Keohane (eds),* Ideas and Foreign Policy, op. cit.*), et en acceptant, sous l'influence du libéralisme individualiste de A. Moravcsik, le rôle des intérêts et identités de groupes sociétaux dans la formation des préférences des États (cf. R. Keohane et L. Martin, « Institutional Theory as a Reasarch Program », dans C. Elman et M. F. Elman (eds),* Progress in International Relations Theory, op. cit., *p. 71-106).*

31. L'acceptation par les néolibéraux de l'ontologie réaliste explique à la fois l'émergence du débat néoréaliste-néolibéral qui a suivi la théorie néolibérale des régimes – R. Keohane et L. Martin, ibid., *parlent du néolibéralisme comme de « la demi-sœur du réalisme » –, et le préfixe « néo » dans le label « néo-libéralisme institutionnaliste » : il a été choisi pour bien marquer la différence avec l'internationalisme libéral de l'entre-deux-guerres, perçu – à tort d'après notre analyse dans le chapitre 5 – comme idéaliste au sens péjoratif de ce terme, c'est-à-dire comme postulant un comportement altruiste de la part d'États entretenant des relations harmonieuses entre eux.*

particulièrement au principal modèle des jeux mixtes[32], celui du dilemme de prisonnier.

Dans ce modèle, deux voleurs A et B présumés coupables sont arrêtés par la police et incarcérés dans deux cellules différentes. N'ayant pas de preuves suffisantes pour les condamner, le juge les convoque à tour de rôle et propose à chacun le marché suivant : « Si demain vous avouez le vol (ce qui vaut preuve et dénonciation du complice), vous serez libéré avec récompense si votre complice n'avoue pas, car je pourrai condamner celui-ci à cinq ans de prison. » Interpellés par cette offre, les deux voleurs posent alors, chacun à son tour, les deux questions suivantes au juge. Première question : « Et si nous avouons tous les deux ? » Réponse du juge :

---

32. *La notion de « jeu mixte » est utilisée par T. Schelling, qui a été le premier à appliquer la théorie des jeux (due à J. von Neumann et O. Morgenstern,* Theory of Game and Economic Behaviour, *Princeton (N. J.), Princeton University Press, 1944) en Relations internationales, dans son* Stratégie du conflit *(1960), Paris, PUF, 1986. Cette notion de jeu mixte, défini comme un jeu mettant aux prises des acteurs liés par une relation à la fois de dépendance mutuelle et de conflit, de partenariat et de compétition, permet de bien souligner le positionnement particulier qu'occupe le débat néolibéral-néoréaliste par rapport au libéralisme et au réalisme classiques. Dans le libéralisme classique, la coopération est sans objet, car l'harmonie préside aux échanges, étant donné que grâce à la « main invisible », la recherche de l'intérêt par chacun contribue à l'intérêt de tous ; à l'inverse, dans le réalisme classique, la coopération est impossible, étant donné que chaque État ne peut et ne doit compter que sur lui-même. La théorie des régimes se situe entre ces deux extrêmes : pour qu'il puisse y avoir de la coopération, il faut qu'il y ait de la discorde ; cette discorde, réelle ou potentielle, est cependant susceptible d'être dépassée. Voir à ce sujet les explications de R. Keohane,* After Hegemony, op. cit., *p. 51 et suiv. : le sous-titre de son livre,* Coopération et discorde dans l'économie politique mondiale, *est on ne peut plus révélateur à ce sujet.*

« Dans ce cas j'ai la preuve de votre culpabilité, mais comme vous vous reconnaissez coupable, la peine ne sera que de deux ans. » Deuxième question : « Et si aucun de nous deux n'avoue rien du tout ? » « Alors », répond le juge, « je n'ai pas la preuve de votre culpabilité, et vous êtes tous les deux libres, sans cependant recevoir de récompense, étant donné que je ne peux condamner personne ». Ce sur quoi les deux voleurs retournent dans leur cellule, disposant de la nuit entière pour réfléchir à l'offre du juge et au comportement à adopter le lendemain, lorsqu'ils seront convoqués par celui-ci.

Les termes de l'alternative qui s'offre à chacun des voleurs A et B sont les suivants, en allant du plus séduisant au plus pénalisant : la meilleure solution pour A est d'être libéré avec récompense s'il avoue et à condition que B n'avoue pas (solution 4,1 ; et solution inverse pour B : 1,4) ; vient ensuite pour A, comme pour B, la libération sans récompense, si aucun des deux n'avoue (solution 3,3) ; encore moins bien, l'incarcération pour deux ans si les deux avouent avoir commis le vol (solution 2,2) ; enfin, la pire des solutions consisterait pour A à ne pas avouer et à être condamné à cinq ans de prison si dans le même temps B avouait (solution 1,4 ; et solution inverse pour B : 4,1). Du point de vue de la rationalité strictement individuelle, chaque prisonnier a donc une stratégie dominante : avouer le crime qu'il a commis avec son complice. En effet, si A n'avoue pas le vol, alors que B l'avoue, il est condamné à cinq ans, la pire des situations (et même chose pour B) ; il a donc intérêt à avouer le vol. Le lendemain, face au juge, les deux se déclarent alors coupables, de peur que leur silence, combiné avec l'aveu de leur complice, ne les envoie en prison pour cinq ans. Reste que ce faisant, ils sont tous les deux incarcérés pendant deux ans (2,2), alors que s'ils avaient tous les deux nié le vol, ils auraient été libérés (3,3). Autrement dit, l'on est en présence d'une disjonction entre rationalité individuelle, qui pousse à faire cavalier seul, et rationalité collective, qui pousse à coopérer : le comportement individuellement rationnel dicté par la stratégie dominante conduit à un résultat collectivement irrationnel ou, en tout cas, sous-optimal, car il aboutit à un équilibre « pareto-déficient[33] », c'est-à-dire à un résultat moins favorable que celui que les deux acteurs auraient pu escompter s'ils avaient coopéré entre eux.

Prisonniers (A)/[B]	Confession	Silence
Confession	(2)/[2]	(1)/[4]
Silence	(4)/[1]	(3)/[3]

Appliqué aux relations interétatiques, le dilemme du prisonnier permet aux néolibéraux d'établir deux constats. Tout d'abord, il existe « des situations dans lesquelles les acteurs sont incités à ne pas agir de façon unilatérale, des situations où un calcul rationnel égoïste les amène à préférer des actions multilatérales parce que l'action unilatérale est susceptible de déboucher sur des résultats indésirables ou sous-optimaux » : ce sont des situations de jeu mixte, de dilemme d'action collective[34]. Ensuite, ce n'est pas parce

33. *A. Stein, « Coordination and Collaboration. Regimes in an Anarchic World » (1982), dans S. Krasner (ed.),* International Regimes, op. cit.

34. Ibid. *À vrai dire, A. Stein distingue deux sortes de dilemmes d'action collective : les dilemmes d'intérêts communs et les dilemmes d'aversions communes. Seul le premier renvoie au modèle du dilemme du prisonnier ; le second concerne le dilemme de la bataille des sexes. Nous nous contentons ici du seul dilemme du prisonnier, à l'image de R. Axelrod, « The Emergence of Cooperation Among Egoists »,* American Political Science Review, *75 (2), juin 1981, p. 306-318, et R. Keohane,* After Hegemony, op. cit., *notamment. Pour une comparaison*

qu'un État a un intérêt objectif à ne pas agir unilatéralement qu'il va automatiquement coopérer ; ce n'est pas parce qu'un État se trouve dans des situations où il a des intérêts propres à défendre tout en partageant des intérêts communs avec autrui qu'il s'abstient de faire cavalier seul, alors que la coopération lui aurait permis d'obtenir une plus grande satisfaction de ses intérêts.

Pourquoi, se demandent alors les néolibéraux, ce comportement unilatéral sous-optimal dans une situation où la coopération aurait permis d'atteindre l'optimum de Pareto[35] ? Réponse : si le prisonnier A n'a pas osé se taire devant le juge, c'est parce qu'il ne pouvait être sûr de ce que le prisonnier B allait à son tour se taire (et même chose du point de vue de B). Étant donné que les deux prisonniers étaient dans deux cellules différentes, aucun des deux n'était informé de l'attitude qu'allait adopter l'autre ; parce qu'ils étaient séparés par la barrière que représentaient les murs de leurs cellules, ils ne pouvaient se concerter quant à un éventuel silence commun à adopter, et c'est cette incertitude qui a amené chacun d'entre eux à avouer, c'est-à-dire à préférer son intérêt individuel. Certes, chacun aurait pu se dire : « Je fais confiance à l'autre ; il va se taire et donc moi aussi je vais m'abstenir d'avouer le vol », mais chacun doit également se dire : « Si je me tais, qui me dit que l'autre n'en

---

des deux modèles, voir, au-delà de l'article de Stein, la présentation qu'en fait G. Kébabdjian, Les Théories de l'économie politique internationale, *Paris, Seuil, 1999, p. 153 et suiv. Rappelons les autres principaux modèles de jeux : celui de la chasse au cerf (*stag hunt, *qui remonte à Rousseau), celui de la poule mouillée (*chicken game*), etc. : d'après W. Poundstone,* Prisoner's Dilemma, *New York (N. Y.), Doubleday, 1992, p. 129, il existe en tout pas moins de 78 types de jeu à deux joueurs et deux stratégies par joueur !*

35. On entend par optimum de Pareto une situation à l'instant t + 1 *meilleure qu'à l'instant* t *pour l'acteur A sans que celle de l'acteur B soit pire.*

profite pas pour me duper, car le fait pour lui d'avouer alors que je me tais lui permet d'obtenir un gain plus grand ? » Bref, et comme le dit Keohane, le modèle du dilemme du prisonnier illustre parfaitement « la façon dont les barrières à l'information et à la communication en politique peuvent empêcher la coopération et créer de la discorde même lorsque des intérêts communs existent[36] ». Il en va de même pour les États : si les États pratiquent le *self-help*, c'est parce qu'ils ne savent pas comment agissent les autres États ; face à cette inconnue, ils préfèrent agir unilatéralement, comme le leur dicte leur rationalité individuelle. Mais ce n'est que par défaut que les États agissent ainsi ; s'il leur était possible de prévoir le comportement des autres États, ils abandonneraient cette politique du *self-help* au profit d'une politique de coopération, source de davantage d'utilité. Comment alors prévoir le comportement des autres États ? Comment diminuer l'incertitude subjective que ressent chaque État sur une scène internationale anarchique, à l'image du chasseur de cerf chez Rousseau, qui avait préféré attraper le lièvre parce qu'il ne pouvait être sûr de ce que son compagnon n'allait pas profiter de sa coopération pour faire défection ? Par la création d'institutions internationales, de régimes internationaux : « Les régimes internationaux », dit Keohane, « facilitent la coopération en réduisant l'incertitude[37]. »

Voilà l'explication néolibérale des régimes internationaux : « Des régimes émergent parce que des acteurs renoncent à des décisions unilatérales en vue de faire face à des dilemmes d'intérêts communs [...]. Ils agissent ce faisant dans leur propre intérêt, car l'utilité obtenue de manière concertée est supérieure à celle à laquelle ils auraient pu prétendre s'ils avaient agi seuls. Il est dans leur intérêt

---

36. R. Keohane, After Hegemony, op. cit., *p. 69.*
37. Ibid., *p. 97.*

mutuel d'établir des arrangements qui façonnent leur comportement dans l'avenir et qui permettent à leurs attentes de converger, car par là même, ils évitent les dilemmes provoqués par leurs actions unilatérales[38]. » Exprimé autrement, les régimes internationaux existent parce qu'ils « facilitent la coopération souple au sein d'un système politique décentralisé et que par là même ils jouent une fonction importante pour les gouvernements. [...] Ils leur permettent d'atteindre des objectifs qui autrement seraient hors de portée, en facilitant les accords inter-gouvernementaux. [...] Ils augmentent les possibilités de coopération en réduisant les coûts de transaction conformes aux principes des régimes. Ils créent les conditions propices aux négociations multilatérales ordonnées, aux comportements étatiques légitimes. Ils facilitent la symétrie et améliorent la qualité de l'information dont disposent les gouvernements[39] ».

Pas besoin, dans ces conditions, d'une puissance hégémonique pour créer des régimes internationaux : les régimes ont pour simple fondement l'existence d'un optimum collectif inaccessible par le comportement unilatéral. Certes, la présence d'une puissance hégémonique peut faciliter la création des régimes[40], mais l'hégémonie n'est nullement une condition nécessaire pour que soient créés des régimes : ceux-ci émergent parce qu'ils remplissent une fonction

---

38. A. Stein, « Coordination and Collaboration. Regimes in an Anarchic World », art. cité.

39. R. Keohane, After Hegemony, op. cit., *p. 63 et 244.*

*40. Cette recherche d'une complémentarité entre la théorie néolibérale des régimes et la théorie réaliste de la stabilité hégémonique est propre à Keohane : sa volonté de « synthétiser les perspectives réaliste et institutionnaliste » l'amène à plusieurs reprises à souligner que « la coopération hégémonique n'est pas une contradiction dans les termes » (*After Hegemony, op. cit., *p. 135 et 55). Il en va autrement des autres néolibéraux, qui expliquent la création de régimes par la seule voie coopérative, sans recours au facteur contrainte.*

de réducteur de dilemme pour les États, parce qu'ils « diminuent la probabilité d'être dupé[41] ». Davantage, non seulement les régimes émergent en l'absence d'une puissance hégémonique, mais ils subsistent en cas de déclin de la puissance hégémonique. Il en est ainsi parce que la coopération qu'ils facilitent, une fois existante, s'autoreproduit, tel un cercle vertueux.

Supposons que deux ou plusieurs États aient décidé de mettre sur pied un régime. D'après les réalistes, même après s'être engagé dans un tel régime, un État aurait intérêt à faire défection, à faire cavalier seul : par exemple, dans un régime commercial prévoyant le libre-échange, il aurait intérêt à « rompre son engagement[42] », en augmentant les tarifs douaniers protégeant son industrie, dans l'espoir de bénéficier de l'honnêteté de l'autre État qui continuerait à pratiquer l'ouverture de ses frontières. C'est d'ailleurs pour cette raison qu'il faut une puissance hégémonique qui fasse fonctionner le régime, car elle seule peut soit supporter les coûts que représentent ces passagers clandestins, soit sanctionner les tricheurs. D'après les néolibéraux, le problème du *monitoring* (surveiller le comportement des États membres à un régime) et du *sanctionning* (sanctionner les fautifs) est un faux problème, parce qu'il ne se pose que dans le cas d'une coopération unique. Plus exactement, ce n'est que dans le cas de deux acteurs « jouant une seule partie[43] » que l'option « cavalier seul » est une option viable ; à l'inverse, lorsque des acteurs ont « suffisamment de chances de se rencontrer à nouveau pour que l'issue de leur prochaine

---

41. Ibid., *p. 97.*

42. *Telle est la définition de la triche chez K. Oye,* Cooperation Under Anarchy, *Princeton (N. J.), Princeton University Press, 1986, p. 1.*

43. *R. Axelrod,* Donnant-Donnant. Théorie du comportement coopératif, op. cit., *p. 21.*

interaction leur importe[44] », la coopération est stable et viable, car dans un jeu répété de façon infinie, la stratégie gagnante est celle du « donnant-donnant (*tit-for-tat*)[45] ». Or, les États contemporains sont dans la situation d'un tel jeu itératif : autant à l'état de nature décrit par Rousseau, le chasseur de cerf pouvait faire défection en chassant le lièvre, car l'isolement qui était le sien lui permettait de se soucier fort peu de faire manquer le cerf à ses compagnons, autant la « réciprocité » est de mise dans un monde où « l'interdépendance complexe » projette en permanence « l'ombre du futur (*shadow of future*) » sur les actions présentes d'un État. Plus exactement, un État qui s'engage dans un régime, un État qui s'engage à se comporter de telle et telle façon, met sa réputation en jeu s'il fait défection : « Les gouvernements répugnent à établir des précédents car ils craignent que leurs propres violations des règles provoquent des violations de la part des autres, même si aucune pénalité spécifique ne leur est imposée. Autrement dit, rompre les règles peut certes rapporter un bénéfice individuel, mais il produit également une nuisance collective. La répercussion de cette nuisance collective sur l'utilité individuelle d'un gouvernement peut l'emporter sur le bénéfice[46]. » Il est d'autant plus soucieux de maintenir sa réputation que les différents domaines de la coopération internationale sont interreliés entre eux : non seulement un État qui ne gagne pas à l'instant *t* dans un domaine donné a intérêt à rester dans le régime concerné dans l'espoir de gagner à

---

44. Ibid., *p. 31.*

45. *La stratégie « donnant-donnant » consiste à adopter les trois attitudes suivantes : ne jamais faire cavalier seul le premier (règle de bienveillance) ; appliquer une punition – sous forme de défection – si le partenaire a fait défection au coup précédent (règle de susceptibilité) ; coopérer de nouveau après l'application de la punition (règle de l'indulgence).*

46. *R. Keohane,* After Hegemony, op. cit., *p. 105.*

l'instant *t+1* ou *t + 2*, mais il peut espérer que les éventuelles pertes dans un domaine d'activité seront compensées par des gains dans un autre domaine d'activité : « Dans un monde aux nombreux enjeux, l'apparente auto-abnégation reflète en fait un égoïsme rationnel[47]. »

Pour toutes ces raisons, les États sont tentés de faire évoluer les régimes, plutôt que de les abandonner lorsque les conditions à l'origine de leur création ont changé. Les régimes, autrement dit, sont à la fois effectifs – ils incitent les États à coopérer, non pas en changeant leurs intérêts, mais en changeant les incitations sous-jacentes à leur comportement –, et robustes – ils perdurent au-delà des conditions qui les ont vu naître[48]. D'après Keohane, c'est ce qui se passe dans les années 1970 : « Malgré l'érosion de l'hégémonie américaine, la discorde n'a pas triomphé de la coopération. [...] Une coopération certaine a persisté dans les domaines de la monnaie et du commerce, à l'intérieur des régimes internationaux remaniés. [...] Bien que le caractère de ces régimes internationaux ait changé, de façon dramatique même dans certains cas [celui du pétrole], la persistance des tentatives de coopération est aussi

---

47. Ibid., *p. 107. En affirmant ainsi la facilitation de la coopération en situation d'interdépendance caractérisée par le* linkage *entre sous-systèmes, Keohane inscrit sa théorie de la coopération dans la suite de ses premiers écrits, relatifs à l'interdépendance (cf. chap. 6). Même analyse chez B. Cohen,* International Political Economy : An Intellectual History, op. cit., *p. 27 et suiv.*

48. *Les néolibéraux avancent d'autres explications, plus prosaïques, pour expliquer la persistance des régimes : la légitimité traditionnelle (au sens de M. Weber) qu'ils acquièrent, l'intérêt qu'ils représentent aux yeux des réseaux qui y travaillent, le coût plus élevé qu'impliquerait la création d'un autre régime.*

remarquable que le déclin des vieux régimes[49]. » Et d'après lui, cette survie prouve la pertinence de l'approche néolibérale institutionnaliste des régimes internationaux.

Cette conclusion, qui révèle les fondements *in fine* libéraux des néolibéraux institutionnalistes malgré leur rapprochement avec les néoréalistes, à savoir leur optimisme quant à « la propension humaine à la paix » et « leur conception progressiste de l'histoire » en rupture avec « la vision cyclique ou ahistorique des réalistes »[50], les néoréalistes ne peuvent l'accepter. Certes, ils sont amenés à faire le même constat au sujet de la persistance de la coopération : « D'un point de vue réaliste, il n'est nullement fortuit que la situation mondiale se soit détériorée pendant les années 1970 : après l'augmentation des coûts que représente la fourniture de biens publics internationaux, les États-Unis se sont repliés sur une politique définie en termes plus égoïstes. Mais [...] bien que les tensions aient augmenté, les années 1930 ne se sont pas reproduites. [...] Bien que les difficultés se soient multipliées, le comportement international ne s'est pas détérioré de la façon imaginée par une analyse réaliste digne de ce nom[51]. » Mais ce constat d'« États capables de coopérer par le biais d'institutions internationales même au cours des rudes années 1970[52] », ils l'expliquent autrement[53].

---

49. Ibid., *p. 183.*

50. *J. Massie et M.-E. Desrosiers, « Le néolibéralisme et la synthèse "néo-néo" », dans A. MacLeod et D. O'Meara (dir.),* Théories des relations internationales, op. cit., *p. 115.*

51. *S. Krasner,* International Regimes, op. cit., *p. VIII.*

52. *J. Grieco, « Anarchy and the Limits of Cooperation. A Realist Critique of the Newest Liberal Institutionalism » (1988), dans D. Baldwin (ed.),* Neorealism and Neoliberalism. The Contemporary Debate, *New York (N. Y.), Columbia University Press, 1993, p. 116-140.*

53. *N'oublions pas que certains néoréalistes refusent toute approche en termes de régimes, à commencer par J. Mearsheimer,*

Plus précisément, les néoréalistes quittent la théorie de la stabilité hégémonique et son domaine d'application de prédilection qu'est l'économie internationale pour retourner au domaine classique des réalistes qu'est la politique internationale, et plus particulièrement le domaine de la sécurité. Lorsqu'ils avaient proposé leur explication de la coopération et des régimes internationaux, les néolibéraux, pour s'être focalisés sur l'économie internationale, n'avaient pas désespéré de proposer une analyse susceptible d'être valable dans l'ensemble des relations interétatiques : « Il a souvent été noté que des enjeux relatifs à la sécurité militaire présentent davantage de caractéristiques associées à l'anarchie que les enjeux politico-économiques. [...] Ceci ne signifie pas que l'analyse de ces types d'enjeux exige des cadres d'analyse séparés. Tout au contraire, l'un de nos objectifs principaux consiste à montrer qu'un seul et unique cadre peut éclairer les deux[54]. » Mais Keohane lui-même avait dû reconnaître « se concentrer essentiellement sur les sources économiques de la puissance [...] en faisant abstraction des enjeux militaires[55] » ; de même Charles Lipson, en notant que le contexte de validité d'un jeu itératif de type dilemme du prisonnier « est significativement différent selon qu'il s'agit d'enjeux

---

« The False Promise of International Institutions », art. cité, selon qui « les institutions sont fondamentalement un reflet de la puissance dans le monde. Elles sont fondées sur le calcul égoïste des grandes puissances, et elles n'ont aucun effet indépendant sur le comportement des États ». Voir aussi le débat provoqué par cet article dans International Security, *20, été 1995, p. 52-93, ainsi que son ouvrage* The Tragedy of Great Power Politics, op. cit.

54. *R. Axelrod et R. Keohane, « Achieving Cooperation Under Anarchy. Strategies and Institutions » (1985), dans D. Baldwin (ed.),* Neorealism and Neoliberalism, op. cit., *p. 85-115.*

55. *R. Keohane,* After Hegemony, op. cit., *p. 41.*

économiques ou de sécurité[56] », n'avait fait que confirmer Robert Jervis qui avait, lui, souligné les difficultés spécifiques qu'il y a à mettre sur pied des « régimes de sécurité[57] ». En quelque sorte, les néoréalistes saisissent la perche que représente pour eux cette concession faite par les néolibéraux aux néoréalistes[58], en faisant une distinction entre gains absolus que les États recherchent en économie et gains relatifs que les États recherchent dans le domaine de la sécurité.

La charge est menée par Joseph Grieco. À l'en croire, les néolibéraux se trompent lorsqu'ils affirment qu'ils partagent avec les réalistes une seule et même conception de l'anarchie et de l'État. En effet, pour les néolibéraux, l'État poursuit ses intérêts définis en termes strictement individualistes, c'est-à-dire indépendamment des intérêts poursuivis par les partenaires à la coopération. « Les

---

56. *C. Lipson, « International Cooperation in Security and Economic Affairs », dans D. Baldwin (ed.),* Neorealism and Neoliberalism, *1984,* op. cit., *p. 60-84.*

57. *R. Jervis, « Security Regimes », dans S. Krasner (ed.),* International Regimes, op. cit., *p. 173-194.*

58. *Libéral s'il en est, A. Smith,* Recherches sur la nature et les causes de la richesse des nations *(1776), Paris, Garnier-Flammarion, 1991, tome 2, p. 50-52), avait lui-même fait cette distinction entre économie et sécurité. Commentant l'Acte de Navigation par lequel la Grande-Bretagne avait réservé le monopole de la navigation à ses navires et matelots, il note que « c'est avec raison que l'Acte de Navigation cherche à donner aux vaisseaux et aux matelots de la Grande-Bretagne le monopole de la navigation de leur pays [...]. L'Acte de Navigation n'est pas favorable au commerce étranger ou à l'accroissement de cette opulence dont le commerce est la source. [...] Néanmoins, comme* la sûreté de l'État est d'une plus grande importance que sa richesse, *l'Acte de Navigation est peut-être le plus sage de tous les règlements de commerce de l'Angleterre [... car...]* il est important pour un royaume de dépendre le moins possible de ses voisins pour ce qui est des manufactures nécessaires à sa défense » *(souligné par nos soins).*

acteurs privilégient leurs propres avantages [...] et cherchent à maximiser leurs propres gains [...] dans un monde perçu en termes de somme non constante », écrit ainsi Arthur Stein[59], alors que, selon Keohane, l'égoïsme signifie que « les fonctions d'utilité [des États] sont indépendantes les unes des autres : ils ne gagnent ni ne perdent de l'utilité simplement parce que les autres en gagnent ou en perdent[60] ». C'est parce qu'un État cherche à maximiser ses intérêts absolus que, pour les libéraux, la principale crainte que ressent un État A lorsqu'il coopère avec un autre État B est la défection de celui-ci : si B triche, par exemple dans le domaine commercial en augmentant ses tarifs douaniers, A voit ses gains absolus diminuer, étant donné que ses exportations baissent. Et c'est pour cette raison que les libéraux estiment que les États édifient des régimes internationaux, car la fonction de réduction d'incertitude qu'ils remplissent permet de pallier l'absence d'autorité centrale susceptible d'obliger les États à respecter leurs engagements.

Il en va tout autrement pour les néoréalistes. Loin de signifier l'absence d'autorité centrale de contrôle et de sanction des engagements réciproques, l'anarchie signifie d'après eux « l'absence d'autorité centrale de prévention du recours à la violence armée[61] ». Avec pour conséquence, d'après Grieco, de ce risque de guerre, suspendu telle une épée de Damoclès au-dessus des États, que l'intérêt national que cherchent à satisfaire de façon prioritaire les États, consiste non pas en leur bien-être, mais en leur survie. Or, cette survie dépend de la position qui est celle des États relativement aux autres. Ces derniers ne sont pas des acteurs atomistiques

---

59. *A. Stein, « Coordination and Collaboration. Regimes in an Anarchic World », art. cité.*

60. *R. Keohane,* After Hegemony, op. cit., *p. 27.*

61. *J. Grieco, « Anarchy and the Limits of Cooperation », art. cité.*

à la recherche de gains absolus, mais des *defensive positionalists* soucieux des gains relatifs qu'est susceptible de leur procurer la coopération, vu que ces gains influent sur leur position relative – actuelle et surtout future – par rapport au partenaire à la coopération : confrontés à la perspective d'une coopération, « les États craignent que leurs partenaires n'obtiennent des gains relatifs plus élevés ; que, par conséquent, leurs partenaires les dépassent en termes de capacités relatives ; et que, *in fine*, leurs actuels partenaires puissent devenir des ennemis d'autant plus formidables quelque part dans le futur qu'ils sont de plus en plus puissants[62] ».

Exprimé autrement, alors que pour les néolibéraux l'utilité U qui pousse un État A à coopérer avec B est égale aux gains absolus GA qu'escompte A ($U_A = GA_A$), pour les néoréalistes elle est égale aux gains absolus de A diminués des gains absolus de B compte tenu du coefficient k (compris entre 0 et 1) de sensibilité de A aux gains de B : $U_A = GA_A - k\,(GA_B - GA_A)$. La sensibilité de l'État A aux gains de l'État B varie certes en fonction de plusieurs paramètres,

62. Ibid. *J. Grieco reprend une analyse proposée par K. Waltz,* Theory of International Politics, op. cit., *p. 105 : « Lorsqu'ils sont confrontés à une possibilité de coopération avec des gains mutuels, les États qui se sentent en insécurité doivent se demander comment les gains seront partagés. Ils sont contraints de demander non pas « Allons-nous gagner tous les deux ? », mais « Qui de nous deux va gagner le plus ? » Si un gain attendu est susceptible d'être partagé un tiers/deux tiers, l'un des deux peut utiliser son gain disproportionné pour engager une politique destinée à infliger un dommage à l'autre. Même la perspective de gains absolus importants pour les deux parties ne facilitera leur coopération tant que chacun craindra que l'autre n'utilise ses capacités augmentées. Remarquons que les obstacles à la coopération n'ont rien à voir avec le caractère et les intentions présentes des parties concernées. Au contraire, la condition d'insécurité, ou du moins l'incertitude de chacun quant aux intentions et actions futures de l'autre, travaille contre la coopération. »*

selon que A et B sont en état de guerre ou font partie d'une communauté pluraliste de sécurité (au sens de Karl Deutsch, cf. chap. 14), selon l'existence ou non d'un ennemi commun, le domaine concerné, le degré de convertibilité des gains en ressources, la taille et la nature des États ; mais, dans tous les cas, cette sensibilité est supérieure à zéro, même entre alliés, et dans un tel jeu à somme nulle, où ce qui est gagné par un partenaire est forcément perdu par l'autre, la stratégie du « donnant-donnant » valable dans un jeu itératif n'est plus efficiente, car hors de propos.

Voilà qui ne signifie pas pour autant que toute coopération est impossible ; tout simplement, elle est plus difficile que ne l'imaginent les néolibéraux, parce qu'elle dépend non seulement du problème de la triche, mais aussi et surtout du problème des gains relatifs : « Confrontés à deux problèmes potentiels – la triche et les gains relatifs –, les États cherchent à s'assurer que leur partenaire respecte ses promesses et que leurs arrangements produisent des gains équilibrés ou équitables. D'après les réalistes, les États définissent l'équilibre et l'équité en termes de gains maintenant l'équilibre des capacités d'avant la coopération[63]. » Par ailleurs, comme il est impossible que les gains relatifs de tous les États augmentent en même temps, il n'y a plus aucune raison générale pour la création de régimes sur la base de l'argumentation libérale, selon laquelle cette création s'explique par la coopération qu'elle facilite. Pour que les régimes émergent et perdurent, il faut donc bien qu'il y ait un État hégémonique. Tout d'abord parce que la puissance hégémonique est la seule intéressée à une coopération au pire équilibrée, vu qu'une telle coopération reproduit le *statu quo* existant, l'écart autrement dit qui sépare sa position de celle de ses rivaux

---

63. *J. Grieco,* Cooperation Among Nations, *Ithaca (N. Y.), Cornell University Press, 1990, p. 47.*

potentiels. Ensuite parce que l'État hégémonique dispose de la puissance, lorsque le contexte qui a vu naître le régime change, « de déterminer qui peut faire partie du jeu [...], de dicter les règles du jeu [...], de changer la matrice des gains[64] ».

Vue sous cet angle, la situation des années 1970 prend une signification tout autre que celle qu'en tirent les néolibéraux. Bien sûr que la coopération a perduré, mais les règles du jeu monétaire ou commercial ont changé : au « libéralisme encadré (*embedded liberalism*)[65] » des années 1945-1970 a succédé la mondialisation économique. Le rôle des États-Unis a été déterminant en la matière : après avoir créé les régimes de Bretton Woods et du GATT parce qu'ils en escomptaient, sinon des gains relatifs positifs, du moins la reproduction de l'ordre existant qui leur était favorable, ils ont fait évoluer ces mêmes régimes lorsque ceux-ci leur ont procuré des pertes relatives.

Certes, on peut, du point de vue néolibéral, expliquer la création de ces régimes par les gains absolus qu'en ont tirés à la fois les États-Unis et le Japon et les pays européens ; mais leur transformation à partir des années 1970 montre *a posteriori* que les alliés des États-Unis avaient aussi été de simples *regime-takers* pratiquant une politique de *bandwagon* à l'encontre du *regime-maker* américain.

La preuve de la plus grande pertinence de l'explication néoréaliste des régimes internationaux nous est donnée *a contrario* par l'exemple du régime des missiles antimissiles. Au début des

---

64. S. Krasner, « Global Communications and National Power. Life on the Pareto Frontier » (1991), dans D. Baldwin (ed.), Neorealism and Neoliberalism, op. cit., *p. 235-249.*

65. L'expression est de J. G. Ruggie, « International Regimes, Transactions and Change. Embedded Liberalism in the Postwar Economic Order », art. cité.

années 1970, il existe un équilibre nucléaire approximatif entre les deux Grands, chacun pouvant détruire l'autre. Le raisonnement que tiennent alors Moscou et Washington, chacun de son côté, est substantiellement le suivant : « Si je réussis à déployer un système de missiles défensifs, capables d'intercepter les missiles offensifs de mon ennemi, mon territoire est protégé, et Washington/Moscou ne peut plus me détruire. » C'est là un raisonnement tout ce qu'il y a de plus rationnel : il est rationnel de vouloir protéger son territoire. Or, un tel système de missiles antimissiles signifierait la fin de l'équilibre de la terreur : « Si je réussis à me protéger des attaques de l'autre, mais si l'autre ne peut pas se protéger de mes attaques, il n'y a plus équilibre. La course aux armements sera alors relancée, parce que l'autre veut rattraper son retard, étant donné qu'il aura peur tant que son territoire à lui ne sera pas à l'abri d'une attaque de ma part, qui moi suis à l'abri d'une contre-attaque de sa part. Pis, au bout de la course aux armements, ma situation sera moins favorable qu'aujourd'hui : j'aurai dépensé de l'argent inutilement, étant donné que ma sécurité n'aura en rien été améliorée. » Pour éviter cette issue collectivement sous-optimale qu'est la course aux armements à laquelle aboutirait le fait pour chacun des deux protagonistes de faire cavalier seul, les deux Grands mettent alors sur pied le traité ABM de limitation des missiles antimissiles. *A priori*, nous sommes dans la situation du dilemme du prisonnier : un comportement coopératif procure une utilité supérieure à une politique du *self-help*.

Reste que de nos jours, ce traité est remis en cause par le projet américain BMD (*Ballistic Missile Defense*). Comment expliquer cette défection de la part des États-Unis ? Elle s'explique par le changement de la position relative des États-Unis. En 1972, si les États-Unis s'engagent dans le régime de limitation des systèmes antimissiles, ce n'est pas tellement pour éviter une issue pareto-déficiente, comme l'affirme l'analyse néolibérale des régimes, mais parce que ce traité leur procure deux sortes de gains relatifs : d'un côté, il gèle la situation avec les Soviétiques (gains relatifs directs nuls, c'est-à-dire reproduction du *statu quo* par définition favorable aux États-Unis) ; de l'autre, il évite aux États-Unis des dépenses qui les auraient pénalisés dans leur compétition économique avec le Japon et les pays européens (gains relatifs indirects positifs). Mais, depuis la fin de la guerre froide et la disparition de l'URSS, les États-Unis s'estiment technologiquement et économiquement capables de mettre sur pied un système de défense antimissile. Voilà pourquoi ils cessent de respecter le régime de 1972 : la survie de celui-ci les priverait de la possibilité d'améliorer leur position relative par rapport aux autres puissances, actuelles ou futures, de la Chine aux *rogue states* et autres pays de l'Axe du Mal. Ils font donc cavalier seuls, ce qui tend à montrer, comme l'affirme l'analyse néoréaliste des régimes, que la création et le maintien des régimes internationaux dépendent *in fine* des gains relatifs du *regime-maker* qu'est la puissance hégémonique.

Le comportement américain à l'égard de l'ONU lors de la crise irakienne en 2002-2003, lorsque les États-Unis se passent de l'autorisation du Conseil de sécurité au moment de leur décision de recourir à l'opération *Liberté en Irak*, va dans le même sens. Alors que le système de sécurité collective du chapitre VII de la Charte des Nations unies a été créé par les États-Unis eux-mêmes, au lendemain de la seconde guerre mondiale, ils refusent pourtant de s'y soumettre : plus précisément, les autorités américaines violent la lettre de la résolution 1441 du 8 novembre 2002 accordant à Saddam Hussein une dernière possibilité de s'acquitter de ses obligations en matière de désarmement et prévoyant de se réunir pour décider d'un éventuel recours à la force collective en cas de manquement de la part de Bagdad. Pourquoi ? Parce qu'elles craignent que l'Irak ne profite de ce nouveau délai pour essayer de gagner du temps, pour tenter de tricher en dissimulant ses armes de destruction massive. Elles cessent donc de respecter le régime de sécurité collective : s'y conformer aurait signifié le risque pour les États-Unis de subir des pertes relatives, étant donné ce qu'elles estiment, à tort ou à raison, être le refus de l'Irak de jouer le jeu de la coopération[66].

Nous sommes bien dans le cas prévu par Grieco et Waltz, avec des États-Unis estimant leur survie en jeu, et n'hésitant pas de ce fait à abandonner leur statut de *regime-maker* pour endosser le rôle du *regime-breaker*.

Bibliographie

La théorie des régimes internationaux remonte à un numéro spécial de la revue *International Organization* réédité par :

KRASNER (Stephen) (ed.), *International Regimes*, Ithaca (N. Y.), Cornell University Press, 1983, 372 p.

Elle oppose la conception néolibérale institutionnaliste :

AXELROD (Robert) et KEOHANE (Robert), « Achieving Cooperation Under Anarchy. Strategies and Institutions » (1985), dans David Baldwin (ed.), *Neorealism and Neoliberalism. The Contemporary Debate*, New York (N. Y.), Columbia University Press, 1993, p. 85-115.

66. *Pour une analyse approfondie de l'attitude américaine au moment de l'opération* Liberté en Irak, *voir D. Battistella,* Retour de l'état de guerre, op. cit.

AXELROD (Robert), *Donnant-donnant. Théorie du comportement coopératif* (1984), Paris, Odile Jacob, 1992, 234 p.

AXELROD (Robert), « The Emergence of Cooperation Among Egoists », *American Political Science Review*, 75 (2), juin 1981, p. 306-318.

KEOHANE (Robert), *After Hegemony. Cooperation and Discord in the World Political Economy*, Princeton (N. J.), Princeton University Press, 1984, 304 p.

LIPSON (Charles), « International Cooperation in Security and Economic Affairs » (1984), dans David Baldwin (ed.), *Neorealism and Neoliberalism. The Contemporary Debate*, New York (N. Y.), Columbia University Press, 1993, p. 60-84.

OYE (Kenneth) (ed.), *Cooperation Under Anarchy*, Princeton (N. J.), Princeton University Press, 1986, 270 p.

SNIDAL (Duncan), « Relative Gains and the Pattern of International Cooperation » (1991), dans David Baldwin (ed.), *Neorealism and Neoliberalism. The Contemporary Debate*, New York (N. Y.), Columbia University Press, 1993, p. 170-208.

STEIN (Arthur), « Coordination and Collaboration. Regimes in an Anarchic World » (1982), dans Stephen Krasner (ed.), *International Regimes*, Ithaca (N. Y.), Cornell University Press, 1983, p. 115-140.

STEIN (Arthur), *Why Nations Cooperate*, Ithaca (N. Y.), Cornell University Press, 1990, 220 p.

... à l'approche néoréaliste de la coopération :

GRIECO (Joseph), « Anarchy and the Limits of Cooperation. A Realist Critique of the Newest Liberal Institutionalism » (1988), dans David Baldwin (ed.), *Neorealism and Neoliberalism. The*

Contemporary Debate, New York (N. Y.), Columbia University Press, 1993, p. 116-140.

GRIECO (Joseph), *Cooperation Among Nations*, Ithaca (N. Y.), Cornell University Press, 1990, 256 p.

JERVIS (Robert), « Security Regimes », dans Stephen Krasner (ed.), *International Regimes*, Ithaca (N. Y.), Cornell University Press, 1983, p. 173-194.

KINDLEBERGER (Charles), *La Grande Crise mondiale, 1929-1939* (1973), Paris, Economica, 1988, 366 p.

KRASNER (Stephen), « Structural Causes and Regime Consequences. Regimes As Intervening Variables » (1982), dans Stephen Krasner (ed.), *International Regimes*, Ithaca (N. Y.), Cornell University Press, 1983, p. 1-21.

KRASNER (Stephen), « Regimes and the Limits of Realism. Regimes As Autonomous Variables » (1982), dans Stephen Krasner (ed.), *International Regimes*, Ithaca (N. Y.), Cornell University Press, 1983, p. 355-368.

KRASNER (Stephen), « Global Communications and National Power. Life on the Pareto Frontier » (1991), dans David Baldwin (ed.), *Neorealism and Neoliberalism. The Contemporary Debate*, New York (N. Y.), Columbia University Press, 1993, p. 235-249.

Pour une présentation synthétique de ce débat, voir :

BALDWIN (David), « Neoliberalism, Neorealism and World Politics », dans David Baldwin (ed.), *Neorealism and Neoliberalism. The Contemporary Debate*, New York (N. Y.), Columbia University Press, 1993, p. 3-25.

KEBABDJIAN (Gérard), *Les Théories de l'économie politique internationale*, Paris, Seuil, 1999, 308 p.

POWELL (Robert), « Anarchy in International Relations Theory. The Neorealist-Neoliberal Debate », *International Organization*, 48 (2), printemps 1994, p. 313-344.

Pour une présentation de la littérature sur les régimes élargie, au-delà du débat « néo-néo », aux analyses constructivistes, voir les écrits de l'École de Tübingen :

HASENCLEVER (Andreas), MAYER (Peter) et RITTBERGER (Volker), *Theories of International Regimes*, Cambridge, Cambridge University Press, 1997, 248 p.

HASENCLEVER (Andreas), MAYER (Peter) et RITTBERGER (Volker), « Integrating Theories of International Regimes », *Review of International Studies*, 26 (1), janvier 2000, p. 3-33.

RITTBERGER (Volker) (ed.), *Regime Theory and International Relations*, Oxford, Clarendon, 1993, 470 p.

Ainsi que les autres présentations d'ensemble proposées par :

HAGGARD (Stephan) et SIMMONS (Beth), « Theories of International Regimes », *International Organization*, 41 (3), été 1987, p. 491-517.

LEVY (Marc), YOUNG (Oran) et ZÜRN (Michael), « The Study of International Regimes », *European Journal of International Relations*, 1 (3), septembre 1995, p. 267-330.

MARTIN (Lisa) et SIMMONS (Beth), « Theories and Empirical Studies of International Institutions », *International Organization*, 52 (4), automne 1998, p. 729-757.

Quant aux critiques de la théorie des régimes internationaux, elles proviennent d'horizons divers :

GALE (Fred), « *Cave "Cave. Hic Dragones"*. A Neo-Gramscian Deconstruction and Reconstruction of International Regime

Theory », *Review of International Political Economy*, 5 (2), été 1998, p. 252-283.

KEELEY (James), « Toward A Foucauldian Analysis of International Regimes », *International Organization*, 44 (1), hiver 1990, p. 83-105.

LONG (David), « The Harvard School of International Theory. A Case for Closure », *Millennium*, 24 (3), hiver 1995, p. 489-506.

STRANGE (Susan), « *Cave ! Hic Dragones*. A Critique of Regime Analysis », dans Stephen Krasner (ed.), *International Regimes*, Ithaca (N. Y.), Cornell University Press, 1983, p. 337-354.

Chapitre 13 / L'ÉCONOMIE POLITIQUE INTERNATIONALE

« Cui bono ? »
Susan Strange[1]

« Économie internationale et Relations internationales : je t'aime, moi non plus[2] » ; « Dans cet article, nous racontons l'histoire de la création et de l'évolution depuis quelque trente ans d'un sous-champ, connu sous le nom d'économie politique internationale[3]. » Émises à une génération d'intervalle, ces deux citations résument parfaitement la place de l'économie politique internationale en Relations internationales : inexistante en 1970, lorsque Susan Strange se plaint de l'ignorance dont font preuve les chercheurs en économie internationale envers les relations internationales et *vice versa*, l'économie politique internationale a acquis en 1998 un statut tel que la revue américaine *International Organization* n'hésite pas à proposer pour son cinquantième anniversaire une relecture de la discipline à travers la grille de lecture proposée par l'économie politique internationale[4].

---

1. *S. Strange, « The Study of Transnational Relations »,* International Affairs, *52 (3), juillet 1976, p. 333-345.*

2. *Traduction très libre de l'expression* mutual neglect *utilisée par S. Strange, « International Economics and International Relations. A Case of Mutual Neglect »,* International Affairs,*46 (2), avril 1970, p. 304-315, pour caractériser les relations d'ignorance réciproque qu'entretiennent à cette époque l'économie internationale et les Relations internationales.*

3. *P. Katzenstein, R. Keohane et S. Krasner, «* International Organization *and the Study of World Politics »,* International Organization, *52 (4), automne 1998, p. 645-685.*

4. *Cette relecture s'explique aussi par les spécificités du champ américain des Relations internationales qui, divisé* de facto *en* International Political Economy *et* International Security, *en est venu à considérer comme relevant de l'économie politique internationale tout ce qui ne relève pas de la sécurité*

À en croire Strange elle-même[5], ce « boom » de l'économie politique internationale s'explique par les « événements » qui se sont produits entre la fin des années 1960 et la fin des années 1990 : en une trentaine d'années, le monde est passé de l'affrontement bipolaire à l'après-guerre froide, et de l'économie internationale des Trente Glorieuses à l'économie mondiale contemporaine. Au vu de ces mutations, certains internationalistes ont élargi leur objet d'étude jusque-là strictement confiné – pour la plupart d'entre eux – à l'analyse de la seule *High Politics*, et ont commencé à s'intéresser à l'économie politique internationale, définie de façon générale comme l'étude des « interactions de l'économique et du politique dans l'arène mondiale[6] ». Depuis, celle-ci est devenue l'un des secteurs les plus productifs en

---

internationale, des relations transnationales à la gouvernance globale en passant par la coopération internationale. Une telle lecture, proposée par tous les théoriciens américains de l'EPI et donc aussi par B. Cohen, International Political Economy : An Intellectual History, op. cit., *n'emporte pas notre conviction : en élargissant l'économie politique internationale à tous les thèmes abordés dans la revue* International Organization *depuis 1971, en y intégrant toutes les problématiques et même toutes les démarches, jusqu'aux approches constructivistes, les trois auteurs* supra *finissent par diluer la spécificité de l'économie politique internationale, qui reste un secteur parmi d'autres et ne peut à notre avis prétendre embrasser la moitié de la discipline. Nous ne partageons pas davantage le point de vue normatif de S. Strange estimant à l'inverse que les Relations internationales devraient être une sous-discipline de l'économie politique internationale...*

5. *S. Strange, « Political Economy and International Relations », dans K. Booth et S. Smith (eds),* International Relations Theory Today, op. cit., *p. 154-174.*

6. *J. Frieden et D. Lake (eds),* International Political Economy. Perspectives on Global Power and Wealth, *Londres, Routledge, 1995 [3e éd.].*

Relations internationales[7]. Pour preuve, la création de deux nouvelles revues, *Review of International Political Economy*, due à l'initiative de Susan Strange, et *New Political Economy*[8], ainsi que la réorientation éditoriale d'*International Organization* depuis sa prise en main par Keohane et Nye au début des années 1970 : ces revues visent à publier « toute recherche considérant les facteurs économiques internationaux comme des causes ou des conséquences importantes[9] » dans la politique mondiale.

---

7. *Il n'en va pas de même en sciences économiques, en France en tout cas : les économistes spécialistes d'économie internationale continuent dans leur majorité d'ignorer les relations internationales, comme le regrette l'un des leurs, G. Kébabdjian,* Les Théories de l'économie politique internationale, op. cit., *p. 9.*

8. *Même si* New Political Economy *est une revue d'inspiration marxiste, le marxisme reste, en économie politique internationale, une approche minoritaire, malgré l'existence de l'École d'Amsterdam, que l'on peut aborder par le dossier « Transnational Historical Materialism : The Amsterdam International Political Economy Project »,* Journal of International Relations and Development, *7 (1), 2004, p. 110 et suiv. Pour davantage de détails, voir, notamment, S. Gill et D. Law,* The Global Political Economy. Perspectives, Problems and Policies, *Hemel Hampstead, Harvester, 1988 ; S. Gill et J. Mittelmann (eds),* Innovation and Transformation in International Studies, *Cambridge, Cambridge University Press, 1997 ; J. Ravenhill (ed.),* Global Political Economy, *Oxford, Oxford University Press, 2005 ; R. Stubbs et G. Underhill (eds),* Political Economy and the Changing Global Order, *Oxford, Oxford University Press, 2005 [3e éd.] ; R. Palan (ed.),* Global Political Economy, *Londres, Routledge, 2001. Pour un excellent résumé de cette littérature, voir C. Chavagneux,* Économie politique internationale, *Paris, La Découverte, 2004, p. 77 et suiv.*

9. *J. Frieden et L. Martin, « International Political Economy : Global and Domestic Interactions », dans I. Katznelson et H. Milner (eds),* Political Science : The State of the Discipline, *New York (N. Y.), Norton, 2003, p. 118.*

Cela dit, ce n'est pas parce que des internationalistes reconnaissent l'importance de la dynamique des rapports entre « États et marchés [10] » qu'il y a consensus quant à l'objet d'étude concret de l'économie politique internationale. En effet, les divergences l'emportent au-delà des trois points suivants généralement admis par tous les spécialistes : « 1) l'économique et le politique ne peuvent être séparés l'un de l'autre [...] ; 2) L'État est essentiel pour le fonctionnement du marché [...] ; 3) Il existe une relation intime entre la politique intérieure et la politique internationale [11] ». Plus précisément, pour Susan Strange et ce qui, à sa suite, peut être appelé l'approche hétérodoxe ou l'École britannique [12] de l'économie politique internationale, celle-ci a pour objet l'étude de l'économie mondiale, au sens d'espace d'interactions entre la confrontation des souverainetés étatiques d'un côté et la compétition économique à l'échelle de la planète de l'autre ; à l'inverse, les théoriciens américains, ou orthodoxes, autour de Robert Gilpin notamment, demeurent fidèles à une approche stato-centrée de l'économie politique internationale définie comme

---

10. *Titre du livre majeur de S. Strange,* States and Markets, *Londres, F. Pinter, 1994 [2ᵉ éd.], cette expression est également au centre de l'une des définitions que donne de l'économie politique internationale le principal représentant de l'approche américaine de celle-ci, c'est-à-dire R. Gilpin,* The Political Economy of International Relations, *Princeton (N. J.), Princeton University Press, 1987, p. 8 : « L'existence parallèle et l'interaction mutuelle de l'État et du marché dans le monde moderne créent l'économie politique. »*

11. *S. Paquin,* La Nouvelle Économie politique internationale. Théories et enjeux, *Paris, A. Colin, 2008, p. 69.*

12. *Ce deuxième qualificatif a été forgé par C. Murphy et D. Nelson, « International Political Economy : A Tale of Two Heterodoxies »,* British Journal of Political and International Relations, *3 (3), octobre 2001, p. 393-412. Il a été repris par B. Cohen,* International Political Economy : An Intellectual

« concernée par les déterminants politiques des relations économiques internationales[13] ».

À l'origine de l'économie politique internationale se trouve le constat dressé en 1970 par Strange[14] au sujet de « l'ignorance mutuelle » qui caractérise les rapports entre économie internationale et Relations internationales du fait du cloisonnement croissant

---

History, op. cit., *p. 44 et suiv. À l'image du qualificatif « École anglaise » (cf. chap. 5), ce n'est pas la nationalité britannique qui lie entre eux les membres de cette approche, car il y a aussi beaucoup de Canadiens, souvent marxisants, à la suite de R. Cox. Ce qui distingue les chercheurs de cette approche, c'est leur démarche différente de celle privilégiée aux États-Unis, c'est-à-dire davantage multidisciplinaire que micro-économique, interprétative qu'explicative, qualitative que quantitative,* problem-posing *que* problem-solving. *Voir aussi A. Dickins, « The Evolution of International Political Economy »,* International Affairs, *82 (3), mai 2006, p. 479-492, qui voit dans les spécialistes britanniques d'économie politique internationale des membres de l'espèce* querimonia *et dans les spécialistes américains des représentants du genre* ratiosaurus...

13. S. Krasner, « The Accomplishments of International Political Economy », dans S. Smith, K. Booth et M. Zalewski (eds), International Theory. Positivism and Beyond, op. cit., *p. 108-127.*

14. Dans son article « Political Economy and International Relations », art. cité, S. Strange reconnaît que la maternité de l'économie politique internationale ne lui revient pas exclusivement : plus ou moins en même temps, d'autres auteurs revendiquent eux aussi la prise en compte de l'articulation entre relations politiques et économiques internationales, à l'image de C. Kindleberger, Power and Money. The Economics of International Politics and the Politics of International Economics, *New York (N. Y.), Basic Books, 1970, ou de D. Baldwin, « Money and Power »,* Journal of Politics, *33 (3), août 1971, p. 578-614. Rappelons également que plusieurs économistes de la première moitié du XXe siècle n'avaient jamais perdu de vue les dimensions politiques de l'économie internationale : J. M. Keynes, K. Polanyi, A. Hirschmann, J. Viner notamment.*

des sciences sociales en disciplines refermées sur elles-mêmes[15] : pour les politologues, l'espace international se réduit à la dialectique de la guerre et de la paix entre États-nations, et toutes les autres formes d'interaction, et notamment les relations économiques, peuvent *in fine* être ramenées à cette dialectique surdéterminant toutes les autres ; quant aux économistes, leur quête de la compréhension scientifique du fonctionnement des marchés les amène à s'en faire une représentation à ce point désincarnée que la sophistication croissante des modèles utilisés les éloigne plus de la réalité qu'elle ne les en rapproche. La conclusion s'impose à qui veut proposer autre chose que des châteaux de cartes intellectuels qui ne permettent guère d'aborder avec pertinence le monde contemporain : développer des outils conceptuels d'inspiration politologique pour penser l'économie internationale, et *vice versa*.

Cette révolution méthodologique, qui revient à renouer avec l'économie politique telle qu'elle était conçue d'Aristote[16] à Marx en passant par Montchrestien, Smith et Ricardo, c'est-à-dire avant la disciplinarisation des sciences économiques et leur dépolitisation concomitante, est d'autant plus urgente d'après Strange que le système économique international connaît des mutations telles que l'indépendance classique des économies nationales les unes par rapport aux autres est en train de se transformer en interdépendance : plus exactement, « le rythme de développement du système

---

15. *Précisons que cette ignorance concerne les paradigmes dominants des deux disciplines,* id est *le réalisme d'un côté, les classiques et les keynésiens de l'autre. En Relations internationales, l'approche marxiste de l'École de la* dependencia *n'ignorait nullement les interactions entre politique et économie internationale (cf. chap. 7).*

16. *S. Strange rappelle l'origine du terme économie : l'*oikonomia *chez Aristote est l'étude de la conduite de tous les aspects d'un ménage.*

économique international s'est accéléré, s'accélère encore et va probablement continuer à s'accélérer, [...] avec pour conséquence qu'il est en train de dépasser et de croître plus vite que le système politique international, plus statique et plus rigide[17] ». S'interroger sur les conséquences de cette mutation – que l'on n'appelle pas encore mondialisation[18] – sur le système politique international dans son ensemble et les différents États-nations en particulier, voilà l'objet de l'économie politique internationale d'après Strange.

---

17. S. Strange, « International Economics and International Relations. A Case of Mutual Neglect », art. cité. Rappelons qu'un constat comparable avait déjà été établi par les libéraux internationalistes pendant l'entre-deux-guerres, voire à la veille de la première guerre mondiale (cf. chap. 5 et 6), sans parler de Marx et même de Kant (cf. chap. 2).

*18. S. Strange n'utilise pas le terme de « mondialisation », qu'elle estime « le pire » de tous les termes « vagues et fumeux » que sont d'après elle des termes tels que « interdépendance, multinationale, gouvernance globale », et ce parce quelle estime qu'il désigne à peu près tout processus situé quelque part « entre Internet et un hamburger » sinon, au mieux, un « euphémisme poli pour désigner l'américanisation continue des goûts des consommateurs et des pratiques culturelles » (*The Retreat of the State, *Cambridge, Cambridge University Press, 1996, p. XII-XIII). Il n'empêche que son analyse s'inscrit parfaitement dans la perspective globaliste (cf. chap. 2 et 6), comme l'indique d'ailleurs le sous-titre de cet ouvrage,* The Diffusion of World Power in the *World* Economy, *à comparer avec le sous-titre de son ouvrage de 1988,* States and Markets. An Introduction to *International* Political Economy *(c'est nous qui soulignons). Ses disciples ne s'y trompent pas et parlent d'économie politique globale : il en est ainsi de R. Palan (ed.),* Gobal Political Economy, op. cit., *ainsi que des éditeurs de la* Review of International Political Econonmy *qui, dans l'éditorial du premier numéro de la revue née en 1994, justifient la création de cette revue par les « extraordinaires changements sociaux dans tous les champs de l'activité humaine » et qui attribuent ces changements au « processus de mondialisation ».*

L'actualité venant confirmer les intuitions de Strange, voilà qu'un peu plus d'un an plus tard à peine, le président Nixon décide de mettre un terme à la convertibilité-or du dollar, signant ainsi l'arrêt de mort du système monétaire international de Bretton Woods ; voilà aussi qu'en 1973-1974, la guerre du Kippour israélo-arabe est mise à profit par les États membres de l'OPEP pour quadrupler le prix du pétrole, il est vrai avec le soutien certain des *majors* américains. Ces deux événements illustrent parfaitement l'imbrication des deux sphères économique et politique : tout en ayant des dimensions économiques, il s'agit de deux événements dont l'enjeu est tout aussi politique, de même qu'ont des répercussions politiques le rattrapage économique des États-Unis par la Communauté européenne et le Japon, la revendication d'un Nouvel ordre économique international de la part des pays du Groupe des 77, le rôle grandissant des entreprises multinationales, etc.

L'économie politique internationale semble d'autant plus promise à un bel avenir qu'aux États-Unis aussi, l'intérêt grandit pour les rapports qu'entretiennent enjeux politiques et questions économiques : influencés par les travaux de Richard Cooper sur l'interdépendance économique [19] et de Raymond Vernon sur le rôle des entreprises multinationales [20], Robert Keohane et Joseph Nye lancent en effet en 1971 un programme de recherche sur les *Transnational Relations and World Politics* (cf. chap. 6) [21]. *A priori*, leur

19. *R. Cooper,* The Economics of Interdependence. Economic Policy in the Atlantic Community, *New York (N. Y.), MacGrawHill, 1968.*

20. *R. Vernon,* Sovereignty At Bay, *New York (N. Y.), Basic Books, 1971.*

21. *Voir l'historique de l'influence de ce programme de recherche sur l'économie politique américaine dans B. Cohen,* International Political Economy : An Intellectual History, op. cit., *p. 16 et suiv.*

objectif n'est pas fondamentalement différent de celui de Strange : étudier l'impact des relations transnationales et de l'interdépendance économique sur les relations de puissance entre les États. Mais peut-être parce que les décideurs politiques américains sont les premiers intéressés par les évolutions sur la scène économique et politique internationale, soit directement pour ce qui est de la décision du 15 août 1971, soit indirectement pour ce qui est du choc pétrolier, le programme de recherche de l'économie politique internationale américaine sera très rapidement réorienté en fonction des besoins de la demande des autorités de Washington, désireuses d'obtenir des conseils quant à la stratégie à adopter pour faire face à ces processus perçus comme autant de manifestations du déclin de la puissance américaine. Autrement dit, et vu les liens explicites qu'entretiennent aux États-Unis le champ universitaire et le champ politique (cf. chap. 3), l'économie politique internationale américaine n'aura rien à voir avec la conception que s'en était faite Strange : alors que, pour cette dernière, les forces économiques constituent un facteur à part entière codéterminant le système politique international, avec pour conséquence la nécessité d'étudier les effets des évolutions économiques en cours sur le système politique international – Quel est l'impact de la globalisation financière ou de la multinationalisation des entreprises sur la souveraineté des États ? Quelles régulations de la mondialisation peut-on envisager ? –, l'approche américaine verra au contraire dans l'économie politique internationale l'étude des déterminants politiques des relations économiques internationales[22], et elle se fixera pour objectif de chercher les réponses à des questions telles que : « Dans quelle mesure les changements

22. *Particulièrement révélateur de l'impact de cette approche stato-centrée est le titre du principal manuel américain d'économie*

dans la distribution internationale de la puissance affectent-ils le degré d'ouverture du système commercial international ? [...] Dans quelles conditions les liens économiques entre États peuvent-ils être utilisés au titre de levier politique[23] ? »

En la matière, le rôle principal n'a été joué ni par Keohane et Nye avec *Power and Interdependence*, ni par Keohane avec *After Hegemony* (cf. chap. 12), mais par Robert Gilpin, et ce dès sa contribution au colloque de la revue *International Organization* intitulée *The Politics of Transnational Relations*[24], il est vrai sollicitée par Keohane et Nye et écrite de son propre aveu sous l'influence des travaux de Cooper, Strange et Vernon[25].

Réaliste à l'image de Kenneth Waltz (cf. chap. 4), Gilpin est tout autant que ce dernier confronté aux critiques adressées par les behaviouralistes au réalisme classique ; mais alors que Waltz retient surtout la critique méthodologique subie par le réalisme, Gilpin compte, lui, élargir l'objet d'étude du réalisme, en intégrant la dimension économique dans les relations politiques

---

politique internationale, celui de J. Spero, J. Hart et S. Woolcock, The Politics of International Economic Relations *(1977), New York (N. Y.), Wadsworth, 2006 [7e éd.].*

23. S. Krasner, « The Accomplishments of International Political Economy », art. cité.

24. R. Gilpin, « The Politics of Transnational Relations », dans R. Keohane et J. Nye (eds), « Transnational Relations and World Politics », op. cit., *p. 398-419. Pour une vue partiellement contraire, attribuant la paternité première de l'EPI américaine à R. Keohane et J. Nye, voir B. Cohen,* International Political Economy : An Intellectual History, op. cit., *notamment p. 16-17 et 23 et suiv., qui met l'accent sur leur rôle dans l'institutionnalisation des recherches et publications à travers notamment la revue* International Organization.

25. R. Gilpin, « Conversations in International Relations : Interview with Robert Gilpin », International Relations, *19 (3), septembre 2005, p. 361-372.*

internationales. D'où son intérêt pour l'économie politique internationale, définie au niveau d'analyse de l'unité étatique comme l'étude de « l'interaction réciproque et dynamique de la recherche du bien-être et de la puissance[26] » de la part des États, et au niveau d'analyse du système international comme l'étude de « l'existence parallèle et l'interaction mutuelle de l'État et du marché dans le monde moderne[27] ». Mais l'innovation qu'apporte Gilpin par rapport au réalisme ne concerne pas les postulats substantiels avec lesquels aborder les relations internationales élargies à l'économie internationale. Ces postulats restent conformes au stato-centrisme réaliste, comme il le rappelle lui-même dans la préface à *The Political Economy of International Relations*, en racontant l'expérience vécue lors de son séjour en France dans les années 1960 : témoin de la tentative du général de Gaulle de s'opposer à la pénétration des entreprises multinationales américaines dans le Marché

26. *R. Gilpin,* US Power and the Multinational Corporation, *New York (N. Y.), Basic Books, 1975, p. 40.*

27. *R. Gilpin,* The Political Economy of International Relations, op. cit., *p. 8. Dans son dernier livre,* Global Political Economy, op. cit., *p. 17-18, R. Gilpin définit ce qu'il appelle « "l'économie politique globale" comme l'interaction du marché et des acteurs aussi puissants que les États, les firmes multinationales, et les organisations internationales ». Mais tout en affirmant qu'il s'agit là d'une définition plus large que celle adoptée dans* Political Economy of International Relations, *il précise d'emblée que « les deux livres adoptent une approche stato-centrée du sujet » (p. 18), tant pour lui « l'État-nation reste l'acteur dominant dans les affaires économiques à la fois internes et internationales » (p. 4). Exprimé autrement, cet ouvrage, qui se veut plus qu'une seconde édition du livre de 1987, vu les « changements fondamentaux » (p. XI) qui se sont produits entre 1987 et 2001, n'apporte aucune rupture pour ce qui est de la conception gilpinienne de l'économie politique internationale, ce pourquoi nous nous concentrons sur le livre de 1987 dans notre exposé.*

commun, parce qu'il y voyait non pas des acteurs privés non étatiques politiquement neutres mais des agents de l'impérialisme économique américain, Gilpin estime que de Gaulle aurait pu emporter la décision s'il avait obtenu le soutien de l'Allemagne[28]. De cette expérience, il tire un ensemble de conclusions générales – « les entreprises multinationales sont effectivement l'expression de l'expansionnisme américain et ne peuvent être séparées des objectifs plus larges de la politique extérieure américaine ; les liens de sécurité entre les États-Unis et l'Europe occidentale facilitent l'expansion outre-Atlantique des entreprises américaines ; la *pax americana* fournit le cadre politique à l'intérieur duquel ces activités économiques et transnationales ont lieu » – qui sont à l'origine de sa refondation du réalisme en « économie politique internationale néomercantiliste[29] » articulée autour des trois problématiques principales que sont « les causes et effets d'une économie mondiale de marché, les relations entre le changement économique et le changement politique, et la signification de l'économie mondiale pour les économies internes[30] ».

---

28. Après E. Haas et les théories de l'intégration (cf. chap. 11), R. Gilpin est ainsi le deuxième auteur américain dont les analyses ont été influencées par la pratique du général de Gaulle.

29. S. Guzzini, « Robert Gilpin. The Realist Quest for the Dynamics of Power », dans I. Neumann et O. Waever (eds), The Future of International Relations. Masters in the Making ?, *Londres, Routledge, 1997, p. 121-144.*

30. R. Gilpin, Political Economy of International Relations, op. cit., *p. 14. On se concentrera ici sur les deux premiers points de l'économie politique internationale de Gilpin, tant le troisième point n'est véritablement traité que dans son dernier ouvrage,* Global Political Economy, *et ce toujours à travers le postulat de la primauté de l'acteur étatique : « De nombreux commentateurs font à juste titre remarquer que depuis un quart de siècle, l'État-nation a été attaqué de façon croissante de*

Le premier point amène Gilpin à procéder à une relecture du système international contemporain[31]. Contrairement aux autres réalistes qui font remonter le système international contemporain à la guerre de Trente Ans, parce qu'ils ne prennent en compte que la distribution des rapports de force et négligent les conditions économiques de la puissance, Gilpin le fait dater du début du XIXe siècle. En effet, ce qui fait la spécificité de ce système, organisé autour des deux formes sociales prédominantes du marché pour ce qui est des relations économiques et de l'État-nation pour ce qui est des relations politiques, c'est la présence d'une puissance prédominante capable de réguler dans la stabilité « le conflit entre le développement de l'interdépendance économique et technologique du globe et la compartimentalisation continue du système politique mondial composé d'États souverains[32] ». Or, s'il est vrai que l'économie de marché et la naissance d'une classe marchande datent de l'émergence de l'État-nation territorial consacré par les traités de Westphalie, la période qui va de 1648 à la Révolution française est

---

l'intérieur et de l'extérieur [...]. Pourtant, l'État-nation garde son importance suprême bien qu'il n'y ait aucune certitude quant à sa pérennité » (p. 21-22). Voir par ailleurs, au sujet de ce troisième point, sa réponse à la thèse du recul de l'État de Strange, « The Retreat of the State ? », dans T. Lawton, J. Rosenau et A. Verdun (eds), Strange Power. Shaping the Parameters of International Relations and International Political Economy, *Aldershot, Ashgate, 2000, p. 197-213.*

31. *Toujours en EPI, le néomarxiste d'inspiration gramscienne R. Cox,* Production, Power, and World Order, op. cit., *propose lui aussi une relecture du système international contemporain divisé en trois périodes constitutives d'autant de « blocs historiques » : l'émergence de l'économie libérale de 1789 à 1873, la période des impérialismes rivaux de 1873 à 1945, l'ordre libéral transnational depuis 1945.*

32. *R. Gilpin,* Political Economy of International Relations, op. cit., *p. 11.*

une période de politiques économiques mercantilistes de la part de puissances européennes pratiquant entre elles une diplomatie d'équilibre des puissances. Ce n'est qu'après la victoire des Britanniques sur Napoléon et l'instauration de la *pax britannica*, concomitantes de la révolution industrielle et des nouveaux moyens de communication, que les conditions d'une économie politique à la fois authentiquement internationale et véritablement libérale ont été réunies, conditions qui se sont reproduites après 1945, grâce à la prédominance des États-Unis qui ont pris le relais de la Grande-Bretagne, après l'échec du défi allemand, lancé à deux reprises, à la suprématie britannique lors des deux guerres mondiales de 1914-1918 et 1939-1945.

A priori, cette analyse[33] rejoint la théorie de la stabilité hégémonique de Charles Kindleberger, qui avait expliqué la crise économique de 1929 par l'absence de puissance dominante et qui en avait déduit un lien de causalité entre la stabilité d'une économie libérale internationale et la présence d'« un [*a*] stabilisateur, *un* [*one*] stabilisateur » (c'est nous qui soulignons, cf. chap. 12)[34], et il est vrai que Gilpin lui-même reconnaît sa dette envers Kindleberger

---

33. La même analyse est partagée par S. Krasner, « State Power and the Structure of International Trade », World Politics, *28 (3), avril 1976, p. 317-347.*

34. Cette proximité entre Gilpin et Kindleberger explique que de nombreuses présentations de l'économie politique internationale réaliste assimilent celle-ci à la théorie de la stabilité hégémonique de Kindleberger, ce qui les amène à établir une synonymie entre théories de l'économie politique internationale et théories de la coopération et des régimes internationaux. Il nous semble qu'une telle conception de l'économie politique internationale, vers laquelle tend G. Kébabdjian, Les Théories de l'économie politique internationale, op. cit., *aboutit à exclure de son champ tout ce qui ne relève pas du débat réaliste-libéral. Or, jamais Gilpin n'a participé à ce débat.*

et le paraphrase explicitement : « Une économie libérale internationale exige une puissance pour gérer et stabiliser le système[35]. » Reste à préciser que pour Gilpin, le stabilisateur n'est nullement un leader bienveillant qui prend en charge un bien public que le marché ne peut fournir, en l'occurrence la défense du libre-échange et la stabilité des taux de change, mais tout au contraire une puissance hégémonique agissant en fonction de ses propres intérêts : c'est l'intérêt national britannique qui avait exigé la mise sur pied et la protection d'un marché mondial ouvert, élément aussi indispensable à sa suprématie mondiale que l'équilibre que Londres s'efforçait de maintenir entre les puissances rivales sur le continent européen. Et il en va de même pour les États-Unis de nos jours : « Il est légitime de s'interroger sur les motivations que peut avoir un *hegemon* pour créer et maintenir une économie internationale libérale. Alors que Kindleberger tend à penser que l'*hegemon* est motivé par des objectifs économiques cosmopolites, je crois que les États-Unis ont davantage été motivés par un intérêt propre éclairé et par des objectifs de sécurité. Les États-Unis ont assumé les responsabilités du *leadership* parce qu'il était dans leur intérêt économique, politique et même idéologique de procéder ainsi. Si les États-Unis ont accepté de payer les coûts supplémentaires du maintien à court terme du système économique et politique international, c'est pour assurer leurs intérêts à long terme[36]. »

La différence entre Gilpin et Kindleberger est loin d'être secondaire, car elle se répercute sur l'analyse que Gilpin fait des rapports entre changements économiques et changements politiques,

---

35. *R. Gilpin,* US Power and the Multinational Corporation, op. cit., *p. 40.*
36. *R. Gilpin,* Political Economy of International Relations, op. cit., *p. 88.*

deuxième élément clef de sa conception de l'économie politique internationale. D'après Gilpin, la puissance hégémonique, après avoir tiré profit dans un premier temps de son avance économique et de sa supériorité technologique et organisationnelle, finit tôt ou tard par connaître un déclin relatif de son taux de productivité : victime du taux de croissance différentiel au profit d'économies secondaires entrées après elle en phase de décollage économique, elle voit ses industries se délocaliser vers ces économies en pleine ascension. Pour faire face à cette concurrence accrue, le *leadership* bienveillant qu'elle a consenti à exercer dans un premier temps se transforme alors en hégémonie prédatrice, comme c'est le cas des États-Unis à partir de la fin des années 1960 : « Lorsque les États-Unis ont lancé le système des taux de change fixes de Bretton Woods, élaboré le plan Marshall, et pris la tête des négociations du GATT visant à libéraliser le commerce international, ils ont agi dans leur intérêt national éclairé. [...] Durant les deux décennies qui ont suivi la seconde guerre mondiale, ils ont subordonné, essentiellement pour des raisons politiques et de sécurité, leurs intérêts économiques nationaux au bien-être économique de leurs alliés. [...] À la fin des années 1960 cependant, les États-Unis ont commencé à poursuivre des politiques économiques davantage égocentrées. Au cours des années 1980, ils poursuivent des politiques protectionnistes et macro-économiques caractéristiques de ce que John Conybeare a appelé un *hegemon* prédateur[37]. »

Les conséquences d'une telle hégémonie prédatrice sont multiples. Tout d'abord, le retour à des politiques mercantilistes, protectionnistes, de la part de la puissance hégémonique menace la survie du système économique international libéral, vu que ce comportement sape les règles mêmes de fonctionnement de ce système et provoque

37. Ibid., *p. 89-90.*

en rétorsion des comportements comparables de la part des autres économies nationales, désireuses de se protéger contre l'hégémonie prédatrice. Ensuite, les conflits entre économies nationales qui s'ensuivent rendent peu probable la poursuite de la coopération « post-hégémonique » telle que prévue par Keohane en réponse à la thèse de Kindleberger (cf. chap. 12) : en effet, dit Gilpin, « le problème fondamental de la coordination politique et de la gestion plurielle (de l'économie internationale) ne réside pas dans sa désirabilité intrinsèque [comme dans la situation du dilemme du prisonnier] ni dans sa faisabilité technique, mais dans le problème politique de l'absence d'objectifs communs. La coordination politique exige la volonté des gouvernements nationaux de subordonner leur indépendance économique à une entité de prise de décision plus large. L'histoire des sommets économiques depuis 1975 tend à indiquer qu'aucune ou presque des principales puissances économiques n'est prête à adopter une telle attitude[38] ». Gilpin reprend à son compte le débat qui au début du siècle avait opposé les thèses de l'impérialisme de Lénine et de l'ultra-impérialisme de Kautsky : alors que Lénine avait estimé que l'inégal développement entre économies capitalistes ne pouvait déboucher que sur des guerres inter-impérialistes (cf. chap. 7), Kautsky prévoyait au contraire une issue pacifique aux conflits entre économies capitalistes, capables de s'entendre entre elles pour des raisons de rationalité économique et amenées de ce fait à se mettre d'accord pour ensemble exploiter les économies plus faibles. D'après Gilpin, c'est la thèse de Lénine qui est la bonne, non pas à cause des lois de développement du capitalisme et de ses contradictions internes, mais à cause « des ambitions politiques rivales et des intérêts étatiques conflictuels[39] » entre États-nations.

38. Ibid., *p. 369.*
39. Ibid., *p. 381.*

Sans aller jusqu'à annoncer une guerre hégémonique seule susceptible d'accoucher d'un nouvel ordre international à la fois politiquement et économiquement stable du fait de l'ascension d'une nouvelle puissance hégémonique capable et désireuse d'imposer de nouvelles règles du jeu[40], ces rivalités de puissance, jointes aux « chocs culturels entre sociétés caractérisées par des priorités nationales, des valeurs sociales et des structures internes différentes[41] », ouvrent une transition délicate de l'ordre économique international ancien vers « le nouvel ordre émergent » : si on ne peut encore prévoir quelles en « seront les conséquences pour la prospérité globale et la paix mondiale », il est sûr, d'après Gilpin, que les changements en cours feront un « gagnant » et un « perdant[42] ».

Cette conclusion est on ne peut plus conforme au postulat réaliste du jeu à somme nulle que serait le jeu international. Elle n'est pas

---

40. *Telle est la thèse de l'autre ouvrage majeur de R. Gilpin,* War and Change in World Politics, op. cit., *(cf. chap. 4).*

41. *R. Gilpin,* Political Economy of International Relations, op. cit., *p. 377.*

42. *R. Gilpin,* Political Economy of International Relations, op. cit., *p. 408. Dans cet ouvrage, écrit en 1987, Gilpin voit dans le Japon le futur concurrent principal des États-Unis, seuls ou alliés à l'Europe occidentale. Cette prévision ayant été démentie par l'après-guerre froide, il révise ses analyses dans* Global Political Economy, *publié en 2001 : c'est dorénavant l'ensemble de l'Asie extrême-orientale qui apparaît comme le futur pôle principal de l'économie mondiale. Un tel changement de perspective s'explique par l'émergence de la Chine comme nouvelle rivale des États-Unis. Si, chez Gilpin, celle-ci n'occupe qu'une place parmi d'autres au sein d'une entité sud-est-asiatique, elle est en revanche au centre des scénarios d'une autre variante de la théorie réaliste des cycles de puissance, celle de la théorie des transitions de puissance de Kenneth Organski et Jacek Kugler, défendue de nos jours par R. Tammen* et al., Power Transitions. Strategies for the 21st Century, *New York (N. Y.), Chatham House, 2000.*

non plus sans lien avec le point de départ de la réflexion de Strange, selon qui la question centrale de l'économie politique internationale est justement « *Cui bono ?* (Qui reçoit quoi ?)[43] ». L'économie politique internationale, dit Strange, « a pour objets les arrangements sociaux, politiques et économiques affectant les systèmes mondiaux de production, d'échange et de distribution, ainsi que le mélange de valeurs qui s'y reflète. Ces arrangements ne sont pas ordonnés par la divinité, ils ne sont pas le fruit d'un hasard aveugle. Ils sont le résultat de décisions humaines prises dans le cadre d'institutions créées par des hommes et d'ensembles de règles et de pratiques construites par eux[44] » ; surtout intéressée par l'étude des réalités empiriques et de leurs conséquences sur les citoyens trop souvent négligés à son goût par les internationalistes, elle estime qu'il faut aborder cette économie politique internationale à partir des questions suivantes : « Par quels processus politiques et économiques, et grâce à quelles structures politiques et économiques, tel et tel résultat (*outcome*) est-il advenu ? [...] Qui en a bénéficié ? Qui en a souffert ? Qui en a supporté les risques ? Qui a tiré profit des nouvelles opportunités[45] ? » Est-ce à dire que Strange rejoint l'analyse proposée par Gilpin de l'ordre international contemporain ? Oui et non : oui parce qu'elle arrive elle

---

43. *Apparue dans S. Strange, « The Study of Transnational Relations », art. cité, cette expression revient régulièrement dans l'œuvre de Strange, ainsi dans* States and Markets, op. cit., *p. 234. Elle avait déjà été utilisée chez J. Hobson,* Imperialism. A Study, op. cit., *p. 55, dont l'intérêt pour l'étude des relations entre économie et politique datait, comme il le dit lui-même, p. XII, de la guerre des Boers, et elle était aux fondements des réflexions de la science politique américaine de la première moitié du XXe siècle, à la suite de la définition de H. Lasswell :* « Politics is who gets what, when, and how. »

44. *S. Strange,* States and Markets, op. cit., *p. 18.*

45. *S. Strange, « Political Economy and International Relations », art. cité.*

aussi à la conclusion d'une période instable et imprévisible pour l'ordre existant ; non parce que cette conclusion n'implique pas les mêmes perdants et les mêmes gagnants que chez Gilpin, tant elle ne découle nullement de l'hypothèse du déclin des États-Unis.

D'après Susan Strange, longtemps silencieuse après son article-programme de 1970[46], mais comme requinquée par son hostilité viscérale aux théoriciens américains en général[47], et à la théorie des régimes[48]

---

46. *Précisons que, jusqu'au début des années 1980, Strange a certes multiplié les publications, notamment* Sterling and British Policy, *Oxford, Oxford University Press, 1971, ainsi que, avec R. Tooze,* The Politics of International Surplus Capacity, *Londres, Allen and Unwin, 1981, mais ces études relèvent plus de l'analyse économique internationale* stricto sensu *que de l'économie politique internationale : annoncée dès 1970, celle-ci ne se concrétisera qu'à partir de la deuxième moitié des années 1980, et la discipline économique dans laquelle elle a été formée est alors complètement délaissée comme étant de la « science en toc » plutôt que de la science sociale, et même dénigrée : «* Always attack the economists *», avait coutume de dire S. Strange (citations dans B. Cohen,* International Political Economy : An Intellectual History, op. cit., *p. 55).*

47. *Voir son discours d'investiture comme présidente de l'International Studies Association, qui est pourtant, d'abord, l'association des internationalistes américains... : « 1995 Presidential Address : ISA As a Microcosm »,* International Studies Quarterly, *39 (3), septembre1995, p. 289-295.*

48. *S. Strange, «* Cave ! Hic Dragones. *A Critique of Regime Analysis », art. cité (cf. aussi chap. 12). C'est surtout à la théorie néo-institutionaliste libérale des régimes que s'attaque S. Strange, car elle partage avec les réalistes le postulat de la primauté des relations de puissance en matière de création des institutions internationales. Ainsi, dans* The Retreat of the State, op. cit., *p. XIV, elle écrit qu'une « organisation internationale est avant tout un outil des gouvernements nationaux, un instrument de la poursuite de l'intérêt national par d'autres moyens. Cette perception élémentaire des réalistes classiques démodés est obscurcie – probablement de façon inconsciente – par la majorité des nombreux écrits sur les régimes. Trop souvent, un régime est présenté comme étant la simple conséquence*

et à « l'obsession hégémonique[49] » en particulier, l'idée du déclin de la puissance américaine est un simple mythe[50] fondé sur une double erreur[51].

Première erreur : en assimilant la base économique sur laquelle vient s'édifier la puissance d'un État aux ressources industrielles basées sur le territoire national (en l'occurrence américain), les déclinistes de Kindleberger à Gilpin transposent tel quel un postulat qui, valable à l'époque d'Adam Smith et de Friedrich List, non

---

d'un processus d'harmonisation à travers lequel des gouvernements ont coordonné leurs intérêts communs. L'élement "puissance" est sous-évalué ».

49. *S. Strange,* The Retreat of the State, op. cit., *p. 21.*

50. *S. Strange, « The Persistant Myth of Lost Hegemony »,* International Organization, *41 (4), automne 1987, p. 551-574 ; S. Strange, « The Future of American Empire »,* Journal of International Affairs, *42 (1), automne 1988, p. 1-17 ; S. Strange, « Toward a Theory of Transnational Empire », dans J. Rosenau et E.-O. Czempiel (eds),* Global Changes and Theoretical Challenges. Approaches to World Politics for the 1990s, op. cit., *p. 161-176.*

51. *Il n'y a pas que Strange qui critique l'idée d'un déclin américain. Voir, entre autres, B. Russett, « The Mysterious Case of Vanishing Hegemony, Or : Is Mark Twain Really Dead ? »,* International Organization, *printemps 39 (2), 1985, p. 207-231 ; I. Grunberg, « Exploring the Myth of Hegemonic Stability »,* International Organization, *44 (4), automne 1990, p. 431-77 ; D. Lake, « Leadership, Hegemony, and the International Economy. Naked Emperor or Tattered Monarch With Potential ? »,*International Studies Quarterly, *37 (4), décembre 1993, p. 459-498 ; J. Wiener, « Hegemonic Leadership. Naked Emperor or the Worship of False Gods ? »,* European Journal of International Relations, *1 (2), juin 1995, p. 219-243. R. Keohane, en revanche, attendra l'an 2000 avant de donner raison à sa consœur britannique... entre-temps décédée : « Strange pensait qu'un titre du genre* "After Hegemony" *n'était adéquat que pour un livre portant sur un futur lointain, et elle avait raison. J'aurais dû l'écouter plus tôt », concède-t-il dans sa préface à l'ouvrage collectif* Strange Power, op. cit., *p. XII.*

seulement oublie que les services l'emportent en importance sur l'industrie de nos jours, mais aussi ignore que le contrôle des ressources économiques compte davantage que leur localisation : « La localisation de la capacité productive est nettement moins importante que la localisation des gens qui prennent les décisions clefs au sujet de ce qui doit être produit, où et comment, et qui dirigent et gèrent la vente de cette production sur le marché mondial[52]. » Or, d'après Strange, la part du produit brut mondial sous contrôle des entreprises américaines continue de dépasser de loin les parts revenant à leurs concurrents pris individuellement, quelle que soit la localisation territoriale des activités en question. Selon Strange, c'est « l'empire non territorial américain » des investissements directs à l'étranger, des institutions financières, des marchés de dollars, des bases militaires, des pipelines de pétrole, etc., qui constitue la véritable « base économique florissante de la puissance américaine, et non pas les biens et services produits à l'intérieur des États-Unis[53] ». Conséquence : les comparaisons entre le déclin de la *pax britannica* et de la *pax americana* sont hors sujet ; alors que la *pax britannica* reposait sur un empire territorial géré par une petite puissance insulaire, la *pax americana* repose elle sur un empire non territorial géré par une grande puissance continentale. D'ailleurs, ajoute Strange, l'hégémonie américaine est bien davantage comparable à l'hégémonie romaine, dont le secret de la persistance dans le temps avait résidé dans sa capacité à faire participer les élites à la gestion de l'empire[54], ce que parviennent également à faire les États-Unis, dont la bureaucratie impériale s'étend, au-delà de Washington (D. C.), à l'ensemble des organisations

---

52. *S. Strange, « The Future of American Empire », art. cité.*
53. Ibid.
54. *S. Strange s'inspire ici de M. Doyle,* Empires, op. cit.

internationales mises sur pied dans l'après-seconde guerre mondiale, du FMI à l'OCDE en passant par la Banque mondiale et le GATT, aujourd'hui l'OMC.

Deuxième erreur : en attribuant la transition critique en cours du système international au déclin de la puissance américaine lui-même imputé à la diminution des ressources matérielles qui empêche Washington de continuer à imposer sa volonté à ses concurrents, les déclinistes se contentent d'une conception relationnelle de la puissance, alors que c'est dans la dimension structurelle de la puissance que réside le secret de l'hégémonie américaine. D'après Strange, la conception wébérienne de la puissance, définie comme la chance qu'a un acteur de faire prévaloir sa volonté sur un autre acteur y compris contre les résistances de ce dernier, ne permet pas de rendre compte de façon satisfaisante des relations de puissance dans le monde contemporain. Tout aussi importante, sinon plus, est ce qu'elle appelle la « puissance structurelle », définie comme « la capacité de façonner (*to shape*) et de déterminer les structures de l'économie politique globale au sein desquelles les autres États, leurs institutions politiques, leurs entreprises économiques et leurs scientifiques et autres experts doivent opérer[55] ». Ces structures sont au

---

55. S. Strange, States and Markets, op. cit., *p. 24-25. La notion de « puissance structurelle » renvoie à S. Lukes,* Power. A Radical View, *Basingstoke, Macmillan, 1974, qui distingue trois dimensions du pouvoir : la capacité à prendre des décisions au sujet d'une question qui fait l'objet d'un conflit, la capacité à empêcher que ne soit prise une décision au sujet d'une question qui fait l'objet d'un conflit, et la capacité à empêcher que ne surgissent des questions susceptibles de faire l'objet d'un conflit. C'est cette troisième dimension qui se retrouve indirectement dans la notion de « puissance structurelle » de Strange, qui à son tour n'est pas sans affinité avec l'économie politique internationaliste marxiste : ainsi, influencés par Gramsci, auquel Strange renvoie elle aussi, S. Gill et D. Law,* The Global

nombre de quatre[56] : la structure de sécurité, au sein de laquelle la puissance consiste en la capacité à fournir à quelqu'un la protection contre les menaces dont il fait l'objet et en la capacité à infliger une menace à la sécurité de quelqu'un ; la structure financière, relative à la capacité à offrir, refuser, ou demander du crédit ; la structure de production, qui concerne la capacité à déterminer le lieu, le moyen, et le contenu des activités visant à créer la prospérité (*wealth*) ; la structure du savoir, au sein de laquelle la puissance consiste en la capacité à influencer les idées et les croyances socialement légitimes et recherchées par les uns et les autres, et en la capacité à contrôler l'accès aux moyens de stockage et de communication desdites idées et croyances[57]. Or, là encore, lorsqu'on analyse la capacité qu'ont les uns et les autres « de décider comment sont faites les choses, de déterminer les cadres au sein desquels les États ont des relations entre eux, avec les gens et avec les

---

Political Economy, op. cit., *parlent de la formation depuis la puissance hégémonique d'un « bloc historique transnational néolibéral » pour cause de diffusion d'idées représentant l'économie de marché comme seule solution aux problèmes existants et contribuant à façonner les préférences et à contraindre la perception de ce qu'il est possible de faire. Depuis ces publications, d'autres réflexions sur la notion de puissance ont paru en* International Organization, *59 (1), hiver 2005, p. 39-75, qui distinguent quatre types de puissance/pouvoir : coercitif, structurel, institutionnel, productif. Pour une synthèse, voir D. Battistella, « Le concept de puissance », dans P. Pahlavi* et al., Les Études stratégiques au XXIe siècle, *Outremont, Athéna, à paraître.*

56. S. Strange, States and Markets, op. cit., *p. 139 et suiv., ajoute à ces quatre structures principales quatre « structures secondaires », relatives au transport, au commerce, à l'énergie et au bien-être (*welfare*).*

*57. Cette dernière notion de structure des savoirs (*knowledge structure*) influencera deux ans plus tard la notion de* soft power *de J. Nye. Dans son ouvrage,* Le Leadership américain, op. cit.,

entreprises[58] », on constate que les États-Unis restent, de loin, l'acteur dont la puissance structurelle est la plus élevée : pour ce qui est de la structure de sécurité, ils détiennent la force militaire par excellence ; en ce qui concerne la structure de production, ils restent le premier PNB au monde ; dans le domaine de la structure financière, le dollar reste la devise internationale de référence, malgré la fin du système de Bretton Woods ; quant à la structure des savoirs, il suffit de regarder le nombre de prix Nobel et de brevets américains pour se rendre compte de la capacité d'innovation des États-Unis.

Davantage, non seulement les États-Unis ne sont pas en déclin, mais « leur autorité au sein de l'économie mondiale s'est accrue[59] ». Pourquoi ? Parce que la transition économique en cours, loin d'avoir été subie par des États-Unis incapables de maintenir la stabilité du système économique international d'après-seconde guerre mondiale, est tout au contraire le résultat de la gestion de ce système telle que décidée par les élites américaines. Et c'est là que réside le deuxième point de rupture de Strange par rapport aux déclinistes et à Gilpin en particulier. Gilpin souligne à plusieurs reprises que la plupart des troubles économiques des années 1980

---

celui-ci oppose le hard power, *ou puissance de contrainte, de commandement, de coercition, reposant sur les éléments tangibles tels que la force militaire, au* soft power *ou puissance de séduction, de cooptation, définie comme la capacité d'un État à « dresser l'ordre du jour politique d'une manière qui modèlera les préférences exprimées par les autres » (p. 29), à «* structurer *une situation de telle sorte que les autres pays fassent des choix ou définissent des intérêts qui s'accordent avec les siens propres » (p. 173, c'est nous qui soulignons), et reposant sur des « ressources intangibles telles que la culture, l'idéologie, les institutions » (p. 29), sur « l'attrait culturel et idéologique, ou encore les règlements et institutions des divers régimes internationaux » (p. 173).*

58. *S. Strange,* States and Markets, op. cit., *p. 25.*

59. Ibid., *p. 234.*

ont été provoqués par le tournant de la politique américaine de la fin des années 1960 jusqu'aux années Reagan, politique désormais « moins disposée à subordonner ses intérêts à ceux de ses alliés et davantage tentée d'exploiter son statut hégémonique à ses propres intérêts définis de façon égoïste[60] ». Mais il analyse ce tournant comme une conséquence du déclin américain, et en déduit le passage d'un système basé sur le « compromis du libéralisme encadré » cher à John Ruggie[61] à un système caractérisé par « la compétition mercantiliste, le régionalisme économique et le protectionnisme sectoriel[62] ». Tout autre est l'analyse de Strange : non seulement elle affirme que l'abandon du système de Bretton Woods a davantage été voulu que subi par Washington, mais aussi et surtout elle estime que le nouveau système est celui de la mondialisation libérale exacerbée d'une économie dorénavant globale qui profite d'abord aux États-Unis eux-mêmes.

En effet, depuis les années 1980, la dynamique du système politique et économique global est essentiellement marquée par l'affirmation du marché comme mode de régulation dominant. Or, cette mondialisation économique n'est un accident fortuit ni de l'histoire ni du destin : tout au contraire, elle procède d'une interaction entre des changements technico-économiques d'un côté et une volonté politique de l'autre, car l'idée de lever les entraves à la libre circulation des capitaux qui est à l'origine de la globalisation financière est issue de la rencontre typiquement américaine entre la théorie

60. *R. Gilpin,* The Political Economy of International Relations, op. cit., *p. 345.*

61. *J. G. Ruggie, « International Regimes, Transactions and Change. Embedded Liberalism in the Postwar Economic Order », art. cité.*

62. *R. Gilpin,* The Political Economy of International Relations, op. cit., *p. 394 et suiv.*

de la supériorité de la finance de marché sur la finance intermédiée et l'intérêt direct de Washington de pouvoir financer sur le marché mondial le double déficit – commercial et budgétaire – américain.

Non pas que les gouvernants américains aient eu une science stratégique et une maîtrise des processus de changement globaux telles qu'ils aient pu moduler au mieux de leurs intérêts l'évolution à long terme de l'économie politique mondiale. Mais vu leur position de départ, et vu aussi le statut de devise internationale du dollar, ils souffrent moins que les autres économies des conséquences négatives de la déréglementation ; et par ailleurs, eux seuls, du fait de leur puissance structurelle, ont la capacité d'initier dans le cadre des instances multilatérales une réforme allant dans le sens d'une éventuelle re-réglementation, dans le cas où les conséquences négatives de la globalisation financière l'emporteraient sur ses conséquences positives. Surtout, vu que la transformation du système financier est à son tour un puissant stimulant de la mondialisation de la production des biens et services d'abord, et de la production et de la communication des savoirs et de l'information ensuite, deux domaines où les États-Unis sont tout aussi bien placés, sinon mieux, que les autres États, la globalisation est un processus qui dans l'ensemble renforce la domination des États-Unis.

Mais seulement jusqu'à un certain point. Car en effet, écrit Strange, si les États-Unis gardent leur suprématie par rapport aux autres États, ils ont perdu une partie de leur puissance au profit d'acteurs non étatiques. Cette conclusion découle logiquement de sa définition de la puissance. En effet, si les États-Unis sont restés puissants, c'est parce qu'ils disposent de la capacité de façonner les structures au sein desquelles les autres États et acteurs doivent opérer. Or, dans au moins trois de ces structures – finances, production et savoir –, les acteurs primordiaux sont moins les

États-Unis eux-mêmes que les acteurs sociétaux américains. Et c'est à ces acteurs non étatiques que les États-Unis – et *a fortiori* les autres États – ont cédé une partie de leur puissance : « Le gouvernement américain a perdu de la puissance au profit du marché, et il s'est lui-même infligé cette perte. Désireux de rendre le reste du monde sûr et accueillant pour le capitalisme américain, les gouvernements américains successifs ont érodé les barrières aux investissements étrangers et encouragé la mobilité du capital, détruit les accords de Bretton Woods, contourné le GATT par des lois commerciales unilatérales, et dérégulé les marchés financiers et des transports aériens. Toutes ces décisions politiques américaines ont provoqué un changement dans l'économie mondiale, et nombre d'entre elles ont contribué à éroder l'autorité légitime des États sur l'économie[63]. »

Esquissée au début des années 1990, lorsque Susan Strange évoque avec John Stopford l'émergence d'une « diplomatie triangulaire » mettant aux prises États entre eux, États et entreprises multinationales, et multinationales entre elles[64], cette troisième idée clef de l'économie politique globale de Strange constitue l'aboutissement de sa réflexion, couronnée dans son deuxième ouvrage principal, *The Retreat of the State*. Alors que *States and*

---

63. S. Strange, « Wake Up, Krasner! The World Has Changed », Review of International Political Economy, *1 (2), été 1994, p. 209-219. Le titre de cet article est particulièrement révélateur de l'irrévérence de S. Strange envers ceux qu'elle appelle les « barons » américains de l'EPI à qui elle reproche d'être sourds et aveugles et aux faits qui les entourent et à tout ce qui est produit ailleurs que dans les universités américaines.*

64. Voir S. Strange et J. Stopford, Rival States, Rival Firms. Competition for World Market Shares, *Cambridge, Cambridge University Press, 1991 ; ainsi que S. Strange, « States, Firms and Diplomacy »,* International Affairs, *68 (1), janvier 1992, p. 1-15.*

Markets avait encore accordé la primauté à l'État dans la dialectique États-marchés[65], les derniers ouvrages de Strange[66] voient dans les marchés les maîtres des États : « Les forces impersonnelles des marchés mondiaux, qui depuis l'après-seconde guerre mondiale ont été davantage intégrés par les entreprises privées financières, industrielles et commerciales que par la coopération inter-gouvernementale, sont maintenant plus puissantes que les États auxquels est censée appartenir l'autorité politique ultime[67]. »

Mieux, c'est-à-dire pis, les forces impersonnelles ne se résument pas aux seules entreprises multinationales : mafias, mercenaires, terroristes ont eux aussi accaparé une partie de la puissance, ce qui amène Strange à diagnostiquer moins un déplacement de la puissance qu'une « évaporation » au moins partielle de l'autorité, synonyme d'émergence de « zones grises » pour cause d'incapacité grandissante des États à assurer les fonctions qui ont été à l'origine

---

65. *Dans* The Retreat of the State, op. cit., *p. X, Strange regrette d'avoir – plus ou moins inconsciemment – donné la primauté à l'État dans* States and Markets *: «* Markets and Authorities, *dit-elle, aurait été un titre plus pertinent », parce que moins stato-centré.*

66. *S. Strange,* The Retreat of the State, op. cit., *ainsi que* Mad Money, *Manchester, Manchester University Press, 1998.*

67. *S. Strange,* The Retreat of the State, op. cit., *p. 4. Dans la filiation de S. Strange, voire de Cox, des études empiriques ont été menées sur le rôle de certaines autorités privées dans la régulation des marchés notamment financiers, et* ipso facto *dans la gouvernance mondiale : voir notamment C. Cutler, V. Haufler et T. Porter (eds),* Private Authority and International Affairs, *Albany (N. Y.), SUNY Press, 1999 ; C. Cutler,* Private Power and Global Authority : Transnational Merchant Law in the Global Political Economy, *Cambridge, Cambridge University Press, 2003 ; T. Porter,* Globalization and Finance, *Cambridge, Polity Press, 2005 ; T. Sinclair,* The New Masters of Capital : American Bond Rating Agencies and the Politics of Creditworthiness, *Ithaca (N. Y.), Cornell University Press, 2005.*

de leur émergence, à savoir « maintenir la loi et l'ordre, défendre le territoire des envahisseurs, garantir à l'économie une monnaie stable, édicter des règles claires relatives aux échanges entre acheteurs et vendeurs, prêteurs et emprunteurs, propriétaires et locataires[68] ».

Comment alors lutter contre cette perspective du « nouveau Moyen Âge[69] » que serait le tournant du XXIe siècle ? Quelle solution apporter à la déperdition en cours de l'autorité ? La réponse, ou les réponses plus exactement, sont hésitantes, sinon surprenantes[70] : dans les années 1980, Strange appelle de ses vœux le retour de l'empire défaillant que sont les États-Unis, tant elle ne désespère pas de voir une Amérique moins nationaliste exercer une

---

68. *S. Strange,* The Retreat of the State, op. cit., *p. XII.*

69. *S. Strange emprunte les expressions « zones grises » et « nouveau Moyen Âge » à A. Minc,* Le nouveau Moyen Âge, *Paris, Gallimard, 1993, et non pas à H. Bull,* The Anarchical Society, op. cit., *p. 245 et suiv., qui avait lui aussi employé cette expression. A. Minc, qui définit le nouveau Moyen Âge comme « l'absence de système organisé », la disparition de tout centre, l'apparition de solidarités fluides, a également publié un ouvrage intitulé* L'Argent fou, *Paris, Grasset, 1990. Ces emprunts peuvent surprendre : en fait, Strange n'a jamais cherché à devenir universitaire et, bien plus attirée par le métier d'éditorialiste indépendante (cf. S. Strange, « I never Meant to Be an Academic », dans J. Kruzel et J. Rosenau (eds),* Journeys Through World Politics : Autobiographical Reflections of Thirty-Four Academic Travelers, *Lexington (Ky.), Lexington Books, 1989, p. 429-436), ne s'est jamais considérée comme théoricienne, ce qui explique l'éclectisme de ses sources d'inspiration, qu'elle revendique comme la preuve de son indépendance d'esprit. Pour une tentative de théorisation de la notion de nouveau Moyen Âge, voir J. Friedrichs, « The Meaning of New Medievalism »,* European Journal of International Relations, *7 (4), décembre 2001, p. 475-502.*

70. *Il y a d'autres surprises, voire des contradictions, chez Strange. Ainsi, d'un côté elle accuse les États-Unis d'être à l'origine de la fin du système économique et politique international de l'après-guerre ; de l'autre, elle voit dans les périodes de stabilité*

« hégémonie sage sur l'économie de marché mondiale[71] », mais elle envisage aussi une contre-coalition entre le Japon et l'Europe ; dans les années 1990, ces deux perspectives taxées de « naïves » sont abandonnées au profit de l'hypothèse d'une « coalition de forces transnationales soucieuses du bien-être à long terme et de la survie de la société civile globale[72] » et venant compenser les méfaits du *mismanagement* américain.

---

*hégémonique britannique et américaine de simples « accidents de l'histoire, des coïncidences entre des dangers économiques et des réponses politiques qui peuvent ne jamais se reproduire » (Strange, 1996, p. 194). De même, elle affirme d'un côté que tous les États ont cédé une partie de leur autorité aux forces du marché, car en dérégulant les marchés, les gouvernants américains ont fini par provoquer une conséquence qu'ils n'avaient nullement l'intention de provoquer, à savoir « le renforcement de la puissance des marchés par rapport aux gouvernements, y compris à eux-mêmes » (Strange, 1996, p. 29) ; de l'autre, elle fait remarquer que « l'autorité de l'État a décliné ces dernières années, avec pour exception notable les États-Unis » (Strange, 1996, p. XI). Mais la plus fondamentale de ses contradictions, celle qui est susceptible de miner la crédibilité même de son raisonnement, a trait à sa notion de puissance structurelle : à l'en croire, la puissance structurelle des États-Unis est telle qu'ils « ne peuvent pas ne pas dominer autrui. Elle influence les résultats [*outcomes*] du seul fait de son existence » (Strange, 1996, 27). Pourtant, l'existence de la puissance structurelle américaine dans la structure des savoirs a été... impuissante à empêcher Susan Strange de critiquer cette puissance, alors qu'elle y a baigné, vu qu'elle a commencé ses travaux d'économie politique internationale dans un projet de recherche sur les relations transnationales financé au début des années 1970 à Chatham House par l'un des acteurs les plus représentatifs de cette puissance, la Fondation Ford (Strange, 1996, p. X). Dans sa préface à l'ouvrage collectif* Strange Power, op. cit., *p. XIV, R. Keohane souligne l'ambivalence profonde de S. Strange à l'égard des États-Unis.*

71. S. Strange, Casino Capitalism, *Oxford, Blackwell, 1986, p. 171.*

72. S. Strange, « 1995 Presidential Address. ISA As a Microcosm », art. cité. Précisons que dans son dernier ouvrage,

Or, que les contre-forces à l'autorité – qui est en fait une absence d'autorité – américaine soient interétatiques ou transnationales, dans les deux cas il s'agit d'un retour au « vieux concept, si familier aux internationalistes, d'équilibre de puissance », comme Strange le reconnaît elle-même[73] : désespérée de voir les États-Unis assumer leurs responsabilités, elle confie son salut à l'avènement d'une « négarchie » capable « de nier, limiter, ou contraindre l'autorité arbitraire[74] » exercée par l'empire transnational américain. Une telle solution est-elle si différente de celle à laquelle s'accroche Gilpin qui, incrédule envers le rétablissement de la *pax americana*, espère lui aussi une répartition équilibrée des responsabilités entre grandes puissances pratiquant un « mercantilisme bénin[75] » ?

Peu importe car, de toute évidence, l'économie politique internationale de Strange, née du constat d'un changement en cours sur la scène politique et économique internationale, ne voit certes pas le déclin de la puissance américaine à l'origine de ce changement, mais n'en conclut pas moins aux mêmes remèdes que les réalistes pour faire face aux conséquences néfastes de ce changement[76] : l'équilibre

---

Mad Money, op. cit., *p. 191, ce scénario cède à son tour la place au pessimisme : « Nous devons inventer une nouvelle forme de Constitution politique (*polity*), mais nous ne pouvons pas encore imaginer comment elle pourrait fonctionner. »*

73. S. Strange, The Retreat of the State, op. cit., *p. 198.*

74. Telle est la définition que donne de la « négarchie » l'inventeur de ce concept, D. Deudney, « The Philadelphian System. Sovereignty, Arms Control, and Balance of Power in the American States-Union, Circa 1787-1861 », International Organization, *49 (2), printemps 1995, p. 191-228, qui y voit un système intermédiaire entre un système hiérarchique (hégémonie) et un système anarchique (état de guerre).*

75. R. Gilpin, The Political Economy of International Relations, op. cit., *p. 408.*

76. S. Strange, States and Markets, op. cit., *p. 237, reconnaît elle-même que pour ce qui est des « remèdes à apporter au*

faute d'hégémonie, solutions réalistes par excellence. Et il est fort à parier que la « rebelle conservateure[77] » qu'est Susan Strange, si elle avait vécu les attentats du 11 septembre d'abord, la crise financière de 2008 ensuite, y aurait certes vu une confirmation de sa thèse de l'évaporation de l'autorité dans le monde contemporain en général, et du triomphe du « capitalisme de casino[78] » en particulier pour ce qui est du second processus. Mais elle aurait aussi, au vu des conséquences respectives de ces deux événements qu'ont été le retour de l'État-Léviathan de Hobbes, d'un côté, et celui de l'État-régulateur de Keynes, de l'autre, probablement fait sienne la prévision faite – dans un autre contexte – par Robert Gilpin en réponse à sa thèse du recul de l'État : « Un monde politiquement et économiquement moins sûr conduirait à une résurgence de la puissance de l'État[79]. »

---

désordre économique mondial », elle se sent « plus proche » des réalistes que des libéraux.

77. *J. Story, « Setting the Parameters. A Strange World System », dans T. Lawton, J. Rosenau et A. Verdun (eds),* Strange Power, op. cit., *p. 19-37.*

78. *S. Strange,* Casino Capitalism, op. cit.

79. *R. Gilpin, « The Retreat of the State ? », art. cité. L'idée d'un éventuel retour de l'État est également partagée par les marxistes. Ainsi, selon G. Underhill, « Global Money and the Decline of State Power », dans T. Lawton, J. Rosenau et A. Verdun (eds),* Strange Power, op. cit., *p. 115-135, les relations entre État et marché doivent s'analyser moins en termes de retrait de l'un ou de l'autre qu'en termes de « condominium État-marché », au sens de division du travail évolutive dans le temps entre la gestion de l'économie politique globale par l'État et le marché : en quelque sorte, l'État a de nos jours cédé certaines fonctions aux marchés, revenant ce faisant au rôle de facilitateur du marché qui était le sien au XIXe siècle, mais il n'est pas impossible qu'il récupère à l'avenir ces fonctions, si les conditions politiques et économiques exigeaient un tel retour de l'État.*

Bref, en économie politique internationale aussi, le réalisme digère ses contradicteurs[80].

Bibliographie

Pour aborder l'économie politique internationale, on peut commencer par les synthèses de :

CHAVAGNEUX (Christian), *Économie politique internationale*, Paris, La Découverte, 2004, 122 p.

KEBABDJIAN (Gérard), *Les Théories de l'économie politique internationale*, Paris, Seuil, 1999, 308 p.

---

80. *Il n'est pas facile de coller une étiquette paradigmatique sur S. Strange. Ainsi, elle était considérée comme réaliste par M. Griffiths dans la première édition de* Fifty Key Thinkers in International Relations *qui datait de 1999, mais elle a disparu dans la seconde,* op. cit. *À l'inverse, C. Cutler « Theorizing the"No-Man's Land" Between Politics and Economics », dans T. Lawton, J. Rosenau et A. Verdun (eds),* Strange Power, op. cit., *p. 159-174, y voit une représentante de la théorie critique, ce que ne fait cependant pas le principal représentant de celle-ci, R. Cox, « "Take Six Eggs". Theory, Finance and the Real Economy in the Work of Susan Strange », dans R. Cox et T. Sinclair,* Approaches to World Order, *Cambridge, Cambridge University Press, 1996, p. 174-188. Peut-être le bon compromis a-t-il été trouvé par S. Guzzini, « Strange's Oscillating Realism. Opposing the Ideal and the Apparent », dans T. Lawton, J. Rosenau et A. Verdun (eds),* op. cit., *p. 215-228, qui y voit une réaliste à la Carr, à la fois réaliste pour ce qui est de sa reconnaissance de l'existence des rapports de puissance et critique pour ce qui est de sa dénonciation des réalités existantes ; il est vrai par ailleurs que E. Carr,* The Twenty Years' Crisis, op. cit., *p. 106 et suiv., avait déjà, dans sa critique de la séparation à ses yeux artificielle entre sciences économiques et science politique, réclamé un retour à « l'économie politique ».*

PAQUIN (Stéphane), *La Nouvelle Économie politique internationale*, Paris, A. Colin, 2008, 288 p.

Lecture complétée par la consultation des ouvrages reproduisant des textes classiques ou contemporains d'économie politique internationale :

CRANE (George.) et AMAWI (Abla) (eds), *The Theoretical Evolution of International Political Economy*, Oxford, Oxford University Press, 1997 [2e éd.], 348 p.

FRIEDEN (Jeffrey) et LAKE (David) (eds), *International Political Economy. Perspectives on Global Power and Wealth*, Londres, Routledge, 1999 [4e éd.], 512 p.

MURPHY (Craig) et TOOZE (Roger) (eds), *The New International Political Economy*, Boulder (Colo.), Lynne Rienner, 1991, 237 p.

L'acte fondateur de l'économie politique internationale est dû à la franc-tireure britannique :

STRANGE (Susan), « International Economics and International Relations. A Case of Mutual Neglect », *International Affairs*, 46 (2), avril 1970, p. 304-315.

On lui doit l'approche hétérodoxe, ou britannique, ou européenne, de l'économie politique internationale :

STRANGE (Susan), *Casino Capitalism*, Oxford, Blackwell, 1986, 208 p.

STRANGE (Susan), « The Persistant Myth of Lost Hegemony », *International Organization*, 41 (4), automne 1987, p. 551-574.

STRANGE (Susan), « The Future of American Empire », *Journal of International Affairs*, 42 (1), automne 1988, p. 1-17.

STRANGE (Susan), « Toward a Theory of Transnational Empire », dans Ernst-Otto Czempiel et James Rosenau (eds), *Global Changes and Theoretical Challenges. Approaches to World Politics for the 1990s*, Lexington (Ky.), Lexington Books, 1989, p. 161-176.

STRANGE (Susan) et STOPFORD (John), *Rival States, Rival Firms. Competition for World Market Shares*, Cambridge, Cambridge University Press, 1991, 322 p.

STRANGE (Susan), « States, Firms and Diplomacy », *International Affairs*, 68 (1), janvier 1992, p. 1-15.

STRANGE (Susan), « Wake Up, Krasner ! The World *Has* Changed », *Review of International Political Economy*, 1 (2), été 1994, p. 209-219.

STRANGE (Susan), *States and Markets. An Introduction to International Political Economy* (1988), Londres, F. Pinter, 1994 [2e éd.], 266 p.

STRANGE (Susan), « Political Economy and International Relations », dans Ken Booth et Steve Smith (eds), *International Relations Theory Today*, Cambridge, Polity Press, 1995, p. 154-174.

STRANGE (Susan), « The Defective State », *Daedalus*, 124 (2), été 1995, p. 55-74.

STRANGE (Susan), *The Retreat of the State. The Diffusion of Power in the World Economy*, Cambridge, Cambridge University Press, 1996, 218 p.

STRANGE (Susan), *Mad Money*, Manchester, Manchester University Press, 1998, 212 p.

Longtemps marginalisées, les analyses de Susan Strange ont fini par être reconnues :

LAWTON (Thomas), ROSENAU (James) et VERDUN (Amy) (eds), *Strange Power. Shaping the Parameters of International Relations and International Political Economy*, Aldershot, Ashgate, 2000, 476 p.

MAY (Christopher), « Structured Strangely. Susan Strange, Structural Power and International Political Economy », dans Stephen Chan et Jarrod Wiener (eds), *Theorizing in IR. Contemporary Theorists and Their Critics*, Lewiston (Me.), Mellen, 1997, p. 34-60.

TOOZE (Roger) et MAY (Christopher), *Authority and Markets. Susan Strange's Writings on International Political Economy*, Londres, Palgrave, 2002, 296 p.

Mais le dialogue de sourds n'en continue pas moins avec l'approche orthodoxe, ou américaine, de l'économie politique internationale, essentiellement associée à :

GILPIN (Robert), « The Politics of Transnational Economic Relations », dans Robert Keohane et Joseph Nye (eds), « Transnational Relations and World Politics », numéro spécial, *International Organization*, 25 (3), été 1971, p. 398-419.

GILPIN (Robert), *US Power and the Multinational Corporation*, New York (N. Y.), Basic Books, 1975, 292 p.

GILPIN (Robert), *The Political Economy of International Relations*, Princeton (N. J.), Princeton University Press, 1987, 472 p.

GILPIN (Robert), *The Challenge of Global Capitalism*, Princeton (N. J.), Princeton University Press, 2000, 392 p.

GILPIN (Robert), « The Retreat of the State ? », dans Thomas Lawton, James Rosenau et Amy Verdun (eds), *Strange Power. Shaping the Parameters of International Relations and International Political Economy*, Aldershot, Ashgate, 2000, p. 197-213.

GILPIN (Robert), *Global Political Economy. Understanding the International Economic Order*, Princeton (N. J.), Princeton University Press, 2001, 416 p.

Pour des présentations plus larges de l'économie politique internationale américaine, incluant les théories des régimes, voir :

FRIEDEN (Jeffrey) et MARTIN (Lisa), « International Political Economy : Global and Domestic Interactions », dans Ira Katznelson et Helen V. Milner (eds), *Political Science : The State of the Disicpline*, New York (N. Y.), Norton, 2003, p. 118-146.

KRASNER (Stephen), « The Accomplishments of International Political Economy », dans Steve Smith, Ken Booth et Marysia Zalewski (eds), *International Theory. Positivism and Beyond*, Cambridge, Cambridge University Press, 1996, p. 108-127.

SPERO (Joan), HART (Jeffrey) et WOOLCOCK (Stephen), *The Politics of International Economic Relations* (1977), New York (N. Y.), Wadsworth, 2009 [7e éd.], 528 p.

Pour des analyses présentant et expliquant l'espèce de nouveau « *mutual neglect* » entre approches orthodoxes et hétérodoxes au sens large, voir :

DICKINS (Amanda), « The Evolution of International Political Economy », *International Affairs*, 82 (3), mai 2006, p. 479-492.

MURPHY (Craig) et NELSON (Douglas), « International Political Economy : A Tale of Two Heterodoxies », *British Journal of Political and International Relations*, 3 (3), octobre 2001, p. 393-412.

UNDERHILL (Geoffrey), « State, Market, and Global Political Economy : Genealogy of an (Inter ?) Discipline », *International Affairs*, 76 (4), octobre 2000, p. 805-824.

Et surtout l'histoire intellectuelle exhaustive et alerte – mi-hommage, mi-hagiographie avec des touches d'(auto-)biographie – de la sous-discipline proposée par :

COHEN (Benjamin), *International Political Economy : An Intellectual History*, Princeton (N. J.), Princeton University Press, 2008, 224 p.

Résumée dans un premier temps sous forme d'article :

COHEN (Benjamin), « The Transatlantic Divide : Why Are American and British IPE so Different ? », *Review of International Political Economy*, 14 (2), mai 2007, p. 179-217.

Et qui dans la même revue a suscité toutes sortes des réactions :

d'abord britanniques – 15 (1), février 2008, p. 1-34 –, puis américaines dans un numéro spécial intitulé « Not so Quiet on the Western Front : The American School of IPE » – 16 (1), février 2009, p. 1-143.

Chapitre 14 / LA SÉCURITÉ

« Le concept de sécurité est un champ de bataille en soi et pour soi. »
Steve Smith[1]

La notion de sécurité est « un concept essentiellement contestable[2] ». Mieux que quiconque, Barry Buzan souligne le statut particulier de la notion de sécurité en Relations internationales. Un concept essentiellement contestable est en effet une notion qui non seulement fait l'objet d'usages concurrents, mais qui, parce que vague, *open-ended* et ambiguë, ne peut pas ne pas avoir des usages et des interprétations disputables, malgré toutes les précautions de vocabulaire dont peuvent faire preuve ceux qui recourent à un tel concept. En quelque sorte, un concept essentiellement contestable est un concept qui n'existerait pas en tant que concept sans les usages concurrents dont il est l'objet. Or, c'est exactement ce qui se passe avec le terme de sécurité[3]. Celui-ci fait certes l'objet d'une définition quasi consensuelle[4], donnée par Arnold Wolfers dès

---

1. *S. Smith, « The Contested Concept of Security », dans K. Booth (ed.),* Critical Security Studies and World Politics, *Boulder (Colo.), Lynne Rienner, 2005, p. 27-62.*

2. *B. Buzan,* People, States and Fear, op. cit., *p. 7. L'expression « concept essentiellement contesté » est empruntée à W. B. Gallie, « Essentially Contested Concepts » (1956), dans M. Black (ed.),* The Importance of Language, *Englewood Cliffs (N. J.), Prentice Hall, 1962, p. 121-146. Voir également S. Smith, « The Contested Concept of Security », art. cité.*

3. *La notion de sécurité n'est bien sûr pas le seul concept essentiellement contestable ; tous les concepts des Relations internationales (puissance, intérêt national, équilibre des puissances, etc.), tous les concepts de la science politique (démocratie, totalitarisme, liberté, pouvoir, égalité, justice, etc.) et des sciences sociales sont de tels concepts : mais en Relations internationales, aucun autre concept n'a suscité autant de débats.*

4. *De ce consensus font également partie les théoriciens critiques : K. Booth (ed.),* Critical Security Studies and World

1952 : « La sécurité, dans un sens objectif, mesure l'absence de menaces sur les valeurs centrales (*acquired*) ou, dans un sens subjectif, l'absence de peur que ces valeurs centrales ne fassent l'objet d'une attaque[5]. » Mais cette définition, réduite à sa plus simple expression par Buzan qui estime que la sécurité concerne la « poursuite de la liberté de toute menace (*the pursuit of freedom from threat)*[6] », soulève plus de questions qu'elle n'apporte de réponses[7]. Qui est le sujet de la sécurité, c'est-à-dire quelle est l'unité de référence dont il s'agit de protéger les valeurs centrales : l'État-nation, une entité collective autre que l'État, l'humanité, l'individu ? Quelles menaces doivent être absentes, de quelles menaces l'unité de référence doit-elle pouvoir se protéger avec succès si elle veut assurer sa sécurité : menaces militaires et/ou menaces non

---

Politics, op. cit., *p. 1-18, définit la sécurité comme « le fait d'être ou de se sentir libre de menaces et de dangers ».*

5. A. Wolfers, « National Security as an Ambiguous Symbol », dans A. Wolfers, Discord and Collaboration, op. cit., *p. 147-165. La définition proposée de nos jours par C.-P. David.* La Guerre et la paix. Approches contemporaines de la sécurité et de la stratégie, *Paris, Presses de Sciences Po, 2000, p. 31, reste fidèle à la perspective de Wolfers, tout en l'élargissant compte tenu des débats contemporains : la sécurité peut être comprise comme « l'absence de menaces militaires et non militaires qui peuvent remettre en question les valeurs centrales que veut promouvoir ou préserver une personne ou une communauté et qui entraînent un risque d'utilisation de la force ».*

6. B. Buzan, People, States and Fear, op. cit., *p. 18.*

7. En intitulant son article « National Security as an Ambiguous *Symbol » (souligné par nos soins), Wolfers est le premier à souligner la nature ambiguë de la notion de sécurité, dans la perspective exclusivement stato-centrée qui est la sienne : « Il serait exagéré de dire que le symbole de la sécurité nationale n'est rien d'autre qu'une source de confusion sémantique, mais lorsqu'il est utilisé sans aucune spécification, il est à l'origine de davantage de confusion qu'un conseil politique sage ou un usage scientifique sain ne peuvent admettre ».*

militaires, et parmi ces dernières, risques économiques, dégradations environnementales, pertes d'identité, etc. ? Ces menaces existent-elles objectivement ou subjectivement et, dans ce dernier cas, par quel processus politique, par quel discours, une menace devient-elle enjeu de sécurité ? Quelles sont les valeurs centrales qu'il s'agit de mettre à l'abri : la survie étatique, l'indépendance nationale, l'intégrité territoriale, le bien-être économique, l'identité culturelle, les libertés fondamentales, etc. ?

À ces différentes questions, les réponses apportées ont divergé et continuent de diverger. Longtemps prédominantes, les études traditionnelles de sécurité, synonymes d'études stratégiques[8] centrées sur l'État et les menaces militaires, ont progressivement été concurrencées : une conception élargie de la sécurité a d'abord reconnu l'existence de menaces autres que militaires et distingué des unités de référence autres que l'État ; une approche critique de la sécurité a ensuite souligné les processus de construction sociale des enjeux de sécurité et en est venue à mettre en doute la capacité des États à assurer la sécurité définie comme émancipation des individus. Conséquence : le concept de sécurité est devenu « un

---

8. Chez les réalistes, l'osmose entre études de sécurité et études stratégiques s'explique par la conception des études de sécurité, définies comme concernées par « l'étude de la menace, de l'usage, et du contrôle de la force militaire » (S. Walt, « The Renaissance of Security Studies », International Studies Quarterly, *35 (2), juin 1991, p. 211-239), ce qui renvoie directement à la définition des études stratégiques, concernées par l'étude des « effets des instruments de force dans les relations internationales » (B. Buzan,* People, States and Fear, op. cit., *p. 11). En quelque sorte, chez les réalistes, les études stratégiques constituent la dimension* policy relevant *des études de sécurité. Pour une mise en perspective historique des études stratégiques, voir A.-M. D'Aoust, A. MacLeod et D. Grondin, « Les études de sécurité », dans A. MacLeod et D. O'Meara (dir.),* Théories des relations internationales, op. cit., *p. 351-375.*

champ de bataille en soi et pour soi »[9], comme le montre le véritable foisonnement d'expressions telles que dilemme de la sécurité, communauté de sécurité, complexe de sécurité, sécurité nationale, sécurité sociétale, sécurité humaine, sécuritisation, désécuritisation, etc., qui font de la notion de sécurité « le concept prééminent des relations internationales[10] » et des études sécuritaires une véritable « petite industrie[11] ».

Maître-mot, la notion de sécurité l'est d'abord pour les réalistes (cf. chap. 4) : depuis Thomas Hobbes qui fait de « la rivalité, la méfiance, et la fierté » les trois motifs de guerre qui font prendre aux hommes l'offensive pour des raisons de « profit, sécurité, et réputation[12] », tous les réalistes sont d'accord pour voir dans la recherche de la sécurité l'un des « objectifs éternels[13] » de la politique extérieure des États. Mais ce consensus cache mal les divergences qui opposent les différents réalistes quant à la priorité ou non à accorder à la sécurité par rapport aux autres objectifs – puissance, richesse, gloire, etc. D'un côté, Arnold Wolfers estime que « de toute évidence il n'est pas vrai que les nations subordonnent toutes les autres valeurs à la maximisation de leur sécurité », même s'il « ne fait guère de doute que la plupart des nations, la

---

9. *S. Smith, « The Contested Concept of Security », art. cité., p. 57.*

10. *J. Der Derian, « The Value of Security. Hobbes, Marx, Nietzsche and Baudrillard », dans R. Lipschutz (ed.),* On Security, *New York (N. Y.), Columbia University Press, 1995, p. 24-45. Postmoderniste, Der Derian souligne la « charge métaphysique » et la « puissance disciplinaire » du terme « sécurité ».*

11. *D. Baldwin, « The Concept of Security »,* Review of International Studies, *23 (1), janvier 1997, p. 5-26.*

12. *T. Hobbes,* Léviathan, op. cit., *p. 123.*

13. *R. Aron,* Paix et guerre entre nations, op. cit., *p. 83.*

plupart du temps, se sont préoccupées, et ont eu raison de se préoccuper, d'un éventuel manque de sécurité et ont accepté de faire des sacrifices en vue de son renforcement[14] » ; de l'autre, Kenneth Waltz n'hésite pas à affirmer que la sécurité est « l'objectif premier » des États, celui que le système international « encourage » les États à satisfaire parce que « ce n'est qu'à condition que leur survie soit assurée que les États cherchent à satisfaire d'autres buts tels que la tranquillité, le profit, ou la puissance[15] ». Plus que la notion de sécurité en tant que telle, c'est alors le concept de dilemme de la sécurité qui cristallise la conception réaliste de la sécurité[16].

---

14. A. Wolfers, « National Security as an Ambiguous Symbol », art. cité.

15. K. Waltz, Theory of International Politics, op. cit., *p. 126. L'analyse de Waltz n'est en rien une réponse à l'essai de Wolfers : Waltz ignore Wolfers, qui n'est invoqué dans aucun de ses ouvrages. Pour une « redécouverte » de l'essai de Wolfers, voir D. Baldwin, « The Concept of Security », art. cité.*

16. La notion de dilemme de sécurité commence à faire l'objet d'approches d'inspiration constructiviste, soulignant que tout autant que leur sécurité physique, les États cherchent à assurer leur sécurité ontologique, relative à leur identité. Voir J. Mitzen, « Ontological Security in World Politics : State Identity and the Security Dilemma », European Journal of International Relations, *12 (3), juillet 2006, p. 341-370. Dans sa relecture constructiviste de Thucydide, R. Lebow attribue la décision de Sparte de recourir à la guerre contre Athènes à la menace que représentait l'ascension d'Athènes non pas tellement pour sa sécurité physique, mais ontologique, c'est-à-dire pour ses valeurs guerrières et son identité d'*hégémon *et donc pour l'estime de soi, l'honneur et le prestige qui en découlaient pour ses dirigeants aristocratiques. L'expansionnisme athénien est à son tour attribué au déséquilibre psychologique des décideurs athéniens, à leur* hubris *doublée d'un appétit pour le gain, qui se transfère d'abord aux relations entre citoyens d'Athènes, puis aux relations d'Athènes avec ses alliés de la Ligue de Délos et ses adversaires de la Ligue du Péloponnèse. Voir* A Cultural Theory of International Politics, op. cit., *p. 180 et 199.*

À la base du concept de dilemme de la sécurité se trouve le postulat réaliste de l'état d'anarchie, synonyme d'état de guerre (cf. chap. 4) : parce que les relations inter-étatiques se déroulent dans un milieu dépourvu de toute autorité centrale, chaque État se trouve en permanence, ou se perçoit comme étant en permanence, exposé au risque de voir un autre État recourir à la force armée contre lui. Autrement dit, les relations internationales se déroulent à l'ombre de la guerre, et tout État ne peut (et ne doit) compter que sur lui-même pour assurer sa sécurité : c'est le principe de l'auto-préservation, le *self-help* cher à Kenneth Waltz. Chaque État est donc amené à augmenter ses capacités militaires pour parer tout risque d'attaque de la part des autres États. Or, ces préparatifs militaires suscitent dans l'esprit des autres États la crainte qu'ils soient dirigés contre eux, car ils ne peuvent jamais être sûrs que les intentions réelles de l'État qui a décidé les préparatifs militaires sont bien défensives (volonté d'assurer sa survie dans un environnement hostile) et ne cachent nullement des intentions offensives (changer le *statu quo* existant). De cette interaction stratégique naît alors ce que Herbert Butterfield appelle « la peur hobbesienne », et John Herz le « dilemme de la sécurité » : « Partout où existe une société anarchique [...] émerge ce que l'on peut appeler le dilemme de la sécurité. Les groupes ou individus vivant dans une telle configuration doivent être, et généralement sont, soucieux de leur sécurité vu les risques d'être attaqués, assujettis, dominés, voire annihilés par d'autres groupes ou individus. Désireux de se mettre à l'abri de ces risques, ils sont amenés à acquérir de plus en plus de puissance en vue d'échapper à l'impact de la puissance d'autrui. Or, voilà qui rend les autres moins sûrs et les contraint à se préparer au pire. Étant donné que nul ne saurait jamais se sentir complètement en sécurité dans un monde composé d'unités en compétition, la lutte pour la puissance s'ensuit, d'où le cercle vicieux de la sécurité et de la puissance[17]. »

Comment expliquer que les actions entreprises unilatéralement par un État pour assurer sa sécurité tendent, quelles que soient ses intentions, à accroître l'insécurité des autres États ? En d'autres termes, pourquoi « irréductible dilemme[18] » de la sécurité et non

---

17. J. Herz, « Idealist Internationalism and the Security Dilemma », World Politics, *2 (2), janvier 1950, p. 157-180.*

18. H. Butterfield, History and Human Relations, *Londres, Collins, 1951, p. 21. Le terme de dilemme de la sécurité a bien été forgé par J. Herz. Mais la notion de « peur hobbesienne » du Britannique H. Butterfield,* ibid., *p. 21, exprime la même idée : « Dans la situation que j'appelle "la peur hobbesienne" [...], vous pouvez vous-même ressentir vivement la peur terrible que vous avez à l'encontre de l'autre partie, mais vous ne pouvez pas vous faire une idée de la contre-peur de l'autre, ni même comprendre pourquoi il devrait à tel point être nerveux. Parce que vous savez que vous ne lui voulez aucun mal, et que vous ne voulez rien d'autre de lui sinon des garanties pour votre propre sécurité ; et il n'est jamais possible de se rendre compte ou de se rappeler que dans la mesure où lui-même ne peut pas pénétrer vos pensées, il ne peut jamais avoir la certitude que vous avez vous-même de vos propres intentions ». D'après A. Wolfers, « National Security as an Ambiguous Symbol », art. cité, qui reprend à son compte l'analyse de J. Herz, l'idée du dilemme de la sécurité est déjà présente chez J. Bentham notant que « des mesures de simple autodéfense sont naturellement perçues comme des projets d'agression » avec pour résultat que « chacun tente de prendre l'autre de court de peur d'être lui-même devancé ». On peut même se demander si elle n'est pas déjà intuitivement perçue par J.-J. Rousseau notant que « toutes les horreurs de la guerre (naissent) des soins qu'on avait pris pour la prévenir » (J.-J. Rousseau,* Que l'état de guerre naît de l'état social, op. cit., *p. 603), tant H. Butterfield,* History and Human Relations, op. cit., *p. 19-20, reprend presque mot pour mot la même idée dans le contexte de la guerre froide : « La plus grande guerre dans l'histoire pourrait se produire [...] entre deux puissances toutes les deux désespérément soucieuses d'éviter tout conflit de quelque sorte. »*

pas simplement problème de sécurité ? Parce qu'un État B, confronté à un État A augmentant ses capacités militaires, a le choix entre deux attitudes : ou bien il interprète cette décision comme défensive, et il ne répond pas par une augmentation de ses propres capacités militaires ; ou bien il l'interprète comme offensive, et il répond par une augmentation de ses propres capacités.

Quelle que soit son attitude, son insécurité augmente : s'il ne répond par aucune contre-mesure, l'insécurité de l'État B augmente directement, étant donné que les capacités militaires de l'État A augmentent par rapport aux siennes ; s'il répond par une augmentation de ses capacités, l'insécurité de l'État B augmente indirectement, car il n'est jamais sûr que le fait pour lui d'augmenter ses capacités militaires n'incite pas l'État A à continuer à augmenter les siennes. Il est donc bien confronté à un dilemme, et ce d'autant plus que, d'après les réalistes, c'est le deuxième scénario qui se produit dans la réalité, vu que chaque État interprète ses propres mesures comme défensives et celles des autres comme potentiellement menaçantes, quoi qu'ils fassent : « Dans un environnement anarchique, la source du confort de l'un est source de craintes pour l'autre. Ainsi, un État qui accumule les instruments de guerre, même pour sa propre défense, est considéré par les autres comme une menace nécessitant une réponse. Cette réponse confirme alors la raison de s'inquiéter du premier État[19]. » Concrètement : l'État B, voyant l'État A augmenter ses capacités militaires, décide d'augmenter les siennes ; or, par là même, l'État A, voyant l'État B augmenter ses capacités militaires du fait de sa propre augmentation, constate que ses craintes initiales se confirment, et à son tour il

---

19. K. Waltz, « The Origins of War in Neorealist Theory » (1988), dans K. Waltz, Realism and International Politics, op. cit., *p. 56-66.*

augmente ses propres capacités militaires pour tenter de diminuer l'insécurité accrue qu'il ressent. Ce faisant, il provoque une nouvelle réaction de l'État B, et ainsi, de mesures en contre-mesures, et de contre-mesures en contre-contre-mesures, démarre la spirale action-réaction, l'escalade insécurité-puissance-insécurité, entre deux ou plusieurs États tout simplement méfiants et craintifs les uns des autres, et incapables d'interpréter avec certitude les intentions des autres eu égard à ses capacités.

Pas besoin donc, pour qu'existe un dilemme de la sécurité, qu'il y ait volonté délibérée d'un État d'en menacer un autre ; le dilemme de la sécurité naît de la seule structure d'incertitude propre à l'état d'anarchie internationale : un peu comme par inadvertance, le comportement induit par l'incertitude subjective ressentie par un État au sujet du comportement d'autrui finit par créer un état d'insécurité objective entre tous les États. À vrai dire, le « cas particulier d'effet pervers[20] » qu'est le dilemme de la sécurité dépend beaucoup, quant à son impact effectif, de la nature des armes concernées par la course aux armements sur laquelle il débouche concrètement en termes d'action politique. Robert Jervis montre ainsi que la façon dont les « moyens par lesquels un État essaie d'augmenter sa sécurité diminue la sécurité des autres » est fonction de « l'équilibre de l'offensive et la défensive[21] ». Défini comme le rapport entre la facilité avec laquelle un territoire peut être conquis et la facilité avec laquelle il peut être défendu en cas d'attaque, l'équilibre de l'offensive et de la défensive influe sur l'intensité du dilemme de la sécurité. Lorsque

---

20. *P. Vennesson, « Le dilemme de la sécurité. Anciens et nouveaux usages »,* Espaces-Temps, *71-72-73, 1999, p. 47-58.*
21. *R. Jervis, « Cooperation under the Security Dilemma »,* World Politics, *30 (2), janvier 1978, p. 167-214.*

l'avantage est à l'offensive, c'st-à-dire lorsque du fait de l'état de la technologie militaire existante il est plus facile de prendre le territoire de l'autre que de protéger le sien, le sentiment d'insécurité augmente, car un État qui, face à un autre État augmentant ses armements de nature offensive, ne réagit pas, s'expose à un risque accru d'agression ; si, en revanche, il réagit, il prend le risque de relancer la course aux armements, avec l'escalade potentielle qui s'ensuit. À l'inverse, lorsque domine la défensive, c'est-à-dire lorsque du fait de l'état de la technologie militaire existante il est plus facile de protéger son territoire que de prendre celui de son adversaire, le sentiment d'urgence diminue : un État qui, face à un autre État augmentant ses armements de nature défensifs, ne réagit pas, ne s'expose pas pour autant à un risque accru d'agression, étant donné que les armes qu'acquiert son adversaire ne le menacent pas ; si au contraire il réagit, il relance certes la course aux armements, mais comme la nature des armements est plutôt défensive, il s'agit au fond d'une désescalade mutuelle[22]. Cela étant dit, même dans ce dernier cas, l'hypothèse que l'offensive ne retrouve un jour sa primauté ne peut jamais être complètement exclue par les États, vu l'impossibilité de mettre un terme à la course entre l'épée et le bouclier : dans le meilleur des cas, le dilemme de la sécurité est donc non pas neutralisé, mais

22. *Lorsque, dans la définition de l'équilibre de l'offensive et de la défensive, on introduit au-delà des seuls aspects strictement stratégiques (nature technologique des armes et doctrine d'emploi de celles-ci) des aspects plus politiques (alliances, comportement des puissances tierces, etc.), l'équilibre de l'offensive et de la défensive n'est plus très loin de constituer une variante particulière de l'équilibre de la puissance. Voir S. Van Evera,* Causes of War, *Cornell University Press, 1999, ouvrage résumé dans l'article « Offense, Defense, and the Causes of War »,* International Security, *22 (4), printemps 1998, p. 5-43.*

seulement « atténué (*ameliorated*)[23] », grâce aux « régimes de sécurité » venant temporairement stabiliser le *statu quo* existant[24].

Bref, le dilemme de la sécurité marque les relations interétatiques du sceau de la tragédie[25] et ce, d'autant plus que les courses aux armements, par lesquelles se traduit concrètement le dilemme de sécurité ressenti par deux ou plusieurs États, débouchent volontiers sur les guerres qu'il s'agissait précisément d'éviter[26]. Raisonnant en termes de sécurité nationale[27], *id est* de sécurité de l'État-nation, dont les valeurs centrales que sont la survie étatique, l'indépendance nationale, l'intégrité territoriale, sont susceptibles d'être menacées par les autres États recourant à la force armée, les réalistes n'envisagent guère possible qu'une nation puisse être en sécurité, au sens où « elle ne (serait) pas exposée au danger de devoir renoncer à ses valeurs centrales (*core values*) si elle (voulait)

---

23. *N. Wheeler et K. Booth, « The Security Dilemma », dans J. Baylis et N. Rengger (eds),* Dilemmas of World Politics, *Oxford, Oxford University Press, 1992, p. 29-60. Cet écrit a récemment fait l'objet d'un ouvrage :* The Security Dilemma, *Basingstoke, Palgrave-Macmillan, 2007.*

24. *R. Jervis, « Security Regimes », art. cité. Sur la question des régimes de sécurité et de la coopération au sein de ces régimes, cf. chap. 12.*

25. *Voir J. Mearsheimer, qui, dans* The Tragedy of Great Power Politics, op. cit., *p. 35-36, rend le dilemme de la sécurité responsable de ce qu'il appelle la tragédie de la politique internationale. Voir également M. Spirtas, « A House Divided. Tragedy and Evil in Realist Theory »,* Security Studies, *5 (3), printemps 1996, p. 385-423.*

26. *Voir M. Wallace, « Arms Races and Escalation. Some New Evidence »,* Journal of Conflict Resolution, *23 (1), mars 1979, p. 3-16.*

27. *Sur la notion de sécurité nationale, ses origines et ses limites, voir T. Balzacq, « Qu'est-ce que la sécurité nationale ? »,* Revue internationale et stratégique, *52, hiver 2003-2004, p. 33-50.*

éviter la guerre », ou bien au sens où elle serait *ad vitam aeternam* sûre d'être « capable, dans le cas où elle (serait) défiée, de sauvegarder lesdites valeurs fondamentales grâce à une victoire au cours d'une guerre[28] ». C'est une issue à cette impasse que propose la notion de communauté de sécurité forgée par Karl Deutsch dans les années 1950[29] : en faisant découler la sécurité des rapports transnationaux plutôt que des relations interétatiques, la perspective non stato-centrée de la sécurité qu'il adopte constitue la première brèche introduite dans des études sécuritaires jusque-là d'inspiration réaliste[30].

Contrairement à Herz se résignant à voir dans l'affrontement bipolaire de la terreur une « simple manifestation extrême du dilemme (de la sécurité) auquel les sociétés humaines font face

---

28. *Définition de W. Lippmann, par ailleurs vulgarisateur de la notion de « guerre froide ». Citation dans A. Wolfers, « National Security as an Ambiguous Symbol », art. cité.*

29. *L'apparition de la notion de communauté de sécurité en pleine hégémonie réaliste montre que K. Krause et M. Williams (*Critical Security Studies. Concepts and Cases, *Minneapolis (Minn.), Minnesota University Press, 1997, p. VII) ne sont guère fondés d'écrire que le domaine de la sécurité a été « parmi les derniers bastions de l'orthodoxie réaliste ». Mais il est vrai que cette notion était tombée dans l'oubli, avant d'être « redécouverte » dans une perspective constructiviste par E. Adler et M. Barnett,* Security Communities, op. cit., *1998. Parmi les autres analyses d'inspiration constructiviste de la sécurité, que nous n'avons pas la place d'approfondir, voir P. Katzenstein (ed.),* The Culture of National Security. Norms and Identity in World Politics, op. cit.

30. *En soulignant les brèches introduites dans la conception réaliste des études sécuritaires, nous n'affirmons nullement la disparition de cette conception réaliste. Elle se porte très bien au contraire, comme le prouvent la vitalité de la revue* International Security *et la création dans l'immédiat après-guerre froide de la revue* Security Studies, *ainsi que les plaidoyers en faveur de la conception réaliste des études de sécurité par S. Walt, « The*

depuis l'aube de l'histoire[31] », Deutsch déduit du risque de guerre « chaude » que représente la guerre froide la nécessité de « contribuer par ses recherches à éliminer la guerre comme institution sociale[32] ». Dans cette perspective, il part du constat empirique de l'existence, en certains endroits du monde, d'entités politiques au sein desquelles la guerre et l'attente de la guerre ont été éliminées.

Appelées « communautés de sécurité[33] », ces communautés sont définies comme des entités politiques « intégrées[34] », au sens où

Renaissance of Security Studies », art. cité, ou R. Betts, « Should Strategic Studies Survive ? », World Politics, *50 (1), automne 1997, p. 7-33. Quant à la notion de dilemme de la sécurité, elle est appliquée par les ethno-réalistes à l'étude des guerres civiles contemporaines, notamment en ex-Yougoslavie ; voir entre autres B. Posen, « The Security Dilemma and Ethnic Conflict »,* Survival, *35 (1), printemps 1993, p. 27-47, et, pour une critique de cette transposition, P. Roe, « Former Yougoslavia. The Security Dilemma That Never Was ? »,* European Journal of International Relations, *6 (3), septembre 2000, p. 373-393.*

31. J. Herz, Idealist Internationalism and the Security Dilemma, op. cit.

32. K. Deutsch et al., Political Community and the North Atlantic Area, op. cit., *p. 3.*

33. Le terme de communauté de sécurité *a été forgé par R. Van Wagenen dans* Research in the International Organization Field, *Princeton University, Center for Research on World Political Institutions, 1952. R. Van Wagenen a ensuite été l'un des coauteurs de* Political Community and the North Atlantic Area. *Au-delà, l'intuition de la notion de communauté de sécurité apparaît dès les libéraux internationalistes de l'entre-deux-guerres, tels que N. Angell (qui parle de* protective union of the democracies*), L. Woolf (qui parle de* European Confederation*) ou A. Zimmern (qui parle de* global legal community/Weltrechtsgemeinschaft*), sinon chez Kant, avec sa notion de « fédération d'États libres ». Voir à ce sujet A. Osiander, « Rereading Early Twentieth-Century International Relations Theory. Idealism Revisited », art. cité.*

34. Vu son utilisation de la notion d'intégration, K. Deutsch est à juste titre considéré comme l'un des principaux théoriciens

leurs membres ont acquis la conviction que « leurs problèmes sociaux communs peuvent et doivent être résolus par des mécanismes de changement pacifique, par la voie de procédures institutionnalisées, sans recours à la violence physique[35] ».

Deutsch et son équipe distinguent deux formes concrètes de communautés de sécurité, selon qu'il s'agit d'une « communauté de sécurité unifiée (*amalgamated*) » ou d'une « communauté de sécurité pluraliste » : la première est caractérisée par la fusion formelle de deux ou plusieurs entités auparavant indépendantes en une seule unité plus large, avec à sa tête un gouvernement commun ; la seconde est composée de deux ou plusieurs entités indépendantes l'une de l'autre, sans gouvernement commun. D'où quatre types de communautés politiques possibles, selon qu'elles sont intégrées ou non et/ou unifiées ou pluralistes : les communautés de sécurité unifiées (exemple : les États-Unis contemporains, où règne la paix civile) ; les communautés de sécurité pluralistes (exemple : les États-Unis et le Canada, ou la Suède et la Norvège, dont les relations sont en état de paix) ; les non-communautés de sécurité unifiées (exemple : les États-Unis immédiatement avant et pendant la guerre de Sécession, ou bien l'Empire austro-hongrois aux alentours de 1914, ou bien la Yougoslavie au moment où écrit Deutsch[36], où sévit

---

de l'intégration. Il nous semble cependant que la notion d'intégration telle qu'entendue par Deutsch relève moins de la problématique de l'intégration que de celle de la sécurité ; voilà pourquoi nous présentons son analyse dans ce chapitre et non pas dans le chapitre 11 relatif aux théories de l'intégration : celles-ci abordent d'ailleurs l'intégration en tant que processus, et non en tant qu'état, ou condition, comme c'est le cas de Deutsch (cf. chap. 11).

35. K. Deutsch et al., Political Community and the North Atlantic Area, op. cit., *p. 5.*

36. Aux yeux des adeptes de la thèse des communautés de sécurité de Deutsch, les différentes guerres (civiles) qui ont

[le risque d']une guerre civile) ; les non-communautés de sécurité pluralistes (exemple : les États-Unis et l'URSS pendant la guerre froide, qui n'entretiennent pas des attentes réciproques de changement pacifique).

Reste à étudier des facteurs qui, parce que présents, ont facilité l'émergence et le maintien des communautés de sécurité existantes, ou bien qui, parce que faisant défaut ou parce que disparaissant, ont soit empêché cette émergence, soit provoqué la désintégration de communautés de sécurité ayant existé pendant un certain laps de temps. En se concentrant sur l'aire géographique de l'Atlantique nord[37], Deutsch constate que « les communautés de sécurité pluralistes sont quelque peu plus faciles à obtenir et à préserver que les communautés de sécurité unifiées[38] » : pour qu'émerge et se maintienne une communauté de sécurité pluraliste, c'est-à-dire pour que

---

déchiré les entités (ex-)yougoslaves et post-soviétiques pendant les années 1990 constituent a posteriori *une corroboration de cette thèse.*

37. Rappelons que cette aire de l'Atlantique Nord n'a rien à voir avec l'Alliance atlantique, même si le concept de communauté de sécurité est susceptible d'être – et a été – appliqué à l'Organisation du traité de l'Atlantique Nord. Les études de cas de Deutsch et al. *portent en effet sur l'unification des colonies britanniques d'Amérique du Nord en États-Unis, la rupture de cette union au moment de la guerre de Sécession et la réintégration qui s'en est suivie ; l'union graduelle de l'Angleterre et de l'Écosse, la rupture de l'union entre l'Irlande et le Royaume-Uni, la lutte pour l'unité allemande du Moyen Âge jusqu'à Bismarck, le processus d'unification italienne, la préservation et la dissolution de l'empire des Habsbourg, l'union entre la Norvège et la Suède et leur séparation un siècle plus tard, l'intégration graduelle de la Suisse. L'échantillon étudié n'a donc rien à voir avec l'Alliance atlantique ni d'un point de vue spatial ni temporel.*

38. K. Deutsch, Political Community and the North Atlantic Area, op. cit., *p. 29.*

les relations entre deux ou plusieurs États indépendants se caractérisent par l'absence de tout(e attente de) recours à la violence armée en vue de la résolution de leurs conflits d'intérêts, il suffit que soient remplies trois conditions, à savoir la compatibilité entre les valeurs fondamentales des élites politiques des unités concernées, le sentiment de sympathie mutuelle, de *we-feeling*, de confiance partagée, entre les peuples en question, et la possibilité de prédire le comportement de l'autre et de se comporter soi-même en fonction de cette prédiction.

Un tel constat donne une idée du défi que la notion de communauté de sécurité adresse à la notion de dilemme de la sécurité. Pour les réalistes, seule une entité politique unifiée – le Léviathan – est susceptible d'assurer la sécurité de ses membres ; au niveau de l'anarchie internationale, l'omniprésence du dilemme de la sécurité autorise tout au plus une atténuation de l'insécurité nationale lorsque, de façon précaire, la course aux armements parvient à un équilibre entre l'offensive et la défensive favorable à la défensive (ou à un équilibre des puissances, cf. chap. 4) forcément éphémères. Chez Deutsch, en revanche, non seulement l'unification politique n'est pas en soi garante de sécurité mais, surtout, la sécurité, définie de façon positive comme attente de changement pacifique, est tout à fait envisageable entre deux ou plusieurs États-nations souverains, c'est-à-dire en état d'anarchie. Non pas grâce à un hypothétique équilibre au niveau des rapports interétatiques, mais grâce à un processus d'apprentissage social s'effectuant au niveau des peuples et de leurs flux de communication de toute nature, des transactions commerciales aux échanges de courrier en passant par le tourisme, les migrations, et les échanges culturels : en communiquant les besoins et les intentions d'une société nationale à une autre, ces interactions trans-sociétales renforcent le sens d'identité collective, faisant ainsi émerger un sentiment de communauté, synonyme de valeurs partagées et de loyauté réciproque, de sympathie et de confiance mutuelle, et rendant *in fine* caduc le dilemme de la sécurité provoqué par l'incertitude subjective quant aux intentions d'autrui.

L'apport de Deutsch aux études de sécurité est double[39] : en refusant la séparation étanche entre ordre politique interne et sphère politique internationale et en faisant découler l'existence de communautés de sécurité de la fréquence, de l'intensité, et de la rapidité des communications transnationales, il abandonne le stato-centrisme inhérent à la conception réaliste des études sécuritaires ; en affirmant l'existence possible de communautés de sécurité pluralistes géographiquement délimitées au sein d'un système international à la structure anarchique d'ensemble, il introduit une dimension régionale inédite dans les études de sécurité. On retrouve ces deux perspectives dans la conception élargie de la sécurité, associée à partir des années 1980 à l'École de Copenhague autour de Barry Buzan[40].

Buzan postule lui aussi que l'anarchie internationale confronte tout État au dilemme de la sécurité. Il estime cependant que les réalistes ont tort d'appréhender les problèmes de sécurité d'un État

---

39. Pour l'héritage d'ensemble légué par Deutsch aux Relations internationales, voir D. Battistella, « L'apport de Karl Deutsch à la théorie des relations internationales », Revue internationale de politique comparée, *10 (4), décembre 2003, p. 567-585.*

40. Deux précisions pour éviter tout malentendu : tout d'abord, B. Buzan a pris dans les années 2000 la tête de l'École anglaise (cf. chap. 5), après avoir jusque-là fait partie de l'École de Copenhague. Ensuite, il n'existe aucune filiation entre l'École de Copenhague et K. Deutsch : si Buzan retrouve les dimensions régionales et non étatiques de la sécurité comme Deutsch, c'est à partir d'une perspective néoréaliste modifiée, qualifiée par lui-même de réaliste structuraliste.

au niveau de l'analyse systémique : autant cette approche est valable pour les superpuissances dont la sécurité est effectivement en jeu au niveau du système international dans son ensemble, autant elle se révèle inadaptée à l'étude des problèmes de sécurité des autres États[41]. En effet, le réseau global d'interdépendance dans laquelle est ancrée leur sécurité est, de façon significative, médiatisé par les effets de la géographie : toutes choses égales par ailleurs, c'est dans ses voisins, avec lesquels il partage une histoire, qu'un État voit d'abord une menace – ou non – pour sa sécurité[42]. Désireux de proposer un outil analytique soulignant cette dimension régionale de la sécurité[43], Buzan forge alors dans *People, States and Fear* la notion de complexe de sécurité, modèle d'anarchie miniature défini comme « un groupe d'États dont les soucis primordiaux de sécurité sont si étroitement liés que la sécurité

---

41. L'opposition érigée entre la situation sécuritaire des superpuissances et des autres États s'explique par le fait que la première édition de People, States and Fear, op. cit., *date du contexte de la guerre froide (1983).*

42. Le rôle médiateur de la distance géographique sur la « peur hobbesienne » est déjà reconnu par T. Hobbes. Dans le Léviathan, op. cit., *p. 126, Hobbes écrit qu'« à tous moments, les rois ou les personnes qui détiennent l'autorité souveraine sont à cause de leur indépendance dans une continuelle suspicion, et dans la situation et la posture des gladiateurs, leurs armes pointées, les yeux de chacun fixés sur l'autre », mais il précise immédiatement : « Je veux parler ici des forts, des garnisons, des canons qu'ils ont aux* frontières *de leurs royaumes, et des espions qu'ils entretiennent chez* leurs voisins, *toutes choses qui constituent une attitude de guerre ». Même précision p. 227 : « Elles (les républiques) vivent dans un état de guerre perpétuelle, dans une continuelle veillée d'armes, leurs frontières fortifiées, leurs canons braqués sur tous* les pays qui les entourent *» (souligné par nos soins).*

43. Il existe d'autres tentatives de prise en compte des dimensions sécuritaires spécifiques selon les États auxquels on a affaire, notamment en ce qui concerne les États du Sud ; ainsi,

d'aucun d'entre eux ne saurait être séparée de celle des autres[44] ». Voyant dans « le degré élevé de menace/crainte que ressentent mutuellement deux ou plusieurs États[45] » le principal facteur définissant un complexe de sécurité, il applique ce concept aux régions d'Amérique du Sud, d'Afrique australe, du Moyen-Orient (du Sahara occidental jusqu'à l'Iran inclus), du sous-continent indien, et d'Asie du Sud-Est[46]. Or, ces régions sont caractérisées par un degré de conflictualité armée élevée, effective ou potentielle, ce qui revient à dire que Buzan renverse la perspective deutschienne : alors que ce dernier avait souligné l'émergence d'îlots de sécurité régionale dans un océan non intégré, Buzan au contraire souligne la persistance de résidus régionaux d'« anarchie immature » malgré l'évolution du système international vers « l'anarchie mature[47] ».

S'inscrivant dans la filiation de l'École anglaise – dont il prendra d'ailleurs la tête après avoir quitté l'École de Copenhague – et de la notion de société internationale (cf. chap. 5), anticipant dans une certaine mesure la notion d'anarchie lockienne d'Alexander Wendt (cf. chap. 9), Buzan affirme en effet que le système international contemporain est dans son ensemble plus proche de l'anarchie

---

selon, M. Ayoob, The Third World Security Predicament. State Making, Regional Conflict and the International System, *Boulder (Colo.), Lynne Rienner, 1994, la recherche de sécurité par les grandes puissances est à l'origine de l'insécurité des États du Tiers Monde.*

44. *B. Buzan,* People, States and Fear, op. cit., *p. 190.*

45. Ibid., *p. 193-194.*

46. *Dans un ouvrage plus récent, coécrit avec J. de Wilde et O. Waever,* Security. A New Framework for Analysis, *Boulder (Colo.), Lynne Rienner, 1998, d'autres complexes (régionaux) de sécurité s'ajoutent : les Balkans, le Caucase, l'Afrique de l'Ouest notamment.*

47. *Rendons justice à Buzan : il reconnaît bien entendu l'existence de complexes régionaux de sécurité pacifiés.*

mature, avec des « États bénéficiant d'une grande sécurité grâce à la fois à leur force interne et à celle des normes institutionnalisées régulant leurs relations mutuelles », que de l'anarchie immature, au sein de laquelle « les relations entre États prennent la forme d'une lutte permanente pour la domination[48] ». Mais ce n'est pas parce qu'au niveau des rapports de force militaires, le dilemme de la sécurité est – dans l'ensemble – atténué qu'il n'existe pas d'autres problèmes de sécurité. Tout au contraire, la maturation de l'anarchie permet de mieux se rendre compte que la sécurité militaire, qui concerne la survie des États pris dans l'interaction de leurs capacités offensives et défensives et des perceptions de leurs intentions respectives, n'est qu'une dimension parmi d'autres de la sécurité, à côté de :

1) la sécurité politique, qui concerne la stabilité institutionnelle des États, leurs systèmes de gouvernement et la légitimité de leurs idéologies ;

2) la sécurité économique, relative à l'accès aux ressources, marchés et finances nécessaires pour maintenir de façon durable des niveaux acceptables de bien-être et de pouvoir étatique ;

3) la sécurité environnementale, portant sur la sauvegarde de la biosphère locale et planétaire comme support en dernier ressort de toute activité humaine ;

4) la sécurité sociétale, définie comme « la permanence (*sustainability*), à l'intérieur de conditions acceptables d'évolution, des schémas traditionnels de langage et de culture ainsi que de l'identité et des pratiques nationales et religieuses[49] ».

---

48. *B. Buzan,* People, States and Fear, op. cit., *p. 177 et 175.*

49. Ibid., *p. 19.*

Le deuxième apport de l'École de Copenhague aux études sécuritaires réside précisément dans cette sectorialisation de la sécurité, dans cette conception de la sécurité élargie à des dimensions autres que militaires. C'est surtout la notion de sécurité sociétale qui constitue une rupture, en ce qu'elle procède à un changement de référent de la sécurité. En effet, les dimensions politiques et économiques de la sécurité gardent comme référent ultime l'État et avaient, à ce titre, été intégrées dans les tentatives d'inspiration réaliste d'élargissement de la notion de sécurité entreprises entre autres par Richard Ullmann et Jessica Matthews[50], conscients que tout au long de la guerre froide, la dimension politique avait été omniprésente dans les débats sur la sécurité nationale aux États-Unis, et pas seulement au moment du maccarthysme, alors que l'interdépendance économique et la dépendance pétrolière avaient été mises en relation avec la sécurité nationale au plus tard au début des années 1970. La sécurité environnementale est potentiellement différente, vu que la nécessaire dimension globale de toute question écologique va à l'encontre d'une appropriation stato-nationale : mais la question de la sécurité environnementale a volontiers été intégrée dans des approches traditionnelles, notamment dans les études de Thomas Homer-Dixon sur les conflits de rareté (*scarcity conflicts*), définis comme des conflits provoqués par l'impact néfaste de la dégradation de l'environnement (raréfaction des ressources en eau notamment) sur les rapports entre groupes sociaux au niveau aussi bien inter-étatique qu'infra-étatique[51].

---

*50. R. Ullmann, « Redefining Security »,*International Security, *8 (1), été 1983, p. 129-153 ; J. Matthews, « Redefining Security »,* Foreign Affairs, *68 (2), printemps 1989, p. 163-177.*

51. T. Homer-Dixon, Ecoviolence. Links Among Environment, Population and Security, *Lanham (Md.), Rowman and*

Il n'en va pas de même pour la notion de sécurité sociétale. Définissant les sociétés dans une perspective durkheimienne[52] comme des entités formées par des ensembles d'individus qui, sur la base de croyances et de sentiments communs d'ordre national et/ou religieux, se sentent liés entre eux par une forme de conscience collective distincte de – et supérieure à – la somme des consciences individuelles, l'École de Copenhague[53] affirme que la mondialisation contemporaine affecte moins les États, qui voient leurs fonctions changer sans que leur souveraineté ne soit mise en cause, que les sociétés, dont l'identité est menacée par tout un ensemble de processus allant des flux migratoires à l'importation massive de biens culturels étrangers en passant par la prise de contrôle de richesses nationales par des intérêts extérieurs et l'intégration dans des entités plus vastes[54]. Exprimé

Littlefield, 1999. Voir également M. Brown et al. *(eds),* Global Dangers. Changing Dimensions of International Security, *Cambridge (Mass.), MIT Press 1995.*

52. *E. Durkheim,* De la division du travail social *(1893), Paris, PUF, 1978 [10e éd.].*

53. *Introduite par B. Buzan dans* People, States, and Fear, op. cit., *la notion de sécurité sociétale sera surtout développée au sein de l'École de Copenhague par O. Waever, qui rompt définitivement avec le stato-centrisme encore prévalent chez Buzan au début des années 1990. En quelque sorte, Buzan constitue l'élément de liaison entre les études traditionnelles et les études critiques de sécurité : son réalisme modifié le rend crédible aux yeux des premières ; sa conception élargie de la sécurité prépare le terrain aux secondes. Pour des critiques de l'École de Copenhague, voir B. McSweeney, « Identity and Security. Buzan and the Copenhagen School »,* Review of International Studies, *22 (1), janvier 1996, p. 81-93, ainsi que J. Huysmans, « Revisiting Copenhagen »,* European Journal of International Relations, *4 (4), décembre 1998, p. 479-505.*

54. *Ce n'est pas un hasard si la notion de sécurité sociétale provient de l'École de Copenhague, capitale du Danemark, dont les citoyens, craignant une perte d'identité culturelle, ont*

autrement, la notion de sécurité sociétale, synonyme de survie identitaire, renvoie au « nous » qui se reproduit en se distinguant des « autres » : tout ce qui constitue une menace existentielle à la survie de ce « nous », qu'il s'agisse d'une nation, d'une ethnie, d'une communauté religieuse, est potentiellement une question sécuritaire. Potentiellement, car les menaces à la sécurité sociétale sont plus subjectives qu'objectives, dit Waever, se rappelant la dimension subjective de la sécurité soulignée dès Wolfers, mais oubliée depuis, y compris par Buzan : « Dans le système international contemporain, la sécurité sociétale concerne la capacité d'une société à maintenir son caractère essentiel en présence de conditions changeantes et de menaces réelles ou potentielles. Plus exactement, elle renvoie à la durabilité (*sustainability*), à l'intérieur de conditions acceptables d'évolution, des schémas traditionnels de langage, de culture et d'association, ainsi que de l'identité et des pratiques nationales et religieuses. Avec une telle définition, il est très difficile de définir objectivement quand il y a ou non une menace pour la sécurité sociétale. La meilleure façon d'y parvenir consiste à étudier le processus par l'intermédiaire duquel un groupe vient à percevoir son identité comme étant menacée, lorsque sur cette base il commence à agir d'un mode sécuritaire, et quels comportements s'ensuivent[55]. »

---

majoritairement refusé l'Union européenne de Maastricht dans un premier temps : O. Waever utilise à maintes reprises cet exemple dans « Securitization and Desecuritization », dans R. Lipschutz (ed.), On Security, *op. cit., p. 46-86.*

55. O. Waever, « Societal Security. The Concept », dans O. Waever, B. Buzan, M. Kelstrup et P. Lemaître, Identity, Migration and the New Security Agenda in Europe, *Londres, F. Pinter, 1993, p. 17-40.*

Ce processus, c'est le processus de « sécuritisation (*securitization*)[56] ». Se référant à la notion austinienne de *speech act*[57], Waever estime qu'une question sociale devient enjeu de sécurité par la pratique discursive d'agents sociaux qui, grâce à la force performative du langage, parviennent à sécuritiser un enjeu social en le présentant comme relevant, explicitement ou implicitement, de la sécurité, et obtenant de ce fait un traitement hors du commun par rapport aux enjeux sociétaux n'ayant pas fait l'objet d'un processus de sécuritisation et continuant de relever d'un traitement politique routinier : ainsi, les flux migratoires relèvent d'un enjeu sécuritaire depuis qu'ils ont été sécuritisés au cours des années 1980 (les immigrés comme menace pour l'identité nationale, définie culturellement), alors qu'ils avaient relevé d'un traitement économique tout au long des années précédentes (les immigrés comme force de travail invitée).

Reste que si « hormis les chars d'assaut traversant la frontière, il n'y a que très peu de menaces objectives[58] », si « une chose quelconque devient un problème de sécurité lorsque les élites la considèrent comme telle », si le fait de dénommer un problème enjeu de sécurité a des effets de réalité en ce qu'il permet aux élites politiques de « recourir à tous les moyens nécessaires pour prendre en charge le problème en question », alors il n'est pas impossible que « ceux qui administrent l'ordre [présenté comme étant menacé] utilisent un problème de sécurité à des fins spécifiques et personnelles[59] ». Présente chez Waever et, à travers lui, dans l'ensemble

---

56. *O. Waever, « Securitization and Desecuritization », art. cité.*

57. *J. Austin,* Quand dire, c'est faire *(1962), Paris, Seuil, 1970.*

58. *B. Buzan, O. Waever et J. de Wilde,* Security. A Framework for Analysis, op. cit., *p. 57.*

59. *O. Waever, « Securitization and Desecuritization », art. cité.*

de l'École de Copenhague[60], cette dimension instrumentale de la sécurité[61] comme acte de langage[62] est également à la base des études critiques de sécurité (*Critical Security Studies*), qui constituent la troisième grande approche de la notion de sécurité[63].

---

60. *En effet, l'approche de la sécurité comme acte de langage sera intégrée dans le dernier ouvrage coécrit par B. Buzan avec O. Waever et J. de Wilde,* Security. A Framework for Analysis, op. cit. ; *il s'ensuit entre autres une redéfinition du concept de complexe de sécurité, désormais défini comme « un ensemble d'unités dont les processus primordiaux de sécuritisation et/ou de désécuritisation sont si étroitement liés que leurs problèmes de sécurité ne sauraient être analysés ou résolus les uns sans les autres » (p. 201).*

61. *A. Wolfers, « National Security as an Ambiguous Symbol », art. cité, n'était pas dupe de cette dimension instrumentale, en voyant dans la sécurité un « symbole ambigu », en notant que des « termes tels que "intérêt national" et "sécurité nationale" [...] permettent à quiconque de donner à n'importe quelle politique un label attractif sinon trompeur », en soulignant le rôle de ceux qui « en appellent à une politique exclusivement orientée par les exigences de la sécurité nationale ». Mais, à l'image de la réception de Carr, seul le réalisme a été retenu des écrits de Wolfers.*

62. *O. Waever, « Securitization and Desecuritization », art. cité, aboutit* in fine *à la définition suivante de la sécurité : « Avec l'aide de la théorie du langage, nous pouvons considérer la sécurité comme un* speech act. *Dans cet usage, la sécurité n'est pas intéressante en tant que signe qui se réfère à quelque chose de plus réel ; la prononciation elle-même est l'acte. En disant quelque chose, ceci est fait (comme dans un pari, dans une promesse...). En prononçant "sécurité", un représentant politique procède au transfert d'un processus particulier dans une aire spécifique, et par là même exige un droit spécial de faire usage de tous les moyens nécessaires pour en neutraliser les effets. »*

63. *Nous utilisons ici le terme d'études critiques de sécurité au sens strict de la théorie critique des relations internationales, et non au sens large de l'ensemble des approches post-positi vistes radicales (cf. chap. 8) : on parle aussi de* Welsh School, *vu sa localisation à Aberystwyth. Pour une tentative de synthèse entre École de Copenhague et École galloise, voir R. Floyd,*

Pour les sécuritaires critiques aussi, la sécurité est non pas une réalité objective, mais une construction sociale, un « concept dérivé », c'est-à-dire enchâssé dans une *Weltanschauung* politique, sociale, bref méta-théorique, sous-jacente : « La sécurité est ce que nous en faisons. C'est un épiphénomène créé intersubjectivement », dit ainsi Ken Booth, qui se définit comme « un réaliste déchu[64]. » À l'image des sécuritaires élargis, ils refusent de faire leurs les postulats des études traditionnelles de sécurité que sont la stratégie, la stabilité et le stato-centrisme, et en déduisent la nécessité d'élargir le concept de sécurité, d'un côté parce que les courses aux armements engagées sur fond de dilemme de la sécurité n'ont fait que « produire des niveaux plus élevés de capacités destructrices sans pour autant augmenter la sécurité tout en constituant un fardeau de plus en plus lourd pour les économies », et de l'autre parce que « les menaces quotidiennes qui pèsent sur la vie et le bien-être de la plupart des peuples et des nations [...] ne proviennent guère des forces armées des États voisins, mais de la récession économique, de l'oppression politique, de la rareté des ressources, de la rivalité ethnique, de la destruction de la nature, du terrorisme, du crime et des

---

« Towards a Consequentialist Evaluation of Security : Bringing Together the Copenhagen and the Welsh Schools of Security Studies », Review of International Studies, *33 (2), avril 2007, p. 37-50. Sur l'approche post-moderniste de la sécurité, voir, entre autres, M. Dillon,* Politics of Security, *Londres, Routledge, 1996 ; J. Huysmans, « Security ! What Do You Mean ? »,* European Journal of International Relations, *4 (2), juin 1998, p. 226-255 ; L. Hansen,* Security as Practice : Discourse Analysis and the Bosnian War, *Londres, Routledge, 2006.*

64. K. Booth, « Security and Self. Reflections of a Fallen Realist », dans K. Krause et M. Williams, Critical Security Studies, *art. cité, p. 83-119.*

maladies »[65]. Mais vu leur volonté de changer la *Realpolitik* existante et de proposer une vue *bottom-up* de la sécurité, à partir de « la perspective des gens/peuples sans pouvoir, parce que réduits au silence par les structures dominantes existantes[66] », ils ne se contentent pas de ce simple élargissement et vont jusqu'à faire de l'être humain, plutôt que de l'État ou même de la société, le référent ultime de la sécurité.

Surtout, ils redéfinissent la sécurité comme émancipation[67], dans la lignée de la pensée kantienne : « La sécurité signifie l'absence de menaces. L'émancipation est la libération des gens

---

65. *K. Booth, « Security and Emancipation »,* Review of International Studies, *17 (4), octobre 1991, p. 313-326. On retrouve un élargissement comparable de la notion de sécurité dans les études féministes sur la sécurité, incluant dans les menaces pour la sécurité la précarité économique, la violence domestique, le viol, la subordination de genre. Surtout, le référent de la sécurité est élargi, pour inclure les femmes, victimes oubliées des études sécuritaires quelles qu'elles soient – traditionnelles, élargies ou critiques. Et pas seulement parce que 75 % des réfugiés et 90 % des victimes des guerres civiles contemporaines sont des femmes et enfants : s'interrogeant sur le régimes des sanctions contre l'Irak pendant les années 1990, J. A. Tickner et L. Sjoberg, « Feminism », art. cité, p. 195 et suiv., montrent ainsi que les « femmes [irakiennes] ont davantage souffert que leurs équivalents masculins, directement à cause des privations et indirectement par l'intermédiaire des effets de ces sanctions sur leurs foyers, familles et emplois ». Voir aussi le numéro spécial « Security Studies : Feminist Contributions » de la revue* Security Studies, *18 (2), avril 2009.*

66. *K. Booth, « Critical Explorations », art. cité. La réhabilitation de la perception des questions de sécurité par d'autres acteurs dominés, en l'occurrence les entités – États et/ou sociétés – non-occidentales, est au centre des approches post-coloniales de la sécurité : voir l'article-programme de T. Barkawi et M. Laffey, « The Post-Colonial Moment in Security Studies », art. cité.*

67. *Voir également K. Booth (ed.),* Critical Security Studies and World Politics, op. cit., *p. 181 et suiv.*

(comme individus et groupes) des contraintes physiques et humaines qui les empêchent de faire ce qu'ils auraient choisi de faire en l'absence de telles contraintes. La guerre et la menace de guerre constitue l'une de ces contraintes, à côté de la pauvreté, de l'éducation défaillante, et l'oppression politique, etc. La sécurité et l'émancipation sont les deux côtés d'une même médaille. C'est l'émancipation, et non pas la puissance et l'ordre, qui produit la véritable sécurité. L'émancipation, d'un point de vue théorique, constitue la sécurité[68]. » Cette sécurité, l'État est incapable de l'assurer ; pis, il constitue lui-même une source d'insécurité en ce qu'il représente un obstacle à l'émancipation : en effet, il ne saurait y avoir de sécurité comme émancipation que mutuelle, ou réciproque ; la vraie sécurité, écrit Booth, ne peut être atteinte qu'à condition que personne n'en soit privé, ce qui signifie que, pour y parvenir, chaque État doit percevoir les autres non comme moyen mais comme fin en soi : « La sécurité durable ne peut être obtenue par quelqu'un qu'à condition de ne pas en priver quelqu'un d'autre[69]. » Or, dans la perspective réaliste du dilemme de la sécurité, la sécurité nationale d'un État est par définition synonyme d'insécurité pour d'autres États ou acteurs collectifs ou individuels.

La conclusion s'impose aux yeux des sécuritaires critiques : seul l'avènement d'une communauté politique et morale universelle, cosmopolite, au-delà des États-nations souverains est susceptible d'assurer la sécurité comme émancipation.

Peut-être parce que, jusqu'à preuve du contraire, l'avènement de cette communauté mondiale de sécurité relève du *wishful*

---

68. *K. Booth, « Security and Emancipation », art. cité.*
69. Ibid.

thinking[70], la notion de sécurité comme émancipation a rapidement laissé la place, parmi les sécuritaires critiques soucieux de pratique, à la notion de sécurité humaine dont la définition en termes de *freedom from fear* s'élargit en *freedom from want*, voire en *freedom of future generations* en englobant à la fois la sécurité économique (absence de pauvreté), alimentaire (accès aux ressources alimentaires), sanitaire (accès aux soins de santé et protection contre les maladies), environnementale (prévention des dégradations environnementales), personnelle (protection physique contre la torture, la guerre, la violence domestique, les crimes, l'usage des drogues, le suicide, voire les accidents de la circulation), communautaire (survie des cultures traditionnelles et sécurité physique des groupes ethniques), et politique (jouissance des droits civils et des libertés publiques)[71].

D'un point de vue théorique, et donc abstraction faite de leur faible caractère opératoire comparable à celui des notions de paix

---

70. Le caractère utopique de sa conception de la sécurité est parfaitement assumé par K. Booth, qui inscrit son approche qualifiée de réaliste utopique dans la dimension – oubliée – de la pensée de E. H. Carr inspirée par K. Mannheim, Idéologie et utopie *(1929), Paris, Rivière, 1956.*

71. La notion de sécurité humaine a été utilisée pour la première fois par le PNUD dans son Rapport sur le développement humain *de 1994. Elle a depuis été reprise à son compte par certaines diplomaties étatiques, celle du Canada notamment, et rationalisée par l'ex-ministre des Affaires étrangères d'Ottawa, L. Axworthy, « Canada and Human Security. The Need for Leadership »,* International Journal, *52 (2), printemps 1997, p. 183-196 ; L. Axworthy, « Human Security and Global Governance. Putting People First »,* Global Governance, *7 (1), janvier-mars 2001, p. 19-23. Pour une analyse-plaidoyer d'ensemble de la sécurité humaine – notion et pratique –, voir l'ouvrage collectif de S. Tadjbakhsh et A. Chenoy (eds),* Human Security : Concepts and Implications, *Londres, Routledge, 2007 ; pour des critiques, voir, entre autres, R. Paris, « Human*

positive ou de développement humain[72], ces notions de sécurité comme émancipation et de sécurité humaine ne manquent pas de pertinence : il ne fait guère de doute que la sécurité de la plupart des êtres humains est « davantage menacée par les politiques et insuffisances de leurs propres gouvernements que par les ambitions napoléoniennes de leurs voisins[73] » ; il est probable que, pour la plupart des gens, un sentiment d'insécurité surgit davantage des craintes engendrées par la vie quotidienne que par un « événement apocalyptique mondial », comme l'écrit le PNUD dans son Rapport sur le développement humain. Pourtant, et au-delà du détournement de sens auquel aboutit le passage de la théorie critique de la sécurité comme émancipation à la doctrine pratique de la sécurité humaine ou de la responsabilité de protéger dans le cas où cette pratique aboutit à des cas d'ingérence humanitaire potentiellement militarisée mise en œuvre par certains acteurs – États et ONG – au sein et au détriment d'autres[74], c'est précisément un « événement apocalyptique mondial », en l'occurrence les attentats du 11 septembre 2001, qui est venu dévoiler les limites de ces concepts et la pertinence, *a contrario*, de la conception réaliste de la sécurité.

Security. Paradigm Shift or Hot Air ? », International Security, *26 (2), automne 2001, p. 87-102, ainsi que D. Chandler, « Human Security : The Dog That Didn't Bark »,* Security Dialogue, *39 (4), août 2008, p. 427-438, suivi d'un débat avec D. Ambrosetti, T. Owen et A. Wibben.*

72. Les notions de sécurité comme émancipation et de sécurité humaine partagent ce manque d'opérationnalité avec les concepts de « société mondiale » de John Burton (cf. chap. 6) et de « paix positive » de Johan Galtung (cf. chap. 7) dans la filiation intellectuelle desquels elles s'inscrivent, au moins indirectement.

73. K. Booth, « Security and Emancipation », art. cité.

74. Voir à ce sujet D. Battistella, Un monde unidimensionnel, op. cit., *p. 138 et suiv., ainsi que* Paix et guerres au XXIe siècle, op. cit., *p. 90 et suiv.*

À première vue, ces attentats mettent en échec la conception traditionnelle, même s'ils soulignent la pertinence du désir réaliste d'« explorer les conditions qui rendent le recours à la force plus probable, les façons dont le recours à la force affecte les individus, les États et les sociétés, et les politiques spécifiques que les États adoptent en vue de prévenir une guerre, de s'y préparer ou de s'y engager[75] ». Non seulement l'État américain a été incapable de garantir la sécurité y compris physique de ses citoyens, non seulement ce sont des acteurs non étatiques qui ont, au moins, exécuté ces attentats, mais aussi et surtout, c'est l'État américain qui peut être considéré comme étant à la source de l'insécurité dont ses citoyens ont été la victime : si rationalité à ces attentats il doit y avoir, elle réside dans la politique américaine au Proche et Moyen-Orient, à un tel point rejetée par certains acteurs qu'ils n'hésitent pas à introduire la violence sur le sol américain. Voilà qui est conforme à l'approche critique de la sécurité, selon laquelle l'État est un obstacle à la sécurité des individus, de par la politique qu'il mène, comme le reconnaît aussi Buzan : « Les individus peuvent être menacés [...] par l'intermédiaire des interactions qu'entretient leur État avec les autres États du système international[76]. »

Buzan note cependant aussi que « la sécurité des individus est enfermée dans un paradoxe inextricable, en ce qu'elle est à la fois dépendante de, et menacée par, l'État[77] ». Si l'irruption des attentats démontre que la sécurité des citoyens peut être menacée par l'État, les réactions à ces attentats de la part des individus américains concernés montrent que la sécurité demeure dépendante de l'État :

---

75. S. Walt, « The Renaissance of Security Studies », art. cité.

76. B. Buzan, People, States and Fear, op. cit., *p. 364.*

77. Ibid., *p. 363-364.*

c'est en effet à leur État qu'ils ont confié la charge de restaurer leur sécurité. À moins de changer de peuple[78], les sécuritaires critiques se doivent donc de reconnaître qu'aux yeux même des individus dont ils se réclament, « l'unité politique de base » est de nos jours encore l'État, et ce parce que l'État « apporte sécurité et protection aux hommes[79] », même si de façon imparfaite et même si, dans notre cas, la politique américaine contre « l'Axe du Mal » a exposé d'autres citoyens américains à l'insécurité.

De toute évidence, « l'État est irréversible » à un horizon plus ou moins éloigné. « Il n'existe aucun moyen de le désinventer, ce pourquoi la sécurité des individus reste inséparablement liée à celle de l'État[80]. »

Bibliographie

La notion de sécurité a été définie la première fois par :

WOLFERS (Arnold), « National Security as an Ambiguous Symbol » (1952), dans Arnold Wolfers, *Discord and Collaboration*, Baltimore (Md.), The Johns Hopkins University Press, 1962, p. 147-165.

---

78. Tel a été le conseil donné par B. Brecht aux autorités est-allemandes réprimant en 1953 la première révolte populaire dans une démocratie du même nom.

79. J. Herz, « The Rise and Demise of the Territorial State », art. cité. Dans cet article, Herz émet l'hypothèse que si l'État territorial est devenu la forme privilégiée d'organisation politique des sociétés européennes vers la fin du Moyen Âge, c'est grâce à la capacité des Princes de l'époque à assurer davantage de sécurité physique aux populations concernées que ne le pouvaient les seigneurs féodaux, et ce à la fois en monopolisant progressivement la violence physique légitime à l'intérieur du territoire et en contenant les menaces à l'extérieur des frontières.

80. B. Buzan, People, States and Fear, op. cit., *p. 39.*

Au sein des études traditionnelles, *id est* réalistes, de la sécurité, prévaut le concept de dilemme de la sécurité :

BUTTERFIELD (Herbert), *History and Human Relations*, Londres, Collins, 1951, 254 p.

GLASER (Charles), *Rational Theory of International Politics : The Logic of Competition and Cooperation*, Princeton (N. J.), Princeton University Press, 2010, 314 p.

HERZ (John), « Idealist Internationalism and the Security Dilemma », *World Politics*, 2 (2), janvier 1950, p. 157-180.

JERVIS (Robert), « Cooperation under the Security Dilemma », *World Politics*, 30 (2), janvier 1978, p. 167-214.

TANG (Shiping), « The Security Dilemma : A Conceptual Analysis », *Security Studies*, 18 (3), juillet 2009, p. 587-623.

La première contestation de l'approche réaliste de la sécurité est associée à la notion de communauté de sécurité :

DEUTSCH (Karl) *et al.*, *Political Community and the North Atlantic Area*, Princeton (N. J.), Princeton University Press, 1957, 228 p.

Celle-ci a été redécouverte dans une perspective constructiviste par :

ADLER (Emmanuel) et BARNETT (Michael) (eds), *Security Communities*, Cambridge, Cambridge University Press, 1998, 484 p.

À partir des années 1980 est apparue la conception élargie de la sécurité, due à l'École de Copenhague :

BUZAN (Bary), *People, States and Fear* (1983), Colchester, ECPR Press, 2007 [3e éd.], 311 p.

BUZAN (Barry), « Rethinking Security after the Cold War », *Cooperation and Conflict*, 32 (1), mars 1997, p. 5-28.

BUZAN (Barry), WAEVER (Ole) et DE WILDE (Jaap), *Security. A New Framework for Analysis*, Boulder (Colo.), Lynne Rienner, 1998, 239 p.

WAEVER (Ole), « Societal Security. The Concept », dans Ole Waever, Barry Buzan, Morten Kelstrup et Pierre Lemaître, *Identity, Migration and the New Security Agenda in Europe*, Londres, F. Pinter, 1993, p. 17-40.

WAEVER (Ole), « Securitization and Desecuritization », dans Ronnie Lipschutz (ed.), *On Security*, New York (N. Y.), Columbia University Press, 1995, p. 46-86.

La fin de la guerre froide a favorisé l'émergence des études critiques de sécurité :

BOOTH (Ken), « Security in Anarchy. Utopian Realism in Theory and Practice », *International Affairs*, 67 (3), juillet 1991, p. 527-545.

BOOTH (Ken), « Security and Emancipation », *Review of International Studies*, 17 (4), octobre 1991, p. 313-326.

BOOTH (Ken) (ed.), *Critical Security Studies and World Politics*, Boulder (Colo.), Lynne Rienner, 2005, 323 p.

BOOTH (Ken), *Theory of World Security*, Cambridge, Cambridge University Press, 2007, 490 p.

KRAUSE (Keith) et WILLIAMS (Michael) (eds), *Critical Security Studies. Concepts and Cases*, Minneapolis (Minn.), Minnesota University Press, 1997, 380 p.

KRAUSE (Keith), « Critical Theory and Security Studies », *Cooperation and Conflict*, 33 (3), septembre 1998, p. 298-333.

LIPSCHUTZ (Ronnie) (ed.), *On Security*, New York (N. Y.), Columbia University Press, 1995, 234 p.

Wyn-Jones (Richard), *Security, Strategy and Critical Theory*, Boulder (Colo.), Lynne Rienner, 1999, 192 p.

Il reste des adeptes contemporains des études traditionnelles de sécurité :

Betts (Richard), « Should Strategic Studies Survive ? », *World Politics*, 50 (1), automne 1997, p. 7-33.

Walt (Stephen), « The Renaissance of Security Studies », *International Studies Quarterly*, 35 (2), juin 1991, p. 211-239.

Pour des études synthétiques de l'ensemble de ces notions et au-delà, voir :

Baldwin (David), « The Concept of Security », *Review of International Studies*, 23 (1), janvier 1997, p. 5-26.

Balzacq (Thierry), « Qu'est-ce que la sécurité nationale ? », *Revue Internationale et stratégique*, 52, hiver 2003-2004, p. 33-50.

Buzan (Barry) et Hansen (Lene), *The Evolution of International Security Studies*, Cambridge, Cambridge University Press, 2009, 384 p.

David (Charles-Philippe), *La Guerre et la paix. Approches contemporaines de la sécurité et de la stratégie*, Paris, Presses de Sciences Po, 2006 [2e éd.], 464 p.

Fierke (Karin) (ed.), *Critical Approaches to International Security*, Cambridge, Polity Press, 2007, 236 p.

Kolodziej (Edward), *Security and International Relations*, Cambridge, Cambridge University Press, 2005, 349 p.

Snyder (Craig) (ed.), *Contemporary Security and Strategy*, Basingstoke, Macmillan, 1999, 272 p.

Enfin, il existe une compilation de textes fondamentaux représentatifs des études de sécurité :

Hughes (Christopher) et Lai (Yew Meng) (eds) *Security Studies. A Reader*, Londres, Routledge, 2011, 472 p.

Chapitre 15 / La guerre et la paix

« Les démocraties se trouvent en état de paix entre elles et seulement entre elles. »
Michael Doyle[1]

Thème central des Relations internationales, la problématique de la guerre et de la paix est le sujet de prédilection par excellence du réalisme. La guerre plus que la paix à vrai dire. Non pas tellement parce que la paix, définie comme absence de guerre, est conçue négativement par rapport à celle-ci, elle-même définie comme acte de violence armée organisée collective[2] : depuis Héraclite, en effet, les réalistes ne sont pas les seuls à postuler que « guerre (*polemos*), de tout est père, et de tout est roi », et dans l'ensemble de la littérature, « pour mille pages consacrées aux causes de la guerre, il n'y en a pas une consacrée entièrement à l'étude des causes de la paix[3] ». Mais parce que, pour les réalistes, il n'existe pas à proprement parler de paix.

Écoutons le fondateur du réalisme moderne, Thomas Hobbes (cf. chap. 2) : la guerre, dit-il, « ne consiste pas seulement dans la bataille et dans les combats effectifs, mais dans un espace de temps où la volonté de s'affronter en des batailles est suffisamment avérée » ; la nature de la guerre, répète-t-il, « ne consiste pas dans un combat effectif, mais dans une disposition avérée, allant dans ce sens, aussi longtemps qu'il n'y a pas d'assurance du contraire. Tout autre temps

1. *M. Doyle, « Kant, Liberal Legacies and Foreign Affairs (1983) », dans M. Brown et al. (eds),* Debating the Democratic Peace, *Cambridge (Mass.), MIT Press, 1996, p. 3-57.*

2. *Rappelons la définition la plus célèbre, due à Carl von Clausewitz,* De la guerre (1816-1827), *Paris, Minuit, 1955, p. 51 : la guerre est un « acte de violence destiné à contraindre notre adversaire à exécuter notre volonté ».*

3. *G. Blainey,* The Causes of War, *New York (N. Y.), Free Press, 1988 [3e éd.], p. 3.*

se nomme paix[4] ». Or, selon les réalistes (cf. chap. 4), jamais les États n'excluent le recours à la force armée dans leurs relations mutuelles, vu la nature humaine fondamentalement mauvaise et/ou la structure anarchique et le dilemme de la sécurité qui en découle : « La disposition avérée de s'affronter » est donc permanente ; les relations internationales, comme l'écrit Raymond Aron, « se déroulent à l'ombre de la guerre » et celle-ci « est de tous les temps historiques et de toutes les civilisations[5] ». La paix, dans ces conditions, ne saurait être qu'une trêve, simple « suspension, plus ou moins durable, des modalités violentes de la rivalité entre unités politiques, [...] à l'ombre des batailles passées et dans la crainte ou l'attente des batailles futures[6] ». Pour qu'il puisse y avoir une paix, au sens de disparition de la « disposition avérée » de recourir aux armes, il faudrait supprimer l'anarchie internationale, c'est-à-dire installer une autorité centrale mondiale : ainsi, d'après Kenneth Waltz, reprenant Jean-Jacques Rousseau, s'il est exact que « la guerre existe parce que rien ne l'empêche [...], alors il est vrai qu'avec un gouvernement international, il n'y aurait plus de guerres internationales[7] ». Cependant, une telle solution est illusoire, car « pour être logiquement irréfutable, [...] le remède à la guerre internationale (qu'est) un gouvernement mondial [...] est pratiquement irréalisable[8] ».

Bref, à l'unisson avec Hans Morgenthau, les réalistes affirment que « l'histoire montre que les nations sont en permanence en train

---

4. *T. Hobbes,* Léviathan, op. cit., *p. 124.*
5. *R. Aron,* Paix et guerre entre les nations, op. cit., *p. 18 et 157.*
6. Ibid., *p. 158.*
7. *K. Waltz,* Man, the State and War, op. cit., *p. 188 et 228.*
8. Ibid., *p. 238.*

de se préparer à la forme de violence organisée qu'est la guerre, de s'y engager activement, ou d'en récupérer[9] ».

Le problème avec ce dogme est qu'il est contredit par les réalités empiriques : non seulement les études statistiques montrent que seule une petite minorité des États (les plus puissants) est régulièrement engagée dans des guerres, et qu'une bonne moitié n'a jamais connu la guerre, mais un simple coup d'œil sur l'après-seconde guerre mondiale permet de constater qu'au-delà de la taille et de la puissance des États, la nature de leur régime intérieur influence elle aussi la problématique de la guerre et de la paix. En effet, les guerres qui se sont produites depuis 1945 ont opposé soit des États démocratiques à des États non démocratiques (guerres israélo-arabes, indo-pakistanaises, guerre de Corée, du Vietnam, des Malouines, deuxième guerre du Golfe, guerre Al-Qaida/États-Unis, opération *Liberté en Irak*[10]...), soit des États non démocratiques entre eux (Chine-Vietnam, URSS-Afghanistan, Irak-Iran, Tchad-Libye, Éthiopie-Érythrée...), mais jamais des États démocratiques entre eux[11].

---

9. *H. Morgenthau,* Politics Among Nations, op. cit., *p. 50.*

10. *Bien que non constitutifs d'une guerre interétatique au sens strict, les attentats du 11 septembre 2001 et les bombardements américains des Talibans qui s'en sont suivis peuvent être analysés dans la même perspective que les guerres interétatiques* stricto sensu, *étant donné que ce qui caractérise la guerre chez Clausewitz, c'est la présence de deux ou plusieurs unités combattantes relevant de deux entités politiques distinctes, que celles-ci soient ou non de nature étatique.*

11. *Les études statistiques sur la guerre sont innombrables. Au-delà des annuaires des différents instituts (SIPRI, IISS, etc.), les plus importantes études historiques sont, par ordre chronologique : Q. Wright,* A Study of War, op. cit. *; L. Richardson,* Statistics of Deadly Quarrels, *Chicago (Ill.), Quadrangle, 1960 ; D. Singer et M. Small,* The Wages of War. 1816-1965, *New York (N. Y.), Wiley, 1972 ; G. Bouthoul et R. Carrère,* Le Défi de la

L'existence de l'état d'anarchie entre les États en général ne semble donc pas exclusive de l'avènement d'une zone de paix séparée entre États démocratiques, au sens de disparition avérée de la volonté de se battre, voire d'émergence d'une disposition avérée de ne pas se battre, entre États démocratiques. N'y aurait-il pas dans ce cas, et malgré les dénégations de l'école réaliste, une relation entre la nature démocratique du régime intérieur d'un État et son comportement extérieur ? Sinon son comportement extérieur en général, du moins son comportement à l'encontre d'autres démocraties ? Et si oui, comment expliquer le comportement pacifique réciproque des États démocratiques ? Ce sont ces questions que soulève la théorie de la paix démocratique, provoquant ainsi le principal débat[12] entre

---

guerre 1740-1974, *Paris, PUF, 1976 ; R. Rummel,* Understanding Conflict and War, *Londres, Sage, 1975-1981 ; M. Small et D. Singer,* Resort to Arms. International and Civil Wars. 1816-1980, *Londres, Sage, 1982 ; J. Levy,* War in the Modern Great Power System 1495-1975, op. cit. *; E. Luard,* War in International Society, op. cit. *; K. Holsti,* Peace and War. Armed Conflicts and International Order 1648-1989, op. cit. *; D. Geller et D. Singer,* Nations at War, *Cambridge, Cambridge University Press, 1998.*

12. Il y a bien sûr eu d'autres débats contemporains, ainsi autour de l'idée de l'impact pacifique de l'interdépendance économique entre États-marchands (R. Rosecrance, The Rise of the Trading State, op. cit.*), ou de la thèse de l'obsolescence de la guerre (J. Mueller,* Retreat from Doomsday, *New York (N. Y.), Basic Books, 1989), pour ne nommer que les plus retentissants. Faute de place, nous ne pouvons les traiter ici. Sur ces débats, ainsi que sur l'ensemble des théories de la guerre et de la paix, voir, au sein d'une littérature pléthorique, les synthèses récentes de T. Caplow et P. Vennesson,* Sociologie militaire, *Paris, A. Colin, 2000 ; C.-P. David,* La Guerre et la paix, op. cit. *; G. Cashman et L. Robinson,* An Introduction to the Causes of War : Patterns of Interstate Conflict from World War I to Iraq, *Lanham (Md.), Rowman and Littlefield, 2007 ; J. Levy et W. Thompson,* Causes of War, *Chichester, Wiley-Blackwell, 2010 ; T. Lindemann,* La Guerre. Théories, causes, règlements,

théoriciens spécialistes de la guerre et de la paix de ces vingt-cinq dernières années[13].

À l'origine de la théorie de la paix démocratique se trouve Emmanuel Kant[14]. Dans son *Vers la paix perpétuelle* publié en 1795 (cf. chap. 2), Kant note, comme Hobbes et Rousseau avant lui, que l'état de nature entre les unités politiques « est plutôt un état de guerre : même si les hostilités n'éclatent pas, elles constituent pourtant un danger permanent[15] ». Il en déduit que trois conditions se doivent d'être remplies pour que l'état de paix puisse exister : tout d'abord, « la constitution civique de chaque État doit être républicaine » ; ensuite, « le droit des gens doit être fondé sur un fédéralisme d'États libres » ; enfin, « le droit cosmopolitique doit se

---

Paris, A. Colin, 2010 ; D. Battistella, Paix et guerres au XXIe siècle, op. cit.

13. *Tous ces spécialistes font leur le principe clausewitzien de la guerre comme « simple continuation de la politique par d'autres moyens » (*De la guerre, op. cit., *p. 67). Autrement dit, les théories portant sur la guerre et la paix, et donc la théorie de la paix démocratique, postulent la nature rationnelle de la guerre à laquelle les États ne recourent qu'en dernière analyse et lorsque cette guerre est susceptible d'apporter satisfaction dans la perspective des objectifs de politique étrangère. Sur cette problématique, voir les écrits de B. Bueno de Mesquita, « An Expected Utility Theory of International Conflict »,* American Political Science Review, *74 (4), décembre 1980, p. 917-932 ; B. Bueno de Mesquita,* The War Trap, *New Haven (Conn.), Yale University Press, 1981 ; B. Bueno de Mesquita et D. Lalman,* War and Reason, *New Haven (Conn.), Yale University Press, 1992.*

14. *Le bicentenaire de* Vers la paix perpétuelle *a donné lieu à tout un ensemble de commentaires. Voir, entre autres, l'ouvrage de P. Laberge, G. Lafrance et D. Dumas (dir.),* L'Année 1795. Kant. Essai sur la paix, *Vrin, 1997 (avec des contributions de Doyle et de Waltz notamment) ; ainsi que l'essai de J. Habermas,* La Paix perpétuelle, *op. cit.*

15. *E. Kant,* Vers la paix perpétuelle, op. cit., *p. 83.*

restreindre aux conditions de l'hospitalité universelle[16] ». C'est le premier de ces articles définitifs qui concerne la paix démocratique[17]. D'après Kant, la démocratie est favorable à la paix parce que, dans une démocratie, ceux qui supportent le coût de la guerre sont les mêmes que ceux qui prennent la décision de la guerre, à savoir les citoyens, contrairement à ce qui se passe dans un État non démocratique où celui qui décide la guerre n'en supporte pas les conséquences : « Quand on exige l'assentiment des citoyens pour décider si une guerre doit avoir lieu ou non, il n'y a rien de plus naturel que, étant donné qu'il leur faudrait décider de supporter toutes les horreurs de la guerre..., ils réfléchissent beaucoup avant de commencer un jeu aussi néfaste ; par contre, dans une Constitution où le sujet n'est pas citoyen, qui par conséquent n'est pas républicaine, c'est la chose la plus aisée du monde, parce que le chef n'est pas un associé dans l'État, mais le propriétaire de l'État, [...], qu'il peut donc décider de la guerre pour des raisons insignifiantes comme une sortie de plaisir et par bienséance abandonner

---

16. Ibid., *p. 84, 89 et 93.*

17. *Le deuxième article concerne le droit international, car en vue de « retenir l'inclination guerrière » des États, Kant imagine nécessaire l'institution non pas d'une « république mondiale », potentiellement liberticide, mais de « l'équivalent négatif d'une alliance permanente » (*ibid.*, p. 93) – c'est la problématique de la paix par les institutions ; quant au troisième, il concerne les relations commerciales entre nations car, par hospitalité, Kant entend « l'autorisation accordée aux arrivants étrangers [... de rechercher...] les conditions de possibilité d'un commerce avec les habitants » (*ibid.*, p. 94), allusion aux conquêtes coloniales et aux pratiques des compagnies d'outre-mer de son époque qu'il dénonce – c'est la problématique de la paix par l'interdépendance économique. Kant réunit ainsi sur son nom les trois principales conceptions libérales de la paix (cf. chap. 5).*

avec indifférence sa justification au corps diplomatique qui y est toujours prêt[18]. »

Avec cette appréciation de la nature intrinsèquement pacifique des démocraties, Kant est on ne peut plus isolé dans l'histoire des idées politiques. Non seulement des auteurs anciens, comme Thucydide et Machiavel, avaient conclu à la nature intrinsèquement belliqueuse des démocraties à partir de l'impérialisme expansif de la démocratie athénienne et de la république romaine, mais Alexander Hamilton, l'un des fédéralistes contemporains de Kant, estime que le comportement extérieur des républiques n'a rien à envier à celui des monarchies : « Les républiques ont-elles dans la réalité été moins portées à la guerre que les monarchies ? Ne sont-elles pas tout autant gouvernées par des hommes ? Les aversions, prédilections, rivalités et désirs d'acquisitions injustes n'affectent-ils pas tout autant les nations que les rois ? Les assemblées populaires ne sont-elles pas souvent sujettes à des impulsions de rage, ressentiments, jalousie, avarice et autres propensions violentes et irrégulières[19] ? » Quant aux libéraux, ils ont, de Montesquieu à Mill, privilégié la thèse de la paix par le « doux commerce » (cf. chap. 5).

---

18. Ibid., *p. 85-86. Précisons que si Kant parle de république, et non pas de démocratie, et même oppose république et démocratie, c'est parce qu'à la fin du* XVIII*e siècle, démocratie signifie démocratie directe, elle-même assimilée au despotisme, alors que république, chez Kant comme chez Sieyès ou les fédéralistes américains, est entendue au sens contemporain de démocratie représentative. Pour preuve, la définition par Kant du républicanisme comme « principe politique de la séparation du pouvoir exécutif et du pouvoir législatif »* (ibid., *p. 86).*

19. A. Hamilton, J. Madison et J. Jay, The Federalist Papers *(1787-1788), New York (N. Y.), New American Library, 1961, p. 56.*

Bref, depuis Kant, l'idée que la démocratie puisse induire la paix a été délaissée au moins jusqu'à Woodrow Wilson qui, parmi ses quatorze points, proposait de convertir le monde à la démocratie dans l'espoir de le rendre plus pacifique ; davantage, et pour ce qui du champ scientifique, après que Quincy Wright eut noté en 1942 qu'on ne peut guère invoquer les statistiques en faveur de l'idée que les démocraties ont été moins souvent impliquées dans des guerres que les autocraties, tant il y a des tendances favorables à la paix et à la guerre à la fois dans les démocraties et dans les autocraties, il faut attendre une publication de l'Américain Dean Babst pour que renaisse et prenne définitivement son envol l'idée d'un lien entre régime démocratique et comportement extérieur pacifique.

Au début des années 1960, Babst affirme, d'une part, que depuis 1789 « aucune guerre n'a été menée entre des États-nations indépendants dont les gouvernements sont élus démocratiquement », d'autre part, que du fait de l'augmentation régulière du nombre de pays élisant leurs gouvernants, « la démocratie devient une implacable force de paix[20] ». L'article de Babst, qui n'est pas un internationaliste, passe inaperçu dans un premier temps ; ce n'est que lorsque la question est abordée dans deux importants programmes de recherche quantitative, le *Correlates of War Project* de David Singer et Melvin Small d'un côté, et le projet *Understanding Conflict and War* de Rudolf Rummel de l'autre, que la théorie de la paix démocratique délaisse son statut de curiosité académique et déclenche une véritable révolution scientifique en théorie des relations internationales, au sens fort de Thomas Kuhn (cf. chap. 3).

Analysant la propension à la guerre des démocraties tout au long des années 1815-1865, Singer et Small, dont le projet

---

20. D. Babst, « A Force for Peace », The Wisconsin Sociologist, *3 (1), 1964, p. 9-14.*

comptabilise aussi bien les guerres interétatiques *stricto sensu* que les guerres coloniales menées par les puissances européennes, constatent que, comparées aux régimes non démocratiques, les démocraties ont tout autant été parties prenantes à des guerres : les guerres auxquelles elles ont participé ont duré aussi longtemps, voire plus, que la moyenne ; loin d'avoir été les victimes toutes désignées des agressions en provenance de régimes non démocratiques, elles ont été de façon significative responsables du déclenchement de conflits armés ; si absence de guerre il y a eu entre elles, l'explication est à trouver dans le fait que, n'ayant pas de frontières géographiques communes, elles avaient peu de chances de voir leurs différends se transformer en affrontements violents. Ayant constaté que « les démocraties n'ont pas été prédisposées à la paix au cours de la période étudiée », et que « les gouvernements non élus n'ont nullement le monopole des guerres inutiles et agressives », ils en déduisent qu'ils « ne sauraient partager la conclusion optimiste relative aux relations entre la démocratie et la paix[21] ». Tout autre est la conclusion à laquelle aboutit Rummel. Étudiant la période 1976-1980, il constate qu'il n'y a pas eu de conflits au cours de cette période sans participation d'un État non démocratique : il en conclut non seulement qu'« il n'y a pas de violence entre États démocratiques », et ce indépendamment de leur contiguïté géographique, mais aussi et surtout, que « plus un État est démocratique, moins il tend à être impliqué dans un conflit international violent[22] ».

---

21. M. Small et D. Singer, « The War-Proneness of Democratic Regimes 1816-1965 », Jerusalem Journal of International Relations, *1 (4), été 1976, p. 50-69.*

22. R. Rummel, « Libertarianism and International Violence », Journal of Conflict Resolution, *27 (1), mars 1983, p. 27-71.*

Malgré leurs résultats en apparence contradictoires, ces deux recherches sont parfaitement compatibles[23] : les conclusions opposées auxquelles elles aboutissent s'expliquent en effet par des différences méthodologiques. En ne comptabilisant que les guerres interétatiques *stricto sensu*, opposant deux ou plusieurs États souverains, Rummel exclut le nombre élevé de guerres coloniales dont tiennent compte Singer et Small : la période que ces derniers analysent voit les grandes démocraties européennes multiplier leurs incursions dans les colonies, alors qu'au contraire la très courte période choisie par Rummel commence avec l'année qui suit la fin de la guerre du Vietnam menée par les États-Unis. Par ailleurs, alors que les résultats du projet *Correlates of War* portent sur le comportement extérieur indifférencié des démocraties, quel que soit leur partenaire dans la relation conflictuelle ou coopérative, les conclusions du projet *U.tanding Conflict and War* établissent une discrimination entre le comportement des démocraties entre elles et leur comportement à l'égard d'États non démocratiques.

Si on combine alors la méthode des uns et des autres, en ne tenant compte que des seules guerres interétatiques portant sur la période qui va du congrès de Vienne jusqu'à 1965 et au-delà, jusqu'à aujourd'hui, alors on constate qu'il n'y a pas de conflits armés entre démocraties, mais que des guerres opposent régulièrement États démocratiques et États non démocratiques. En d'autres termes : le degré de démocratie érige effectivement une barrière à la violence armée dans les relations entre démocraties, mais il n'a pas le même effet modérateur sur les relations que les démocraties entretiennent avec les non-démocraties.

---

23. *Voir à ce sujet S. Chan, « Mirror, Mirror on the Wall... Are the Freer Countries More Pacific ? »,* Journal of Conflict Resolution, *28 (4), décembre 1984, p. 617-648.*

C'est à cette conclusion qu'arrive très exactement Michael Doyle lorsqu'au début des années 1980 il reprend les différentes statistiques disponibles et compare l'évolution du nombre des guerres dans le temps avec l'augmentation du nombre de démocraties : « Les démocraties se trouvent en état de paix entre elles et seulement entre elles [...] ; dans leurs relations avec des États non libéraux, les États libéraux sont tout aussi agressifs et portés au recours à la force que tout autre forme de gouvernement ou de société[24] ». Mais Doyle va plus loin et ne se contente pas d'établir un lien de causalité entre le comportement extérieur d'une démocratie et la nature libérale de son régime. Il est également le premier à essayer d'expliquer cette corrélation.

Son analyse s'inscrit dans la plus parfaite continuité de l'argumentation kantienne[25]. Tout d'abord, en rappelant que les caractéristiques qui permettent aux démocraties de consolider la paix dans leurs relations mutuelles sont tout à la fois les contraintes institutionnelles encadrant le processus de prise de décision dans une démocratie, le respect mutuel que se portent deux démocraties à cause des valeurs qu'elles partagent en commun, ainsi que l'intérêt commun qu'ont au maintien de la paix les citoyens de ces États démocratiques liés entre eux par des liens d'interdépendance

---

24. M. Doyle, « Kant, Liberal Legacies and Foreign Affairs (1983) », art. cité.

25. Pour une vue contraire, soulignant l'infidélité de Doyle par rapport à Kant, voir G. Cavallar, « Kantian Perspectives on Democratic Peace. Alternatives to Doyle », Review of International Studies, *27 (2), avril 2001, p. 229-248. Voir également, dans B. Jahn,* Classical Theory in International Relations, op. cit., *les contributions de J. MacMillan, « Immanuel Kant and the Democratic Peace », p. 52-73, et de A. Franceschet, « "One Powerful and Enlightened Nation" : Kant and the Quest for a Global Rule of Law », p. 74-95, qui refusent de voir dans Kant l'ancêtre de la théorie de la paix démocratique.*

commerciale transnationale, Doyle reprend une à une les trois conditions que posait Kant à la paix perpétuelle : l'évocation des contraintes institutionnelles renvoie au premier article de Kant, à l'idée de gouvernants élus peu suspects d'indisposer, par une décision de guerre, le peuple qui, parce qu'il aurait à supporter le coût de la guerre, pourrait leur retirer sa confiance ; l'allusion aux valeurs communes susceptibles d'inspirer le respect mutuel aux démocraties rappelle le deuxième article définitif de Kant, c'est-à-dire son idée d'une confédération d'États démocratiques librement consentie ; l'accent mis sur les liens transnationaux entre citoyens de différentes démocraties fait allusion au cosmopolitisme de Kant selon qui le monde « est arrivé au point où toute atteinte au droit en un seul lieu de la terre est ressentie en tous[26] ».

Ensuite, il fait appel à Kant pour expliquer la persistance de l'état de guerre entre États démocratiques et États non démocratiques, persistance qu'il attribue au comportement différent dont font preuve les démocraties selon qu'elles ont affaire à une autre démocratie ou à une non-démocratie : « Contrairement aux républiques de Machiavel, les républiques de Kant sont capables de sauvegarder la paix entre elles, parce qu'elles pratiquent la modération démocratique et parce qu'elles sont capables d'apprécier les droits internationaux des républiques étrangères. Les droits internationaux de ces républiques dérivent de la conception que se font les républiques des habitants des autres républiques, considérés comme leurs équivalents moraux. Contrairement aux démocraties capitalistes de Schumpeter, les républiques de Kant demeurent en état de guerre avec les États non républicains. Elles se sentent menacées dans leur sécurité par des États qui ne connaissent pas de mécanismes modérateurs. Car, même si ces guerres leur coûtent souvent davantage qu'elles ne leur

---

26. *E. Kant,* Vers la paix perpétuelle, op. cit., *p. 96-97.*

rapportent en termes économiques, elles sont disposées à protéger et à promouvoir, y compris par la force donc, la démocratie, la propriété privée et les droits des individus à l'étranger contre des États non républicains qui, parce qu'ils ne représentent pas de façon authentique les droits des individus, ne sauraient se voir appliquer le principe de non-ingérence dans leurs affaires intérieures[27]. »

Doyle esquisse donc deux explications. Une explication d'ordre normatif tout d'abord : le propre d'une démocratie étant d'être fondée sur le respect de la liberté et des droits de ses citoyens, il n'existe aucun motif légitime permettant à une démocratie de mener une guerre contre une autre démocratie ; en revanche, ce motif d'intervention existe lorsqu'une démocratie est confrontée à une non-démocratie, dans la mesure où celle-ci, par définition, ne respecte ni la liberté ni les droits de ses citoyens. Une explication de nature institutionnelle ensuite : le régime représentatif, qui exerce une contrainte sur la liberté d'action des dirigeants démocratiques, n'existe pas dans les non-démocraties, ce pourquoi les premières se sentent en insécurité à l'égard des secondes, avec pour conséquence la poursuite de l'état de guerre ; en revanche, ce sentiment d'insécurité disparaît lorsque l'on est en présence de deux démocraties, vu que les contraintes institutionnelles pèsent sur les deux protagonistes. Ces deux explications seront reprises et affinées par le deuxième auteur dont le nom est associé à la théorie de la paix démocratique, Bruce Russett, dans son *Grasping the Democratic* Peace[28].

---

27. *M. Doyle, « Liberalism and World Politics Revisited », dans C. Kegley (ed.),* Controversies in International Relations Theory. Realism and the Neoliberal Challenge, op. cit., *p. 83-106.*

28. *B. Russett,* Grasping the Democratic Peace, *Princeton (N. J.), Princeton University Press, 1993. Des extraits de cet*

Russett confirme tout d'abord, par des recherches empiriques, que l'absence de guerre entre démocraties ne date pas de la fin de la seconde guerre mondiale : il fait remonter l'origine de la paix démocratique aux tensions qui, vers la fin du XIXe siècle, ont opposé entre elles les trois grandes puissances démocratiques de l'époque, à savoir les États-Unis, la Grande-Bretagne et la France et qui, alors qu'elles avaient tous les aspects qui, par le passé, avaient provoqué des guerres, ont été résolues pacifiquement. C'est le cas tout d'abord des États-Unis et de la Grande-Bretagne qui, à deux doigts de s'affronter lors de la crise vénézuélienne de 1894-1895, finissent par trouver un accord lui-même à l'origine de la *special relationship* prévalant depuis entre Washington et Londres ; c'est le cas également de la France et de la Grande-Bretagne dont l'Entente cordiale naît au lendemain de la crise de Fachoda en 1898, lorsque le recours à la force armée est évité grâce à une résolution pacifique du conflit colonial qui les oppose en Afrique. Comment expliquer que dans ces deux cas, deux démocraties aient réussi à régler pacifiquement leur conflit d'intérêts, avec pour conséquence l'émergence de relations pacifiques stables entre elles et, au fur et à mesure que les démocraties ont vu leur nombre augmenter, entre l'ensemble des États démocratiques ? Russett propose deux explications.

Sa première explication, l'explication « culturelle ou normative », fait appel aux valeurs politiques internes à une démocratie, à la culture du compromis qui caractérise la vie politique au sein d'une démocratie, qu'il s'agisse de la compétition pacifique à laquelle se livrent les partis et les hommes politiques en vue d'accéder au pouvoir, ou de la propension à régler les conflits

---

ouvrage se trouvent dans la compilation de M. Brown et al. *(eds),* Debating the Democratic Peace, op. cit.*, p. 58-115.*

internes économiques ou sociaux par la négociation. Lorsqu'une démocratie A se trouve en conflit avec un État B lui aussi démocratique, elle sait que celui-ci, habitué à pratiquer le règlement pacifique des conflits intérieurs, est sensible à la même volonté de compromis : de ce fait, « la culture, les perceptions, et la pratique qui permettent le compromis et la résolution pacifique des conflits à l'intérieur [d'une démocratie] viennent à s'appliquer au-delà des frontières nationales dans les relations avec d'autres pays démocratiques[29] ». L'inverse est vrai lorsqu'un conflit oppose un État démocratique A à un État non démocratique C. Comme il n'y a pas de partage des mêmes valeurs, il ne peut y avoir transposition du comportement pacifique en politique interne vers le comportement politique externe de la part de l'État démocratique : confrontée au risque de voir son adversaire profiter de sa propension à régler le conflit de manière pacifique, la démocratie, plutôt que d'externaliser sa volonté de compromis, préférera démontrer sa force et même y recourir, sachant que son adversaire n'est pas habitué au règlement pacifique des conflits.

Sa deuxième explication, l'explication « structurelle ou institutionnelle », associe la paix démocratique à l'existence des contraintes institutionnelles qui caractérisent les processus de prise de décision diplomatico-stratégique au sein d'une démocratie libérale. Lorsqu'un État démocratique A se trouve en conflit d'intérêt avec un autre État, quel que soit le régime de ce dernier, son gouvernement doit, avant toute éventuelle décision de recourir à la force, informer son opinion publique, affronter les critiques, exposer devant les médias les choix qu'il s'apprête à faire, engager la discussion avec le Parlement pour, au moins, obtenir le budget qu'exige la mobilisation de l'armée. Si le conflit d'intérêts dont il

---

29. Ibid., *p. 31.*

s'agit oppose l'État démocratique A à un autre État démocratique B, non seulement cet État B est lui aussi soumis aux mêmes contraintes, mais A connaît les contraintes que subit l'État B, de même que B connaît les contraintes que subit A. Or, « si des décideurs démocratiques considèrent que les autres démocraties rechignent et sont lentes à se battre à cause des contraintes institutionnelles (et peut-être aussi à cause d'une aversion générale du peuple à la guerre), ils ne craindront pas d'être attaqués par une autre démocratie[30] », et par là même on peut s'attendre à ce que deux démocraties résolvent leurs conflits sans recours à la force. L'inverse est de nouveau vrai lorsqu'un État démocratique A est face à un État non démocratique C. Cet État C n'étant pas une démocratie, son gouvernement n'est pas tenu à la transparence et n'a pas besoin de convaincre son opinion publique du bien-fondé de ses décisions ; la séparation des pouvoirs n'existe pas et il n'est pas obligé de demander le soutien du parlement, la presse est muselée et il n'a pas à affronter les éventuelles critiques : il peut donc décider comme bon lui semble, et quand bon lui semble, de recourir à la force. Sachant qu'il prend un risque certain s'il s'engage dans des négociations avec l'État C sans en même temps pouvoir compter sur sa force armée en cas d'échec des négociations pacifiques, l'État A n'exclut donc pas le recours à la force contre un État non démocratique dont il sait qu'il est susceptible de recourir à la force à tout moment, tant sa politique relève du secret et n'a de comptes à rendre à personne.

Ces deux explications de Russett, qui sont complémentaires, tant il est impossible d'imaginer et d'établir des institutions démocratiques sans valeurs démocratiques préalables, de même qu'il est peu probable que l'on puisse reproduire et renouveler des valeurs

---

30. Ibid., *p. 39.*

démocratiques en l'absence d'institutions démocratiques, sont difficilement applicables dans les cas de conflits mettant aux prises deux États (dont au moins une non-démocratie) de puissance inégale : en effet, dans ce cas, le plus fort d'entre eux n'a aucune raison de craindre pour sa sécurité, et le recours à la force de sa part s'explique alors mieux en termes de non-respect ou de nonapplicabilité du principe de non-ingérence dans les affaires intérieures, comme prévu par Doyle. Mais là où le modèle de Russett s'applique, c'est-à-dire dans les cas de conflits mettant aux prises des États de force *a priori* comparable, sa plus grande rigueur théorique permet de mieux faire apparaître le mécanisme responsable à la fois de la pacification des relations entre États démocratiques et de la non-pacification des relations des États non démocratiques entre eux et avec des États démocratiques, évitant ainsi tout risque de confusion entre la théorie de la paix démocratique (la paix n'existe qu'entre démocraties) et la théorie naïve de la paix par la démocratie (les démocraties sont en tant que telles pacifiques).

Kant, on l'a vu, avait posé comme première condition de l'avènement d'une paix perpétuelle la conversion de tous les États à un régime républicain, *id est* démocratique. Il n'imaginait la paix perpétuelle possible qu'une fois que tous les États seraient devenus démocratiques, ce qui revient à dire *acontrario* qu'il n'y aurait pas de paix perpétuelle tant que subsisteraient des États qui ne s'étaient pas encore dotés d'une Constitution républicaine. Implicitement, il avait donc perçu que l'état de guerre persistait dans les relations des États non républicains entre eux et avec les États non républicains. Reste qu'il impute le comportement extérieur pacifique des républiques au refus des citoyens de mener les guerres dont ils devraient eux-mêmes supporter le coût. Cette explication, qui fait de la démocratie un régime intrinsèquement pacifique, quel que soit l'adversaire avec lequel elle est en conflit d'intérêt, est contredite par les recherches quantitatives qui démontrent la nature exclusivement dyadique de la paix démocratique[31] : logiquement, si les citoyens d'une démocratie étaient en tant que tels pacifiques, comme le dit Kant, ils devraient empêcher n'importe quelle guerre, étant donné que le coût humain, économique, etc., d'une guerre est sans rapport avec la nature du régime politique de l'adversaire contre qui elle est menée.

Ce risque d'incohérence, la version de Russett de la paix démocratique l'écarte. Si les démocraties ne se font pas la guerre entre elles, ce n'est pas parce que leurs citoyens, directement ou par médias ou représentants interposés, seraient intrinsèquement pacifiques ; ce n'est pas non plus parce que les contraintes institutionnelles empêcheraient les démocraties de rapidement mobiliser leurs forces armées – cette mobilisation a été maintes fois prouvée dans le cas de conflits armés avec des États non démocratiques ; mais c'est parce que les contraintes institutionnelles qui pèsent sur les décideurs, jointes à leur culture de compromis, créent entre deux démocraties une attente pacifique réciproque. C'est cette attente pacifique réciproque, le fait que chaque démocratie puisse avoir confiance dans le non-recours en premier à la force armée de la part de l'autre démocratie, qui explique la réduction, telle une peau de chagrin, du recours à la force armée dans leurs relations réciproques : en désamorçant le dilemme de la sécurité, l'attente pacifique réciproque dégage une marge de manœuvre suffisamment grande pour permettre au diplomate de régler le conflit par la voie pacifique, rendant *ipso facto* inutile le recours au soldat. Autrement

---

31. *Sur la nature dyadique de la paix démocratique, voir aussi D. Rousseau, C. Gelpi, D. Reiter et P. Huth, « Assessing the Dyadic Nature of the Democratic Peace 1918-1988 »,* American Political Science Review, *90 (3), septembre 1996, p. 512-533.*

dit, ce n'est pas l'homogénéité politique intérieure en tant que telle qui rend pacifiques les relations entre démocraties de force comparable, mais l'interaction spécifique qui se noue entre l'homogénéité démocratique et l'état d'anarchie : cette interaction, c'est la neutralisation, voire la suppression du dilemme de la sécurité, ou en tout cas l'atténuation ou la réduction de son intensité, par l'attente pacifique réciproque. Preuve *a contrario*, les États qui ont pour trait commun d'être non démocratiques – les États socialistes par exemple, ou bien les dictatures militaires – n'ont pas de relations pacifiques entre eux, précisément parce que les valeurs et institutions qu'ils partagent ne sont pas démocratiques, ne créent donc pas d'attente pacifique réciproque, et n'ont donc aucun impact sur le dilemme de la sécurité[32].

Au-delà de leurs spécificités respectives, les deux variantes de la théorie de la paix démocratique n'en sont pas moins complémentaires, et la théorie de la paix démocratique consiste alors en un constat empirique : les démocraties ne se font pas la guerre entre elles et seulement entre elles – c'est le constat de la nature dyadique de la paix démocratique ; et en deux explications causales : la structure du pouvoir et la nature des valeurs qui caractérisent la vie politique interne des démocraties neutralisent le

---

32. *En expliquant la paix démocratique par l'interaction spécifique qui se noue, au moment de l'apparition d'un conflit entre deux démocraties, entre l'anarchie propre à la scène internationale et les institutions et valeurs caractéristiques du régime politique interne d'une démocratie, Russett situe son explication à la fois au deuxième et au troisième niveau d'explication ; il échappe ainsi au reproche d'être ce que K. Waltz,* Theory of International Politics, op. cit., *p. 60 et suiv., appelle une théorie réductionniste, c'est-à-dire une théorie qui explique le comportement extérieur des États par leurs caractéristiques internes et qui ce faisant oublie la spécificité de la scène internationale qu'est sa structure anarchique.*

dilemme de la sécurité dans leurs relations mutuelles – c'est l'explication de la paix démocratique (entre démocraties de force égale) par le mécanisme de l'attente pacifique réciproque ; le respect des libertés et droits fondamentaux de l'homme dont font preuve les démocraties leur enlève tout motif d'intervention en faveur de la protection ou de la promotion de ses valeurs – c'est l'explication de la paix démocratique (entre démocraties de force inégale) par le principe de non-ingérence dans les affaires intérieures.

Ce que l'on peut également exprimer de façon négative : l'état de guerre persiste dans les relations qui mettent aux prises une démocratie et une non-démocratie, ainsi que deux non-démocraties entre elles ; lorsqu'il s'agit de deux États (dont au moins une non-démocratie) de force égale, cet état de guerre s'explique par le dilemme de la sécurité qui perdure entre eux ; lorsqu'il s'agit de deux États (dont au moins une non-démocratie) de force inégale, cet état de guerre s'explique par le non-respect par l'État le plus fort du principe de non-ingérence dans les affaires intérieures de l'État le moins fort.

C'est peut-être parce que ces trois propositions font de la théorie de la paix démocratique une théorie à la fois élégante et parcimonieuse que celle-ci suscite de multiples critiques, portant d'un côté sur le constat même de l'absence de violence armée entre démocraties, et de l'autre sur la pertinence de l'imputation de cette absence au régime démocratique.

Première critique[33] : qu'en est-il de l'absence réelle de toute guerre entre démocraties ? N'y a-t-il pas d'exemples, dans le passé,

---

33. Nous n'évoquerons pas ici la principale critique régulièrement invoquée par les opposants à la théorie de la paix démocratique, à savoir qu'à cause du petit échantillon à la fois du nombre de guerres et du nombre de démocraties, l'absence de guerre entre démocraties ne serait pas statistiquement

de conflits armés entre démocraties, abstraction faite du recours de la part de certaines démocraties à des *covert actions* contre d'autres démocraties, du type de celles entreprises par la CIA de Nixon contre le Chili d'Allende ? L'exemple régulièrement invoqué est celui de la Finlande qui, alliée des puissances de l'Axe lors de la seconde guerre mondiale, était *ipso facto* en état de guerre avec les États-Unis, la Grande-Bretagne, la France gaullienne. En fait, l'exemple n'est pas convaincant : si la Finlande s'est retrouvée dans le camp opposé aux démocraties de l'époque, c'est parce que, après avoir été agressée par l'Union soviétique, elle était en guerre contre celle-ci et que cette dernière, après l'opération *Barberousse*, s'est elle-même retrouvée l'alliée des démocraties. D'ailleurs, comme le rappelle Russett, la Finlande n'a jamais été considérée comme une ennemie par les États alliés démocratiques, et la déclaration de guerre ne s'est jamais traduite par des batailles sur le terrain.

Plus de problèmes pose déjà le cas allemand lors de la première guerre mondiale : l'Allemagne, tout impériale qu'elle fût, n'était-elle pas malgré tout une démocratie, comme tend à l'indiquer le fait que le professeur Wilson, avant l'entrée en guerre des États sous la présidence Wilson, avait, dans ses cours, présenté l'Allemagne comme l'État démocratique par excellence, à cause notamment de ses avancées en matière sociale[34] ? La deuxième

---

significative, comme l'affirme notamment D. Spiro, « The Insignificance of the Liberal Peace » (1994), dans M. Brown et al. *(eds),* Debating the Democratic Peace, op. cit., *p. 202-233 : en effet, le fait que le nombre de guerres soit effectivement peu élevé n'a pas empêché le réalisme, qui fonde toute son analyse sur le risque permanent de cet événement en soi rare qu'est la guerre, d'être le paradigme dominant.*

34. Cette critique est avancée par I. Oren, « The Subjectivity of the Democratic Peace » (1995), dans M. Brown et al. *(ed.),* Debating the Democratic Peace, op. cit., *p. 263-300.*

critique du constat empirique de la théorie de la paix démocratique concerne alors la notion même de démocratie : les adeptes de cette théorie ne seraient-ils pas tentés de qualifier de façon subjective de « non-démocraties » certains des États qui se sont affrontés aux États-Unis, à la France ou à la Grande-Bretagne, pour valider de façon *ad hoc* leur hypothèse de travail ?

En fait, la définition de la démocratie n'a rien d'arbitraire. Selon Doyle, une démocratie se caractérise par la liberté de l'individu, et notamment les droits civiques fondamentaux (liberté de conscience, de parole, de propriété), les droits économiques et sociaux (égalité d'accès au travail, à la santé, à l'éducation), les droits politiques (participation et représentation démocratique), ainsi que par un ensemble d'institutions – égalité juridique des citoyens et liberté de la presse, propriété privée et économie de la libre entreprise, gouvernement représentatif et séparation des pouvoirs ; quant à Russett, il entend tout simplement par démocratie un régime politique basé sur la reconnaissance du droit de vote à une fraction substantielle des citoyens, l'alternance de gouvernements élus au cours d'élections pluralistes et secrètes, l'existence d'un pouvoir exécutif élu directement par le peuple ou bien responsable devant le pouvoir législatif. Bien que différentes – la conception que se fait Russett de la démocratie est beaucoup moins exigeante que celle de Doyle –, ces deux définitions permettent de se faire une idée assez précise de ce que la théorie de la paix démocratique entend par démocratie : il s'agit d'une démocratie consolidée, mature, existant depuis un certain temps, car seul le temps permet d'enraciner la culture de compromis qui, tout autant sinon plus même que les contraintes institutionnelles, permet de dégager l'attente pacifique réciproque entre démocraties. Or, si effectivement l'Allemagne impériale était à la pointe dans le domaine de la législation sociale, le processus de prise de décision diplomatique

– d'après la Constitution, il appartenait au seul empereur de déclarer la guerre et de conclure la paix – était le type même de *old diplomacy* que Woodrow Wilson allait dénoncer dans son discours des Quatorze points, et qu'il souhaitait remplacer par une diplomatie transparente, prenant en compte l'opinion publique (cf. chap. 5).

Reste cependant que, si la démocratie doit être consolidée, une troisième critique vient à l'esprit, celle concernant l'impact de la transition démocratique sur la guerre et la paix. Ainsi, d'après Edward Mansfield et Jack Snyder[35], la transition démocratique, loin d'être un processus favorable à la paix, serait tout au contraire susceptible de favoriser le recours à la violence armée de la part des autorités de l'État en voie de démocratisation. Confrontées aux difficultés inhérentes à toute phase transitoire, harcelées à la fois par les élites de l'ancien régime victimes de la transition et par les frustrés de la transition déçus par les difficultés de celle-ci, ces autorités seraient tentées, dans une dynamique de surenchère, de trouver un bouc émissaire étranger à ces difficultés, voire de recourir à la force armée contre celui-ci dans un but de diversion ; en la matière, leur tâche serait facilitée par l'absence de mécanismes modérateurs puissants, tels qu'une presse libre, un parlement respecté, une justice indépendante[36].

En fait, la critique de Mansfield et Snyder, qui s'appuie sur les guerres qui se sont produites entre certains États nouvellement indépendants de l'ex-Yougoslavie et de l'ex-Union soviétique, n'invalide en rien la théorie de la paix démocratique : des

---

35. *E. Mansfield et J. Snyder, « Democratization and the Danger of War », dans M. Brown* et al. *(eds),* Debating the Democratic Peace, *1995,* op. cit., *p. 301-334.*

36. *La thèse de Mansfield et Snyder renvoie à la théorie de la guerre comme diversion. Également appelée « hypothèse du*

recherches empiriques[37] ont en effet montré que si des États en voie de démocratisation recourent effectivement à la force contre d'autres États, la propension de ce recours à la force est parfaitement corrélée avec la distance politique qui sépare ces États de leurs voisins. Autrement dit, en présence d'un État en voie de démocratisation, le risque de guerre n'augmente que si ce dernier est entouré d'États non démocratiques. Ce constat, que l'on peut dresser de nos jours dans les cas *supra*, s'était déjà vérifié dans le cas de la République française des années 1790, entourée des monarchies absolutistes : loin de réfuter la théorie de la paix démocratique, il la corrobore tout au contraire.

---

*bouc émissaire », cette théorie a été invoquée dès Jean Bodin, selon qui « le plus beau moyen de conserver un État et de le garantir contre les rébellions, séditions, et guerres civiles, c'est d'avoir un ennemi auquel on puisse tenir tête » (*Les Six Livres de la République, op. cit., *tome 5, p. 137). Elle affirme que lorsqu'un État est confronté à des difficultés internes diverses – conjoncture économique défavorable, opposition politique accrue, divisions de toute nature –, les dirigeants tenteront de faire face à ces difficultés non pas en accédant aux demandes de leurs citoyens insatisfaits, ni en réprimant les demandes en question, mais en déclenchant une guerre contre un acteur étranger. Cette guerre est censée remplir une double fonction d'unification des citoyens mécontents autour de leurs dirigeants et de légitimation du pouvoir de ces derniers, grâce à deux mécanismes complémentaires : directement en faisant diversion des difficultés intérieures existantes grâce au nouveau front ouvert avec le monde extérieur ; indirectement en désignant l'adversaire en question comme le bouc émissaire responsable desdites difficultés. Voir, entre autres, L. Coser,* Les Fonctions du conflit social *(1956), Paris, PUF, 1982 ; C. Ostrom et B. Job, « The President and the Political Use of Force », art. cité ; J. Levy, « The Diversionary Theory of War. A Critique », art. cité ; K. Gaubatz,* Elections and War, op. cit.

37. W. Thompson et R. Tucker, « A Tale of Two Democratic Peace Critiques », Journal of Conflict Resolution, *41 (3), juillet 1997, p. 428-454.*

En conclusion, toutes ces critiques ne parviennent pas à réfuter le constat que l'absence de guerre entre démocraties est bel et bien « ce qui se rapproche le plus de ce qui pourrait être une loi empirique en relations internationales[38] ». Reste à savoir si cette absence de recours à la force armée n'est pas imputable à autre chose qu'à la démocratie partagée, et notamment aux rapports de force.

Cette hypothèse réaliste est tout d'abord émise par Christopher Layne[39]. Étudiant à son tour les cas avancés par Russett comme actes fondateurs de la paix démocratique (crise vénézuélienne et crise de Fachoda), et y ajoutant deux autres cas, l'affaire Trent mettant aux prises les États-Unis et le Royaume-Uni en 1861, ainsi que la question de la Ruhr opposant la France à l'Allemagne de Weimar en 1923, Layne estime que si les démocraties concernées ne se sont effectivement pas fait la guerre lors de ces crises, ce n'est pas grâce au respect mutuel ou à l'attente pacifique réciproque (les documents d'époque montrent tout au contraire un esprit belliqueux omniprésent et des efforts de mobilisation), mais pour des raisons de *Realpolitik* : ainsi, la France n'a pas recouru à la force lors de la crise de Fachoda à cause du rapport de forces défavorable qui était le sien face à la Grande-Bretagne, et le même raisonnement a présidé à la décision de Weimar de ne pas s'opposer par la force à l'occupation française de la Ruhr en 1923 ; quant au Royaume-Uni, il n'a pas fait la guerre aux États-Unis lors de leurs deux conflits de la deuxième moitié du XIXe siècle parce qu'il craignait qu'une troisième puissance n'en profite – en l'occurrence la France ou l'Allemagne. Dans les quatre cas, ce sont des

38. *J. Levy, « The Causes of War. A Review of Theories and Evidence », art. cité.*

39. *C. Layne, « Kant or Cant. The Myth of the Democratic Peace », dans M. Brown* et al. *(ed.),* Debating the Democratic Peace, op. cit., *p. 157-201.*

considérations traditionnelles d'équilibre des puissances, de prise en compte des gains relatifs attendus et des coûts encourus, qui expliqueraient l'absence de guerre entre les puissances concernées, et non pas le partage de valeurs et d'institutions communes.

Un raisonnement comparable est tenu par Joanne Gowa et Henry Farber[40], à propos de la guerre froide cette fois-ci. Affirmant que l'absence de guerres entre démocraties n'est statistiquement significative que depuis l'après-seconde guerre mondiale, ces deux auteurs affirment que l'absence de guerre entre démocraties tout au long des années 1945-1989/1991 s'explique par la présence de l'ennemi commun soviétique et l'hégémonie américaine qui s'en est suivie sur l'ensemble du monde occidental : autrement dit, l'absence de recours à la force entre démocraties occidentales n'est en réalité qu'un effet secondaire des traditionnels rapports de puissance qui continuent de déterminer le comportement extérieur de tous les États, quel que soit leur régime.

Que penser de ces critiques ? Étant donné que pour trancher directement entre théorie de la paix démocratique et théories réalistes il faudrait refaire l'histoire, la seule façon de les départager consiste à se demander laquelle est la moins mauvaise explication d'un plus grand nombre de phénomènes relatifs à la guerre et à la paix sur la période concernée, car après tout, tel est le seul critère d'évaluation d'une théorie : est bonne une théorie qui explique moins mal plus de réalités empiriques. Dans cette perspective, ni

---

40. J. Gowa et H. Farber, « Politics and Peace », dans M. Brown et al. *(eds),* Debating the Democratic Peace, op. cit., *p. 239-262 ; ainsi que H. Farber et J. Gowa, « Common Interests or Common Politics ? Reinterpreting the Democratic Peace »,* Journal of Politics, *59 (2), mai 1997, p. 393-417. J. Gowa a repris ses critiques dans un ouvrage,* Ballots or Bullets. The Elusive Democratic Peace, *Princeton (N. J.), Princeton University Press, 1999.*

la théorie de l'équilibre des puissances, à laquelle renvoie Layne, ni celle des cycles de puissance, sur laquelle se fondent Gowa et Farber, ne peuvent rendre compte de l'absence de toute guerre entre démocraties.

La théorie de l'équilibre des puissances tout d'abord, qui affirme que la diplomatie prudente de l'équilibre des puissances est le seul moyen susceptible de favoriser la paix, ou plus précisément la trêve, ne peut expliquer l'absence de guerre entre démocraties depuis un siècle et demi, car l'application du principe de l'équilibre des puissances aurait dû mener certaines démocraties à s'opposer à d'autres démocraties, au sein d'alliances adverses : or les démocraties se sont retrouvées en permanence alliées – pendant la première guerre mondiale, pendant la seconde guerre mondiale, tout au long de la guerre froide. Quant à la théorie des cycles de puissances, qui explique l'absence de guerre par l'hégémonie d'une puissance et l'acceptation de cette hégémonie par les puissances satisfaites, si elle peut rendre compte de la paix entre démocraties pendant la *pax americana* depuis la fin de la seconde guerre mondiale, elle ne saurait expliquer la paix entre démocraties ni pendant l'entre-deux-guerres, époque de transition entre une Grande-Bretagne déjà en déclin et des États-Unis qui n'ont pas encore pris le relais, ni même pendant la *pax britannica*, que la France n'acceptait pas dans les colonies, et que les États-Unis n'acceptaient pas dans l'hémisphère occidental, au nom de la doctrine Monroe.

Même l'idée, empruntée à la théorie de l'équilibre des menaces[41], selon laquelle l'existence de l'adversaire soviétique commun aurait

---

41. Nous n'avons pas la place ici d'entrer dans les détails des explications de la guerre et de la paix par les théories de l'équilibre des puissances, de l'équilibre des menaces, ou des cycles de puissances. Voir, au-delà de notre discussion dans le chapitre 4, les présentations de ces termes dans D. Battistella,

empêché les démocraties de s'affronter tout au long de la guerre froide, est réfutable intuitivement : d'un côté, le fait pour les États socialistes d'avoir comme ennemi commun les démocraties capitalistes n'a pas empêché certaines guerres entre eux – URSS-Chine, Vietnam-Cambodge, Chine-Vietnam – ; de l'autre, le fait pour des États occidentaux non démocratiques d'avoir eu comme adversaire commun le communisme soviétique n'a pas davantage empêché certains d'entre eux de recourir à la force entre eux – El Salvador/Honduras –, ou contre un État démocratique – Argentine/Royaume-Uni. Or, si la présence d'un ennemi commun n'a pas permis la paix dans ces cas-là, de quel droit lui attribuer le mérite de la paix entre démocraties ? Celle-ci s'explique bien par les pratiques de non-ingérence dans les affaires intérieures et d'attente pacifique réciproque rendues possibles par les institutions et les valeurs communes aux démocraties.

Conclusion : le constat selon lequel les démocraties ne recourent pas à la force entre elles est l'une des généralisations les moins triviales que l'on puisse faire lorsque l'on étudie la politique internationale[42].

Reste que toute médaille a son revers, et que l'on peut se demander si le prix à payer pour cette certitude scientifique n'est pas très, voire trop, élevé. En effet, la science politique venant au secours de l'action politique, si les démocraties ne se font pas la guerre, comment ne pas envisager de faire la guerre aux

---

F. Petiteville, M.-C. Smouts et P. Vennesson, Dictionnaire des Relations internationales, *Paris, Dalloz, 2012 [3ᵉ éd.].*

42. *Ces dernières années, la théorie de la paix démocratique a connu une double évolution. D'un côté, elle a fait l'objet d'une tentative d'élargissement aux deux autres conditions de paix kantiennes : il s'agit de montrer que les chances de paix entre États sont optimales lorsqu'on est en présence d'États qui, tout à la fois, ont un régime démocratique, pratiquent le libre-*

non-démocraties[43], ne serait-ce qu'au nom de la sécurité : en démocratisant par la force les autocraties, on étendrait la zone de paix démocratique ?

Aux États-Unis, la théorie de la paix démocratique a ainsi eu « un impact important sur les politiques publiques. Les décideurs en parlent parce qu'elle a une implication politique claire pour le ministère de la Défense : ou bien on peut se préparer à faire face à une menace, ou bien on peut se débarrasser de la menace en transformant un pays en démocratie[44] ». Non seulement les décideurs américains en ont parlé – « la démocratie est fondée sur le

---

échange, et participent aux mêmes organisations internationales. Voir à ce sujet B. Russett et J. Oneal, Triangulating Peace. Democracy, Interdependence and International Organizations, *New York (N. Y.), Norton, 2001. De l'autre, la théorie de la paix démocratique est également abordée dans une perspective constructiviste, à l'intérieur d'une espèce de fusion libéralo-constructiviste dont on peut avoir une idée générale dans D. Panke et T. Risse, « Liberalism », art. cité : voir T. Risse-Kappen, « Democratic Peace, Warlike Democracies ? A Social Constructivist Interpretation of the Liberal Argument »,* European Journal of International Relations, *1 (4), décembre 1995, p. 491-517 ; C. Kahl, « Constructing A Separate Peace. Constructivism, Collective Liberal Identity, and Democratic Peace »,* Security Studies, *8 (2-3), hiver 1998-printemps 1999, p. 94-144 ; M. Williams, « The Discipline of the Democratic Peace. Kant, Liberalism and the Social Construction of Security Communities »,* European Journal of International Relations, *7 (4), décembre 2001, p. 525-553 ; S. Roussel,* The North-American Democratic Peace : Absence of War and Security InstitutionBuilding in Canada-US Relations : 1867-1958, *Montréal, McGill University Press, 2004.*

43. Voir A. Geis, L. Brock et H. Müller (eds), Democratic Wars. Looking at the Dark Side of the Democratic Peace, *Basingstoke, Palgrave-Macmillan, 2006.*

44. J. Kruzel, « More a Chasm Than a Gap, But Do Scholars Want to Bridge it ? », Mershon International Studies Review, *38 (1), avril 1994, p. 179-181.*

compromis, plutôt que la conquête, [...] les démocraties se font rarement la guerre[45] » –, mais ils l'ont intégrée dans la doctrine Lake-Clinton visant à étendre la démocratie parce que « les démocraties créent des marchés qui offrent des opportunités économiques, favorisent des partenaires commerciaux fiables, et sont très peu susceptibles de mener des guerres les unes contre les autres[46] ». Davantage, le successeur de Bill Clinton est allé jusqu'à joindre l'action à la parole, en déclenchant une guerre dans l'espoir que l'exportation de la démocratie mette fin aux menaces pour la sécurité américaine émanant d'un pays non démocratique : c'est ce qui s'est passé avec l'opération *Iraqi Freedom*, décidée, entre autres raisons, parce qu'il « ne peut y avoir de paix si notre sécurité dépend de la volonté et des caprices d'un dictateur agressif et sans foi ni loi[47] ».

Certes, le rapport entre théorie et action n'est pas direct dans le cas de la théorie de la paix démocratique, car dès 1993, Bruce Russett avait écrit que « le modèle du "Combat-les, bat-les, et rend les démocratiques" est irrévocablement faussé comme base d'une action » en politique étrangère[48]. Par ailleurs, l'idée de faire la guerre au nom de la paix a notamment été critiquée par Mansfield

---

45. B. Clinton, discours devant la 48e session de l'Assemblée générale des Nations unies, 27 septembre 1993. Citation dans J. Lepgold et M. Nincic, Beyond the Ivory Tower. International Relations Theory and the Issue of Policy Relevance, *New York (N. Y.), Columbia University Press, 2001, p. 114.*

46. National Strategy for Engagement and Enlargement, février 1996. Citation dans ibid., *p. 115.*

47. G. W. Bush, State of the Union Address, *29 janvier 2002.*

48. B. Russett, Grasping Democratic Peace, op. cit., *p. 135-136. Voir aussi ses réflexions post-opération* Liberté en Irak, *dans « Bushwhacking the Democratic Peace »,* International Studies Perspectives, *6 (4), novembre 2005, p. 395-408, où il va*

et Snyder[49], conseillant aux démocraties existantes de ne surtout pas essayer d'exporter la démocratie dans le but d'accélérer le cours de l'histoire vers la fin de la guerre, étant donné que la paix démocratique est fondée sur des démocraties matures, ce qui implique, au départ, que la démocratie émerge de l'intérieur des pays concernés, plutôt qu'elle ne soit imposée de l'extérieur[50]. Enfin, l'argumentation des néoconservateurs favorables à *Iraqi Freedom* ne s'appuie ni explicitement ni exclusivement sur la théorie de la paix démocratique qui, d'inspiration kantienne, exige la conformité des moyens par rapport à la fin poursuivie, en l'occurrence le respect d'un multilatéralisme incompatible avec le « wilsonisme botté » dont les États-Unis ont fait preuve à l'égard de l'Irak en 2003[51].

---

jusqu'à comparer le détournement de la théorie de la paix démocratique par l'Administration Bush à celle de la bombe nucléaire mise sur pied dans le but d'empêcher la victoire des nazis mais testée après la défaite nazie contre des civils japonais. Pour une réflexion sur la responsabilité indirecte des théoriciens de la paix démocratique malgré leurs prises de distance, voir P. Ish-Shalom, « Theorization, Harm, and the Democratic Imperative : Lessons from the Politicization of the Democratic Peace Thesis », International Studies Review, *10 (4), décembre 2008, p. 680-692.*

49. *E. Mansfield et J. Snyder, « Democratization and the Danger of War », art. cité, et le livre approfondissant cet article :* Electing to Fight : Why Emerging Democracies Go to War, *Cambridge (Mass.), MIT Press, 2005.*

50. *Les cas de l'imposition de la démocratie à l'Allemagne et au Japon au lendemain de la seconde guerre mondiale ne sont pas comparables à* Liberté en Irak, *étant donné que, dans les deux cas, l'imposition de la démocratie avait suivi une guerre déclenchée par les deux pays en question.*

51. *L'expression « wilsonisme botté » est due à P. Hassner, « États-Unis, la force de l'empire ou l'empire de la force »,* Cahiers de Chaillot, *54, septembre 2002, p. 43. Sur la signification plus large de* Liberté en Irak, *voir D. Battistella,* Retour de l'état de guerre, op. cit.

La multiplication d'interventions armées de la part des démocraties occidentales, de la Bosnie en 1995 jusqu'à la Libye en 2011, n'en a pas moins conduit certains chercheurs, d'inspiration critique au sens de l'École de Francfort notamment[52], à souligner ce qui a été appelée la « face cachée de la paix démocratique[53] » due à la « violence démocratique[54] » exercée par les États occidentaux contre des États estampillés voyous parce que se réclamant de valeurs autres et/ou considérées comme menaçantes pour la sécurité, l'identité ou tout simplement les intérêts des démocraties[55].

A priori, ces recherches ne paraissent pas incompatibles avec la version originelle de la théorie de la paix démocratique de Michael Doyle qui, justement, avait souligné la tendance des démocraties à mener des guerres au nom des droits de l'homme par définition non respectés dans les non-démocraties. Il est vrai cependant aussi que l'évolution de la théorie de la paix démocratique avait fini par souligner, et cherché à expliquer, d'abord et surtout l'absence de guerres entre démocraties plutôt que l'existence de guerres entre démocraties et non-démocraties, considérées dans une certaine mesure comme un simple reliquat d'un passé censé prendre fin tôt

---

52. *Voir C. Hobson, « Towards A Critical Theory of Democratic Peace »,* Review of International Studies, *36 (1), janvier 2010, p. 1-20.*

53. *A. Geis, L. Brock et H. Müller (eds),* Democratic Wars : Looking at the Dark Side of the Democratic Peace, op. cit.

54. *A. Geis et W. Wagner, « How Far Is it from Königsberg to Kandahar ? Democratic Peace and Democratic Violence in International Relations »,* Review of International Studies, *36 (1), janvier 2010, p. 1-23.*

55. *Pour des études de cas, voir L. Freedman, « The Age of Liberal Wars »,* Review of International Studies, *31 (1), janvier 2005, p. 93-107 ; D. Chandler,* From Kosovo to Kabul and Beyond : Human Rights and International Intervention, *Londres, Pluto Press, 2006 ; D. Battistella,* Paix et guerres au XXIe siècle, op. cit., *p. 81 et suiv.*

ou tard, vue la tendance normative à extrapoler le constat statistique de l'augmentation régulière du nombre de démocraties et de l'extension concomitante de la zone de paix démocratique.

Dans tous les cas, il ne fait pas de doute que la promiscuité certaine que la politique extérieure des puissances démocratiques américaine, britannique et française entretient avec la théorie de la paix démocratique depuis la fin de la guerre froide[56] pose la question plus large des rapports entre théorie et pratique des relations internationales que nous allons aborder dans le prochain chapitre.

Bibliographie

Émise par :

KANT (Emmanuel), *Vers la paix perpétuelle* (1795), dans Emmanuel Kant, *Vers la paix perpétuelle et autres textes*, Paris, Garnier-Flammarion, 1991, p. 73-131.

L'idée de la paix démocratique est associée à :

DOYLE (Michael), « Kant, Liberal Legacies and Foreign Affairs (1983) », dans Michael Brown *et al.* (eds), *Debating the Democratic Peace*, Cambridge (Mass.), MIT Press, p. 3-57.

DOYLE (Michael), « Liberalism and World Politics Revisited » (1986), dans Charles Kegley (ed.), *Controversies in International Relations Theory. Realism and the Liberal* Challenge, New York (N. Y.), St. Martin's Press, 1995, p. 83-106.

56. *Pour une vue d'ensemble sur cette promiscuité, voir le forum « Between the Theory and Practice of Democratic Peace »,* International Relations, *25 (2), juin 2011, p. 147-184, avec les contributions de C. Hobson, T. Smith, J. Owen, A. Geis, P. Ish-Shalom.*

RUSSETT (Bruce), *Grasping the Democratic Peace*, Princeton (N. J.), Princeton University Press, 1993, 174 p.

Ainsi qu'à :

DIXON (William), « Democracy and the Peaceful Settlement of International Conflict », *American Political Science Review*, 88 (1), mars 1994, p. 14-32.

LIPSON (Charles), *Reliable Partners : How Democracies Have Made A Separate Peace*, Princeton (N. J.), Princeton University Press, 2005, 272 p.

MACMILLAN (John), *On Liberal Peace*, Londres, Tauris, 1998, 306 p.

OWEN (John), « How Liberalism Produces Democratic Peace », dans Michael Brown *et al.* (eds), *Debating the Democratic Peace*, Cambridge (Mass.), MIT Press, 1994, p. 116-154.

OWEN (John), *Liberal Peace, Liberal War*, Ithaca (N. Y.), Cornell University Press, 1997, 246 p.

RAY (James L.), *Democracy and International Conflict*, Columbia (S. C.), University of South Carolina Press, 1995, 243 p.

RAY (James L.), « Wars Between Democracies. Rare or Nonexistent ? », *International Interactions*, 8 (3), février 1993, p. 251-276.

THOMPSON (William) et TUCKER (Richard), « A Tale of Two Democratic Peace Critiques », *Journal of Conflict Resolution*, 41 (3), juillet 1997, p. 428-454.

Les tentatives de vérification empirique de l'idée d'une paix démocratique sont dues à :

BREMER (Stuart), « Democracy and Militarized Interstate Dispute 1816-1965 », *International Interactions*, 18 (3), février 1993, p. 231-249.

CHAN (Steve), « Mirror, Mirror on the Wall... Are the Freer Countries More Pacific ? », *Journal of Conflict Resolution*, 28 (4), décembre 1984, p. 617-648.

HUTH (Paul) et ALLEE (Todd), *The Democratic Peace and Territorial Conflict in the Twentieth Century*, Cambridge, Cambridge University Press, 2002, 488 p.

MAOZ (Zeev) et ABDOLANI (Nasrin), « Regime Types and International Conflict 1816-1976 », *Journal of Conflict Resolution*, 33 (1), mars 1989, p. 3-35.

MAOZ (Zeev) et RUSSETT (Bruce), « Alliance, Contiguity, Wealth and Political Stability. Is the Lack of Conflict Among Democracies a Statistical Artifact ? », *International Interactions*, 17 (3), février 1992, p. 245-267.

MOUSSEAU (Michael), « Democracy and Compromise in Militarized Interstate Conflicts 1816-1992 », *Journal of Conflict Resolution*, 42 (1), avril 1998, p. 210-230.

ROUSSEAU (David), GELPI (Christopher), REITER (Dan) et HUTH (Paul), « Assessing the Dyadic Nature of the Democratic Peace 1918-1988 », *American Political Science Review*, 90 (3), septembre 1996, p. 512-533.

ROUSSEL (Stéphane), *The North-American Democratic Peace : Absence of War and Security Institution-Building in Canada-US Relations : 1867-1958*, Montréal, McGill University Press, 2004, 256 p.

RUMMEL (Rudolf), « Libertarianism and International Violence », *Journal of Conflict Resolution*, 27 (1), mars 1983, p. 27-71.

SMALL (Melvin) et SINGER (David), « The War-Proneness of Democratic Regimes 1816-1965 », *Jerusalem Journal of International Relations*, 1 (4), été 1976, p. 50-69.

WEEDE (Erich), « Democracy and War Involvement », *Journal of Conflict Resolution*, 28 (4), décembre 1984, p. 649-664.

WEEDE (Erich), « Some Simple Calculations on Democracy and War Involvement », *Journal of Peace Research*, 29 (4), novembre 1992, p. 377-383.

Quant aux critiques, elles proviennent entre autres de :

COHEN (Raymond), « Pacific Unions. A Reappraisal of the Theory that "Democracies Do Not Go to War With Each Other » », *Review of International Studies*, 20 (3), juillet 1994, p. 207-223.

ELMAN (Miriam F.) (ed.), *Paths to Peace. Is Democracy the Answer ?*, Cambridge (Mass.), MIT Press, 1997, 542 p.

FARBER (Henry) et GOWA (Joanne), « Politics and Peace », dans Michael Brown *et al.* (eds), *Debating the Democratic Peace*, Cambridge (Mass.), MIT Press, 1995, p. 239-262.

FARBER (Henry) et GOWA (Joanne), « Common Interests or Common Polities ? Reinterpreting the Democratic Peace », *Journal of Politics*, 59 (2), mai 1997, p. 393-417.

GOWA (Joanne), *Ballots and Bullets. The Elusive Democratic Peace*, Princeton (N. J.), Princeton University Press, 1999, 144 p.

LAYNE (Christopher), « Kant or Cant. The Myth of the Democratic Peace », dans Michael Brown *et al.* (eds), *Debating the Democratic Peace*, Cambridge (Mass.), MIT Press, 1994, p. 157-201.

MANSFIELD (Edward) et SNYDER (Jack), « Democratization and the Danger of War », dans Michael Brown *et al.* (eds), *Debating the Democratic Peace*, Cambridge (Mass.), MIT Press, 1995, p. 301-333.

MANSFIELD (Edward) et SNYDER (Jack), *Electing to Fight : Why Emerging Democracies Go to War*, Cambridge (Mass.), MIT Press, 2005, 300 p.

Pour des présentations d'ensemble, voir :

BROWN (Michael) *et al.* (eds), *Debating the Democratic Peace*, Cambridge (Mass.), MIT Press, 1996, 380 p.

CHAN (Steve), « In Search of Democratic Peace. Problems and Promises », *Mershon International Studies Review*, supplément de la revue *International Studies Quarterly*, mai 1997, p. 59-92.

ELMAN (Colin) *et al.*, « The History of the Democratic Peace », numéro spécial, *International History Review*, 23 (4), décembre 2001, p. 757-823.

GLEDITSCH (Nils) et RISSE-KAPPEN (Thomas) (eds), « Democracy and Peace », numéro spécial, *European Journal of International Relations*, 1 (4), décembre 1995, p. 427-571.

HASENCLEVER (Andreas) et WAGNER (Wolfgang) (eds), « The Dynamics of Democratic Peace », numéro spécial, *International Politics*, 41 (4), décembre 2004, p. 465-617.

MAOZ (Zeev), « The Controversy Over the Democratic Peace. Rearguard Action or Cracks in the Wall ? », *International Security*, 22 (1), été 1997, p. 162-198.

RAY (James L.), « Does Democracy Cause Peace ? », *Annual Review of Political Science*, 1, 1998, p. 27-46.

Quatrième partie

Les Relations internationales face au monde contemporain

Chapitre 16 / THÉORIE ET PRATIQUE DES RELATIONS INTERNATIONALES

« La vérité menace le pouvoir, et le pouvoir menace la vérité. »
Hans Morgenthau[1]

Ces derniers temps, la discipline des Relations internationales a été confrontée à deux défis importants en l'espace d'un an et demi, les attentats du 11 septembre 2001, d'un côté, l'opération *Liberté en Irak*, de l'autre.

Tout d'abord, les attentats du 11 septembre 2001 ont constitué pour l'ensemble de la profession une « surprise conceptuelle absolue » que les théories existantes ont eu – et ont toujours[2] – du mal à saisir. C'est en tout cas ce qu'affirme Daniel Philpott, d'après qui *nine eleven* renvoie à des acteurs et à des facteurs

1. *H. Morgenthau, cité par W. Wallace, « Truth and Power, Monks and Technocrats. Theory and Practice in International Relations »,* Review of International Studies, *22 (3), juillet 1996, p. 301-321.*

2. *Au sein de la discipline des Relations internationales, les analyses d'ensemble suscitées par* nine eleven *et ses conséquences restent peu nombreuses, ce qui tend aussi à indiquer que les attentats du 11 septembre ne se voient pas accorder le même impact d'événement-charnière que la fin de la guerre froide. Voir, entre autres, K. Booth et T. Dunne (eds),* Worlds in Collision. Terror and the Future of Global Order, *Basingstoke, Palgrave-Macmillan, 2002 ; le dossier consacré à l'étude de l'impact du 11 septembre sur le système international par la revue* International Relations, *16 (2), août 2002 ; le forum sur les conséquences du 11 septembre pour la discipline dans la* Zeitschrift für internationale Beziehungen, *11 (1), 2004 ; le dossier dirigé par D. Battistella, « La théorie internationale face au 11 septembre et ses conséquences. Perspectives libérales et critiques »,* Études internationales, *35 (4), décembre 2004 ; l'article de C. Kennedy-Pipe et N. Rengger, « Apocalypse Now ? Continuities or Disjunctions in World Politics after 9/11 »,* International Affairs, *82 (3), mai 2006, p. 539-552.*

auxquels les internationalistes, socialisés dans un environnement à la fois sécularisé et stato-centré, ont accordé peu d'attention, à savoir les réseaux terroristes d'un côté, la religion de l'autre : « La plus grande attaque sur les États-Unis depuis la fin de la guerre froide, voire depuis leur création, ne trouve guère ses origines dans la dynamique des alliances et de la polarité, la naissance et le déclin des grandes puissances, la recherche par les États de leur sécurité, ni d'ailleurs dans les actions de quelque État que ce soit. Voilà pourquoi elle se soustrait au réalisme, traditionnellement l'école dominante en Relations internationales. Elle n'a pas davantage été le fait d'un parlement ou d'un électorat, d'une entreprise multinationale, d'un syndicat, d'un lobby agricole ou de quelque autre agent dont les libéraux disent qu'ils influencent la politique étrangère. L'attaque n'a que peu de rapports avec les organisations ou institutions internationales, le commerce mondial, la finance, ou l'investissement ; elle n'est que très indirectement concernée par la problématique du développement international. L'attaquant n'est que dans l'acceptation la plus large du mot une organisation non gouvernementale, et certainement pas une organisation non gouvernementale domiciliée auprès des Nations unies. Ce n'est pas une communauté épistémique. C'est peut-être un acteur transnational, mais pas vraiment une organisation de défense des droits de l'homme, ni quelqu'autre réseau familier à la littérature relative à ces acteurs. Il a été motivé par des idées, mais qui n'étaient ni économiques, ni stratégiques, ni libérales au sens politique de ce terme. Il n'a utilisé ni armes nucléaires, ni armes biologiques, ni armes chimiques, mais des cutters de poche, des leçons de pilotage et un plan un tant soit peu élaboré. [... Il était] animé par une conception, organisé autour d'une idée, et guidé par une analyse du système international articulée autour d'une notion, auxquelles les internationalistes ont accordé peu d'attention : la religion[3]. »

Ensuite, le 18 mars 2003, les États-Unis de George W. Bush ont attaqué l'Irak de Saddam Hussein au cours de l'opération *Liberté en Irak*, ignorant avec superbe l'avis contraire émis, tout au long de la crise qui avait précédé cette guerre, par la quasi-totalité des réalistes américains. Fort de ce que le noyau dur de leurs études porte sur les causes et les raisons des guerres, Waltz, Mearsheimer et leurs collègues étaient, en vain, allés jusqu'à s'offrir une tribune occupant une page entière dans le *New York Times* pour s'opposer au recours à la force décidé par Washington : admettant que si « la guerre est parfois nécessaire pour assurer [la] sécurité nationale ou d'autres intérêts vitaux », ils avaient estimé que « la guerre avec l'Irak n'est pas dans l'intérêt national des États-Unis », étant donné qu'une politique de dissuasion aurait, à moindre coût, permis de faire face avec succès à la menace émanant de l'Irak[4]. Une fois la guerre déclenchée, certains de ces réalistes s'étaient joints à d'autres internationalistes, toujours américains, mais de toute obédience paradigmatique cette fois-ci, au sein d'un comité non partisan

---

3. *D. Philpott, « The Challenge of September 11 to Secularism in International Relations »,* World Politics, *55 (1), octobre 2002, p. 66-95. Dix ans après le 11 septembre, un volume collectif fait le point sur le place de la religion en théorie des relations internationales : J. Snyder (ed.),* Religion and International Relations Theory, *New York (N. Y.), Columbia University Press, 2011.*

4. *« War with Iraq Is Not in America's National Interest », placard publicitaire payé par trente-deux internationalistes américains, parmi lesquels les réalistes R. Betts, D. Copeland, R. Jervis, C. Kaufmann, J. Levy, J. Mearsheimer, B. Posen, R. Schweller, J. Snyder, S. Van Evera, S. Walt et K. Waltz, paru dans le* New York Times *du 26 septembre 2002. Voir aussi l'article de J. Mearsheimer et S. Walt, « An Unnecessary War »,* Foreign Policy, *134, janvier-février 2003, p. 51-59.*

appelé *Security Scholars for a Sensible Foreign Policy* : désireux de remédier à l'absence de débat démocratique sur la politique étrangère à suivre par les États-Unis, ils ont notamment publié une lettre ouverte censée faire entendre leur voix non partisane aux élites. Mais de leur propre aveu, cette expérience d'« activisme wébérien » n'a guère eu « d'impact public » en dehors de signatures obtenues par des membres de l'académie, entre autres raisons à cause de l'absence totale de couverture par les médias : « Comme prévu, parce qu'il n'y avait pas d'images, les télévisions s'en sont désintéressées. Mais la grande déception est venue des quotidiens de la presse écrite nationale tels que le *New York Times* ou le *Washington Post* [...], qui n'y ont consacré même pas un article[5]. »

Dans leur brutalité, ces deux épisodes[6] posent le problème des relations entre théorie(s) et pratique(s) des relations

---

5. *P. T. Jackson et S. Kaufmann, « Security Scholars for a Sensible Foreign Policy. A Study in Weberian Activism »,* International Studies Perspectives, *5 (1), mars 2007, p. 95-103. Ont participé à ce mouvement des libéraux comme R. Keohane et des post-positivistes comme T. Biersteker ; leur lettre ouverte a été signée par 851 internationalistes et comparatistes, dont B. Bueno de Mesquita, J. Der Derian, S. Huntington, J. Mueller, D. Singer, J. A. Tickner, I. Wallerstein, etc.*

6. *Notre choix de faits marquants est subjectif. Il s'explique par l'intérêt privilégié que nous portons, au sein des relations internationales, au domaine de la politique internationale définie comme champ social dominé par des conflits d'intérêts et d'aspirations entre entités politiques situées en état d'anarchie. À ce titre, il est, à l'image de tout positionnement méta-théorique, forcément discutable ; tout aussi justifié serait le choix d'autres réalités empiriques parfaitement significatives dans des perspectives méta-théoriques autres, par exemple l'élargissement de l'écart de richesse Nord-Sud (ou centre-périphérie), les difficultés d'entrée en vigueur du protocole de Kyoto ou d'établissement de la Cour pénale internationale, l'élargissement de l'Union européenne, etc.*

internationales[7], et, plus exactement, la question de la pertinence ou de l'utilité sociale de la discipline des Relations internationales[8]. À quoi bon l'étude théorique des relations internationales, peut-on se demander, si elle se révèle tout à la fois incapable de prédire ce qui va se passer et inapte à influencer ce qui est en train de se passer ? L'objectif de la théorie ne consiste-t-il pas, comme le dit Hans Morgenthau, à « saisir la signification des événements en cours » (fonction descriptive) et à les « comprendre » (fonction explicative), mais aussi « *à prévoir et à influencer le futur*[9] » (fonctions prédictive et prescriptive) ?

La question mérite d'autant plus d'être posée que ce n'est pas la première fois que la discipline des Relations internationales est confrontée à une sérieuse remise en cause au sujet de ses capacités prédictives. Pour ne prendre que l'événement récent le plus

---

7. En posant cette problématique et en acceptant de l'étudier, nous n'abondons pas dans le sens d'un positivisme béat selon lequel il s'agirait de deux sphères d'activités sans liens l'une avec l'autre. Il va de soi que toute activité pratique véhicule une théorie sous-jacente implicite, de même que toute activité théorique a un impact sur la pratique. De là à rejoindre la position post-moderniste selon laquelle il n'y aurait pas lieu de distinguer entre la théorie construisant la réalité et la pratique induite de cette théorie et re-façonnant celle-ci, il y a cependant un pas que nous refusons de franchir : étudier la politique et agir en politique ne se confondent pas en une seule et même activité.

8. La question est également posée dans d'autres disciplines des sciences sociales. Voir notamment B. Lahire (dir.), À quoi sert la sociologie ?*, Paris, La Découverte, 2002, et P. Favre,* Comprendre le monde pour le changer. Épistémologie du politique*, Paris, Presses de Sciences Po, 2005, p. 355 et suiv.*

9. Citation dans J. L. Gaddis, « International Relations Theories and the End of the Cold War », International Security*, 17 (3), hiver 1992-1993, p. 5-53. Souligné par nos soins.*

retentissant, la fin de la guerre froide avait tout autant pris au dépourvu l'ensemble des internationalistes. Écoutons John Gaddis : « La fin soudaine de la guerre froide [...] a surpris tout le monde. [...] Les efforts entrepris par les théoriciens pour créer une science du politique qui pourrait prévoir le cours des événements futurs a produit une impressionnante absence de résultats : aucune des trois approches générales [behaviouraliste, structuraliste, évolutionniste] n'a un tant soit peu anticipé la façon dont la guerre froide a pris fin[10]. » Ou encore Richard Lebow et Thomas Risse-Kappen : « La réorientation de la politique étrangère soviétique sous Gorbatchev et la réconciliation Est-Ouest qu'elle a amenée constituent un formidable défi pour la théorie des relations internationales. Ni les réalistes, ni les libéraux, ni les institutionnalistes, ni les adeptes de la *Peace Research* n'avaient auparavant envisagé la possibilité d'un changement aussi fondamental, et tous cherchent désespérément des explications en conformité avec leurs théories[11]. »

À l'époque aussi, on considérait que la « surprise » était due à un échec « non pas empirique mais conceptuel » : au-delà de

10. Ibid. *Historien et non pas internationaliste, Gaddis assimile le structuralisme au systémisme de Kaplan et Waltz, et les approches évolutionnistes à l'ensemble des théories postulant l'existence d'une histoire soit linéaire, soit cyclique.*

11. *R. Lebow et T. Risse-Kappen, « Introduction », dans R. Lebow et T. Risse-Kappen (eds),* International Relations and the End of the Cold War, op. cit., *p. 1. Voir également P. Everts, « The Events in Eastern Europe and the Crisis in the Discipline of International Relations », dans P. Allan et K. Goldmann (eds),* The End of the Cold War. Evaluating Theories of International Relations, *Dordrecht, Nijhoff, 1992, p. 55-81. Pour des explications rétrospectives de la fin de la guerre froide à travers les différentes théories, voir le dossier dirigé par D. Deudney et J. Ikenberry, « The End of the Cold War After Twenty Years : Reconsiderations, Retrospectives and Revisions »,* International Politics, *48 (4-5), 2011, p. 435 et suiv.*

l'incapacité de prédire la chute du mur de Berlin, l'erreur avait consisté en l'inaptitude à envisager, à imaginer, à concevoir la possibilité même d'un changement de la politique extérieure soviétique susceptible de permettre une fin pacifique à la guerre froide. Surtout, nombreux étaient les théoriciens, d'inspiration post-positiviste en général et constructiviste en particulier, qui étaient persuadés avoir trouvé les causes de cet aveuglément, imputé au stato-centrisme et au matérialisme caractéristiques des approches néoréaliste et néolibérale dominantes dans les années 1980, insensibles au poids des valeurs et idées, à la réorientation des identités et à la réorganisation des loyautés. Or, cette – apparente – lucidité n'a en rien empêché le nouvel échec, comme le reconnaît Risse-Kappen lui-même au lendemain du 11 septembre : certes, dit-il, les théoriciens transnationalistes et constructivistes ont reconnu l'importance des réseaux comme acteurs, mais seuls les « bons » réseaux guidés par des valeurs nobles, tels que les « *advocacy networks* » en matière de défense des droits de l'homme[12], ont retenu leur attention, et « ils ne se sont guère préoccupé de la face sombre de la mondialisation[13] ».

La conclusion semble alors devoir s'imposer : les internationalistes sont d'incorrigibles incapables[14], surtout si l'on sait que nombre d'entre eux reconnaissent l'utilité d'émettre des prévisions

---

12. *Allusion au livre de M. Keck et K. Sikkink,* Activists Beyond Borders. Transnational Advocacy Networks in International Politics, *Ithaca (N. Y.), Cornell University Press, 1998.*

13. *T. Risse-Kappen, « Der 9.11. und der 11.9. Folgen für das Fach Internationale Beziehungen »[Le 9 novembre et le 11 septembre. Conséquences pour la discipline des Relations internationales],* Zeitschrift für internationale Beziehungen, *11 (1), 2004, p. 111-121.*

14. *Ce qui est vrai pour les internationalistes l'est moins pour les économistes, tant la crise financière de 2008 avait été*

et soulignent la complémentarité entre les fonctions explicative et prédictive des théories. Ainsi, David Singer, après avoir affirmé que « la prédiction n'est [...] pas le principal objectif d'une théorie ; le but de toute recherche scientifique fondamentale est l'explication », n'en pense pas moins qu'une « théorie explicative puissante [...] fournit une base plus solide pour la prédiction qu'une théorie reposant sur l'observation de simples co-variations ou sur des énoncés *post hoc*[15] » ; et son opinion est partagée par John Burton : « C'est la prédiction, et non pas la sagesse *post factum*, qui a de la valeur et qui constitue le test ultime de la science[16] ». Quant à James Ray et Bruce Russett, ils notent que les prévisions sont indispensables en Relations internationales, car la confrontation avec le futur y

---

prévue par quelques rares universitaires et praticiens : Nouriel Roubini, de l'Université de New York, le 7 septembre 2006 lors d'une conférence devant un auditoire sceptique devant le FMI ; George Soros dans son livre La Vérité sur la crise financière, *Paris, Denoël, 2008. De la à y voir un succès des méthodes formelles et quantitatives propres aux économistes il y a cependant un pas à ne pas franchir trop rapidement : lors de sa conférence, N. Roubini s'était vu reprocher par ses critiques de ne pas fonder sa prédiction sur des modèles mathématiques... Voir l'article de S. Mihm, « Dr. Doom »,* New York Times, *17 août 2008, p. MM26.*

15. D. Singer, Models, Methods, and Progress in World Politics. A Peace Research Odyssey, *Boulder (Colo.), Westview, 1990, p. 74. On trouve une ambiguïté comparable chez K. Waltz : avant la fin de la guerre froide, il écrit qu'une bonne théorie est non pas vraie ou fausse, mais utile, au sens où elle permet « l'explication et la prédiction » (« Realist Thought and Neorealist Theory », art. cité, p. 22) ; après la fin de la guerre froide, qu'il n'a pas prévue, il écrit que l'ultime critère pour juger si une théorie est bonne est « son succès à expliquer, non à prédire » (« Evaluating Theories »,* American Political Science Review, *91 (4), décembre 1997, p. 916).*

16. J. Burton, International Relations. A General Theory, *Cambridge, Cambridge University Press, 1965, p. 259.*

joue le rôle assuré en sciences de la nature par le laboratoire d'expérimentation, en ce qu'il constitue un test grandeur nature permettant de comparer et de départager la valeur heuristique des explications proposées par les différentes théories : une théorie dont les prévisions sont démenties peut être considérée comme inférieure à une théorie dont les prévisions ont été corroborées ou du moins n'ont pas (encore) été réfutées, étant donné que l'invalidation des prévisions extrapolées à partir des postulats fondamentaux d'une théorie affecte nécessairement la validité de ces derniers et la pertinence des explications avancées[17].

---

17. J. Ray et B. Russett, « The Future as Arbiter of Theoretical Controversies. Predictions, Explanations, and the End of the Cold War », British Journal of Political Science, *26 (4), octobre 1996, p. 441-470. Même idée chez J. Mearsheimer, justifiant dans son article « Back to the Future », art. cité, ses prévisions quant à l'avenir de l'Europe de l'après-guerre froide au moment même où le Mur de Berlin est en train de s'effondrer : « L'étude des relations internationales, à l'image des autres sciences sociales, ne ressemble pas encore aux sciences dures. Notre stock de théories est inégal et souvent peu testé. [...] Par ailleurs, les phénomènes politiques sont hautement complexes ; par conséquence, des prédictions politiques précises sont impossibles ... et toute prévision politique est condamnée à contenir des erreurs. [...] Malgré cela, la science sociale devrait offrir des prédictions lorsque se produisent des événements aussi cruciaux et fluides que ceux en train de se dérouler en Europe. Les prédictions peuvent informer le discours politique. Elles aident y compris ceux en désaccord avec les prévisions annoncées à cadrer leurs idées, à clarifier les points de désaccord. Surtout, les prédictions relatives aux événements en train de s'annoncer fournissent les meilleurs tests aux théories des sciences sociales, ... le monde à venir servant de laboratoire pour départager les théories expliquant le mieux la politique internationale ». Sur ce que sont devenues les différentes prévisions établies au moment de la chute du Mur de Berlin, voir C. Fettweis, « Evaluating IR's Crystal Balls. How Predictions of the Future Have Withstood Fourteen Years of Unipolarity »,* International Studies Review, *6 (1), mars 2004, p. 79-104, ainsi que D. Battistella,* Un monde unidimensionnel, op. cit., *p. 11 et suiv.*

Pourtant, il n'est pas sûr que le procès fait aux internationalistes, voire le *mea culpa* de certains d'entre eux, aient lieu d'être. D'autant moins qu'aux exemples donnés s'en ajoute un autre. Dans leur lutte contre ce qu'ils appelaient l'approche traditionaliste, les behaviouralistes – et les auteurs ci-dessus sont tous adeptes de la révolution behaviouraliste – avaient reproché aux traditionalistes leur incapacité à prévoir l'ascension du fascisme, du national-socialisme et du communisme et de leurs conséquences qu'ont été d'après certains d'entre eux la seconde guerre mondiale ainsi que la guerre froide[18] : cette incapacité avait été analysée comme le résultat de l'approche historique et juridique des traditionalistes, et donc attribuée à leur manque de scientificité. Autrement dit, nous avons, depuis que la discipline existe, une conception « moderniste » de la science en Relations Internationales qui attribue l'incapacité de prévoir à la conception « traditionaliste » de la science en Relations Internationales ; ensuite une conception « compréhensive » de la science en Relations Internationales qui attribue la même incapacité de prévoir à la conception « explicative » de la science en Relations Internationales ; et enfin aujourd'hui l'auto-reproche de cette même incapacité de prévoir que la conception compréhensive s'adresse à elle-même... Peut-être alors que cette succession d'échecs et de constats d'échecs indique que ce n'est pas à cause de leur incompétence que les internationalistes sont régulièrement surpris par des événements qu'ils n'ont pas vu venir, mais à cause de « l'imprévisibilité du monde futur[19] » dans les Relations internationales. Cette imprévisibilité s'explique par trois raisons

---

18. Voir A. Somit et J. Tannenhaus, The Development of American Political Science from Burgess to Behavioralism, *Boston (Mass.), Allyn and Bacon, 1967.*

19. P. Favre, Comprendre le monde pour le changer, op. cit., *p. 147 et suiv. P. Favre rappelle que l'imprévisibilité du*

majeures, cumulatives entre elles, et renvoyant à la distinction entre logique de l'explication et logique de la prédiction telle qu'exposée dans l'épistémologie de Karl Popper, au fonctionnement d'une discipline scientifique tel qu'expliqué dans la sociologie des sciences de Thomas Kuhn, et à la réflexivité de tout acteur social et la nature intersubjective de tout objet social telles que démontrées dans la sociologie de Robert Merton.

Concernant le premier point, il est utile de rappeler que de façon générale, une prévision, même simplement partielle plutôt que totale[20], et même modestement probabiliste plutôt que déterministe[21], n'est possible qu'à condition que le nombre de variables

---

monde futur est valable autant dans les sciences de la nature que dans les sciences sociales. Nous appliquons son raisonnement aux relations internationales, auxquelles il recourt d'ailleurs régulièrement à titre d'illustrations des thèses défendues.

20. *Une prévision totale, dite aussi spécifique, est une prédiction annonçant tout à la fois que telle option va se produire et en quoi elle va consister, quand elle va se réaliser, comment et pourquoi elle va se produire. La plupart des prévisions émises dans le domaine des relations internationales sont des prévisions partielles, ou prévisions génériques, qui consistent à annoncer que A va se passer et à attribuer A à un processus x, mais renoncent à la spécification temporelle consistant à dire que A va se passer à l'instant t+n, de même qu'elles ne s'attardent pas sur les détails du déroulement concret du scénario annoncé. L'exemple par excellence d'une prévision partielle réussie est l'anticipation de la fin de la guerre froide, annoncée dès 1947 par George Kennan, alias Mr. X, « The Sources of Soviet Conduct », art. cité, lorsqu'il émet l'idée que la politique d'endiguement peut conduire à un « possible effondrement (...) de la puissance soviétique ».*

21. *Une prévision probabiliste est une prévision se contentant d'affirmer qu'il est possible que A se passe si la condition B est remplie ; elle se distingue d'une prévision déterministe, affirmant quant à elle que si B, alors forcément A. Sur l'ensemble de ces problèmes de définition, voir notamment N. Choucri et T. Robinson (eds),* Forecasting in International Relations.

susceptibles d'entrer en jeu soit limité et, surtout, que les variables concernées soient connues à l'avance. Or, tel n'est pas le cas en relations internationales, car, à l'image de tout processus social, un processus international « est en relation, même très indirectement, avec la totalité de ce qui s'est produit dans [les relations internationales] auparavant et de ce qui s'y produit au même moment[22] ». Exprimé autrement, les séries d'événements qui produisent un événement international sont innombrables et illimitées. C'est ce qui renvoie à ce que, en sciences naturelles, a été appelé « l'effet papillon », à la suite de la formule popularisée par Edward Lorenz[23] se demandant si « un battement d'ailes au Brésil peut déclencher une tornade au Texas[24] » : des événements à l'instant t sont causés par une quantité innombrable de petits faits se produisant à l'instant t et s'étant produits aux instants t-1, t-2... t-n. Ces faits, il est possible de les retrouver *a posteriori*, lorsqu'il s'agit d'expliquer/comprendre pourquoi s'est produit un événement ; mais avant qu'un événement ne se produise, il est impossible de réunir dans leur totalité tous les faits susceptibles de le

---

Theory, Methods, Problems, Prospects, *San Francisco, Freeman, 1978 ; J. Freeman et B. Job, « Scientific Forecasts in International Relations. Problems of Definition and Epistemology »,* International Studies Quarterly, *23 (1), mars 1979, p. 113-143, ainsi que A. Rosenberg, « Scientific Innovation and the Limits of Social Scientific Prediction »,* Synthese, *97 (2), novembre 1993, p. 161-181.*

22. *P. Favre,* Comprendre le monde pour le changer, op. cit., *p. 194-195.*

23. *E. Lorenz reprend lui-même, en 1972, une hypothèse formulée dès 1908 par H. Poincaré, à l'origine lointaine donc de la théorie du chaos : « Un dixième de degré en plus ou en moins en un point quelconque ; [...] un cyclone éclate ici et non pas là. »*

24. *P. Favre,* Comprendre le monde pour le changer, op. cit., *p. 162.*

produire, de les hiérarchiser pour savoir lequel d'entre eux va avoir le plus d'impact, ou tout simplement de les traiter dans le temps limité disponible. Il en est ainsi à cause de ce que Popper appelle « l'asymétrie entre le passé et le futur[25] », allusion au fait que ce n'est pas parce qu'on peut rendre compte des causes d'un événement après qu'il a eu lieu que l'on aurait pour autant pu le prévoir avant qu'il ne se produise. Popper montre en effet qu'il existe, pour tout observateur-chercheur, un passé absolu et un futur absolu, séparés l'un de l'autre par une zone de contemporanéité possible, et que l'on peut représenter par deux cônes, le cône du passé de l'instant A, concomitant de la zone de contemporanéité possible de cet instant A, et le cône du futur de ce même instant A. À l'instant A, il est possible pour cet observateur-chercheur de rendre compte d'un événement qui vient d'avoir lieu, parce que toutes les causes ayant provoqué l'irruption de cet événement appartiennent au cône du passé de A : comme ce cône du passé est forcément clos, il est possible de remonter la chaîne des causalités passées d'un événement qui a eu lieu, et donc le passé est susceptible d'être expliqué/compris. À l'inverse, on ne peut pas prévoir ce qui va se passer dans un instant B situé dans un futur plus ou moins proche ou lointain, et donc appartenant au cône – nécessairement ouvert, indéterminé – du futur du point A, parce que le cône du passé de cet instant B contient lui des causes qui relèvent certes en partie du cône du passé du moment A, certes aussi de la zone de contemporanéité possible de ce moment A où l'on émet la prévision, mais forcément aussi au cône du futur de l'instant A.

Prenons l'exemple de la fin de la guerre froide. On peut l'expliquer aujourd'hui, c'est-à-dire depuis novembre 1989 (chute du mur

25. *Voir K. Popper,* L'Univers irrésolu. Plaidoyer pour l'indéterminisme, *Paris, Hermann, 1984, p. 47 et suiv.*

de Berlin) ou décembre 1991 (implosion de l'Union soviétique), tout à la fois par l'évolution des rapports de force américano-soviétiques, la sur-expansion impériale de l'URSS en Afghanistan et ailleurs, l'influence corrosive des idées et valeurs occidentales transmises à la population soviétique par les flux transnationaux de toute sorte, le travail souterrain des dissidents soutenus par les pays occidentaux, la stagnation de l'économie planifiée inadaptée aux exigences de la révolution post-industrielle, la montée des revendications nationalistes et identitaires dans plusieurs républiques soviétiques, les changements internes au sein de la direction du parti, etc. : en effet, ces événements appartiennent dès novembre 1989-décembre 1991 au cône du passé de l'événement « fin de la guerre froide ». Mais comment aurait-on pu considérer l'ensemble de ces facteurs dans les années 1980, étant donné que l'événement « fin de la guerre froide » appartenait à ce moment-là au cône du futur des années en question ?

Il n'est donc nullement paradoxal d'affirmer que l'on peut rendre compte du passé sans pour autant pouvoir prévoir le futur et que, en quelque sorte, « les Relations internationales n'excellent qu'à prédire le passé »[26]. À supposer même qu'il existe un démon de Laplace[27] capable de connaître toutes les causes qui existent à un moment donné, on voit mal comment la prédiction pourrait être autre chose qu'une rétrodiction si l'on tient compte de ce que, dans notre cas empirique, prévoir la fin de la guerre froide aurait exigé la capacité de tenir compte de ce que, en sciences de la nature, on

---

26. P. Everts, « The Events in Eastern Europe and the Crisis in the Discipline of International Relations », art. cité.

27. Pierre-Simon Laplace, physicien français du Siècle des Lumières, avait ainsi appelé l'hypothétique intelligence qui serait capable de connaître, à un instant donné, tous les paramètres de toutes les particules de l'univers.

appelle « l'effet Cournot », c'est-à-dire de ce que la chute du mur de Berlin a été la résultante du concours de tous ces processus rationnellement indépendants les uns des autres dans l'ordre de la causalité, mais qui ont fini par se combiner, se rencontrer, s'agréger, se renforcer les uns les autres, pour ainsi produire l'événement final. Il aurait fallu pouvoir prévoir ce que, toujours en sciences naturelles, on appelle « l'effet Hadamard », c'est-à-dire l'influence qu'exerce sur le cours habituel des choses une variation même minime d'un des éléments composant les conditions initiales, en l'occurrence la nomination par ses pairs de Mikhaïl Gorbatchev au poste de secrétaire général du PCUS après les décès rapides de ses deux prédécesseurs : eu égard au fonctionnement passé de la bureaucratie soviétique, rien, durant la première moitié des années 1980, n'était moins sûr que l'arrivée au pouvoir d'un réformateur, et même une fois au pouvoir, son succès était tout sauf garanti, comme l'a d'ailleurs prouvé *a posteriori* la tentative de putsch raté en août 1991[28].

Toujours en ce qui concerne cette première raison relative à l'asymétrie entre le passé et le futur, l'imprévisibilité du terrain relations internationales est d'autant plus avérée que le système international est non seulement, à l'instar de tous les systèmes sociaux, un système ouvert, et donc complexe – comme le rappelle Raymond Aron quand il écrit que l'on ne peut pas discriminer entre variables endogènes (distribution de la puissance pour les réalistes, valeurs partagées pour les constructivistes, etc.) et variables exogènes (nature des régimes internes et/ou identités des acteurs, facteurs économique, technologique, démographique, culturel, etc.)

---

28. Sur « l'effet Cournot » et « l'effet Hadamard », voir P. Favre, Comprendre le monde pour le changer, op. cit., *p. 154 et suiv., et p. 171 et suiv.*

susceptibles de provoquer un événement[29] –, mais, par ailleurs, se caractérise par sa structure anarchique, ce qui, si besoin était, ajoute des obstacles à la quête des variables pertinentes par le chercheur. En effet, au niveau systémique, le fait pour les relations internationales de se dérouler en anarchie signifie que l'on a affaire à une structure par définition vide, synonyme d'absence de quelque chose, en l'occurrence d'autorité centrale, et non pas de présence de quoi que ce soit *a priori*. Voilà qui ouvre, toutes choses égales par ailleurs, un spectre de possibilités infiniment plus large que la sphère politique interne, en principe régulée par la présence d'une instance revendiquant avec succès l'exercice du monopole de la violence physique légitime et limitant *ipso facto* les répertoires d'action à la disposition des acteurs[30] : « Dans le domaine de la politique internationale, [...] les préférences des acteurs sont souvent inconnues, chaque participant dispose de nombreuses stratégies possibles, et les coûts et bénéfices des différents scénarios sont incertains[31]. » Au niveau des acteurs, en tout cas des acteurs étatiques, la conduite internationale est caractérisée par une tendance à la monopolisation en faveur des pouvoirs en place, à cause de la pression qu'exerce aux yeux de ces pouvoirs la nature vitale des enjeux internationaux pour cause de structure anarchique de

---

29. R. Aron, « Qu'est-ce qu'une théorie des relations internationales ? », art. cité.

30. Cet « avantage » dont disposent les politistes internes ne rend pas leur tâche plus facile : pour preuve, le premier tour de l'élection présidentielle française de 2002, dont le résultat qu'a été le maintien au second tour de J.-M. Le Pen n'a été, au mieux, prévu par des enquêtes confidentielles que deux-trois jours avant le scrutin du 21 avril.

31. S. Walt, « The Relationship between Theory and Policy in International Relations », Annual Review of Political Science, *8, 2005, p. 23-48.*

l'environnement international : comment un chercheur peut-il se fier aux informations disponibles de la part d'un État dont il veut prévoir le comportement futur alors que lesdites décisions et actions internationales, dont il n'est par ailleurs pas sûr qu'elles soient effectivement exécutées telles que programmées, baignent dans le secret ?

À supposer même que l'on puisse avoir accès à l'ensemble des variables pertinentes, il existe une deuxième raison à l'imprévisibilité du monde futur en Relations internationales, due à l'existence de ce que Thomas Kuhn a appelé la « science normale ».

Le propre de l'activité scientifique est de se dérouler dans le cadre de paradigmes, définis comme « des traditions particulières et cohérentes de recherche scientifique », et d'être de ce fait constitutive d'une science normale, définie comme une « recherche fondée sur un ou plusieurs accomplissements scientifiques passés, accomplissements que tel groupe scientifique considère comme suffisants pour fournir le point de départ d'autres travaux[32] ». Concrètement, l'activité de la plupart des scientifiques consiste à étudier des faits considérés comme étant déjà pertinents par les membres d'un paradigme et à essayer de les expliquer par les concepts et méthodes considérés par lesdits membres comme légitimes parce qu'ayant par le passé fait la preuve de leur pertinence heuristique ; leur but est de confirmer la pertinence de la théorie existante et de l'affiner. Conséquence d'une telle activité scientifique revenant *de facto* à « forcer [l'objet étudié] à se couler dans la boîte préformée et inflexible que fournit le paradigme » : la science normale ne peut, par définition, parvenir « à mettre en

---

32. *T. Kuhn,* La Structure des révolutions scientifiques, *op. cit., p. 29.*

lumière des phénomènes d'un genre nouveau[33] », étant donné que ceux-ci ne peuvent être abordés comme tels par des questions nées d'énigmes existantes.

En soi, le fait que la science normale se focalise sur les seuls processus qui correspondent aux récurrences, régularités, corrélations et causalités déjà découvertes ne pose guère de problème majeur la plupart du temps. Habituellement, le déroulement dans le temps des relations internationales « s'apparente davantage à la marche pesante de l'éléphant qu'au vol saccadé du papillon[34] » ; il existe effectivement des structures durables et des processus répétitifs, et il n'est nullement nécessaire d'adhérer au paradigme réaliste pour admettre que l'état du système international est normalement stable[35], ou que la politique étrangère des États se caractérise par une continuité certaine au-delà des conjonctures[36].

---

33. *Ibid., p. 46.*

34. *P. Favre,* Comprendre le monde pour le changer, op. cit., *p. 172.*

35. *Il est vrai que chez les réalistes, ce postulat est radical, comme le démontrent les titres révélateurs des réactions de deux d'entre eux aux attentats du 11 septembre, parues dans K. Booth et T. Dunne (eds),* Worlds in Collision, op. cit. : *le premier de K. Waltz, « The Continuity of International Politics » (p. 348), le second de C. Gray, « World Politics as Usual after September 11. Realism Vindicated » (p. 226). Pour d'autres analyses des défis posés par le 11 septembre et ses suites au réalisme, voir D. Battistella, « Le réalisme réfuté ? »,* Études internationales, *35 (4), décembre 2004, p. 613-622, ainsi que W. Brenner, « In Search of Monsters : Realism and Progress in International Relations Theory after September 11 »,* Security Studies, *15 (3), juillet-septembre 2006, p. 496-528.*

36. *Ici encore, le réalisme se démarque par son intransigeance, ainsi lorsque H. Morgenthau,* Politics Among Nations, op. cit., *p. 5, constate « l'étonnante continuité dans la politique étrangère qui fait que la politique étrangère américaine, britannique ou russe [...] indépendamment des différents motifs,*

Mais il n'en va plus de même en cas d'irruption de données nouvelles ou d'inversion de la tendance en cours : étant donné que, dans le cadre de la science normale, la seule prévision envisageable est celle qui consiste en une « prédiction basée sur la connaissance d'un comportement passé[37] », un changement ne peut pas par définition être prévu, car la causalité qui lui est sous-jacente passe inaperçue dans les canons de la pratique scientifique institutionnalisée. Autrement dit, c'est lorsqu'on aurait le plus besoin d'elles que les prédictions sont les plus improbables...

C'est ce qui s'est passé en Relations internationales. Si dans les années 1980 personne n'a prévu la fin de la guerre froide, c'est parce que personne n'a posé la question « quand/comment la guerre froide peut-elle prendre fin ?[38] ». Et pour cause : à la veille de 1989, obnubilés par la longue paix qu'avait fini par devenir la guerre froide, les internationalistes passaient le plus clair de leur temps à étudier les causes possibles de cette stabilité, et entre 1970 et 1990, les trois grandes revues théoriques de relations internationales qu'étaient à ce moment *World Politics*, *International Studies Quarterly* et *International Organization* n'avaient publié en tout et pour tout qu'une demi-douzaine d'articles portant sur le changement, que ce soit au niveau du système international dans son ensemble ou au niveau d'une

---

préférences et qualités morales et intellectuelles des hommes d'État successifs ».

37. C. Doran, « Why Forecasts Fail. The Limits and Potential of Forecasting in International Relations and Economics », International Studies Review, *1 (2), été 1999, p. 11-41.*

38. T. Hopf, « Correspondence. Getting the End of the Cold War Wrong », International Security, *18 (2), automne 1993, p. 202-208.*

politique extérieure particulière[39]. Pour ce qui est du 11 septembre, moins de 0,4 % des articles parus entre 1980 et 1999 dans les quatre grandes revues théoriques américaines des relations internationales ont concerné la religion[40], et il n'y a pas eu un seul article sur le terrorisme lors des trois années précédant les attentats dans *World Politics, International Organization et Security Studies*, un seul dans *International Studies Quarterly*, affirmant qui plus est le déclin du terrorisme transnational, et un seul dans *International Security*, portant d'ailleurs moins sur le phénomène terroriste que sur l'état de préparation des États-Unis en cas d'attaque terroriste sur le territoire américain à l'aide d'armes chimiques ou biologiques[41]. Mais ce n'est pas sans raison

39. *Statistiques dans R. Lebow et T. Risse-Kappen, « Introduction », dans R. Lebow et T. Risse-Kappen (eds),* International Relations and the End of the Cold War, op. cit., *p. 19, note 14.*

40. *Statistiques dans D. Philpott, « The Challenge of September 11 to Secularism in International Relations », art. cité : les quatre revues retenues sont* American Political Science Review, World Politics, International Organization *et* International Studies Quarterly. *Les choses changent à la marge si on jette un œil sur les revues européennes :* Millennium *a consacré un numéro spécial, 29 (3), décembre 2000, au thème « Religion and International Relations ».*

41. *Statistiques dans B. Jentleson, « The Need for Praxis. Bringing Policy Relevance Back In »,* International Security, *26 (4), printemps 2002, p. 169-183. Les deux exceptions sont W. Enders, « Transnational Terrorism in the Post-Cold War Era »,* International Studies Quarterly, *43 (1), mars 1999, p. 145-168 ; ainsi que R. Falkenrath, « Problems of Preparedness. US Readiness for a Domestic Terrorist Attack »,* International Security, *25 (4), printemps 2001, p. 147-186. B. Jentleson ne cite que les revues américaines : les choses ne changent pas lorsqu'on y intègre les revues européennes que sont* Review of International Studies *et* European Journal of International Relations : *pas un seul article sur le terrorisme dans les trois années précédant* nine eleven.

que les internationalistes ont ignoré le signal que représentait dès 1993 le premier attentat contre le World Trade Center. Parce que leurs recherches s'inscrivaient dans le cadre du monde bipolaire de la guerre froide dans les années 1989, et parce que la chute du mur de Berlin a constitué une anomalie – par définition imprévisible – qu'il est possible d'expliquer seulement une fois qu'elle a eu lieu, ils font porter au lendemain du 9 novembre 1989 leurs recherches sur les causes et modalités d'un monde dorénavant unipolaire, et sur les perspectives de plus ou moins grande durabilité de ce dernier : d'où des publications sur un éventuel retour de la multipolarité, sur une nouvelle phase de transition à la suite de l'émergence de la Chine, sur le pourquoi et le comment de la stabilité de l'après-guerre froide[42], etc. Forcément de telles recherches sont à leur tour insensibles à la nouvelle anomalie double que sont l'intrusion du facteur religieux et l'irruption de réseaux terroristes à partir de 1993.

En quelque sorte donc, les sciences sociales sont confrontées à la quadrature du cercle en matière de prévision : le fonctionnement même de la production scientifique rend possible au mieux la prévision de la reproduction de ce qui existe ou de ce qui est connu, mais ne permet pas de prévoir ce qui ne s'est encore jamais produit, car « les scientifiques n'ont pas pour but, normalement, d'inventer de nouvelles théories », ni même de « prendre en compte telle nouveauté fondamentale [...] propre à ébranler [leurs] convictions de base[43] ».

---

42. *Voir, entre autres, K. Waltz, « The Emerging Structure of International Politics », art. cité. ; J. Mearsheimer, « Back to the Future. Instability in Europe After the Cold War », art. cité. ; R. Tammen* et al., Power Transitions, op. cit. ; *G. J. Ikenberry,* After Victory, op. cit., *W. C. Wohlforth, « The Stability of A Unipolar World »,* International Security, *24 (1), été 1999, p. 5-41.*

43. *T. Kuhn,* La Structure des révolutions scientifiques, op. cit., *p. 46 et 22.*

S'il est vrai qu'il est impossible de prévoir un événement futur tant que « la possibilité de cet événement n'existe pas dans l'esprit de celui qui prévoit[44] », alors pour faire des prévisions qui soient autres choses que des annonces d'événements attendus, il faut soit procéder à des recherches inter-disciplinaires[45], mais de nos jours celles-ci sont rendues *de facto* improbables de par l'organisation de l'activité scientifique en disciplines cloisonnées et de par l'impossibilité pour un chercheur de fournir l'effort nécessaire à une telle connaissance ; soit il faut être situé en dehors de la science normale[46], mais c'est peut-être moins de prévisions scientifiques fondées sur des raisonnements dont il s'agit alors que de révélations ou de prophéties fondées sur des divinations[47].

---

44. *T. Hopf, « Correspondence. Getting the End of the Cold War Wrong », art. cité.*

45. *Une approche interdisciplinaire combinant les relations internationales, la politique comparée, les* area studies *et les études religieuses aurait peut-être permis d'aborder dès le début des années 1980 l'émergence des réseaux islamistes comme une donnée en soi, plutôt que comme une simple contribution à la lutte contre le communisme et l'URSS, comme ce fut le cas du fait de la grille d'analyse prédominante des relations internationales durant la guerre froide.*

46. *Comme exemples de prévisions hors science normale des relations internationales ayant proposé des scénarios inédits, ou en tout cas originaux, on peut citer les thèses de la fin de l'histoire de F. Fukuyama,* La Fin de l'histoire et le dernier homme, op. cit., *ou du choc des civilisations de S. Huntington,* Le Choc des civilisations, op. cit.

47. *En relations internationales, la prophétie la plus connue est celle A. de Tocqueville, affirmant dans les années 1830 dans* De la démocratie en Amérique *(1835-1839), Paris, Garnier-Flammarion, 1981, tome 1, p. 540-541, qu'« il y a aujourd'hui sur la terre deux grands peuples qui, partis de points différents, semblent s'avancer vers le même but : ce sont les Russes et les Anglo-Américains. [...] L'un a pour principal moyen la liberté, l'autre la servitude. Leur point de départ est différent, leurs voies sont diverses ; néanmoins chacun semble appelé par un dessein*

Cela étant, que l'on ait affaire à des « prévisions scientifiques » consistant en de simples extrapolations de tendances en cours ou à des « révélations prophétiques » anticipant des turbulences inédites, il n'est jamais sûr que les évolutions prédites se réalisent effectivement. Il en est ainsi à cause de la troisième raison de l'imprévisibilité du monde futur dans les Relations internationales, liée à la nature réflexive de l'objet même « relations internationales », ce qu'en sociologie générale Robert Merton, à partir du théorème de Thomas[48], appelle les prédictions créatrices ou destructrices, ou les prophéties auto-réalisatrices ou auto-négatrices[49].

En effet, en Relations internationales, comme en sciences sociales en général, on a affaire à des sujets qui ne sont pas des « gaz et des pistons[50] », comme dans les sciences de la nature, mais à des êtres humains, sociaux, (inter-)subjectifs. « Si les molécules avaient des âmes », souligne Gaddis, « les chimistes auraient plus de mal à prédire leur comportement[51]. » Non pas tellement parce que les êtres humains, par opposition aux molécules, se

---

secret de la Providence à tenir un jour dans ses mains les destinées de la moitié du monde ». Étant donné que Tocqueville n'explique pas ce qu'il prédit ni, a fortiori, *ne précise la date d'avènement de l'événement anticipé, son annonce relève de la prophétie et non de la prévision ; cela dit, il n'y a guère de doute que la guerre froide correspondait à s'y méprendre au scénario imaginé plus d'un siècle plus tôt.*

48. Selon le sociologue américain W. Thomas, « quand les hommes considèrent certaines situations comme réelles, elles sont réelles dans leurs conséquences ».

49. R. Merton, Éléments de théorie et de méhode sociologique *(1957), Paris, A. Colin, 1997, p. 136 et suiv.*

50. Expression due à S. Hoffmann, citée par J. Gaddis, « International Relations Theories and the End of the Cold War », art. cité.

51. Ibid.

comporteraient nécessairement de façon « erratique ou irrationnelle[52] », et donc imprévisible, mais parce que « les molécules n'apprennent pas avec le temps. Les gens au contraire tirent des leçons de leurs expériences, ou en tout cas pensent qu'ils en tirent [...]. Les valeurs et répertoires d'action des acteurs ne sont pas donnés une fois pour toutes[53] ». Exprimé autrement, lorsque les acteurs des relations sociales en général et internationales en particulier que sont les hommes et les femmes, directement ou indirectement par entités collectives interposées, sont confrontés à des prévisions, ils sont susceptibles d'agir en vue de contribuer à accélérer, retarder ou empêcher la prévision annoncée : « Les définitions collectives d'une situation (prophéties et prévisions) font partie intégrante de la situation et affectent ainsi ses développements ultérieurs. Ce fait est particulier à l'homme et ne se retrouve pas ailleurs dans la nature. Les prévisions sur le retour de la comète de Halley n'influent pas sur son orbite. [...] Un météorologue qui prédit une pluie persistante ne s'est jamais encore montré assez maléfique pour provoquer la sécheresse[54] ». Certes, la réalité ne se résume pas à une construction principalement discursive, mais une prédiction, une fois émise, agit sur la réalité annoncée, affectant celle-ci de façon à ce qu'elle ait peu de chances de se réaliser telle quelle, sans que l'on puisse prédire pour autant si l'on va avoir affaire à une prophétie plutôt auto-réalisatrice – « La rumeur de l'insovalibilité [d'une] banque [a] une conséquence directe sur son sort. Prophétiser

---

52. *C. Fettweis, « Evaluating IR's Crystal Balls », art. cité.*

53. *S. Bernstein, R. N. Lebow, J. Gross Stein et S. Weber, « God Gave Physics the Easy Problems. Adapting Social Science to An Unpredictable World »,* European Journal of International Relations, *6 (1), mars 2000, p. 43-76.*

54. *R. Merton,* Éléments de théorie et de méhode sociologique, op. cit., *p. 139 et 159.*

son sort [suffit] à le provoquer » – ou au contraire plutôt auto-négatrice – « Un économiste officiel qui prévoit une surproduction de blé peut amener les producteurs à diminuer leurs emblavures et ainsi à infirmer la prévision[55] ».

Dans le domaine des relations internationales, les exemples ne manquent pas, à commencer par la prévision incluse dans le cœur même de la théorie néofonctionnaliste de l'intégration européenne – cf. chap. 11 : l'annonce de l'unification politique de l'Europe comme résultat nécessaire de l'effet *spill-over* a contribué à provoquer l'adoption, entre autres par de Gaulle, de mesures visant à empêcher la poursuite du processus d'intégration[56] ; cela dit, l'obstruction du général de Gaulle a à son tour remobilisé les partisans d'une unification européenne, relançant ainsi cette dernière, avec en fin de compte une évolution dont on ne peut pas dire si elle finira par démentir ou corroborer l'analyse néofonctionnaliste. Toujours dans le domaine de la science normale, la thèse de Paul Kennedy[57], annonçant le déclin des États-Unis sur la base de la théorie des cycles des puissances, a suscité, à peine publiée, la contre-publication de la thèse du *soft power* de Joseph Nye[58], ainsi que la mise sur pied, dans le domaine des relations économiques internationales, de politiques publiques par l'Administration Clinton visant à retarder et à contrecarrer le déclin annoncé. Pour ce qui est des prophéties hors science normale, la thèse du choc des civilisations de Samuel

55. Ibid., *p. 139 et 159.*

56. *L'exemple est donné par R. Jervis, « The Future of World Politics. Will it Resemble the Past ? »,* International Security, *16 (3), hiver 1991-1992, p. 39-73.*

57. *P. Kennedy,* Naissance et déclin des grandes puissances, op. cit.

58. *J. Nye,* Le Leadership américain, op. cit.

Huntington[59] a été reçue diversement par ceux qui recourent à des discours et à des actions en vue de faire advenir le choc annoncé, et ceux qui, au contraire, craignant ledit choc, multiplient les discours et les initiatives visant à empêcher qu'il ne se produise.

Bref, le facteur (inter-)subjectif qui prévaut dans les relations internationales et, au-delà, dans les relations sociales en général, contribue à son tour à ce qu'en Relations internationales comme ailleurs, les seuls événements « dont nous pouvons avoir « une connaissance certaine [... sont ...] des événements appartenant à notre passé[60] », ce qui revient à dire que la « théorie des relations internationales ne nous permet pas de prédire[61] ». Se pose alors la question de la capacité prescriptive de la théorie en Relations internationales : est-il possible de conseiller telle ou telle action si « prévoir revient un peu à conduire une voiture les yeux bandés en suivant les indications fournies par une personne regardant par la fenêtre arrière, [...] en lui reconnaissant des pouvoirs surnaturels alors que son comportement correspond plutôt à celui d'une personne légèrement éméchée[62] » ?

---

59. *S. Huntington,* Le Choc des civilisations, op. cit. *D. Houghton, « The Role of Self-Fulfilling and Self-Negating Prophecies in International Relations,* International Studies Review, *11 (3), septembre 2009, p. 552-584, voit dans la thèse du* Choc des civilisations *l'exemple par excellence d'une prophétie auto-négatrice, du fait du rejet dont elle a fait l'objet de la part de la très grande majorité des universitaires et décideurs. À l'inverse, les théories de la paix par la démocratie et par le commerce sont d'après lui des exemples de prophéties plutôt auto-réalisatrices.*

60. *K. Popper,* L'Univers irrésolu, op. cit., *p. 52.*

61. *D. Puchala, cité par J. Ray et B. Russett, « The Future as Arbiter of Theoretical Controversies », art. cité.*

62. *C. Doran, « Why Forecasts Fail », art. cité.*

Les termes de la problématique de l'utilité de l'étude théorique des relations internationales pour la conduite pratique de celle-ci sont connus. À l'origine de ce débat, il y a le constat, et plus exactement la dénonciation, de « l'écart[63] », voire de « l'abyme[64] », qui sépare le monde de l'université, d'un côté, celui des décideurs, de l'autre, du fait d'une vocation du savant opposée à celle du politique et d'un éthos scientifique divergeant de l'éthos politique, pour reprendre les oppositions de Max Weber[65] et de Robert Merton[66]. Hans Morgenthau a résumé cette opposition de la façon suivante : « L'intellectuel vit dans un monde [...] séparé de celui du politicien. Les mondes sont séparés parce qu'ils sont orientés vers des objectifs différents [...] : la vérité menace le pouvoir, et le pouvoir menace la vérité[67]. »

Concrètement, le monde académique cherche à développer et à tester des théories générales permettant de comprendre ou d'expliquer les relations internationales, alors que le monde des acteurs politiques cherche à savoir quoi faire et comment, aujourd'hui ou demain, et dans cette perspective, a davantage besoin de conseils spécifiques que de théories générales ; le premier n'est pas contraint par le facteur temps qui s'impose au second, et le second ne peut guère se permettre de donner du temps au temps ; guidés par des

---

63. *A. George,* Bridging the Gap. Theory and Practice in Foreign Policy, *Washington (Wash.), United States Institute for Peace Press, 1993.*

64. Ibid., *p. IX.*

65. *M. Weber,* Le Savant et le politique *(1919), Paris, Plon, 1959.*

66. *R. Merton,* The Sociology of Science, *Chicago (Ill.), University of Chicago Press, 1973.*

67. *H. Morgenthau, cité par W. Wallace, « Truth and Power, Monks and Technocrats. Theory and Practice in International Relations », art. cité.*

motivations opérationnelles et non pas intellectuelles, soumis à des pressions diverses, parfois intenses, les membres du second cherchent à gérer ou à résoudre des problèmes, en tenant compte d'exigences contradictoires et en mobilisant des ressources rares, alors que les « observateurs émerveillés[68] » qui composent le premier sont fondamentalement désireux de découvrir derrière les apparences d'un événement ou d'une séquence de faits des lois universelles ou tout du moins des corrélations généralisables en dehors de considérations de temps et d'espace. Ces différences objectives, dues au fait que « les universitaires cherchent à savoir *pourquoi* les événements se produisent, et ambitionnent de donner des explications générales faisant abstraction des processus politiques en cours », alors que « les décideurs cherchent à savoir *comment* les événements se produisent et ont besoin de connaissances précises applicables aux processus politiques en cours[69] », sont renforcées par des perceptions subjectives mutuelles difficilement compatibles. Les universitaires sont plutôt critiques envers les politiques menées par les décideurs et, persuadés que les administrations sont peu réceptives aux analyses remettant en cause les actions menées par les gouvernements, ils sont davantage séduits par la reconnaissance par leurs pairs et guidés par les critères de prestige inhérents à leur champ savant que sont le nombre de publications, de

---

68. *Rappelons l'étymologie de « théorie », le verbe grec* theorein, *qui signifie « observer avec émerveillement ». Pour une analyse de l'éthique professionnelle de Morgenthau, voir M. Cozette, « Reclaiming the Critical Dimension of Realism : H. Morgenthau on the Ethics of Scholarship »,* Review of International Studies, *34 (1), janvier 2008, p. 5-27.*

69. *H. Nau, « Scholarship and Policy-Making : Who Speaks Truth to Whom ? », dans C. Reus-Smit et D. Snidal (eds),* The Oxford Handbook of International Relations, op. cit., *p. 635-647.*

directions de thèse, de participation aux colloques et aux organisations professionnelles, etc. Les décideurs se méfient de théoriciens se complaisant d'après eux dans leur « tour d'ivoire[70] », imbus du complexe de supériorité « moi-intelligent-toi-stupide[71] », produisant des connaissances « contraires à l'expérience et au bon sens [... et...] sans grande utilité comme guide pour la conduite politique[72] », et pratiquant un jargon hermétique compréhensible aux seuls initiés avec lesquels ils sont tentés de cultiver des relations quasi incestueuses : pour preuve, les universitaires qui se rapprochent des milieux politiques, directement ou par *think tanks* interposés, voient leur carrière académique pénalisée.

Bref, côté gouvernemental, la nécessité de décider vite et de préserver secret et efficacité défavorisent la prise de contact avec des universitaires que les décideurs, persuadés d'être objectifs,

---

70. J. Lepgold et M. Nincic, Beyond the Ivory Tower. International Relations Theory and the Issue of Policy Relevance, *New York (N. Y.), Columbia University Press, 2002.*

71. L'expression « me-clever-you-stupid » *est utilisée par S. Smith, « Power and Truth. A Reply to Wallace »,* Review of International Studies, *23 (4), octobre 1997, p. 507-516. Le réciproque est vrai : T. Weiss et A. Kittikhoun, « Theory* vs. *Practice : A Symposium »,* International Studies Review, *13 (1), 2011, p. 1-5, citent un diplomate persuadé que ses « trente années d'expérience de la diplomatie multilatérale valent autant, sinon plus, que les trente années de lecture que lui a consacrées un professeur lambda ».*

72. P. Nitze, Tension between Opposites. Reflections on the Practice and Theory of Politics, *New York (N. Y.), Scribner, 1993, p. 3. Il y a quelques rares exceptions à cette perception : ainsi, le général D. Petraeus, à la tête des troupes américaines en Irak en 2007-2008, estime dans « Beyond the Cloister »,* The American Interest, *2, juillet-août 2007, p. 16-20, que « l'outil le plus puissant de tout soldat est non pas son arme mais son cerveau », et il recommande aux troupes américaines de suivre des cours théoriques dans des universités civiles.*

soupçonnent de vouloir imposer leurs points de vue personnels ou idéologiques déguisés en expertises ; côté académie, c'est la recherche de gratifications académiques liées à la production de théories générales plutôt qu'à la publication d'études de cas susceptibles de servir d'analogies à la politique en train de se faire, la crainte d'être identifié à des politiques officielles ou d'être utilisé à des fins partisanes, ainsi que le rejet des contraintes bureaucratiques, qui découragent la recherche de contacts avec les politiques.

Ces obstacles, pourtant, et c'est le deuxième terme du débat, ne devraient pas être insurmontables. Tout d'abord, soulignent Christian Reus-Smit et Duncan Snidal, « les Relations internationales ont toujours constitué un discours pratique, dans le sens où la question "comment devrions-nous agir ?" a en permanence sous-tendu la recherche dans le champ[73] », idée partagée par Michael Nicholson selon qui tout internationaliste, qu'il le reconnaisse ou non, espère au fond de lui-même influencer le cours des choses et « rendre le monde meilleur[74] » : plus précisément dit-il, à l'origine, la science des relations internationales, née du désir d'agir sur la politique internationale[75], avait un objectif utilitaire revendiqué ; depuis lors, de nombreux universitaires, et pas des moindres, ont participé à la vie internationale, à l'image de David Mitrany, Robert Cox et John Ruggie engagés dans les institutions des Nations unies, ou de Edward Carr, Henry Kissinger et Joseph Nye[76] au service de la diplomatie de leur pays ; enfin, ceux qui ne sont pas écoutés lorsqu'ils s'expriment,

---

73. C. Reus-Smit et D. Snidal, « Between Utopia and Reality », art. cité.

74. M. Nicholson, « What's the Use of International Relations ? », Review of International Studies, *26 (2), avril 2000, p. 183-198.*

75. Voir le chapitre 3.

76. J. Nye expose sa vision dans « International Relations : The Relevance of Theory to Practice », dans C. Reus-Smit et

sont désabusés, à l'image de Morgenthau admettant au moment de la guerre du Vietnam à laquelle il s'était, en vain, opposé, qu'il « aurait mieux fait de collectionner des papillons[77] ».

Ensuite, il ne faut pas surestimer le degré d'abstraction de la production scientifique en Relations internationales ou, du moins, il faut distinguer entre différentes formes de savoir universitaire. Certaines connaissances savantes, relevant de *middle-range theories* telles que les études de la décision ou de la stratégie, sont directement susceptibles d'être utiles aux décideurs, de même que celles relatives à un pays ou à une région : à en croire Joseph Kruzel[78], une meilleure connaissance de la Somalie aurait par exemple permis aux États-Unis d'éviter le fiasco de l'opération *Restore Hope*. D'autres, d'ordre très général, à vocation fondamentale, n'en sont pas moins susceptibles d'avoir des applications pratiques très concrètes. Il en va ainsi de la théorie de la paix démocratique, dont les implications pratiques sont évidentes d'après Joseph Lepgold et Miroslav Nincic[79] : fortes de la certitude que les démocraties ne se font pas la guerre, celles-ci peuvent sans crainte promouvoir les méthodes de résolution pacifique des conflits dans leurs relations réciproques[80]. Enfin, note

---

D. Snidal (eds), The Oxford Handbook of International Relations, op. cit., *p. 648-660.*

77. *Citation dans M. Nicholson, « What's the Use of International Relations ? », art. cité.*

78. *J. Kruzel, « More a Chasm Than a Gap, But Do Scholars Want to Bridge it ? », art. cité.*

79. *J. Lepgold et M. Nincic,* Beyond the Ivory Tower, op. cit., *p. 108 et suiv. Voir également R. Siverson, « A Glass Half-Full ? No, but Perhaps a Glass Filling : The Contributions of International Politics Research to Policy »,* PS : Political Science and Politics, *33 (1), mars 2000, p. 49-54.*

80. *Voir J. Frieden et D. Lake, « International Relations as A Social Science : Rigor and Relevance »,* The Annals of the American Academy of Political and Social Science, *600 (1), 2005, p. 136-156, pour un plaidoyer en faveur d'une recherche*

David Newsom[81], la multiplication d'allocations de recherche accordées par les ministères concernés par les affaires internationales doit permettre de favoriser des études de cas concrètes susceptibles de faciliter l'utilisation pratique des connaissances théoriques, alors que la socialisation réciproque, grâce à la participation croisée d'universitaires à des séminaires gouvernementaux et de membres des administrations aux colloques scientifiques, est susceptible de sensibiliser les uns aux points de vue des autres et *vice versa*.

Bref, un juste milieu entre engagement et détachement, entre le retrait dans la tour d'ivoire et la plongée dans l'arène politique, entre des universités transformées en chapelles sectaires et des centres de recherche peuplés de consultants technocrates à la solde des gouvernements en place, est possible et souhaitable. Tel est le plaidoyer de William Wallace[82], persuadé avec d'autres analystes de « l'interaction fructueuse entre théorie et pratique[83] », tant « la recherche et l'action, la théorie et la pratique, l'université et le politique, bien que différents, n'en sont pas moins tels des jumeaux siamois, aucun des deux ne pouvant réussir sans l'autre, même pas à l'intérieur de son propre domaine[84] ». Un universitaire, dit Wallace, a une responsabilité politique, qu'il dépende ou non de

---

politiquement utile parce que scientifiquement solide dans un domaine délimité grâce à une théorisation rigoureuse et une corroboration empirique, comme le sont notamment, d'après eux, les théories de la dissuasion nucléaire, de la paix démocratique, et du libre-échange commercial.

81. *D. Newsom, « Foreign Policy and Academia »,* Foreign Policy, *101, hiver 1995-1996, p. 52-67.*

82. *W. Wallace, « Truth and Power, Monks and Technocrats. Theory and Practice in International Relations », art. cité.*

83. *J. Nye « International Relations : the Relevance of Theory to Practice », art. cité.*

84. *H. Nau, « Scholarship and Policy-Making : Who Speaks Truth to Whom ? », art. cité.*

ressources publiques : son audience va au-delà de ses collègues auxquels il s'adresse à travers un langage hermétique au cours de débats scolastiques ; lorsqu'il enseigne à des étudiants, il doit contribuer au moins autant à faire de ces derniers des diplomates et des experts capables d'agir avec efficacité, parce que conscients des contraintes pesant sur leur action, que des intellectuels libres, certes émancipés par rapport aux compromis et compromissions propres au monde politique, mais sans perspective de carrière digne de ce nom ; pour le moins se doit-il de ne pas cultiver la virginité académique en fuyant les sirènes de la pertinence politique, mais d'accepter de parler à un public plus large, de contribuer à éduquer les citoyens dans leur ensemble et d'augmenter la qualité du débat démocratique.

Reste que c'est justement la dernière de ces incantations demandant à l'université d'« être utile[85] » qui révèle les contradictions des partisans de la nécessaire *policy-relevance* de la théorie des relations internationales. Les deux fonctions qui consistent, l'une à élever le, et/ou à participer au, débat démocratique, l'autre à conseiller les pouvoirs chargés de conduire la politique étrangère, ne relèvent guère de la même logique utilitaire, comme le souligne par exemple Robert Keohane : « Les chercheurs en politique mondiale ont une obligation à aider les publics démocratiques à comprendre les problèmes les plus urgents. Mais cette obligation morale n'implique pas qu'ils devraient se focaliser sur des enjeux conjoncturels ou qu'ils devraient être *policy-relevant* au sens où ils parleraient aux gouvernements dans des termes acceptables à ces derniers. Leur tâche consiste à explorer les sources profondes de

---

85. *M. Nincic et J. Lepgold (eds),* Being Useful. Policy Relevance and International Relations Theory, *Ann Arbor (Mich.), Michigan University Press, 2000.*

l'action en politique mondiale, et à dire au pouvoir la vérité – à supposer que l'on puisse la discerner[86]. » Au-delà même de savoir qui conseiller – les *have* ou les *have-nots*, les gouvernements ou les ONG, et pourquoi pas les entreprises multinationales, autrement rémunératrices après tout… –, une question préalable, soulevée par Steve Smith[87], se doit d'être posée : que faut-il entendre par « politique » dans l'expression « être utile à la politique » ?

Il n'est pas sûr que l'arène politique se limite aux seuls décideurs politiques ou aux seules politiques publiques formelles en cours, en l'occurrence relatives à la conduite des politiques étrangère et de défense, même débattues, comme l'entend implicitement un Richard Lebow lorsqu'il écrit que « le vrai rôle de la théorie internationale consiste à fournir aux leaders les conceptions dont ils ont besoin pour provoquer un changement positif en politique internationale[88] ». Il s'agit là d'une conception trop restreinte, et ce n'est pas parce que l'on ne participe pas à cette politique-là, ou aux débats qu'elle suscite, que l'on adopte nécessairement une attitude politiquement détachée : tout au contraire, poser des questions fondamentales et même méta-théoriques sur ce qui est politique est une attitude très politisée. Sans même parler de ce que « le politologue ne se différencie guère du journaliste bien informé ou de l'acteur politique très au fait d'une situation[89] » lorsqu'il s'engage dans le débat public, et qu'on ne voit donc pas ce qu'il peut apporter de

---

86. *R. Keohane, « Big Questions in the Study of World Politics », dans C. Reus-Smit et D. Snidal (eds),* The Oxford Handbook of International Relations, op. cit., *p. 708-715*

87. *S. Smith, « Power and Truth. A Reply to Wallace », art. cité.*

88. *R. N. Lebow,* A Cultural Theory of International Relations, op. cit., *p. 503.*

89. *P. Favre,* Comprendre le monde pour le changer, op. cit., *p. 357.*

plus audit débat, le fait pour un théoricien de participer aux débats existants, c'est aussi accepter, qu'il le veuille ou non, de ne pas participer aux débats inexistants, qui peuvent être tout ce qu'il y a de plus politiques bien qu'ayant été exclus du débat politique après avoir été qualifiés de privés plutôt que de publics, ou de techniques plutôt que de politiques. Rejoindre par exemple les recherches menées dans le domaine de la *conflict resolution*, ou du *state-building*, qui passent pour des savoirs appliqués par excellence, n'est une attitude ni neutre ni guidée par une connaissance scientifique : pourquoi privilégier la résolution des conflits plutôt que de conseiller l'une des parties en présence pour qu'elle l'emporte ? pourquoi essayer de redresser un État en faillite plutôt que de laisser les parties concernées trouver une issue toutes seules ? On peut comprendre que l'on veuille privilégier la résolution pacifique des conflits ou la construction d'un État viable, mais postuler les bienfaits de la paix ou de la stabilité du modèle étatique est une attitude moralement et politiquement orientée et non pas scientifiquement fondée, au-delà du fait que favoriser la *conflict resolution* et le *state-building* peut contribuer à pacifier superficiellement des conflits plutôt qu'à s'attaquer à leurs causes fondamentales.

Plus prosaïquement, contribuer à ce que Wallace appelle un « *better government* » peut très bien se faire à travers une influence s'exerçant à long terme, en mettant sur l'agenda public de nouvelles questions et en façonnant le mode de pensée des générations appelées à agir plus tard, ce qui implique une distance par rapport à l'actualité immédiate. C'est d'ailleurs ce qui s'est passé, dans un autre domaine, pour Keynes : persuadé dans les années 1920 d'être « la Cassandre qui jamais n'allait influencer le déroulement des événements de quelque façon que ce soit » à cause de son hétérodoxie par rapport aux doctrines économiques dominantes, Keynes a assisté à l'application de ses analyses après la seconde guerre mondiale, ce qui lui a permis de dire que « les hommes pratiques, qui sont persuadés d'être parfaitement à l'abri de quelque influence intellectuelle que ce soit, sont habituellement les esclaves de quelque économiste défunt[90] ».

Par ailleurs, il est peu probable que les hommes politiques écoutent la « vérité[91] ». Les idées que recherchent les décideurs sont celles qui ne les dérangent pas, celles qui confirment leurs propres conceptions et valeurs : c'est à juste titre que Ken Booth rappelle que « les Galilée ne sont jamais invités à des déjeuners de travail par les papes[92] ». Une relation entre un homme politique et un universitaire est forcément de nature inégalitaire, car c'est l'agenda des décideurs qui dicte les prises de contact, et le théoricien qui cherche à conseiller un gouvernement doit savoir que l'influence de ses conseils sera fonction de la conformité de la vision (méta)théorique sous-jacente aux valeurs et croyances du gouvernement, voire de la rationalisation et légitimation scientifique que lesdits conseils apportent à la politique du gouvernement[93]. C'est

---

90. *Citations dans M. Nicholson, « What's the Use of International Relations ? », art. cité.*

91. *Quand H. Morgenthau parle de la vérité que recherche l'universitaire, il exprime à la fois une attitude normative, convaincu que l'intérêt cognitif guidant l'universitaire doit consister en la recherche de vérités scientifiques, et une conception épistémologique de la vérité, persuadé qu'il est possible de produire de telles vérités scientifiques. Sur ce dernier point, voir les critiques de H. Nau, « Scholarship and Policy-Making : Who Speaks Truth to Whom ? », art. cité, selon qui les connaissances dans les domaines couverts par les sciences sociales sont évolutives, et non pas valables une fois pour toutes, avec pour conséquence que les praticiens tout autant que les universitaires contribuent à les découvrir.*

92. *K. Booth, « Discussion. A Reply to Wallace »,* Review of International Studies, *23 (3), juillet 1997, p. 371-377.*

93. *Il en va de même, bien sûr, en cas d'engagement critique de la part d'un universitaire, qui ne saurait se faire sans épouser*

ce que faisait déjà remarquer le politologue américain Charles Beard il y a bientôt un siècle : « Si le chercheur en politique prescrit un remède qui plaît à quelque groupe puissant, il sera salué comme un scientifique ; si son conseil est désagréable à entendre, il ne sera jamais qu'un professeur[94]. » Preuve de ce que des questions du type « qu'est-ce qui peut marcher ? » et *a fortiori* « qu'est-ce qui est juste[95] ? » n'ont guère de chances de faire changer d'avis l'homme politique : la prétendue leçon somalienne n'a en rien empêché l'opération *Liberté en Irak* parce que les connaissances produites par des scientifiques réalistes sceptiques envers la possibilité d'une ingérence heureuse de la part des États-Unis en Irak n'ont pas pesé lourd face aux promesses des adeptes néoconservateurs de la doctrine des dominos démocratiques[96]. Ce dernier exemple est d'ailleurs révélateur de l'imbrication des problématiques

---

la cause « noble » à défendre. Pour des réflexions générales sur la tentation de l'internationaliste comme intellectuel-citoyen-militant plutôt que comme expert, voir les contributions dans le forum « Ethics and Practices of Engagement : Intellectuals in World Politics » dirigé par J. Edkins dans la revue International Relations, *19 (1), mars 2005 ; dans le dossier « Activism, Academia and Education » dirigé par B. Maigushca et M. Thornton dans la revue* Millennium, *35 (1), mars 2006 ; et dans le colloque « Responsible Scholarship in International Relations : A Symposium », dirigé par J. A. Tickner et A. Tsygankov dans la revue* International Studies Review, *10 (4), décembre 2008.*

94. Citation dans R. Putnam, « APSA Presidential Address : The Public Role of Political Science », Perspectives on Politics, *1 (2), juin 2003, p. 249-255.*

95. M. Barnett et K. Sikkink, « From International Relations to Global Society », dans C. Reus-Smit et D. Snidal (eds), The Oxford Handbook of International Relations, op. cit., *p. 62-84.*

96. Sur l'ambiguïté doctrinale du néoconservatisme et ses rapports avec le réalisme, voir le dossier paru dans la revue Security Studies, *17 (2), avril-juin 2008, avec les contributions de B. Schmidt et M. Williams, R. Burgos, et A. Rapport.*

prescription-prévision, car les conseils prescriptifs sont d'autant moins neutres qu'ils s'appuient sur des prédictions elles-mêmes orientées, étant donné que « ce dont on a besoin de savoir au sujet du futur dépend des objectifs poursuivis au sujet de ce futur[97] » : ayant décidé de démocratiser l'Irak par tous les moyens, l'Administration Bush n'était réceptive qu'aux conseils découlant d'un scénario prévoyant la possibilité d'une telle démocratisation.

À supposer même que Aron se trompe en rappelant que « la science propose et le prince dispose[98] », à supposer autrement dit que les décideurs soient ouverts au savoir universitaire, celui-ci ne pourrait pas être appliqué, parce que les connaissances – descriptives et explicatives – en relations internationales ne sont ni univoques ni cumulatives[99], mais plurielles, concurrentes et discutables. Dire que les sciences sociales pourraient être utiles suppose qu'elles

---

97. N. Choucri, « Comments on Scientific Forecasts in International Relations », International Studies Quarterly, *23 (1), mars 1979, p. 145-149.*

98. R. Aron, « Qu'est-ce qu'une théorie des relations internationales ? », art. cité. La lucidité d'Aron est empiriquement corroborée par l'étude de J. Eriksson et L. Norman, « Political Utilisation of Scholarly Ideas : the "Clash of Civilization" vs. *"Soft Power" in US Foreign Policy »,* Review of International Studies, *37 (1), 2011, p. 417-436. Cela dit, R. Aron n'en est pas moins lui aussi ambigu, car dans un article intitulé « Des comparaisons historiques », datant de 1954, et publié dans* Les Sociétés modernes, op. cit., *p. 919-937, il estime que « la sociologie des relations internationales [...] ne devrait pas renoncer à répondre aux curiosités de l'homme d'État, à suggérer conseils ou prévisions à courte ou lointaine échéance ».*

99. Sur le problème de la cumulativité en sciences sociales, voir le dossier « Cumulativité des savoirs en sciences sociales », Revue européenne des sciences sociales, *131, 2005. En Relations internationales, le problème a été abordé dans un dossier dirigé par J. Vasquez et E. Geller dans la revue* International Studies Review, *6 (4), décembre 2004.*

puissent faire de l'ingénierie sociale, à l'image de l'ingénierie physique qui existe malgré des divergences comparables entre des « scientifiques purs », désireux de comprendre les phénomènes, produisant des connaissances publiées, s'adressant à des collègues et peu attentifs à l'application de leur savoir, et des « ingénieurs praticiens », motivés par la résolution d'un problème à l'intérieur d'un planning et d'un budget donné[100]. Or, il ne peut y avoir d'ingénierie sociale comme il y a de l'ingénierie physique, parce qu'en sciences sociales, ce qui est formulé comme action à entreprendre est fonction du paradigme à l'origine de la connaissance théorique produite. Ainsi, dans les guerres en ex-Yougoslavie, les adeptes du conseil « Intervenons pour ériger une démocratie multi-ethnico-confessionelle » expliquaient ladite guerre par la nature autocratique du régime de Milosevic, alors que ceux qui disaient « Laissons les entités se séparer » l'expliquaient par le dilemme de la sécurité entre populations au sein desdites entités. Il en est allé de même au moment de *Iraqi Freedom* : être favorable à la guerre dans l'espoir de diffuser la démocratie pour, ce faisant, mettre fin aux menaces émanant des régimes autocratiques présuppose que l'on postule que le comportement des États s'explique par la nature des régimes ; s'y opposer présuppose comme hypothèse que la politique internationale n'est guère fonction des régimes internes.

Exprimé autrement, une connaissance théorique fournit des grilles de lecture pour moins mal comprendre ce qui se passe, mais on ne peut en déduire des réponses claires sur ce qu'il faut faire pour que ceci ou cela advienne. Prenons l'exemple de la prolifération nucléaire éventuelle de l'Iran : cette volonté de

---

100. P. Zelikow, « Foreign Policy Engineering. From Theory to Practice and Back Again », International Security, *18 (4), printemps 1994, p. 143-171.*

proliférer est-elle due à sa nature autocratique ou à ses soucis légitimes de sécurité ? À supposer que la deuxième réponse soit la bonne, ces soucis restent-ils légitimes combien de temps avant de devenir exorbitants ? Il n'y a pas de réponses définitives à ces questions de la part des théoriciens, car les réponses qu'ils donnent sont inscrites dans le paradigme dans lesquels ils se situent lorsqu'ils abordent l'objet étudié, et ce paradigme renvoie lui-même lié à des inclinaisons idéologiques et à des convictions normatives extra ou méta-théoriques qu'un théoricien responsable se doit non seulement de connaître mais aussi de rendre publiques[101] : un réaliste offensif ne donnera pas la même réponse à la deuxième question qu'un réaliste défensif, alors qu'un libéral refusera ces deux points de vue pour partir du tout premier terme de l'alternative. Davantage, il n'y a pas de faits univoques, c'est-à-dire existant préalablement à la théorie servant de grille de lecture, comme le montrent les attitudes face à Saddam Hussein la veille de l'opération *Liberté en Irak* : le même comportement – les agressions qu'il a commises par le passé – n'est pas interprété de la même façon, car les partisans de la guerre y voient la preuve de son expansionnisme irrationnel auquel il faut mettre un terme par la force, alors que les opposants à la guerre soulignent que cet expansionnisme n'a eu lieu que parce que, et lorsque, on ne lui a pas opposé de signes clairs de dissuasion. Selon la réponse que l'on donne à la question « L'URSS s'est-elle effondrée du fait du rapport de force, de l'action des acteurs transnationaux, de ses contradictions internes ? », on en déduit une politique tout autre

---

101. Sur l'éthique de transparence de l'universitaire, voir P. Ish-Shalom, « Theoretician's Obligation of Transparency : When Parsimony, Reflexivity, Transparency and Reciprocity Meet », Review of International Studies, *37 (3), 2011, p. 973-996.*

à adopter face à l'ascension de la Chine – contenir sans concession, l'intégrer pour mieux l'ouvrir aux influences, attendre son auto-implosion, etc. Mais la réponse est déjà formatée par le paradigme dans le cadre duquel on pose la question, et le choix demeure entier quant à la politique à adopter.

Ce choix, précisément, appartient aux décideurs politiques, en fonction des critères qui sont les leurs, critères qui relèvent de ce que Max Weber appelle l'éthique de la responsabilité envers l'entité collective au nom de laquelle ils agissent, et qui n'ont rien à voir avec l'éthique du savant, tout à la fois universaliste[102] (les connaissances sont indépendantes de tout intérêt national ou sociétal particulier), sceptique (les connaissances sont susceptibles d'être réfutées) et humble (un universitaire sait d'abord qu'il ne sait pas).

La séparation des sphères de la connaissance et de l'action politique en relations internationales est donc souhaitable, non pas tellement pour préserver « la liberté d'être excentrique[103] », mais parce qu'à l'image de tout scientifique, un internationaliste est

---

102. Nous rejoignons ici la position normative de J. Schumpeter, selon qui « la science n'appartient à aucun pays ». Dire cela ne revient pas à nier l'influence qu'exerce sur tout scientifique ce que J. Heilbronn, qui évoque cette citation, appelle les « traditions nationales », au sens tout à la fois de domaines de recherche spécifiques, de manières de penser dues à des constellations disciplinaires et des hiérarchies intellectuelles, voire de postures et de types d'esprit différents d'un champ scientifique national à un autre. Voir son article « Les traditions nationales dans les sciences sociales », Revue d'histoire des sciences humaines, *18, 2008, p. 3-16.*

103. C. Hill et P. Beshoff (eds), Two Worlds of International Relations. Academics, Practitioners and the Trade of Ideas, *Londres, Routledge, 1994, p. 223.*

d'abord ce que Émile Durkheim appelait un « travailleur de la science », voué à « la probité et au désintéressement », comme le rappelait Pierre Bourdieu[104].

En Relations internationales comme dans les autres sciences sociales, « l'objectif du chercheur consiste à produire des connaissances »[105], comme le disait Stanley Hoffmann, rejoint par Steve Smith : « L'objectif d'une université [...] consiste à poser des questions sur le monde et à essayer de le comprendre »[106]. La production théorique en Relations internationales n'a pas à produire des connaissances expertes commandées par la recherche de la meilleure gouvernance au quotidien des intérêts de qui que ce soit : elle est bien une fin pour soi et en soi. À condition bien sûr, comme le disait Susan Strange, de « s'interroger sur la validité de ces théories pour expliquer la nature, les causes et les conséquences du changement dans le monde » ; à condition, autrement dit, de rester fidèle au sens originel du mot "théorie", synonyme de volonté d'observer le monde réel pour mieux le décrire, l'expliquer, le comprendre.

N'oublions pas en effet avec Morgenthau que « toutes les contributions durables à la science politique, de Platon, Aristote et saint Augustin jusqu'au Fédéraliste, Marx, et Calhoun, ont été des réponses à des défis posés par la réalité politique[107] ». S'inscrire dans cette prestigieuse filiation devrait suffire comme motivation

---

104. *Citations dans P. Favre,* Comprendre le monde pour le changer, op. cit., *p. 356 et 357.*

105. *S. Hoffmann, « International Relations. The Long Road to Theory »,* World Politics, *11 (3), avril 1959, p. 346-377.*

106. *S. Smith, « Power and Truth. A Reply to Wallace », art. cité.*

107. *H. Morgenthau, « The Purpose of Political Science », dans J. Charlesworth (ed.),* A Design for Political Science. Scope, Objectives, and Methods, *Manchester (N. H.), Ayer Publishing, 1970, p. 63-79.*

pour les internationalistes d'aujourd'hui et de demain, vu la chance qui est la leur de faire partie d'une de ces « sciences auxquelles il a été donné de rester éternellement jeunes » parce que « le flux éternellement mouvant de la civilisation [lui] procure sans cesse de nouveaux problèmes[108] ».

Ces nouveaux problèmes, et les défis théoriques qu'ils posent, vont être étudiés dans le chapitre suivant.

Bibliographie

Les questions que soulève la problématique de la pertinence sociale des Relations internationales sont communes à l'ensemble des sciences sociales, et traitées dans les ouvrages d'épistémologie des sciences sociales.

Sur la capacité prédictive de la théorie des relations internationales, voir :

BERNSTEIN (Steven), NED LEBOW (Richard), GROSS STEIN (Janice) et WEBER (Steven), « God Gave Physics the Easy Problems. Adapting Social Science to An Unpredictable World », *European Journal of International Relations*, 6 (1), mars 2000, p. 43-76.

CHOUCRI (Nazli) et ROBINSON (Thomas) (eds), *Forecasting in International Relations. Theory, Methods, Problems, Prospects*, San Francisco (Calif.), Freeman, 1978, 468 p.

DORAN (Charles), « Why Forecasts Fail. The Limits and Potential of Forecasting in International Relations and Economics », *International Studies Review*, 1 (2), été 1999, p. 11-41.

---

108. M. Weber, Essais sur la théorie de la science, *op. cit., p. 191.*

FETTWEIS (Christopher), « Evaluating International Relations' Crystal Balls. How Predictions of the Future Have Withstood Fourteen Years of Unipolarity », *International Studies Review*, 6 (1), mars 2004, p. 79-104.

FREEMAN (John) et JOB (Brian), « Scientific Forecasts in International Relations. Problems of Definition and Epistemology », *International Studies Quarterly*, 23 (1), mars 1979, p. 113-143.

GADDIS (John L.), « International Relations Theories and the End of the Cold War », *International Security*, 17 (3), hiver 1992-1993, p. 5-53.

HOUGHTON (David), « The Role of Self-Fulfilling and Self-Negating Prophecies in International Relations », *International Studies Review*, 11 (3), septembre 2009, p. 552-584.

JERVIS (Robert) « The Future of World Politics. Will it Resemble the Past ? », *International Security*, 16 (3), hiver 1991-1992, p. 39-73.

QUESTER (George), *Before and After the Cold War. Using Past Forecasts to Predict the Future*, Londres, Frank Cass, 2002, 220 p.

RAY (James) et RUSSETT (Bruce), « The Future as Arbiter of Theoretical Controversies. Predictions, Explanations, and the End of the Cold War », *British Journal of Political Science*, 26 (4), octobre 1996, p. 441-470.

SCHNEIDER (Gerald), GLEDITSCH (Nils-Petter), et CARREY (Sabine) (eds), « Exploring the Past, Anticipating the Future : A Symposium », *International Studies Review*, 12 (1), 2010, p. 1 et suiv.

Sur la capacité prescriptive de la théorie des relations internationales, voir :

BOOTH (Ken), « Discussion. A Reply to Wallace », *Review of International Studies*, 23 (3), juillet 1997, p. 371-377.

CHERNOFF (Fred), *The Power of International Theory. Reforging the Link to Foreign Policy-Making through Scientific Enquiry*, Londres, Routledge, 2005, 254 p.

FRIEDEN (Jeffrey) et LAKE (David), « International Relations as a Social Science : Rigor and Relevance », *The Annals of the American Academy of Political and Social Science*, 600 (1), 2005, p. 136-156.

GEORGE (Alexander), *Bridging the Gap. Theory and Practice in Foreign Policy*, Washington (Wash.), US Institute for Peace Press, 1993, 208 p.

HILL (Christopher) et BESHOFF (Pamela) (eds), *The Two Worlds of International Relations. Academics, Practitioners and Trade in Ideas*, Londres, Routledge, 1994, 256 p.

JENTLESON (Bruce), « The Need for Praxis. Bringing Policy Relevance Back In », *International Security*, 26 (4), printemps 2002, p. 169-183.

LEPGOLD (Joseph) et NINCIC (Miroslav), *Beyond the Ivory Tower. International Relations Theory and the Issue of Policy Relevance*, New York (N. Y.), Columbia University Press, 2002, 192 p.

NAU (Henry), « Scholarship and Policy-Making : Who Speaks Truth to Whom ? », dans Christian Reus-Smit et Duncan Snidal (eds), *The Oxford Handbook of International Relations*, Oxford, Oxford University Press, 2008, p. 635-647.

NEWSOM (David), « Foreign Policy and Academia », *Foreign Policy*, 101, hiver 1995-1996, p. 52-67.

NICHOLSON (Michael), « What's the Use of International Relations ? », *Review of International Studies*, 26 (2), avril 2000, p. 183-198.

NINICIC (Miroslav) et LEPGOLD (Joseph) (eds), *Being Useful. Policy Relevance and International Relations Theory*, Ann Arbor (Mich.), Michigan University Press, 2000, 416 p.

NYE (Joseph), « International Relations : The Relevance of Theory to Practice », dans Christian Reus-Smit et Duncan Snidal (eds), *The Oxford Handbook of International Relations*, Oxford, Oxford University Press, 2008, p. 648-660.

ROTHSTEIN (Robert), *Planning, Prediction, and Policy-Making in Foreign Affairs. Theory and Practice*, Boston (Mass.), Little Brown, 1972, 216 p.

SIVERSON (Randolph), « A Glass Half-Full ? No, But Perhaps a Glass Filling. The Contribution of International Politics Research to Policy », *PS : Political Science and Politics*, 33 (1), mars 2000, p. 49-54.

SMITH (Steve), « Power and Truth. A Reply to Wallace », *Review of International Studies*, 23 (4), octobre 1997, p. 507-516.

TICKNER (J. Ann) et TSYGANKOV (Andrei) (eds), « Risks and Opportunities of Crossing the Academic/Policy Divide », *International Studies Review*, 10 (1), mars 2008, p. 155-177.

WALLACE (William), « Truth and Power, Monks and Technocrats. Theory and Practice in International Relations », *Review of International Studies*, 22 (3), juillet 1996, p. 301-321.

WALT (Stephen), « The Relationship between Theory and Policy in International Relations », *Annual Review of Political Science*, 8, 2005, p. 23-48.

WEISS (Thomas) et KITTIKHOUN (Anoulak), « Theory *vs.* Practice : A Symposium », *International Studies Review*, 13 (1), 2011, p. 1 et suiv.

ZELIKOW (Philip), « Foreign Policy Engineering. From Theory to Practice and Back Again », *International Security*, 18 (4), printemps 1994, p. 143-171.

Chapitre 17 / PRÉSENT ET FUTUR DES RELATIONS INTERNATIONALES

« *La connaissance progresse grâce à l'affrontement entre idées rivales.* »
Stephen Walt[1]

Depuis la fin de la guerre froide, les Relations internationales ne sont pas seulement confrontées aux problèmes – traditionnels après tout – que leur posent les liens qu'elles entretiennent avec la pratique des relations internationales. En tant que discipline caractérisée par un domaine d'étude et par une démarche scientifique (cf. chap. 1), elles font aussi face aux défis que leur posent l'évolution de leur objet, d'un côté, et les interrogations sur leurs méthodes, de l'autre.

Côté ontologie, deux tendances lourdes du monde de l'après-guerre froide sont susceptibles d'avoir un impact sur le critère de délimitation de la discipline qu'est le principe de l'anarchie : le processus de mondialisation dans le domaine de l'économie politique internationale, l'unipolarité du système interétatique dans le domaine de la sécurité internationale. Côté épistémologie, la recherche d'une synthèse éclectique et la priorité accordée à un positivisme volontiers assimilé au quantitativisme risquent, au nom de la cumulativité du savoir et de son application, d'affecter le pluralisme traditionnel de la discipline sinon les perspectives de progrès des connaissances produites par les internationalistes.

Depuis que la discipline des Relations internationales est née, elle a eu affaire à toutes sortes d'anomalies au sens de Kuhn, c'est-à-dire à des faits qui ont régulièrement provoqué la remise en cause

---

1. *S. Walt, «* Rigor *or* Rigor Mortis ? *Rational Choice and Security Studies », art. cité.*

des connaissances établies mais qui ont aussi régulièrement été surmontés par la discipline, grâce soit à des progressions-amendements à l'intérieur des paradigmes déjà existants, soit à l'émergence de nouvelles approches et aux débats qui s'en sont suivis avec les écoles déjà en place : ainsi, l'échec de la Société des nations et la consolidation dans le temps de la guerre froide ont permis l'émergence du réalisme ; la détente des années 1960-1970 a été mise à profit par la perspective transnationaliste pour rendre compte des dimensions non étatiques des relations internationales ; la chute du mur de Berlin a été l'occasion pour le constructivisme de venir contester les postulats rationalistes des trois approches précédentes. Même si les différents paradigmes ne se sont pas substitués les uns aux autres, la discipline n'en a pas moins été capable de produire des connaissances plus précises et plus crédibles.

La même crise régénératrice se produira-t-elle à la suite des défis de l'après-guerre froide ? La discipline saura-t-elle transformer ces défis en autant d'opportunités pour proposer de nouvelles théories des relations internationales ? Tenter de répondre à cette question implique d'abord de réfléchir à la nature et à l'ampleur des défis concernés, la globalisation d'un côté, l'unipolarité de l'autre.

Le problème posé aux Relations internationales par le phénomène de la globalisation[2], que l'on peut définir comme « l'expansion, l'intensification, et l'accélération des relations planétairement interconnectées dans tous les domaines de la vie sociale contemporaine[3] », a été posé dans des termes très clairs par Ian Clark selon qui la mondialisation comme processus et les Relations

---

2. *Les termes de mondialisation et globalisation sont employés comme synonymes.*

3. *D. Held* et al., Global Transformations : Politics, Economics, and Culture, *Cambridge, Polity Press, 1999, p. 2.*

internationales comme discipline s'excluent mutuellement : « Si nous acceptons l'idée qu'un processus de mondialisation est en train de se produire, alors nous n'avons plus besoin de théorie des relations internationales – d'ailleurs, une telle théorie ne peut plus exister. À l'inverse, dire que le noyau dur de l'entreprise intellectuelle consiste à théoriser les relations internationales revient à sérieusement mettre en doute l'idée même qu'il puisse y avoir quelque chose comme un processus de mondialisation[4] ». Autrement dit, Clark estime qu'en dénotant « les processus par lesquels les États-nations souverains sont traversés et subvertis par des acteurs transnationaux aux pouvoirs, orientations, identités et réseaux diversifiés[5] », la globalisation dépasse *a priori* la séparation interne-externe à l'origine de la justification de l'existence d'une discipline autonome « Relations internationales » différenciée de la science politique. Conclusion : l'internationaliste a le choix entre rester internationaliste en niant la mondialisation ou, tout du moins, en en minorant l'importance, ou au contraire prendre la globalisation au sérieux et opter alors pour des études globales dépassant les Relations internationales comme discipline autonome[6].

La mondialisation n'est pas le seul processus susceptible de remettre en cause le confort des internationalistes. Il en va de même de la persistance de la structure unipolaire du système international

4. *I. Clark,* Globalization and International Relations Theory, *Oxford, Oxford University Press, 1999, p. 1.*

5. *U. Beck, « What Is Globalization ? », dans D. Held et A. McGrew (eds),* The Global Transformations Reader, *Cambridge, Polity Press, 2000, p. 101.*

6. *À vrai dire, d'authentiques « études globales » mettraient fin non seulement aux Relations internationales, mais aussi à la science politique, sous-entendue interne et comparée, ainsi qu'à la sociologie.*

post-guerre froide[7], d'un côté, et de certaines tendances proto-impériales de la politique étrangère américaine, de l'autre. Ces processus impliquent en effet l'existence de dimensions verticales et hiérarchiques sur la scène internationale pour cause de domination des États-Unis, sinon de potentiel empire de leur part[8]. Or la discipline des Relations internationales présuppose à la fois l'existence d'acteurs indépendants les uns des autres plutôt qu'intégrés les uns dans les autres, et la primauté de relations horizontales entre ces entités plutôt que verticales comme cela fut le cas au sein d'entités impériales (cf. chap. 1). D'ailleurs Waltz, d'accord avec Bull et Aron pour estimer que « les systèmes internationaux sont décentralisés et anarchiques » alors que « les systèmes politiques internes sont centralisés et hiérarchiques », souligne que les deux principes de l'anarchie et de la hiérarchie « sont distincts l'un de l'autre ; en fait, ils sont opposés l'un à l'autre[9] ». De deux choses l'une alors, et à supposer bien entendu que Waltz n'ait pas tort de poser que le principe de la hiérarchie est incompatible avec le principe de l'anarchie : soit les relations internationales ont pour caractéristique spécifique par rapport aux autres types de relations politiques ou sociales de se dérouler en état d'anarchie, mais alors les tendances en cours s'inscrivent en faux contre cette spécificité ; soit le monde de l'après-guerre froide n'est pas caractérisé par une configuration

---

7. *C. Krauthammer, « The Unipolar Moment »,* Foreign Affairs, *70, hiver 1990-1991, p. 23-33, a le premier affirmé l'existence d'une structure unipolaire post-guerre froide.*

8. *Au sein d'une littérature pléthorique et de valeur inégale, voir notamment N. Ferguson,* Colossus. The Rise and Fall of the American Empire, *Londres, Allen Lane, 2004, et M. Mann,* L'Empire incohérent. Pourquoi l'Amérique n'a pas les moyens de ses ambitions, *Paris, Calmann-Lévy, 2005.*

9. *K. Waltz,* Theory of International Politics, op. cit., *p. 88.*

hiérarchique de la puissance et dans ce cas le principe de l'anarchie reste pertinent, mais comment alors qualifier la primauté, voire le comportement, des États-Unis ?

Bref, les deux dichotomies au moins potentielles – société globale *vs* système international, d'une part, hiérarchie *vs* anarchie, d'autre part – soulignent la « fragilité [... des...] constructions idéal-typiques » prévalant en Relations internationales. Ce revers de la médaille que sont pour toutes les sciences historiques les problèmes sans cesse renouvelés auxquels elles ont affaire imposent-elles pour autant l'élaboration de « nouvelles » constructions idéal-typiques, pour reprendre les termes de Max Weber[10] ?

À cette question, Michael Barnett et Kathryn Sikkink, entre autres, répondent franchement oui pour ce qui est de l'impact de la mondialisation. Ils estiment que la globalisation en cours oblige à une redéfinition de la discipline : « Historiquement parlant, l'étude des relations internationales a essentiellement concerné l'étude des États et les effets de l'anarchie sur leurs politiques étrangères, les modèles de leurs interactions et l'organisation de la politique mondiale. Ces dernières décennies, des développements empiriques et des innovations théoriques ont lentement mais sûrement érodé la force d'attraction de l'anarchie et de l'étatisme dans l'étude des relations internationales. Les internationalistes [...] soulignent de plus en plus l'existence d'un domaine international où la structure est définie par des éléments et matériels et normatifs [...] et où les tendances de la politique globale sont façonnées non seulement par les États mais aussi par une multitude d'acteurs et de forces autres. Pour le dire simplement, la discipline s'éloigne de l'étude des "relations internationales" et se rapproche de l'étude de la "société globale" ». Exprimé

---

10. *M. Weber,* Essais sur la théorie de la science, *op. cit., p. 191.*

autrement, pour Barnett et Sikkink, désireux en quelque sorte d'échapper au dilemme posé par Clark, la raison d'être de la discipline autonome des Relations internationales n'est pas remise en cause, à condition cependant que celle-ci change d'objet d'étude : persuadés que « le label "relations internationales" est dorénavant davantage une camisole de force qu'un raccourci commode » pour désigner ce qui se passe au-delà des territoires des États pris individuellement, ils affirment que « le récit principal du champ ne porte plus sur l'anarchie au sein d'un système d'États mais sur la gouvernance au sein d'une société globale[11] ». Ce faisant, ils rejoignent *nolens volens* ce que l'on appelle l'approche transformationniste de la mondialisation dont ils essaient dans une certaine mesure d'importer les hypothèses dans la discipline *mainstream.*

Relevant de l'approche interdisciplinaire des études globales, l'approche transformationniste est l'une des trois approches théoriques de la globalisation, à côté des approches hyperglobaliste et sceptique qui elles ne relèvent pas des *global studies.* Entre les trois, il existe un désaccord substantiel quant à la réalité et à la portée de la mondialisation[12].

Pour les hyperglobalistes, la mondialisation existe bel et bien et elle est d'abord et surtout un phénomène économique, synonyme d'émergence d'un marché sans frontières et donc de dépassement de l'État-nation. À ce titre, elle est saluée comme triomphe de l'*homo economicus* rationnel et libre par des néolibéraux tel que Kenichi Ohmae[13], tout en étant décriée comme capitalisme répressif

---

11. M. Barnett et K. Sikkink, « From International Relations to Global Society », art. cité.

12. Typologie et analyse empruntées à D. Held et al., Global Transformations, op. cit., *p. 2 et suiv.*

13. K. Ohmae, The Borderless World, *Londres, Harper Collins, 1990.*

par des néomarxistes tel que Stephen Gill[14]. Pour les sceptiques, la mondialisation est au contraire bien davantage un mythe qu'une réalité, tant la première caractéristique de la restructuration spatiale des relations internationales contemporaines réside essentiellement dans une tendance à la régionalisation : il en est ainsi de la dimension économique de la mondialisation, bien davantage constitutive d'une triadisation que d'une véritable planétarisation d'après Paul Krugman[15] et par ailleurs orchestrée plutôt que subie par les États selon Robert Gilpin[16] ; il en va de même de sa dimension sécuritaire, où des attentats de type *nine eleven* ne doivent pas faire oublier que prévalent majoritairement ce que Barry Buzan appelle des complexes régionaux de sécurité[17]. Enfin, pour les transformationnistes tels Anthony Giddens[18], Jan Scholte[19], Ulrich Beck[20], ou David Held et ses collaborateurs, la globalisation est bel et bien un processus en train de façonner un nouveau monde, car elle est à l'origine d'un bouleversement massif des sociétés, des économies, des institutions de gouvernance et de l'ordre mondial.

De ces trois approches, seule la thèse transformationniste constitue un défi potentiel pour l'autonomie des Relations internationales. En privilégiant la dimension économique, les néolibéraux proclament d'emblée leur refus de quelques études

---

14. *S. Gill, « Globalization, Market Civilization, and Disciplinary Neoliberalism »,* Millennium, *24 (3), 1995, p. 399-423.*
15. *P. Krugman,* Pop Internationalism, *Cambridge (Mass.), MIT Press, 1996.*
16. *R. Gilpin,* Global Political Economy, op. cit.
17. *B. Buzan,* People, States, and Fear, op. cit.
18. *A. Giddens,* Les Conséquences de la modernité, *Paris, L'Harmattan, 1994.*
19. *J. Scholte,* Globalization : A Critical Introduction, *Basingstoke, Palgrave-Macmillan, 2005.*
20. *U. Beck,* What Is Globalization ?, *Cambridge, Polity Press, 1999.*

globales que ce soit, vu qu'ils négligent les aspects non économiques de la mondialisation considérés comme secondaires, alors que les néo-marxistes n'ont de toute façon jamais reconnu de discipline « Relations internationales » en tant que telle, vu leur volonté de proposer une science sociale totale (cf. chap. 7) ; quant aux sceptiques, leur analyse est parfaitement compatible avec le réalisme en général et la variante orthodoxe de l'économie politique internationale en particulier (cf. chap. 4 et 13). En revanche, les choses sont autrement compliquées pour ce qui est des transformationnistes, fossoyeurs potentiels des Relations internationales, même s'il ne semble pas non plus illégitime d'inscrire leurs analyses dans la filiation des théoriciens de l'interdépendance complexe des années 1970, voire des idéalistes de la première moitié du XXe siècle (cf. chap. 6) qui, déjà, avaient proclamé le rétrécissement du monde en « une place de marché[21] » avec pour conséquence « non pas l'uniformité mais la diversité, non pas la concorde mais la controverse, non pas une fraternité idyllique mais les chocs et secousses identitaires ; en un mot, non pas la paix mais la vie en société[22] ». Dans tous les cas, en affirmant qu'« en cette période de globalisation intensive les frontières sont devenues problématiques comme indicateur spatial principal de la vie moderne[23] », les transformationnistes annoncent le dépassement de la séparation interne-externe tout en en appelant à de nouvelles formes de gouvernance globale de type post-national, ou cosmopolite[24], ce qui

---

21. *Citation de R. Muir, dans J. de Wilde,* Saved From Oblivion, op. cit., *p. 52.*

22. *A. Zimmern, cité par A. Osiander, « Rereading Early Twentieth-Century IR Theory », art. cité.*

23. *D. Held* et al., Global Transformations, op. cit., *p. 9.*

24. *Voir D. Held,* Un nouveau contrat mondial. Pour une gouvernance social-démocrate, *Paris, Presses de Sciences Po, 2005.*

effectivement n'est pas sans affecter l'objet d'étude traditionnel des Relations internationales.

Reste que l'impact éventuel de la thèse transformationniste sur la survie de l'objet d'étude « relations internationales » dépend de la validité empirique de ses affirmations principales, à savoir que le processus contemporain de mondialisation est sans précédant et que par ailleurs il transforme le pouvoir, les fonctions, et l'autorité des États et gouvernements nationaux.

Concernant le premier point, il semble acquis depuis les recherches de Paul Hirst et Grahame Thompson[25] et de Suzanne Berger[26] que la mondialisation en cours n'est guère inédite. Dans le domaine des échanges commerciaux, une première globalisation, au sens d'ouverture significative des économies nationales sur l'extérieur, a eu lieu pendant les trois décennies précédant la première guerre mondiale ; par ailleurs, les flux migratoires étaient aussi importants, sinon plus, à l'époque que de nos jours et, pour ce qui est des technologies de communication, on peut discuter si différence de nature plutôt que de degré il y a entre Internet et aviation, d'un côté, téléphone et chemin de fer, de l'autre ; enfin, en ce qui concerne la multiplication de nouveaux mouvements sociaux et la démultiplication d'allégeances identitaires au sein de réseaux désétatisés sinon déterritorialisés, les ONG contemporaines succèdent à la première internationale marxiste, la Croix-Rouge, ou la Société anti-esclavagiste d'il y a plus d'un siècle : dans tous ces cas, on a affaire à des formes d'organisation composées d'acteurs partageant les mêmes valeurs, tenant un discours

---

25. *P. Hirst et G. Thompson,* Globalization in Question : The International Economy and the Possibilities of Governance, *Cambridge, Polity Press, 1996.*

26. *S. Berger,* Notre première mondialisation. Leçons d'un échec oublié, *Paris, Seuil, 2003.*

commun, et caractérisées par des modes de communication volontaires, réciproques et horizontaux[27]. Or, s'il est vrai que des processus de globalisation comparables ont déjà existé par le passé avant de connaître des reflux et de renaître ces dernières décennies sous des formes plus ou moins renouvelées, alors on ne saurait parier ni sur la nature inédite ni sur le caractère irréversible de la mondialisation en cours.

D'autant moins qu'en ce qui concerne l'impact de la mondialisation sur l'État comme acteur principal de la scène internationale et comme responsable premier de la régulation à la fois interne/locale et externe/globale, le moins que l'on puisse dire est qu'il est dialectique[28]. Dans le domaine économique, l'avènement de l'État-compétition[29] a tout sauf mis fin à l'État-providence qui n'a jamais été aussi développé qu'en ce début de XXIe siècle, comme le montrent toutes les études établissant une corrélation entre le taux d'ouverture sur l'extérieur d'une économie et son taux de

---

27. *Telle est la définition des réseaux proposée par M. Keck et K. Sikkink,* Activists Beyond Borders, op. cit., *p. 8.*

28. *À dire vrai, les transformationnistes reconnaissent avec D. Held* et al., Global Transformations, op. cit., *p. 9, que « la globalisation, loin de provoquer la fin de l'État, a encouragé un éventail de stratégies d'ajustement et, par certains aspects, un État plus activiste ». Reste qu'en affirmant que la globalisation re-façonne les États et que les États co-façonnent la mondialisation, ils finissent par se rapprocher des sceptiques, ce qui limite leur portée contestatrice. Voir à ce sujet L. Martell, « The Third Wave in Globalization Theory »,* International Studies Review, *9 (2), été 2007, p. 173-196.*

29. *Expression due à P. Cerny, « Paradoxes of the Competition State : The Dynamics of Political Globalization »,* Government and Opposition, *32 (2), avril 1997, p. 251-274, et désignant un État amené par la globalisation économique à adopter une stratégie susceptible d'attirer et de maintenir sur son territoire les investisseurs multinationaux plutôt que de continuer à promouvoir le bien-être de ses citoyens.*

redistribution interne[30]. Surtout, le krach financier de 2008 est à l'origine, au niveau systémique, d'une revanche de la diplomatie des conférences de type G8 ou, en l'occurrence, G20, par rapport aux forums transnationaux de type Davos, de même qu'au niveau national l'on assiste au retour de l'État régulateur et même investisseur, appelé au secours par des firmes certes multinationales mais bien peu globales lorsqu'il s'agit de socialiser les pertes[31]. Dans le domaine des biens communs et des défis globaux tels que la protection de l'environnement ou la défense des droits de l'homme, les ONG, pour la majorité des plus puissantes d'entre elles issues des pays occidentaux, dépendent pour une part croissante de leurs ressources des financements étatiques ou intergouvernementaux, et dans la quasi-totalité des cas coopèrent plus souvent avec les États et les organisations internationales qu'elles ne contestent les acteurs (inter-)gouvernementaux : ce faisant, non seulement elles ne représentent guère une société civile mondiale opposée au monde des États, mais « leur action est souvent conforme aux intérêts des États[32] » qui, *in fine*, décident des normes à établir dans les domaines concernés de même que ce sont eux qui choisissent de les respecter ou non une fois qu'ils les ont établies. Enfin, dans le domaine de la sécurité, les attentats du 11 septembre, certes dus à groupe de conflit ayant adopté la formé d'un réseau non étatique,

---

30. Voir G. Garett, « Global Markets and National Politics : Collision Course or Virtuous Circle ? », International Organization, *52 (4), automne 1998, p. 787-824.*

31. Voir L. Pauly et S. Reich, « National Structures and Multinational Corporate Behavior : Enduring Differences in the Age of Globalization », International Organization, *51 (1), été 1997, p. 1-30.*

32. T. Risse, « Transnational Actors and World Politics », dans W. Carlsnaes, T. Risse et B. Simmons (eds), Handbook of International Relations, op. cit., *p. 255-274.*

loin de remettre en cause l'État-Léviathan, ont tout au contraire provoqué un renforcement des pouvoirs policiers : les politiques publiques mises en œuvre pour prévenir la répétition de telles attaques soulèvent même l'hypothèse sinon du retour de l'État-garnison[33], du moins de l'avènement du dernier avatar de la souveraineté biopolitique[34].

En résumé donc, ces dix dernières années pour ce qui est du domaine de la sécurité, et ces quatre dernières années en ce qui concerne le domaine de l'économie, ont vu la confirmation du pronostic de Robert Gilpin annonçant qu'« un monde politiquement et économiquement moins sûr conduirait à une résurgence de la puissance de l'État[35] ». On en déduira avec David Lake que l'État non seulement est central à l'étude des relations internationales mais aussi « le restera dans un avenir prévisible[36] ». Or, si la gouvernance, qui concerne « le maintien de l'ordre commun, l'obtention de biens communs et l'élaboration des processus communs de mise sur pied des règles à travers lesquelles se rapprocher de cet ordre et de ces biens[37] », est encore de nos jours davantage l'œuvre des

---

33. *Expression due à H. Lasswell, « The Garrison State »,* American Journal of Sociology, *46 (4), janvier 1941, p. 455-468, et désignant un État organisé de façon telle à assurer de façon prioritaire ses besoins de sécurité tant interne qu'externe.*

34. *Expression due à M. Foucault, « La naissance de la médecine sociale » (1974), dans M. Foucault,* Dits et écrits, *Paris, Gallimard, tome 2, 2001, p. 207-228, et désignant la tendance des pouvoirs contemporains à intervenir sur le corps et dans la vie même des individus.*

35. *R. Gilpin, « The Retreat of the State ? », art. cité.*

36. *D. Lake, « The State and International Relations », dans C. Reus-Smit et D. Snidal (eds),* The Oxford Handbook of International Relations, op. cit., *p. 41-61.*

37. *J. Rosenau, « Change, Complexity, and Governance in a Globalizing Space », dans J. Pierre (ed.),* Debating Gover-

États qu'elle n'est le fruit d'acteurs non étatiques, alors il n'est pas sûr que le récit de la souveraineté et de l'anarchie « obscurcisse davantage qu'il n'éclaire[38] » les processus en cours en relations internationales, fussent-elles en voie de globalisation[39].

Cela étant, si l'évolution récente de la globalisation souligne la pertinence encore aujourd'hui de la conclusion tirée il y a presque trente ans par Raymond Aron affirmant que le système interétatique reste « primordial [...] bien qu'au fil des jours, il *semble* passer à l'arrière-plan[40] », alors l'avenir de l'objet d'étude « relations internationales » dépend prioritairement de l'éventuel impact sur le critère de l'anarchie de l'actuelle configuration dudit système interétatique. Qu'en est-il de l'autre donne post-guerre froide qu'est la persistance d'une structure hiérarchique de distribution de la puissance, qui plus est accompagnée d'un comportement proto-impérial de la part des États-Unis ?

Le constat que le système international post-guerre froide est un système unipolaire ne souffre d'aucune contestation. Émise dès la chute du mur de Berlin par le journaliste Charles Krauthammer, l'idée d'un « moment unipolaire[41] » a été étayée la veille de l'an 2000 par le réaliste William Wohlforth – « Le système est sans l'ombre d'un doute unipolaire. Les États-Unis jouissent d'une plus

---

nance. Authority, Steering, and Democracy, *Oxford, Oxford University Press, 2000, p. 169-200.*

38. M. Barnett et K. Sikkink, « From International Relations to Global Society », art. cité.

39. Pour une critique d'inspiration marxiste du récit de la globalisation, synonyme de plaidoyer en faveur du fait international comme objet spécifique de la discipline des Relations internationales, voir J. Rosenberg, « Globalization Theory : A Post Mortem », International Politics, *42 (1), 2005, p. 2-74.*

40. R. Aron, Paix et guerre entre les nations, op. cit., *p. XXXVII. C'est nous qui soulignons.*

41. C. Krauthammer, « The Unipolar Moment », art. cité.

grande marge de supériorité par rapport à l'État suivant ou, davantage, par rapport à l'ensemble des autres grandes puissances réunies, que n'importe quel autre État leader de ces deux derniers siècles. Surtout, les États-Unis sont le premier État leader jouissant d'une prépondérance décisive dans chacun des éléments composant la puissance : économique, militaire, technologique et géopolitique[42] » – avant d'être reprise au lendemain des attentats du 11 septembre par le libéral John Ikenberry : « Depuis la fin de la guerre froide, les États-Unis se révèlent être une superpuissance globale sans précédent ni rival. À aucun moment dans l'histoire moderne, un seul État n'a à ce point dominé le reste du monde[43]. » Surtout, si cela fait maintenant vingt ans que le « monde est déséquilibré[44] », alors c'est moins d'un moment unipolaire, *a priori* temporaire, qu'il s'agit que d'un système unipolaire, susceptible de s'installer dans la durée.

Une unanimité comparable n'existe pas pour ce qui est de la qualification du comportement international adopté par les États-Unis pendant cette période ou, plus précisément, depuis le début des années 2000. Certes, l'Administration Bush a, pendant huit ans, fait cavalier seul dans le domaine des biens communs, en refusant la ratification du protocole de Kyoto et du traité de Rome instituant

---

42. *W. Wohlforth, « The Stability of A Unipolar World »,* International Security, *24 (1), été 1999, p. 5-41.*

43. *J. Ikenberry, « Is American Multilateralism in Decline ? », Perspectives on Politics, 1 (3), septembre 2003, p. 533-550.*

44. *S. Brooks et W. Wohlforth,* World Out of Balance. International Relations and the Challenge of American Primacy, *Princeton (N. J.), Princeton University Press, 2008. Voir aussi J. Ikenberry, M. Mastanduno et W. Wohlforth (eds),* International Relations and the Consequences of Unipolarity, *Cambridge, Cambridge University Press, 2011.*

la Cour pénale internationale. Mais cet unilatéralisme ne fait que souligner que les États restent maîtres de leur décision de participer ou non à la gouvernance globale ; par ailleurs, comme l'avaient souligné et Gilpin et Strange (cf. chap. 13), c'était bien l'unilatéralisme des États-Unis qui avait déjà été à l'origine de la fin du système de Bretton Woods et de l'instauration de la dérégulation financière aux sources de la globalisation économique. Certes aussi, et peut-être surtout, les États-Unis ont, toujours sous la présidence de George W. Bush, adopté une posture unilatérale tout au long de la crise irakienne, de même que leur opération *Liberté en Irak* a été constitutive d'un impérialisme au sens strict de conquête militaire d'une entité – qui plus est souveraine – en vue d'exercer sur elle son contrôle politique[45]. De là à en déduire l'émergence d'un empire américain il y a cependant un pas que peu d'internationalistes osent franchir, la plupart préférant parler au sujet de l'épisode irakien de simple tentation impériale, avec pour conséquence que la notion d'*hegemon* continue à être la dénomination la plus souvent utilisée pour désigner le statut plus général des États-Unis dans le monde contemporain, à la rigueur remplacée par des expressions telles *hegemon* prédateur ou bien empire par défaut ou empire informel[46].

Peu importe après tout, car que le concept employé soit celui d'empire ou d'hégémonie, il ne fait guère de doute que les deux impliquent la présence de dimensions verticales et hiérarchiques

---

45. *Voir D. Battistella,* Retour de l'état de guerre, op. cit.

46. *Voir les forums qu'ont consacrés à cette problématique des internationalistes d'abord européens autour de P. Burgess dans* Security Dialogue, *35 (2), mars 2004, ensuite britanniques autour de M. Cox dans* Review of International Studies, *30 (4), octobre 2004, puis québécois autour de C.-P. David et D. Grondin dans* Études internationales, *36 (4), décembre 2005, enfin américains autour de Y. Ferguson dans* International Studies Perspectives, *9 (3), août 2008.*

sur la scène internationale contemporaine[47]. Ces dimensions ne sont cependant pas incompatibles avec le principe de l'anarchie.

Du point de vue étymologique tout d'abord, il faut rappeler avec Jack Donnelly[48] que le terme grec *an-arkhia* s'oppose à *arkhos* (chef) ou *arkhe* (commandement, autorité), et non pas à *hier-arkhia*, mot composé de *hieros* (sacré) et *arkhe*[49], et signifiant l'existence de rapports de super- et sub-ordination entre entités les unes par rapport aux autres[50]. Autrement dit, l'absence formelle d'autorité qu'implique la notion d'anarchie n'entraîne pas d'un point de vue logique l'absence de relations informelles d'inégalité entre entités certes souveraines *de jure* mais dotées *de facto* de ressources différentes. Waltz envisage indirectement cette

---

47. *Voir aussi D. Lake,* Hierarchy in International Relations, *Ithaca (N. Y.), Cornell University Press, 2009.*

48. *Voir les articles de J. Donnelly, « Sovereign Inequalities and Hierarchy in Anarchy : American Power and International Society »,* European Journal of International Relations, *12 (2), juin 2006, p. 139-170, ainsi que « Rethinking Political Structures. From "Ordering Principles" to "Vertical Differentiation" – and Beyond »,* International Theory, *1 (1), mars 2009, p. 49-86.*

49. *Autant le concept d'*anarkhia *avait été forgé dans le langage militaire pour désigner un ensemble de soldats se retrouvant sans chef à la suite de la mort de celui-ci sur le champ de bataille, autant le terme de* hierarkhia, *nettement postérieur, trouve lui sa source dans le langage religieux : au* VIe *siècle, le Pseudo-Denys l'Aéropagite, philosophe néoplatonicien, désignait par ce terme la relation dans une disposition verticale de toutes les créatures spirituelles au Créateur ainsi qu'entre elles, chaque degré supérieur illuminant le degré inférieur et l'amenant à remonter directement vers Dieu.*

50. *Cette critique de la structure horizontale de l'anarchie retenue par Waltz est complémentaire de celle déduite de la thèse constructiviste de l'anarchie proposée par Wendt et montrant que Waltz a tort d'affirmer que l'anarchie induit une politique du* self-help *(cf. chap. 9).*

hypothèse lorsqu'il invoque le principe de distribution de la puissance au sein du système international : il note en effet que par rapport aux États lambda, « les grandes puissances d'une époque ont toujours été traitées à part par les théoriciens comme par les praticiens », tant en effet les systèmes politiques internationaux se « différencient selon le nombre de [... leurs...] grandes puissances[51] ». Mais il n'en fonde pas moins sa théorie sur la primauté ontologique du principe ordonnateur anarchique par définition exclusif de toute dimension hiérarchique : non seulement au nom de l'élégance et de la parcimonie qui d'après lui doit caractériser toute entreprise théorique, mais aussi parce que d'après lui, l'histoire montre de façon récurrente qu'« à travers les siècles [...] l'hégémonie aboutit à l'équilibre[52] » synonyme d'égalité approximative entre grandes puissances et donc d'absence de hiérarchie entre elles.

Telle n'est pourtant pas l'analyse proposée par un autre néoréaliste, à savoir Robert Gilpin, qui affirme au contraire qu'« à travers l'histoire, trois formes de contrôle ou types de structure ont caractérisé les systèmes internationaux. La première structure est impériale et hégémonique : une seule puissance contrôle ou domine les États plus faibles du système. [...] La seconde structure est une structure bipolaire au sein de laquelle deux États puissants contrôlent et régulent les interactions à l'intérieur et entre leurs sphères d'influence respectives. [...] Le troisième type de structure est un équilibre [multipolaire] des puissances dans lequel trois États ou plus se contrôlent les uns les autres par des

---

51. *K. Waltz,* Theory of International Politics, op. cit., *p. 97.*

52. *K. Waltz, « The Emerging Structure of International Politics », art. cité.*

manœuvres diplomatiques, des changements d'alliances, et des conflits ouverts[53] ».

Lorsqu'alors on applique ces hypothèses théoriques opposées aux réalités contemporaines, il semble que l'après-guerre froide aille plutôt dans le sens de Gilpin, tant le système – unipolaire – contemporain confirme que « les réalités de la puissance sont telles que des relations hiérarchiques entre acteurs formellement indépendants sont tout à fait normales[54] » sur la scène internationale. Au-delà du cas de figure du système contemporain, l'analyse de l'évolution historique du système interétatique moderne est d'ailleurs susceptible d'aboutir à l'exact opposé de l'affirmation de Waltz postulant la récurrence régulière d'équilibres au détriment d'hégémonies : certes, des distributions équilibrées de puissance se sont formées par le passé – au XVIIIe siècle par exemple, ou pendant l'entre-deux-guerres, sinon pendant la guerre froide –, mais elles se sont effondrées tout aussi régulièrement et, surtout, elles ont fini par déboucher sur des systèmes unipolaires dominés par une

---

53. *R. Gilpin,* War and Change in World Politics, op. cit., *p. 29. Précisons que Gilpin et les autres théoriciens réalistes des cycles de puissance (cf. chap. 4) ne sont pas les seuls à ne pas avoir attendu la littérature récente relative à l'émergence d'un éventuel empire américain pour accorder dans leurs réflexions une place aux dimensions verticales des relations internationales : les approches marxisantes avec l'opposition « centre-périphérie » (cf. chap. 7) et la théorie critique avec la notion gramscienne d'hégémonie (cf. chap. 8), tout comme la théorie de la stabilité hégémonique raisonnant en économie politique internationale en termes de* leadership *(cf. chap. 12 et 13), voire l'École anglaise avec son continuum « empire-dominion-suzeraineté-hégémonie » distingué par A. Watson,* The Evolution of International Society, op. cit., *p. 14-16, intègrent elles aussi la hiérarchie dans leurs analyses.*

54. *S. Kaufman, R. Little et W. Wohlforth (eds),* The Balance of Power in World History, *Basingstoke, Palgrave-Macmillan, 2007, p. 233.*

puissance prépondérante, à l'image de la *pax britannica* au XIXe siècle et de l'actuelle hégémonie américaine.

Davantage, aux relations de subordination de nature matérielle s'ajoutent des relations de différenciation normative au sens large, voire légale au sens strict. Au sein du système westphalien, synonyme de société internationale européenne au sens de l'École anglaise (cf. chap. 5), les grandes puissances, au plus tard depuis le congrès de Vienne et du Concert européen qui s'en est suivi, se sont attribuées et se sont vu reconnaître l'existence de responsabilités spéciales – gestion de l'ordre international sous forme de sphères d'influence par le passé et de droit de veto au Conseil de sécurité de nos jours[55]. Quant aux statuts de souverainetés imparfaites dont jouissaient les entités sous protectorat ou mandat par le passé, ils reviennent de nos jours sous forme de *state-building* dont font l'objet des quasi-États désignés en faillite, à la suite souvent des ingérences humanitaires militarisées passant outre à la norme de la souveraineté pourtant à l'origine du système westphalien[56]. Enfin, si de nos jours, et plus exactement depuis la décolonisation, la société internationale est par définition planétaire, des « États voyous » n'en sont pas moins *de facto* stigmatisés et, sinon punis – de l'ex-Yougoslavie à la Libye de Kadhafi en passant par l'Irak de Saddam Hussein –, du moins toujours surveillés – de l'Iran

55. *Voir à ce sujet les synthèses de G. Simpson,* Great Powers and Outlaw States. Unequal Sovereigns in the International Legal Order, *Cambridge, Cambridge University Press, 2004, et de I. Clark,* Legitimacy in International Society, *Oxford, Oxford University Press, 2005.*

56. *Sur l'institution de la souveraineté et ses heurs et malheurs, voir B. Badie,* Un monde sans souveraineté. Les États entre ruse et responsabilité, Paris, Fayard, 1999, *et S. Krasner,* Sovereignty. Organized Hypocrisy, *Princeton (N. J.), Princeton University Press, 1999.*

à la Corée du Nord –, ce qui n'est pas sans rappeler le traitement différencié auquel avaient droit par le passé les entités non chrétiennes et autres peuples non civilisés situés *beyond the line*[57] de la société des grandes puissances européennes.

Bref, la structure anarchique du système westphalien a depuis toujours substantiellement co-existé, y compris en son propre sein, avec une distribution hiérarchique de la puissance et une différenciation hiérarchisée des valeurs.

Une double conclusion semble alors devoir découler de ce dernier constat : le principe de l'anarchie est bien le point de départ de toute réflexion sur l'international, pour reprendre l'expression de Hedley Bull (cf. chap. 1), mais il n'en constitue pas nécessairement le point d'aboutissement. Plus précisément, le critère d'anarchie reste pertinent pour définir la discipline des Relations internationales, mais l'idée d'une meilleure prise en compte de certaines dimensions oubliées ou négligées de cette anarchie mérite que l'on s'y attarde.

La première dimension négligée concerne la configuration hiérarchique de la puissance matérielle. Retrouver cette dimension consiste, par rapport à Waltz (cf. chap. 4) accordant la priorité au principe ordonnateur par rapport au principe de distribution, à reconnaître autant d'importance au principe de distribution qu'au principe ordonnateur, ce qui revient à postuler que les relations internationales sont, d'abord, des relations de puissance et, mieux, des relations de domination, au sens wébérien de ces termes : non seulement les relations internationales sont des interactions où, comme le souligne notamment Carr, chaque État cherche à imposer

---

57. *Expression empruntée à C. Schmitt,* Le *nomos* de la terre dans le droit des gens du *jus publicum europaeum,* op. cit., *p. 95 et suiv.*

sa volonté à tout autre État, y compris contre sa résistance, et peu importe les moyens – *hard* ou *soft* – auxquels il recourt pour ce faire, mais ce sont aussi des interactions au sein desquelles l'un de ces États a la chance de voir les autres États se soumettre à sa volonté et donc à adopter des comportements conformes à ceux souhaités par l'État prépondérant.

La deuxième dimension négligée concerne la composante idéelle desdites relations de domination. Réhabiliter cette dimension consiste, par rapport à Wendt (cf. chap. 9) reconnaissant que les relations entre États dépendent de la culture anarchique qui façonne la conception mutuelle qu'ils ont les uns des autres, à redécouvrir les origines internes de l'identité partagée des États, ce qui revient à poser comme hypothèse que les relations internationales sont, aussi, des relations de différenciation ou, mieux, de discrimination, au sens schmittien de ces termes : non seulement les relations internationales sont des interactions ou chaque État agit envers un autre État en fonction de ce que Aron appelle l'homogénéité ou de l'hétérogénéité de leurs régimes respectifs, mais ce sont aussi des interactions fondées sur le principe de la discrimination ami-ennemi selon qu'il y a partage ou non des mêmes valeurs culturelles qui prévalent en leur intérieur.

Un rapide coup d'œil sur la scène internationale confirme la pertinence de ce double recadrage du principe de l'anarchie. De nos jours, et que le domaine concerné relève de la sécurité internationale ou de l'économie politique internationale, la domination des États-Unis, qui renvoie à la hiérarchie matérielle du système international actuel, se traduit différemment selon que les États-Unis ont affaire à une entité partageant l'essentiel de leurs valeurs ou non, ce qui renvoie à la discrimination normative au sein de la société internationale actuelle. Aborder le récit des relations internationales contemporaines autour de l'hypothèse d'un monde articulé autour d'une dialectique relations de domination matérielle/relations de discrimination normative nous paraît alors une piste de recherche heuristique pour l'avenir de la discipline des Relations internationales.

Reste à savoir comment s'y prendre pour ce faire. Ici aussi, les auteurs classiques que sont Carr, Schmitt, Aron, nous proposent une démarche susceptible de nous guider. Le fait qu'ils aient été versés non seulement dans les Relations internationales mais aussi dans l'histoire (Carr), la sociologie (Aron), le droit international (Schmitt) et la philosophie (tous), indique que le chemin en question est à chercher du côté d'une approche historico-sociologique : si l'on sait que les interactions entre entités du passé étaient précisément caractérisées par des hiérarchies à la fois matérielles – entre centre impérial dominant et périphéries dominées – et normatives – entre cosmos interne et chaos externe –, alors une telle approche devrait permettre de « comprendre, en profondeur, la diversité historique des systèmes internationaux grâce à la discrimination entre les variables qui ont une signification différente d'époque en époque et les variables qui, provisoirement au moins, survivent telles quelles[58] ». Pour redécouvrir et évaluer la persistance de dimensions *ante*-westphaliennes et l'irruption de dimensions *extra*-westphaliennes dans un système international contemporain en partie différent des modèles originellement européo-centrés sur la généralisation desquels reposent majoritairement les analyses en Relations internationales, une « compréhension interprétative des relations internationales qui peut révéler la contingence [...] des décisions humaines, les significations souvent irréconciliables que les différents acteurs donnent à un même

58. R. Aron, « Qu'est-ce qu'une théorie des relations internationales ? », art. cité.

événement, et la façon dont les valeurs culturelles façonnent la pratique diplomatique[59] », semble heuristiquement prometteuse.

Pourtant, tel n'est guère le chemin emprunté par les tendances à la mode depuis une dizaine d'années dans la discipline telle que pratiquée, notamment, aux États-Unis.

Ces tendances ont été décrites dans un ensemble d'enquêtes[60] effectuées par un groupe de chercheurs du College of William and Mary à Williamsburg en Virginie dans le cadre du *TRIP Project* (*Teaching, Research, and International Policy*) étudiant tous les aspects des pratiques en cours dans la discipline ainsi que leurs perceptions par les internationalistes, d'abord aux États-Unis, puis dans le Commonwealth (et en Israël et à Hong-Kong), ensuite en Europe continentale et en Asie orientale : de quelles approches relèvent les théoriciens ? dans quels paradigmes s'inscrivent les publications ? quelles méthodes de recherche sont privilégiées ? sur quoi portent les cours enseignés ? y a-t-il des liens entre internationalistes et praticiens des relations internationales ? quelle est la place des femmes parmi les internationalistes ? quels sont les grands noms de la discipline ? quelles sont les universités proposant les

---

59. *T. Dunne,* Inventing International Society, *op. cit., p. 187.*

60. *Voir D. Maliniak, A. Oakes, S. Peterson et M. Tierney, « International Relations in the US Academy », art. cité, ainsi que, S. Peterson, M. Tierney, et D. Maliniak, « Inside the Ivory Tower »,* Foreign Policy, *151, novembre-décembre 2005, p. 58-64, et D. Maliniak, A. Oakes, S. Peterson et M. Tierney, « Inside the Ivory Tower. II »,* Foreign Policy, *159, mars-avril 2007, p. 62-68. Une desdites enquêtes a porté sur la place des femmes dans la discipline : D. Maliniak, A. Oakes, S. Peterson et M. Tierney, « Women in International Relations »,* Politics and Gender, *4 (1), 2008, p. 122-144. La publication des résultats des autres enquêtes, toujours en cours, est annoncée pour les mois et années à venir.*

formations les plus prestigieuses en master et en doctorat ? quelles sont les revues et les maisons éditrices les plus réputées ? quel(le)s sont les internationalistes les plus influent(e)s ?, etc. Les principaux constats établis – au sujet des tendances paradigmatiques, méthodologiques et empiriques en cours qui seules nous intéressent ici – à partir des publications des principales revues de la discipline[61] sont au nombre de trois.

1. Concernant l'orientation paradigmatique des articles publiés, l'étude objective des revues dominantes de la discipline contredit la perception subjective qu'ont de celle-ci les internationalistes américains. En effet, alors que la majorité croit – et donc enseigne – que la discipline est divisée en plusieurs paradigmes incommensurables parmi lesquels le réalisme est l'approche dominante, l'analyse des revues montre que la moitié, voire plus, des articles retenus ne s'inscrit dans aucun des quatre grands paradigmes en particulier que sont le réalisme, le libéralisme, le marxisme et le

---

61. *Prendre comme* corpus *représentatif de la discipline les revues plutôt que les livres ou les ouvrages collectifs – eux aussi passés au crible par des* peer reviewers *dans le monde anglo-américain – ne biaise pas substantiellement l'étude de l'état de la discipline quand on sait que les articles sont souvent des extraits ou des résumés des ouvrages dont ils précèdent ou suivent la publication. Les douze revues retenues – de Relations internationales et de science politique en général – l'ont été sur la base de leur classement en termes d'impact. Neuf d'entre elles sont américaines* – American Political Science Review, American Journal of Political Science, International Organization, International Security, International Studies Quarterly, Journal of Conflict Resolution, Journal of Politics, Security Studies, World Politics – *et trois européennes* – British Journal of Political Science, European Journal of International Relations, Journal of Peace Research. *L'échantillon porte sur 50 % des articles publiés, en l'occurrence les articles parus dans les numéros 1 et 3 de chaque volume annuel.*

constructivisme[62]. Surtout, cette tendance va en s'accroissant ces dernières années, avec de plus en plus d'articles procédant soit à des utilisations comparées des paradigmes en question en vue de tester leur pertinence respective, ce qui suppose leur commensurabilité, soit à des utilisations tous azimuts en vue de combiner les paradigmes en question ou bien dans une approche éclectique ou bien dans une démarche synthétique, ce qui suppose leur cumulativité. Par ailleurs, pour ce qui est de la – petite – moitié des articles qui se réclame explicitement d'une approche théorique, le libéralisme dans toutes ses variantes, à commencer par le néolibéralisme institutionnel autour de Keohane et le libéralisme individualocentré de Moravcsik, est plus dominant que jamais, avec la moité à lui seul des articles paradigmatiques, à l'inverse du réalisme qui, après avoir joui d'une importance proche du libéralisme au début des années 1990, est descendu ces dernières années à moins de 10 % de l'ensemble des articles dans les revues concernées. Quant au constructivisme, inexistant au début de la période étudiée, il augmente régulièrement sa part au point de dépasser aujourd'hui le réalisme, alors que le marxisme, marginal depuis toujours, a pratiquement disparu au XXIe siècle et n'apparaît plus que dans moins de 1 % des articles publiés.

2. Pour ce qui est de la démarche scientifique, les perceptions et les réalités sont partiellement convergentes. Concernant les

---

62. *Le constructivisme en question est le constructivisme conventionnel, moderniste,* soft *ou* light *(cf. chap. 9). Ne sont pris en compte comme paradigmes à part entière ni les approches féministes, ni l'École anglaise, ni les approches cognitives. Une telle délimitation nuance sans doute, mais seulement à la marge, les résultats trouvés par les enquêteurs, tout comme l'exclusion de revues telles que* Review of International Studies, *proche de l'École anglaise, ou* Millennium, *porte-parole des post-positivistes.*

questions épistémologiques, 65 % des internationalistes américains caractérisent en 2008 leurs recherches comme étant positivistes et les revendiquent comme telles, et ce pourcentage monte à 71 % pour ceux qui ont soutenu leur doctorat depuis l'an 2000. Autrement dit, plus un internationaliste est jeune, plus il a des chances de se réclamer du positivisme, et cette probabilité se traduit effectivement dans les revues : en 2006, 9 articles sur 10 étaient d'inspiration positiviste, et 1 seul d'inspiration non positiviste, c'est-à-dire interprétativiste, ou post-positiviste[63]. Il en va différemment en ce qui concerne les choix méthodologiques. Alors que les entretiens et questionnaires indiquent que les partisans des méthodes qualitatives (études de cas notamment) sont trois fois plus nombreux que les adeptes des méthodes quantitatives (statistiques) et formelles (modèles mathématiques, théorie des jeux), l'étude des revues montre une évolution et une répartition tout autres : les articles recourant à des méthodes quantitatives ne représentaient que 20 % en 1980 mais plus de 50 % en 2006, avec des pointes à plus de 90 % en économie politique internationale ; la proportion d'articles qualitatifs à l'inverse n'a guère augmenté, passant d'un peu moins à un peu plus de 30 % ; même chose pour la proportion d'articles formels, stable à un peu plus de 10 %[64]. En résumé, le nombre d'articles recourant à des méthodes quantitatives

---

63. *Aux États-Unis, et donc dans cette enquête, le positivisme est opposé à la fois au post-positivisme (cf. chap. 8), mais comme il est assimilé à la conception explicative de la théorie en sciences sociales, il est distingué aussi de la conception compréhensive de la théorie en sciences sociales (cf. chap. 1),* ipso facto *qualifiée d'épistémologie non positiviste.*

64. *L'augmentation – variable – des proportions des trois approches méthodologiques s'explique par la quasi-disparition des articles purement descriptifs qui représentaient encore le tiers en 1980.*

et formelles est deux et demi fois plus élevé que le nombre d'internationalistes disant préférer – ou recourir à – de telles méthodes.

3. Quant aux dimensions chronologiques et spatiales des terrains empiriques sur lesquels portent les recherches dans les articles publiés, elles sont révélatrices de ce qu'on peut appeler le présentisme et l'ethnocentrisme globalisé des Relations internationales américaines. Le présentisme consiste pour un auteur à se focaliser sur des processus et événements qui se sont produits au cours de la période immédiate précédant l'année de publication de son article : ainsi, dans les années 1980, entre 3 et 4 articles sur 5 portaient sur la période de la guerre froide ; depuis l'an 2000, 70 % des articles s'intéressent à l'après-guerre froide ; en 2008, 40 % ne se consacrent qu'à la période de l'après-*nine-eleven*. Sur l'ensemble de la période 1980-2008, un peu plus d'un tiers seulement des articles utilise des données historiques remontant à plus de dix ans avant l'année de publication. L'ethnocentrisme globalisé réside quant à lui dans le penchant à s'intéresser certes de plus en plus à des questions globales – c'est le cas d'un tiers des articles ces dernières années –, mais de façon privilégiée à travers l'impact que celles-ci ont sur les États-Unis – un peu moins de 25 % – et, dans une moindre mesure, sur le Canada et l'Europe occidentale – un peu plus de 20 %. Les autres régions ne sont – au mieux – étudiées que par quelque 12 % des articles publiés.

Ces trois ensembles de tendances sont complémentaires et cumulatifs entre eux. Pour ne donner qu'un exemple, et toutes choses égales par ailleurs, privilégier au niveau des terrains de recherche l'étude d'enjeux globaux dont il est tentant de voir d'abord la dimension économique et au sein desquels des acteurs non étatiques sont omniprésents incite à la fois à s'éloigner du réalisme stato-centré et à adopter des méthodes quantitatives, vu que les données empiriques les plus directement saisissables sont celles qui sont mesurables. À son tour, privilégier des données quantifiables amène à négliger la profondeur historique, vu la faible fiabilité des données chiffrées pour ce qui est du passé, et à se concentrer sur les régions les plus développées, pour la même raison de fiabilité. Il n'est donc nullement surprenant de constater que l'économie politique internationale américaine « en est arrivée à un point où elle ressemble beaucoup à la méthodologie des économistes néoclassiques, comprenant les mêmes penchants pour l'analyse positive, la modélisation et, lorsque cela est possible, une accumulation de données empiriques. De plus en plus, ce qui est publié aux États-Unis est caractérisé par le même genre de techniques mathématiques et statistiques que l'on est en droit d'espérer de revues d'économie[65] ».

Reste à expliquer l'écart entre la perception de la discipline par les internationalistes et les réalités de la discipline telles que révélées par les contenus des principales revues. Les internationalistes sont-ils nostalgiques quand ils pensent que la discipline est divisée en oppositions paradigmatiques ou bien est-ce que ce sont les revues qui, pour la plupart d'entre elles, présélectionnent parmi les projets d'articles soumis une majorité absolue d'articles pratiquant l'éclectisme et la synthèse et une majorité relative d'articles d'inspiration libérale et constructiviste ? Les internationalistes sont-ils victimes d'illusions quand ils disent préférer et pratiquer les méthodes qualitatives ou bien est-ce que ce sont les revues qui, parmi les projets d'articles soumis, sélectionnent pour leurs évaluateurs anonymes une majorité d'articles recourant à des

---

65. *B. Cohen, cité dans S. Paquin,* La nouvelle économie politique internationale, op. cit., *p. 47. Rappelons que B. Cohen défend une conception large de l'EPI américaine, non réduite à l'approche de Gilpin (cf. chap. 13), mais incluant l'étude des régimes internationaux et de la gouvernance globale.*

méthodes quantitatives et formelles ? Y a-t-il un lien entre les explications susceptibles d'être données de ces écarts et les tendances observées que sont le triomphe du libéralisme et l'ascendance du constructivisme, d'un côté, le déclin du réalisme et la disparition du marxisme, de l'autre ? l'hégémonie d'un positivisme de plus en plus quantitativiste posant surtout des *how-questions*, d'un côté, et la marginalisation des approches qualitatives et critiques intéressées d'abord par des *why-questions*, de l'autre ? le chrono-centrisme et l'occidentalo-centrisme, d'une part, l'absence de profondeur historique et le délaissement des trois quarts non américano-européens de l'humanité, d'autre part ?

Les réponses à ces questions sont *a priori* à chercher dans les lignes directrices données aux auteurs par les éditoriaux des revues concernées et, au-delà, chez les membres des comités éditoriaux, car en interprétant les règles du jeu lors des procédures de présélection des projets d'articles soumis aux *peer reviewers* qu'ils ont par ailleurs choisis, lesdits membres pré-façonnent les recherches des entrants dans la discipline : vu les normes présidant aux recrutements académiques[66], ces derniers ne peuvent pas ne pas *publish or perish*, parfois au prix de l'autocensure que peut impliquer l'adaptation aux règles préconisées. Et lorsqu'alors on prend comme échantillon significatif des revues celle qui est en tête des

66. *Ces règles peuvent aller très loin : F. Kratochwil, « The Monologue of "Science" »,* International Studies Review, *5 (1), mars 2003, p. 124-128, rapporte que dans les dossiers de candidature aux postes d'enseignants-chercheurs, certaines universités américaines refusent automatiquement de comptabiliser les articles publiés dans des revues non américaines. Cet article fait partie du forum « Are Dialogue and Synthesis Possible in International Relations ? », coordonné par G. Hellmann, avec d'autres contributions de A. Moravcsik, Y. Lapid, I. Neumann, S. Smith, F. Harvey et J. Cobb.*

classements internationaux fondés sur le nombre de citations, à savoir *International Organization*, par ailleurs associée à Robert Keohane qui est lui-même considéré par ses pairs comme l'internationaliste le plus influent de ces vingt dernières années[67], on constate d'emblée que les tendances à la mode constatées par l'équipe du projet *TRIP* reflètent la vision qu'ont de la discipline quelques-uns des principaux entrepreneurs contemporains de celle-ci.

Ainsi, dès 1998, dans le numéro spécial publié à l'occasion du cinquantième anniversaire de la revue, les trois « K » que sont le néolibéral Robert Keohane, le néoréaliste Stephen Krasner et le constructiviste converti Peter Katzenstein en appellent au rapprochement entre les rationalistes du débat « néo-néo » et les constructivistes modernistes, estimant que « le rationalisme et le constructivisme sont des orientations théoriques génériques qui sont complémentaires sur certains points cruciaux[68] ». L'idée est – entre autres – reprise en 2002 par Emmanuel Adler, devenu *co-editor* avec Louis Pauly de *International Organization* depuis 2007, et affirmant que « les rationalistes et les constructivistes sont maintenant en mesure de coopérer en matière d'élaboration théorique en Relations internationales[69] ». James Fearon et Alexander Wendt disent la même chose en estimant que la meilleure façon d'approcher le rationalisme et le constructivisme consiste à « y voir de façon pragmatique des outils analytiques plutôt que des positions métaphyiques », et en soulignant que « la controverse

67. *Voir les classements dans les différentes publications de l'équipe du projet* TRIP.

68. *P. Katzenstein, R. Keohane et S. Krasner, « International Organization and the Study of World Politics », art. cité.*

69. *E. Adler, « Constructivism and International Relations », art. cité.*

rationalisme-constructivisme [est] moins un débat qu'une conversation[70] ». Andrew Moravcsik va lui jusqu'à subsumer le constructivisme au rationalisme en proclamant qu'« au sein d'un paradigme rationaliste, [...] nous devrions trouver des théories qui accordent une priorité causale à la répartition internationale des ressources (réalisme), des préférences (libéralisme), de l'information (institutionnalisme) et des croyances (la théorie épistémique ou constructiviste)[71] ». Enfin, le rapprochement concerne non seulement les soubassements épistémologiques et les orientations méthodologiques des rationalistes et des constructivistes, mais aussi le contenu substantiel de leurs analyses, car ce sont surtout des libéraux qui s'associent à des constructivistes : pour ne donner qu'un exemple, dans une contribution à visée pédagogique co-écrite avec Diana Panke et intitulée « Liberalism », Thomas Risse propose une typologie de quatre libéralismes selon qu'ils sont rationalistes ou constructivistes, et selon qu'ils sont centrés sur les acteurs sociétaux ou le régime politique, avant de les appliquer pour expliquer comparativement la guerre américaine contre l'Irak en 2003 et l'opposition allemande à cette même guerre : « Le rationalisme centré sur l'acteur montre le pouvoir des groupes d'intérêt domestiques et fournit un bon point de départ pour expliquer les

---

70. J. Fearon et A. Wendt, « Rationalism vs. *Constructivism. A Skeptical View », dans W. Carlsnaes, T. Risse et B. Simmons (eds),* Handbook of International Relations, op. cit., *p. 52-72.*

71. A. Moravcsik, « Liberal International Relations. A Scientific Assessment », art. cité. Moravcsik qualifie l'approche de Wendt de libérale, ce que fait aussi R. Lebow, qui parle du « libéralisme wendtien » comme d'un « libéralisme structuraliste », il est vrai pour mieux démarquer son propre constructivisme psychologique du constructivisme social de Wendt : voir A Cultural Theory of International Relations, op. cit., *p. 3 et 97.*

différences entre les États-Unis et l'Allemagne. Mais il exagère la cohérence et le pouvoir des intérêts économiques et néglige le rôle des idées normatives et des identités. Le constructivisme centré sur les acteurs complète parfaitement [*nicely*] son homologue rationaliste. Il montre comment des récits ont été développés et utilisés pour influencer les décisions de politique étrangère en Allemagne et aux États-Unis. Contrairement aux approches centrées sur les acteurs, les théories de la paix démocratique centrées sur les structures des régimes politiques sont adéquates pour expliquer des modèles récurrents de guerre et de paix plutôt que que des décisions singulières de politique étrangère. Si la théorie de la paix démocratique est appliquée à la guerre contre l'Irak, la variante rationaliste ne peut expliquer pourquoi les États-Unis comme démocratie ont mené une guerre. En revanche, la branche constructiviste souligne le rôle des identités collectives dans la construction des *in-groups* et des *out-groups*. Elle complète l'explication centrée sur les acteurs en accentuant l'interaction entre référentiels et identités collectives. Les États-Unis ont conçu la guerre comme une guerre contre le terrorisme et ont construit Hussein comme un ennemi, tandis que de tels référentiels cadraient mal avec l'identité allemande[72]. »

Une fois le plaidoyer dressé, les auteurs concernés justifient leur démarche : à les lire, élaborer des *via media*, jeter des ponts, favoriser le dialogue, viser des synthèses, faire preuve d'éclectisme, privilégier le pragmatisme plutôt que le paradigmatisme, est indispensable pour des raisons à la fois négatives et positives[73].

---

72. *D. Panke et T. Risse, « Liberalism », art. cité.*
73. *Je remercie J. Cornut à qui je dois d'avoir cherché les argumentations qui suivent. Sur les spécificités respectives des différentes stratégies de* bridge-building *et leur faisabilité, voir l'ouvrage dirigé par R. Sil et E. Doherty (eds),* Beyond Boundaries ?

Tout d'abord, il s'agit de mettre fin aux oppositions sclérosantes que sont les traditionnels débats de la discipline, trop souvent centrés sur des questions métathéoriques : ainsi, Jeffrey Frieden et Lisa Martin, néolibéraux, se félicitent qu'« après une période de conflits paradigmatiques, la majorité des chercheurs du champ ont accepté une approche générale positiviste dans leurs investigations sur les questions économiques internationales, avec de nombreux éléments communs[74] », alors que Michael Barnett et Kathryn Sikkink, constructivistes, se réjouissent de ce qu'« il y a maintenant un plus grand éclectisme épistémologique [...] que par le passé [... avec ses...] guerres paradigmatiques stériles et sa distanciation par rapport aux problèmes et pratiques des relations globales[75] », et que Thomas Risse tire comme conclusion de son rappel historique des recherches transnationales que « construire des dichotomies entre une vision sociéto-centrée et une vision stato-dominée des relations internationales conduit à une impasse en éloignant les recherches des questions intéressantes[76] ».

Ensuite, il s'agit de proposer aux acteurs des connaissances susceptibles d'être appliquées. D'après Barnett et Sikkink, si « une discipline guidée par des paradigmes est une impasse intellectuelle et professionnelle », c'est parce qu'elle « permet aux chercheurs de se

---

Disciplines, Paradigms, and Theoretical Integration in International Studies, *Albany (N. Y.), SUNY Press, 2000 ; le numéro spécial « Pragmatism in IR Theory » de la revue* Millennium, *31 (3), 2002, ainsi que le forum coordonné par G. Hellmann », Are Dialogue and Synthesis Possible in International Relations ? »*, op. cit.

74. *Citation chez S. Paquin,* La Nouvelle Économie politique internationale, op. cit., *p. 46.*

75. *M. Barnett et K. Sikkink, « From International Relations to Global Society », art. cité.*

76. *T. Risse, « Transnational Actors and World Politics », art. cité.*

contenter de la fragmentation intellectuelle et du détachement par rapport au monde qui en résulte[77] » ; d'après Peter Katzenstein et Rudra Sil, il faut « rendre la recherche plus pertinente pour les préoccupations pratiques et normatives des acteurs du monde réel » et faire en sorte qu'elle « débouche sur des actions résolues contribuant à affronter les dilemmes concrets de la vie internationale », ce que permet *a contrario* l'éclectisme analytique ou le pragmatisme, tant « la production de connaissances pratiquement pertinentes ne peut se permettre d'attendre l'émergence d'un consensus définitif à propos des procédures méthodologiques ou les principes axiomatiques susceptibles de révéler des vérités définitives[78] » ; d'après Moravcsik, « nous devrions davantage penser aux façons dont des synthèses théoriques pourraient nous aider à comprendre des événements concrets en politique mondiale. Les opportunités et les incitations pour agir de la sorte sont de plus en plus visibles parmi les théories à moyenne portée étudiant les phénomènes concrets des affaires mondiales[79] ».

Autrement dit, à l'origine de la volonté de substituer aux traditionnelles approches *theory-driven* des approches *problem-driven*

---

77. *M. Barnett et K. Sikkink, « From International Relations to Global Society », art. cité.*

78. *P. Katzenstein et R. Sil, « Eclectic Theorizing in the Study and Practice of International Relations », dans C. ReusSmit et D. Snidal (eds),* The Oxford Handbook of International Relations, op. cit., *p. 109-130. Voir aussi J. Friedrichs et F. Kratochwil, « On Acting and Knowing : How Pragmatism Can Advance International Relations Research and Methodology »,* International Organization, *63 (4), Octobre 2009, p. 701-731.*

79. *A. Moravcsik, « Theory Synthesis in International Relations : Real, Not Metaphysical »,* International Studies Review, *5 (1), mars 2003, p. 131-136. Cet article fait partie du forum « Are Dialogue and Synthesis Possible in International Relations ? »,* op. cit.

il y a certes la lassitude engendrée par l'absence de dialogue entre des « écoles de pensée [... qui...] assument parfois les caractéristiques d'un club exclusif [... et...] à d'autres moment peuvent ressembler à une bande, [... avec...] des rites d'entrée, un panthéon de héros intellectuels, un jargon distinct et, oui, même des revues et des maisons d'éditions qui ne servent que certains groupes, [... voire...] des vocabulaires de dénonciation distincts[80] ». Il n'y a pas que la conviction que les « "-ismes" sont des maux » et que « la théorie, l'épistémologie et les sectes académiques sont des obstacles à la compréhension et au progrès[81] ». Il y a également la traditionnelle visée *problem-solving* de théoriciens désireux d'être socialement utiles en aboutissant à proposer « des leviers suceptibles d'être manipulés de façon telle à faciliter le progrès vers des

80. *K. Holsti cité par A. MacLeod et D. O'Meara, « Qu'est-ce qu'une théorie des relations internationales ? », dans A. MacLeod et D. O'Meara (dir.),* Théories des relations internationales, op. cit., *p. 14. Même idée chez M. H. Herrmann, citée par B. Schmidt, « On the History and Historiography of International Relations », dans W. Carlsnaes, T. Risse et B. Simmons (eds),* Handbook of International Relations, op. cit., *p. 3 : « Le champ des études internationales est devenu une espèce de Tour de Babel, véritable cacophonie remplie de voix diverses – sinon un ensemble de tribus avec chacune son territoire, canardant sur quiconque s'approche trop et préférant rester entre semblables. Conséquence : le champ des Relations internationales est devenu un* holding *administratif plutôt qu'une aire intellectuellement cohérente de recherches ou une communauté de savants. » Ces deux descriptions sont exactes : mais penser qu'il puisse en être autrement, c'est méconnaître ou oublier les règles de fonctionnement des champs scientifiques, accentuées de nos jours par leur rapprochement aux marchés économiques et non seulement aux sphères politiques.*

81. *D. Lake, « Why "Isms" Are Evil : Theory, Epistemology and Academic Sects as Impediments to Understanding and Progress »,* International Studies Quarterly, *55 (2), juin 2011, p. 565-580.*

fins plus humaines et normativement désirables[82] ». Et l'inspiration substantielle des théoriciens en question est libérale – au sens large de ce terme. Exprimé autrement, c'est à l'émergence d'une nouvelle synthèse libéralo-constructiviste qu'assiste la discipline, tant les deux approches sont guidées par le même intérêt cognitif technique, à savoir poser les bases théoriques d'une régulation pacifique de la société mondiale, en combinant les acquis des théories néolibérales des régimes, les conclusions de la théorie de la paix démocratique, et les percées constructivistes en matière de rôle des réseaux dans la gouvernance globale et multiniveaux : « Le concept de gouvernance a émergé comme une alternative louable à celui d'anarchie grâce à sa capacité à interroger des questions jusqu'à alors négligées [...] de la théorie et de la pratique des relations internationales. La gouvernance concerne la façon dont les acteurs travaillent ensemble en vue de maintenir l'ordre et d'atteindre des buts communs. Par conséquent, l'étude de la gouvernance globale cherche *in fine* à savoir comment les règles sont créées, produites, maintenues et affinées, comment ces règles aident à définir lesobjectifs de l'action collective, et comment ces règles contrôlent les activités de l'action internationale, transnationale, et domestique[83]. »

De même qu'aux débuts de la discipline lorsque dominait la variante idéaliste du libéralisme férue de réformisme (cf. chap. 3 et 5), le principal adversaire de cette synthèse est moins le post-positivisme, marginal(isé), que le réalisme au sens large, comme l'atteste *a contrario* le constat du projet *TRIP* montrant qu'il est l'approche par rapport à laquelle la plupart des articles (non

---

82. Ibid.

83. *M. Barnett et K. Sikkink, « From International Relations to Global Society », art. cité.*

réalistes comme on l'a vu *supra*) se positionne – pour mieux s'en démarquer[84]. Le réalisme en effet est à la fois rétif aux standards méthodologiques communément adoptés en sciences sociales[85] et persuadé que les lois objectives qui déterminent la politique sont insensibles aux préférences humaines et que donc « on ne peut les défier qu'au risque d'un échec[86] ». En quelque sorte, dans leur quête de domination de la discipline[87], les néolibéraux ont changé de partenaires[88], délaissant les néoréalistes, avec qui ils avaient été amenés à cohabiter dans les années 1980 au moment de la synthèse « néo-néo » provoquée par la contre-attaque de Waltz, et cooptant,

---

84. *Cette prise en compte du réalisme comme principale cible contribue à expliquer la perception du réalisme comme paradigme dominant qui reste présente dans l'esprit d'une majorité d'internationalistes.*

85. *Voir à ce sujet A. Tellis, « Reconstructing Political Realism : The Long March Toward Scientific Theory », dans B. Frankel (ed.),* Roots of Realism, *Londres, Frank Cass, 1995, p. 3-104.*

86. *H. Morgenthau,* Politics among Nations, op. cit., *p. 4.*

87. *Si on accepte le concept bourdieusien de champ scientifique, la volonté des (néo-)libéraux de contrôler la discipline des Relations internationales est attestée* a contrario *par H. Kissinger,* Diplomatie, op. cit., *lorsqu'il note qu'aux États-Unis, le réalisme a toujours été l'œuvre d'immigrés européens à laquelle l'université américaine a eu du mal à se faire, et positivement par S. Roussel et D. O'Meara qui, dans « Le libéralisme classique », dans A. MacLeod et D. O'Meara (dir.),* Théories des relations internationales, op. cit., *p. 97, rappellent que c'est l'essoufflement du processus d'intégration européenne à partir de la fin des années 1960 qui a amené R. Keohane et J. Nye à se lancer dans le transnationalisme en vue de renouveler la vision libérale des relations internationales comme principal opposant au réalisme.*

88. *Par rapport à D. O'Meara, « Émergence d'un paradigme hégémonique », dans A. MacLeod et D. O'Meara (dir.),* Théories des relations internationales, op. cit., *p. 19-33, nous pensons donc que le principal rapprochement transparadigmatique contemporain consiste non seulement en la synthèse ontologique*

sinon récupérant, les constructivistes *soft*[89] depuis la fin des années 1990[90].

La discipline retrouve ainsi sa configuration originale d'il y a un petit siècle, tout aussi déséquilibrée, du fait d'une domination des libéraux *lato sensu*. Au-delà des règles de fonctionnement endogènes à la discipline, et plus exactement au champ, des Relations internationales, cette nouvelle configuration renvoie aussi à l'évolution – apparente en tout cas – de l'objet d'étude : de même que l'espoir d'une régulation pacifique des relations internationales après la première guerre mondiale s'était traduit par la domination de l'idéalisme ; de même que la détente des

---

rationaliste-constructiviste, mais aussi en la synthèse paradigmatique libérale-idéaliste. D'ailleurs, dans la revue International Organization, *depuis le début des années 2000, les néoréalistes tels que S. Krasner, présents à part égale avec les néolibéraux tout au long du débat « néo-néo », ont pratiquement disparu du comité éditorial, composé essentiellement de (néo-) libéraux et de constructivistes. Vont dans le même sens les coopérations récentes du néolibéral D. Snidal avec deux constructivistes : C. Reus-Smit à la tête du manuel collectif* The Oxford Handbook of International Relations, *d'un côté, A. Wendt à la tête de la nouvelle revue* International Theory, *de l'autre.*

89. Ce rapprochement avait été pressenti par J. Sterling-Folker, « Competing Paradigms or Birds of a Feather ? Constructivism and Neoliberal Institutionalism Compared », International Studies Quarterly, *44 (1), mars 2000, p. 97-119.*

90. Le concept de champ scientifique est ici encore utile pour comprendre l'attitude des constructivistes : leur stratégie initiale de subversion de la discipline rendue possible par l'innovation théorique à laquelle ils ont procédé a progressivement basculé en stratégie de reproduction au fur et à mesure de la diffusion de leurs analyses entre-temps transformées en approche mainstream. *À peine dix ans après sa percée, le constructivisme a abandonné ses portée contestatrice et visée émancipatrice originelles.*

années 1962-1975 avait favorisé l'essor du transnationalisme et la thèse de l'interdépendance incitant à la régulation par les régimes ; de même la fin pacifique de la guerre froide est à l'origine d'une croyance en l'imminence d'une gouvernance mondiale rendue possible par les bonnes normes – libre marché et droits de l'homme – promues par les bons agents – les *advocacy networks* agissant main dans la main avec les gouvernements démocratiques des États-Unis et de l'Union européenne[91].

L'évolution de la situation mondiale montrera si oui ou non la synthèse libéralo-constructiviste a raison ou tort d'ignorer la face cachée de cette gouvernance que sont les relations de domination matérielle et de discrimination normative. Mais, à moins que l'on n'assiste à la fin de l'histoire... de la discipline, on peut s'attendre à ce que cette nouvelle synthèse ne soit que provisoire. Le passé des Relations internationales (cf. chap. 3), synonyme de débats successifs entre approches concurrentes et d'échecs récurrents de toute tentative de cumul positiviste, de la révolution behaviouriste à la synthèse néo-néo, donne plutôt raison à Max Weber soulignant qu'au sein d'une science sociale toute tentative « pour déterminer le sens "authentique" et "vrai" des concepts historiques [...] ne parvient jamais à sa fin[92] ». Et à Pierre Bourdieu et ses collègues notant que « la connaissance cohérente est le produit de la raison polémique et non de la raison architectonique [... des...] fausses

---

91. *Au sujet de l'Europe comme acteur de la gouvernance mondiale, voir les publications défendant l'idée de l'Europe comme puissance normative, et notamment I. Manners, « Normative Power Europe : A Contradiction in Terms ? »,* Journal of Common Market Studies, *40 (2), 2002, p. 235-258, ainsi que Z. Laïdi,* La Norme sans la force. L'énigme de la puissance européenne, *Paris, Presses de Sciences Po, 2008 [2e éd.].*

92. *M. Weber,* Essais sur la théorie de la science, op. cit., *p. 191.*

synthèses[93] ». Autrement dit, en Relations internationales comme en toute science, « la connaissance a progressé grâce à l'affrontement entre idées rivales[94] », avec pour conséquence qu'il n'y a « pas d'alternative aux "-ismes"[95] » si l'on veut rendre justice à la science.

Il faut alors espérer que non seulement le principe de l'anarchie demeure le critère de délimitation de l'objet d'étude « relations internationales », mais aussi que le principe pluraliste de l'anarchisme méthodologique cher à Paul Feyerabend[96] reste le critère de non-délimitation de la démarche scientifique en Relations internationales. Dans la discipline mondiale des Relations internationales bien sûr, mais aussi dans l'étude savante des relations internationales en France, dont nous allons dresser un état des lieux dans notre dernier chapitre.

Bibliographie

Sur les évolutions en général depuis l'après-guerre froide de l'objet « relations internationales » et de la discipline « Relations internationales », voir :

BARNETT (Michael) et SIKKINK (Kathryn), « From International Relations to Global Society », dans Christian Reus-Smit et Duncan

93. *P. Bourdieu, J.-C. Chamboredon et J.-C. Passeron,* Le Métier de sociologue *(1968), Paris, Mouton-De Gruyter, 2005 [5e éd.], p. 191.*

94. *S. Walt, «* Rigor *or* Rigor Mortis ? *Rational Choice and Security Studies », art. cité.*

95. *H. Nau, « No Alternative to "Isms" »,* International Studies Review, *55 (2), juin 2011, p. 587-591.*

96. *P. Feyerabend,* Contre la méthode. Esquisse d'une théorie anarchiste de la connaissance *(1975), Paris, Seuil, 1988.*

Snidal (eds), *The Oxford Handbook of International Relations*, Oxford, Oxford University Press, 2008, p. 62-84.

BAUER (Harry) et BRIGHI (Elizabetta) (eds), *Pragmatism in International Relations*, Londres, Routledge, 2008, 208 p.

FEARON (James) et WENDT (Alexander), « Rationalism *vs*. Constructivism. A Skeptical View », dans Walter Carlsnaes, Thomas Risse et Beth Simmons (eds), *Handbook of International Relations*, Londres, Sage, 2002, p. 52-72.

FRIEDRICHS (Jörg) et KRATOCHWIL (Friedrich), « On Acting and Knowing : How Pragmatism Can Advance International Relations Research and Methodology », *International Organization*, 63 (4), automne 2009, p. 701-730.

KATZENSTEIN (Peter), KEOHANE (Robert), et KRASNER (Stephen), « *International Organization* and the Study of World Politics », *International Organization*, 52 (4), automne 1998, p. 645-685.

KATZENSTEIN (Peter) et SIL (Rudra), « Eclectic Theorizing in the Study and Practice of International Relations », dans Christian Reus-Smit et Duncan Snidal (eds), *The Oxford Handbook of International Relations*, Oxford, Oxford University Press, 2008, p. 109-130.

LAKE (David), « The State and International Relations », dans Christian Reus-Smit et Duncan Snidal (eds), *The Oxford Handbook of International Relations*, Oxford, Oxford University Press, 2008, p. 41-61.

O'MEARA (Dan), « Émergence d'un paradigme hégémonique », dans Alex MacLeod et Dan O'Meara (dir.), *Théories des relations internationales. Contestations et résistances*, Outremont, Athéna, 2007, p 19-34.

O'MEARA (Dan), « Sortir d'un long sommeil. Comment évaluer et comparer les théories en Relations internationales », dans Alex MacLeod et Dan O'Meara (dir.), *Théories des relations internationales. Contestations et résistances*, Outremont, Athéna, 2007, p. 399-425.

SIL (Rudra) et KATZENSTEIN (Peter), *Beyond Paradigms. Analytical Eclecticism in the Study of World Politics*, Palgrave, 2010, 240 p.

SMITH (Steve), « Introduction. Diversity and Disciplinarity in International Relations Theory », dans Tim Dunne, Milja Kurki, et Steve Smith (eds), *International Relations Theories. Discipline and Diversity*, Oxford, Oxford University Press, 2006, p. 1-12.

WAEVER (Ole), « Still a Discipline After All These Debates ? », dans Tim Dunne, Milja Kurki, et Steve Smith (eds), *International Relations Theories : Discipline and Diversity*, Oxford, Oxford University Press, 2006, p. 288-308.

Pour ce qui est plus particulièrement de la problématique globalisation/anarchie, voir par ailleurs :

BECK (Ulrich), *What Is Globalization ?*, Cambridge, Polity Press, 1999, 192 p.

CLARK (Ian), *Globalization and International Relations Theory*, Oxford, Oxford University Press, 1999, 212 p.

HAY (Colin), « International Relations Theory and Globalization », dans Tim Dunne, Milja Kurki, et Steve Smith (eds), *International Relations Theories : Discipline and Diversity*, Oxford, Oxford University Press, 2006, p. 266-287.

HELD (David) *et al.*, *Global Transformations. Politics, Economics, and Culture*, Cambridge, Polity Press, 1999, 544 p.

HELD (David) et MACGREW (Anthony) (eds), *The Global Transformations Reader*, Cambridge, Polity Press, 2000, 496 p.

MARTELL (Luke), « The Third Wave in Globalization Theory », *International Studies Review*, 9 (2), été 2007, p. 173-196.

SCHOLTE (Jan), *Globalization. A Critical Introduction*, Basingstoke, Palgrave-Macmillan, 2005, 520 p.

YOUNGS (Gillian), *International Relations in a Global Age. A Conceptual Challenge*, Cambridge, Polity Press, 1999, 176 p.

Pour ce qui est plus particulièrement de la problématique hiérarchie/anarchie, voir aussi :

BUZAN (Barry) et LITTLE (Richard), *International Systems in World History. Rethinking the Study of International Relations*, Oxford, Oxford University Press, 2000, 472 p.

CLARK (Ian), *Legitimacy in International Society*, Oxford, Oxford University Press, 2005, 278 p.

DONNELLY (Jack), « Sovereign Inequalities and Hierarchy in Anarchy : American Power and International Society », *European Journal of International Relations*, 12 (2), juin 2006, p. 139-170.

DONNELLY (Jack), « Rethinking Political Structures. From "Ordering Principles" to "Vertical Differentiation" – and Beyond », *International Theory*, 1 (1), mars 2009, p. 49-86.

LAKE (David), *Hierarchy in International Relations*, Ithaca (N. Y.), Cornell University Press, 2009, 232 p.

SIMPSON (Gerry), *Great Powers and Outlaw States. Unequal Sovereigns in the International Legal Order*, Cambridge, Cambridge University Press, 2004, 392 p.

Au sujet des tendances en cours dans la discipline, voir surtout :

MALINIAK (Daniel), OAKES (Amy), PETERSON (Susan) et TIERNEY (Michael), « International Relations in the US Academy », *International Studies Quarterly*, 55 (2), juin 2011, p. 437-464.

Chapitre 18 / Les relations internationales en France

« Je suis extrêmement sceptique envers la théorie
en relations internationales.
S'il y en avait une, cela se saurait. »
Marie-Claude Smouts[1]

La citation de Marie-Claude Smouts, figure emblématique des Relations internationales françaises de ces vingt dernières années, mise en exergue à ce chapitre reflète parfaitement la situation de l'étude des relations internationales en France[2]. Non pas tellement pour la lettre des propos tenus, tant Marie-Claude Smouts a elle-même enseigné les théories des relations internationales[3], mais pour son esprit, c'est-à-dire la posture à l'égard de la théorie des Relations internationales qu'elle exprime. En France en effet, la théorie des relations internationales, au sens de « production d'approches savantes compétitives désireuses de rendre compte en des termes abstraits des principes conducteurs des interactions politiques qui se déroulent au-delà des territoires nationaux[4] », reste minoritaire par rapport à ce qu'il est convenu d'appeler la sociologie des Relations internationales.

---

1. *M.-C. Smouts, « Entretien. Les relations internationales en France. Regard sur une discipline »,* La Revue internationale et stratégique, *47, automne 2002, p. 83-89.*

2. *Ce chapitre porte sur les seules études internationales telles que pratiquées par des politologues. Il va de soi qu'il existe des études internationales en histoire, en droit, en économie, en géographie, etc.*

3. *C'est d'ailleurs au cours de théories des relations internationales assuré au début des années 1980 par M.-C. Smouts en DEA d'études politiques à Sciences Po Paris que l'auteur de cet ouvrage doit sa passion pour ces théories.*

4. *J. Friedrichs, « International Relations Theory in France »,* Journal of International Relations and Development, *4 (2), juin 2001, p. 118-137.*

La sociologie des Relations internationales se définit positivement par le désir « de prendre en compte la *dimension internationale* dans l'analyse des objets les plus classiques de la science politique[5] », et par celui de procéder à des « *recherches internationales* » faisant « dialoguer plusieurs approches disciplinaires, la sociologie du politique, l'anthropologie, l'histoire, l'économie politique, les relations internationales et la philosophie politique[6] ». Mais elle se caractérise aussi par le refus de ceux qui s'en réclament de reconnaître la spécificité de l'objet « relations internationales » délimité un peu partout ailleurs, de l'idéaliste Goldsworthy Lowes Dickinson au constructiviste Alexander Wendt en passant par l'École anglaise de Hedley Bull et le néoréalisme de Kenneth Waltz, par le critère de l'anarchie (cf. chap. 1 et 17). Surtout, lesdits internationalistes refusent de se positionner au sein de, et même par rapport à, la discipline « Relations internationales », volontiers perçue comme étant dominée par des productions américanocentrées, elles-mêmes liées autant aux modes en vogue dans les

---

5. *G. Devin, « L'international comme dimension compréhensive », dans P. Favre et J.-B. Legavre (dir.),* Enseigner la science politique, *Paris, L'Harmattan, 1998, p. 231-240 (souligné par nos soins).*

6. *Allusion à la dénomination du CERI et à sa page web accessible sur http://www.ceri-sciences-po.org/cerifr/recherche.php (souligné par nos soins). L'évolution de la dénomination « CERI » est à elle seule révélatrice de la place des relations internationales en France, étant donné qu'il s'agit du seul centre de recherches de taille internationale à pratiquer des études internationales qui cependant ne sont pas conçues comme relevant des Relations internationales : créé à l'IEP de Paris en 1952 par J.-B. Duroselle et J. Meyriat sous le titre de Centre d'études de relations internationales, il a été rebaptisé Centre d'études et de recherches internationales par G. Hermet, arrivé à sa tête en 1976 et désireux de rendre justice à la perspective dominante des recherches de politique comparée et d'aires culturelles qui y étaient – et qui y sont toujours – menées.*

universités américaines qu'aux intérêts fluctuants de la politique extérieure américaine : « Les compatriotes du général de Gaulle ont ressenti bien moins que les Allemands et les Scandinaves l'impérialisme américain sur la discipline », et ce parce qu'ils ont été « imperméables à la théorie des systèmes de Kaplan, indifférents à l'égard de Waltz, sceptiques envers les versions successives du transnationalisme (fonctionnalisme, intégration, interdépendance, etc.) »[7], écrit ainsi Marie-Claude Smouts en 1987, avant de plaider en 1998 en faveur d'approches autre que celles proposées par « une lecture américaine du monde[8] ».

Comment expliquer que les Relations internationales françaises majoritaires soient à un tel point « remarquablement idiosyncrasiques[9] » par rapport à ce qui se fait ailleurs ? En partie, les causes sont bien sûr à chercher dans le fonctionnement du champ de la science politique française à laquelle les Relations internationales sont intégrées en tant que « sous-discipline[10] » largement marginalisée[11]. Mais elles sont dues aussi à l'évolution historique de l'étude politologique des relations internationales en France. En

---

7. *M.-C. Smouts, « The Study of International Relations in France »,* Millennium, *16 (2), été 1987, p. 281-286.*

8. *M.-C. Smouts, « Introduction. Les mutations d'une discipline », art. cité.*

9. *J. Friedrichs, « International Relations Theory in France », art. cité.*

10. *K.-G. Giesen, « French Cancan zwischen Positivismus, Enzyklopädismus und Historismus. Zur Struktur und Geschichte der vorherrschenden französischsprachigen Ansatzforschung »,* Zeitschrift für internationale Beziehungen, *2 (1), juin 1995, p. 141-170.*

11. *Voir à ce sujet D. Battistella, « Relations internationales. La situation en France », dans T. Balzacq et F. Ramel (dir.),* Traité de relations internationales, *Paris, Presses de Sciences Po, à paraître. L'analyse proposée dans ce chapitre est complémentaire à celle proposée dans cette contribution.*

l'espace de trois générations, les Relations internationales sont passées du statut d'une « non-discipline » délaissée à celui d'une « discipline-carrefour[12] » revendiquée, sans être jamais passées par le stade de discipline en soi et pour soi.

En la matière, la lecture orientée dont a fait l'objet le seul grand internationaliste français, Raymond Aron, a joué le rôle clé. Écoutons de nouveau Marie-Claude Smouts. Après s'être dite sceptique envers la théorie en relations internationales, elle précise : « Je suis très aronienne de ce point de vue : je ne crois pas à *la* théorie en relations internationales. Il existe, en revanche, un certain nombre d'outils conceptuels et analytiques qui nous servent à organiser notre propos et à faire le lien entre l'empirique et la généralisation. Si c'est cela faire de la théorie, alors oui[13]. » En fait, une telle filiation est discutable. Aron était moins opposé à la théorie en soi en relations internationales qu'il n'était opposé à la conception explicative de la théorie en faveur d'une conception compréhensive, qu'il appelle alors sociologie historique des relations internationales (cf. chap. 1). C'est précisément cette appellation, par ailleurs dépouillée du qualificatif « historique », qui sera réorientée par Marcel Merle. La nouvelle signification qu'il lui donne sera reprise par les internationalistes français contemporains dans leur majorité, comme nous allons le montrer dans les développements qui suivent.

---

12. Les deux expressions sont empruntées à J.-J. Roche, « L'enseignement des relations internationales en France. Les aléas d'une discipline-carrefour », La Revue internationale et stratégique, *47, automne 2002, p. 100-107.*

13. M.-C. Smouts, « Entretien. Les relations internationales en France. Regard sur une discipline », art. cité (souligné par nos soins).

Par rapport à la Grande-Bretagne, où les Relations internationales existent depuis 1919 en tant que discipline universitaire, et par rapport aux États-Unis où les théories des relations internationales connaissent leur envol après 1945 (cf. chap. 3), l'intérêt pour l'étude théorique ou, tout simplement rigoureuse, systématique, des relations internationales, est tardif en France. On en veut pour preuve les constats dressés en 1950 par Raymond Aron et Pierre Renouvin dans un ouvrage collectif commandé par l'Unesco sur l'état de l'art en sciences sociales dans le monde : d'après le premier, si « les relations internationales sont depuis longtemps l'objet d'étude de juristes et d'historiens », les politistes français préfèrent se spécialiser dans l'étude des spécificités politiques françaises et omettent d'étudier, entre autres, « la théorie et l'histoire militaire, [...] la géopolitique [...], les relations entre l'économie mondiale et la politique mondiale[14] » ; le second confirme indirectement ce constat de l'absence d'intérêt de la science politique française pour les relations internationales en déplorant que le travail accompli en France dans le domaine des études internationales à partir des perspectives juridiques, historiques, économiques, géographiques etc., est « très inégal[15] » : la perspective politique n'apparaît pas dans cette énumération.

Il faut attendre 1952 pour que deux articles appellent de leur vœu une étude savante des relations internationales autre que historique ou juridique. Jacques Vernant tout d'abord part du postulat que « les relations internationales sont des "faits sociaux" » et qu'en conséquence, elles se situent dans un milieu, « la société

---

14. *R. Aron, « Political Science in France », dans Unesco,* Contemporary Political Science. A Survey of Methods, Research and Teaching, *Paris, Unesco, 1950, p. 48-64.*

15. *P. Renouvin, « The Contribution of France to the Study of International Relations », dans Unesco,* Contemporary Political Science, op. cit., *p. 561-575.*

internationale », qui « est une forme sans doute spécifique, mais non radicalement hétérogène des sociétés en général », et il en déduit que les relations internationales constituent « l'objet d'une branche ayant la même inspiration et les mêmes principes méthodologiques que la sociologie ». Estimant que « l'originalité de la société internationale tient plus à l'immensité de l'objet et à sa complexité qu'à la spécificité de ses lois », il conclut à la nécessité d'une « sociologie des relations internationales » au-delà de la seule étude « descriptive », et conclut par un plaidoyer en faveur de l'étude des relations internationales « dans la formation intellectuelle de l'honnête homme du XXe siècle »[16]. Jean-Baptiste Duroselle part lui du constat qu'outre-Atlantique et outre-Manche, il existe « une tendance très générale à aborder l'étude des relations internationales comme une discipline autonome », parce qu'y prévaut « la conscience de plus en plus claire » que les relations internationales constituent « un ensemble de phénomènes spécifiques » ayant trait « aux relations d'un État avec un autre État ou de plusieurs États entre eux [...] et même [...] aux relations entre groupes de part et d'autre des frontières nationales ». Persuadé que l'étude des relations internationales relève des sciences sociales, il souhaite que soient lancées en France des recherches placées sur les trois plans successifs que sont les monographies, les *area studies*, et la théorie générale des relations internationales, avant d'affirmer qu'en Europe, « la culture française, avec les qualités de synthèse qu'elle a toujours manifestées, avec le goût des idées générales qu'elle suscite », est particulièrement bien placée pour produire une telle théorie générale[17].

---

16. *J. Vernant, « Vers une sociologie des relations internationales, »* Politique étrangère, *17 (4), décembre, 1952, p. 229-232.*

17. *J.-B. Duroselle, « L'étude des relations internationales. Objet, méthodes, perspectives »,* Revue française de science

Mais ce n'est qu'en 1962 que ces vœux seront exaucés : en publiant son *Paix et guerre entre les nations*, Raymond Aron combine dans une certaine mesure les conclusions des deux auteurs pré-cités, en proposant une approche théorique générale des relations internationales considérées comme objet en soi, conformément à la définition de Duroselle, et en qualifiant son approche de sociologie des relations internationales, acceptant ainsi le label proposé par Vernant. Plus précisément, dans cet ouvrage, ainsi que dans l'article épistémologique de 1967 « Qu'est-ce qu'une théorie

---

politique, *2 (4), 1952, p. 676-701. Rappelons que J.-B. Duroselle, d'abord en collaboration avec P. Renouvin, puis seul, a lui-même proposé une théorie des relations internationales à base d'histoire. Voir P. Renouvin et J.-B. Duroselle,* Introduction à l'histoire des relations internationales *(1964), Paris, Armand Colin, 1991 [4e éd.], ainsi que J.-B. Duroselle,* Tout empire périra. Théorie des relations internationales *(1981), Paris, Armand Colin, 1992. Entre les deux ouvrages, il y a certes une évolution qui a abouti à abandonner l'inspiration première de P. Renouvin qui, sous l'influence de l'École des Annales, avait tenté de dépasser l'histoire diplomatique en combinant l'étude des « forces profondes » et des décisions politiques de « l'homme d'État » : dans « La nature des relations internationales »,* Politique internationale, *5, 1979, p. 109-123, Duroselle estime en effet que « la matière des relations internationales n'est pas le phénomène répétitif [...] mais l'événement [...] situé dans le temps et absolument singulier ». Cela étant, l'*Introduction à l'histoire des relations internationales, op. cit., *p. 3, avait bien été écrite comme « point d'appui aux chercheurs qui s'engagent dans l'étude historique des relations internationales », et Renouvin et Duroselle s'étaient explicitement démarqués de ceux qui, tel Aron nommément cité, « ont pour principal objet de jeter les bases d'une "science des relations internationales" ». L'influence de l'approche historique des relations internationales a en fait été très faible sur la production politologique dans les études internationales françaises, contrairement à ce qu'écrivent, un peu mécaniquement, l'ensemble des auteurs tant français qu'étrangers qui se sont penchés sur l'état et l'évolution des études internationales en France.*

des relations internationales ? », Aron aborde les relations internationales comme un objet spécifique, propose une démarche méthodologique et aspire à une théorie générale, et ce faisant conçoit son œuvre à partir des canons de la production scientifique telle qu'elle est proposée dans les Relations internationales pratiquées outre-Manche et outre-Atlantique. Tout d'abord, il souligne la spécificité de l'objet « relations internationales » qu'il situe « dans la légitimité et la légalité du recours à la force armée de la part des acteurs. [...] Max Weber définissait l'État par le monopole de la violence physique légitime. Disons que la société internationale est caractérisée par l'absence d'une instance qui détienne le monopole de la violence physique légitime[18] » : autrement dit, il fait sien le critère de délimitation de l'objet d'étude et de recherche « relations internationales » qu'est l'anarchie, comme l'ont fait avant lui Wight et Waltz, et comme le feront après lui Bull et Wendt, entre autres (cf. chap. 1). Concernant les fondements épistémologiques des méthodes à mettre en œuvre pour l'étude savante de ces relations internationales, Aron affirme que « toute étude concrète des relations internationales est [...] sociologique[19] », définie comme « un intermédiaire indispensable entre la théorie et l'événement[20] » parce que distincte à la fois de la théorie économique qui étudie les actions logiques et de l'histoire qui vise au récit des événements : à la recherche des régularités et portant sur des actions non logiques, la sociologie historique des relations internationales permet de « comprendre, en profondeur, la diversité historique des systèmes internationaux grâce à la discrimination entre les

---

18. *R. Aron, « Qu'est-ce qu'une théorie des relations internationales ? », art. cité.*

19. Ibid.

20. *R. Aron,* Paix et guerre entre les nations, op. cit., *p. 26.*

variables qui ont une signification différente d'époque en époque et les variables qui, provisoirement au moins, survivent telles quelles[21] ». Armé de son objet d'étude délimité et de son épistémologie compréhensive, Aron propose alors une « théorie des relations internationales[22] » qui relève du paradigme réaliste des relations internationales, tout en se démarquant de celle de Hans Morgenthau prévalant à ce moment aux États-Unis, et que l'on peut résumer de la façon suivante : rivaux du seul fait qu'ils ne sont pas sortis, dans leurs relations mutuelles, de l'état de nature, les États sont à la recherche de la puissance, de la sécurité et de la gloire, et dans cette quête leur comportement est façonné à la fois par la structure du système international relative à la distribution matérielle des rapports de puissance et par la nature du système international relative à l'homogénéité ou à l'hétérogénéité des régimes politiques internes aux grandes puissances[23].

À peine publié, *Paix et guerre entre les nations* fait une entrée remarquée dans la discipline. Au-delà de l'accueil qui lui est réservé et dans lequel, comme toujours, les critiques[24] le disputent aux éloges[25], ses thèses sont reprises par d'autres internationalistes ou,

---

21. *R. Aron, « Qu'est-ce qu'une théorie des relations internationales ? », art. cité.*

22. *R. Aron,* Paix et guerre entre les nations, op. cit., *p. 29.*

23. *Nous avons exposé des détails de cette théorie dans le chapitre 1 pour ce qui est de l'épistémologie compréhensive d'Aron, et dans le chapitre 4 pour ce qui est de son ontologie réaliste.*

24. *Voir notamment O. Young, « Aron and the Whale : A Jonah in Theory », dans K. Knorr et J. Rosenau (eds),* Contending Approaches to International Politics, *Princeton, Princeton University Press, 1969, p. 129-143.*

25. *Voir notamment S. Hoffmann, « Janus and Minerva », dans S. Hoffmann,* The State of War : Essays on the Theory and Practice of International Politics, *New York (N. Y.), Praeger, 1965, p. 22.*

en tout cas, discutées. Pour ne citer que les auteurs les plus importants, Hedley Bull fait sienne la définition aronienne du système international, reprend la distinction entre systèmes homogènes et hétérogènes, et s'appuie sur Aron pour critiquer l'approche transnationale en termes de politique mondiale proposée au début des années 1970 par Robert Keohane et Joseph Nye[26]. Ces derniers avaient, précisément, renvoyé à Aron lorsqu'ils avaient lancé leur programme de recherche transnationaliste, en lui reconnaissant la paternité de la notion de « société transnationale[27] », tout en lui reprochant, logiquement, de ne pas avoir reconnu l'importance de cette dernière par rapport au système interétatique. Au début des années 1980, Robert Gilpin[28] cite Aron en faveur de sa thèse d'une distribution oligarchique de la puissance au sein du système international ; il va même jusqu'à adopter la notion de « guerre d'hégémonie » que Aron avait proposée dès les années 1950 dans son essai sur *La Société industrielle et la guerre*[29]. Enfin, en 1990, Kenneth Waltz considère Aron comme suffisamment important pour faire de lui tout autant que de Morgenthau l'une de ses cibles préférées : dans *Theory of International Politics*, il y voit l'un des principaux représentants de ce qu'il appelle l'approche réductionniste qui consiste à expliquer la politique internationale par des

---

26. *H. Bull,* The Anarchical Society, op. cit., *p. 10, 238 et 268-269.*

27. *J. Nye et R. Keohane, « Transnational Relations and World Politics : A Conclusion », dans R. Keohane et J. Nye (eds), « Transnational Relations and World Politics »,* op. cit., *p. 374.*

28. *R. Gilpin,* War and Change in World Politics, op. cit., *p. 29 et 197-198.*

29. *Cet essai est publié par S. Paugam dans R. Aron,* Les Sociétés modernes, *Paris, PUF, p. 799-106 : le recueil contient, entre autres, la quasi-totalité des articles et autres essais de nature académique écrits par R. Aron sur les relations internationales.*

variables situées au niveau de l'acteur collectif plutôt qu'au niveau du système international, et dans son article « Realist Thought and Neorealist Theory » il en fait l'un des principaux représentants de la pensée réaliste classique – sous-entendue *ante*-scientifique – qu'il compte dépasser grâce à sa propre théorie néoréaliste – sous-entendue scientifique[30].

Couronnant le tout, une enquête de l'American Political Science Association entreprise dans les années 1970 classe Aron parmi les six théoriciens des relations internationales les plus importants, et *Paix et guerre entre les nations* y est considéré comme le troisième ouvrage le plus influent de la discipline, derrière *Politics among Nations* de Hans Morgenthau et *System and Process in International Politics* de Morton Kaplan, mais devant *The Twenty Years' Crisis* de Edward Carr, *Political Community and the North Atlantic Area* de Karl Deutsch, Man, the State, and War de Kenneth Waltz, et *The Strategy of Conflict* de Thomas Schelling[31].

Reconnu au sein de la discipline, Aron s'engage dans les débats de celle-ci. Concerné par les différentes critiques qui, au cours des années 1960 et 1970, sont émises contre le réalisme par les approches transnationalistes, néomarxistes et pluralistes, il réaffirme la validité des postulats réalistes, comme en donne une idée la « Présentation de la huitième édition » de *Paix et guerre entre les*

---

30. K. Waltz, Theory of International Politics, op. cit., *p. 44 et 47 ; ainsi que « Realist Thought and Neorealist Theory », art. cité. Le réciproque n'est pas vrai : comme le souligne J.-J. Roche, « Raymond Aron un demi-siècle après* Paix et guerre entre les nations *», art. cité, dans* Paix et guerre entre les nations *publiée en 1962, Aron ignore* Man, the State, and War *publié en 1959, et dans ses mémoires publiées en 1983, il ignore* Theory of International Politics *publiée en 1979.*

31. J. Vasquez, The Power of Power Politics, op. cit., *p. 65-66.*

nations[32]. S'interrogeant s'il a eu tort de négliger l'étude du système économique des rapports de production ou des « phénomènes transnationaux, internationaux et supranationaux » qui « n'entrent pas dans le système interétatique mais qui influent sur lui et sont influencés par lui »[33], il ne renie pas son stato-centrisme d'inspiration réaliste. Ni au profit du néomarxisme de la *Peace Research* : au sujet des liens entre économie mondiale et système interétatique, il écrit que « la priorité du système économique, fondé sur l'inégalité du centre et de la périphérie, ne se justifierait que par la prédominance causale des rapports sociaux sur les rapports internationaux. Mais il n'en est pas ainsi[34] ». Ni en faveur de l'approche transnationaliste raisonnant en termes de politique mondiale ou de société mondiale : au sujet de l'impact des flux transnationaux qui, « pour ainsi dire, traversent les frontières et échappent en quelque mesure à l'autorité ou au contrôle des États », il précise explicitement qu'il « ne pense pas que la formule "société internationale" ou, de préférence, "mondiale", constitue un véritable concept. Peut-on parler d'un système international qui inclurait toutes les formes de la vie internationale ? J'en doute »[35]. Ni au bénéfice du pluralisme de la *Foreign Policy Analysis* : à la question de savoir s'il s'est « rendu coupable de holisme en traitant les États comme un "acteur" » ou s'il a surestimé « l'implicite rationalité des "acteurs" », il reconnaît certes que « le livre brillant de Graham Allison sur la crise de Cuba met en lumière le rôle joué par ces organisations et leurs chefs, les conseillers personnels du

---

32. *Cette « Présentation de la huitième édition » publiée en 1984 reprend les deux premiers chapitres de son essai* Les Dernières Années du siècle, *Paris, Julliard, 1984.*

33. *R. Aron,* Paix et guerre entre les nations, op. cit., *p. VI.*

34. Ibid., *p. IV.*

35. Ibid., *p. VI-VII et VIII.*

président » et admet qu'« il va de soi que les sociologues doivent analyser les conditions dans lesquelles un ou quelques hommes déterminent le destin de millions de leurs semblables » tant « l'envers de l'action extérieure des États, quel que soit le régime, relève du sociologue », mais il n'en conclut pas moins en soulignant que « l'endroit de cette action, c'est la guerre ou la paix », ce qui implique de poser le postulat de l'État unitaire[36].

Autrement dit, Aron reste fidèle au réalisme stato-centré au cours du troisième débat de la discipline : « Le système interétatique, celui dans lequel les acteurs obéissent à des considérations diplomatico-stratégiques, perd-il peu à peu de son importance ? [...] Ma réponse n'a pas varié. [...] Encore aujourd'hui, ce système me paraît dominant ou primordial dans la société internationale, bien qu'au fil des jours, il semble passer à l'arrière-plan. En fait, c'est lui qui structure la société internationale en dépit des traits originaux de celle-ci[37]. » Et il intervient tout autant dans le second débat en défendant son épistémologie interprétative des sciences sociales face aux critiques avancées par les « modernistes » tels que Kenneth Boulding contre les « traditionnalistes » tels que Hans Morgenthau[38]. Favorable aux méthodes qualitatives, il met en garde contre les limites des méthodes quantitatives : « Les statisticiens qui, tel Richardson, comptent les faits de violence ou d'homicide sans distinguer entre les meurtriers et les soldats, nous rappellent opportunément que les chiffres par eux-mêmes ne signifient rien[39]. » Rejetant les ambitions prédictives et prescriptives que devraient avoir les théories en sciences sociales d'après les adeptes

---

36. Ibid., *p. X, XIII et XI.*
37. Ibid., *p. XXXVI-XXXVII.*
38. *R. Aron, « Qu'est-ce qu'une théorie des relations internationales ? », art. cité.*
39. Ibid.

des théories formelles telles que la théorie des jeux, il réfute les critiques d'un Oskar Morgenstern affirmant que « les “politocologues” ont dépensé beaucoup de temps et d'effort pour produire un ensemble de connaissances qui est particulièrement peu propre à [...] résoudre les problèmes auxquels l'humanité fait face actuellement » parce que, entre autres, ils n'ont, « à quelques exceptions près, accordé pratiquement aucune attention » à la théorie des jeux de stratégie : une telle critique, estime-t-il, « révèle le mélange de rigueur et de confusion, de profondeur et de naïveté de certains esprits scientifiques aux prises avec les problèmes extérieurs à leur discipline, surtout aux prises avec les problèmes politiques. Que la science politique ne soit pas opérationnelle, au sens où la physique l'est ou même au sens où certaines parties de l'économie le sont, c'est incontestable. Il reste à savoir si la faute en est à l'insuffisance du savoir et des savants ou à la structure même de l'objet et de l'activité »[40].

Lorsque donc les relations internationales commencent à être abordées en France dans une perspective politologique, elles bénéficient d'une insertion explicite dans la discipline transatlantique des Relations internationales. Après avoir, dans un premier temps, affiché une proximité comparable avec les théories des relations internationales, le principal contradicteur du vivant de Raymond Aron qu'est Marcel Merle commence à éroder cette insertion.

L'ouvrage clé en la matière est sa *Sociologie des relations internationales*, dont quatre éditions sont publiées entre 1974 et 1988. Merle commence par rappeler à quel point il est indispensable de présenter les théories existantes : « Une large place sera accordée, dans les développements qui vont suivre, aux problèmes de théorie

---

40. *R. Aron,* Paix et guerre entre les nations, *op. cit., p. 751-752.*

et de méthode. Certains s'étonneront peut-être de voir tant d'efforts consacrés à des abstractions, alors que la moisson des faits est surabondante. On répondra que l'interprétation des faits est étroitement conditionnée par le point de vue auquel se place, inévitablement, l'observateur. Quels sont les "faits" les plus importants : la bombe atomique, l'ONU, ou le sous-développement ? La rivalité entre la Chine et l'URSS ou la crise du pétrole ? Et quelle est l'explication des faits les plus significatifs, qu'il s'agisse du sous-développement ou de l'équilibre de la terreur ? [...] Pour répondre à ces questions, il faut passer par des schémas qui diffèrent totalement selon que l'on est marxiste ou libéral, nationaliste ou mondialiste, etc. Le détour par la théorie n'est donc pas une évasion, mais un moyen de mieux appréhender la réalité[41]. » Il justifie l'importance de ces théories, qu'il appelle les « différentes conceptions des relations internationales[42] », avec des arguments de nature épistémologique que n'aurait pas reniés un Kenneth Waltz persuadé que les faits ne parlent pas d'eux-mêmes (cf. chap. 1) : « Pourquoi commencer par l'aspect le plus théorique et le plus abstrait du problème ? Les faits internationaux ne sont-ils pas assez nombreux pour bénéficier d'un traitement direct ? L'objection n'est pas mince. Bien des raisons motivent cependant la démarche inverse. [...] C'est une illusion de croire que l'homme de science se contente de travailler sur des faits bruts, de les rassembler puis de les interpréter pour aboutir à des certitudes totales et définitives. Contre le sens commun [selon lequel] les faits sont têtus, [...] il convient plutôt de demander : qu'est-ce qu'un fait ? Ou, plus exactement, quels sont, à un moment

---

41. *M. Merle,* Sociologie des relations internationales, op. cit., *p. 2-3.*

42. *Le chapitre en question, p. 13-127, représente un peu plus du quart de la totalité de l'ouvrage.*

donné, parmi la masse indistincte des faits sociaux, ceux qui sont significatifs ? L'homme de science va privilégier certaines catégories de faits en fonction de la représentation globale qu'il se fait de l'homme et de la société. Nul n'est à l'abri de cette sujétion, et celui qui s'en prétend libéré n'est le plus souvent que la victime inconsciente d'une idéologie inavouée. Ce prologue pourrait conduire à une vision tout à fait relativiste et désabusée des phénomènes internationaux. Tel n'est pourtant pas son objet. Il vise seulement à mettre en garde contre l'interprétation simpliste de ceux qui croient pouvoir aborder directement l'étude des faits sans tenir compte des représentations individuelles et collectives qui s'interposent forcément entre les phénomènes et leur présentation didactique. C'est pourquoi l'étude préalable des différentes conceptions des relations internationales s'impose. Par conceptions des relations internationales, on entend les systèmes de pensée aussi bien que les méthodes d'investigation à travers lesquels sont perçus et analysés les faits de la vie internationale. Chacune des conceptions étudiées tend à proposer une vision globale et cohérente des phénomènes internationaux. Mais, partant de postulats forcément différents, elles aboutissent à des conclusions contradictoires, dont la confrontation ne peut être que fructueuse[43]. »

Logiquement, il expose ensuite ce qu'il appelle la conception classique, la conception marxiste et les conceptions sociologiques d'inspiration anglo-saxonne[44], à l'intérieur desquelles il distingue

---

43. Ibid., *p. 15-19.*

44. *Telle est la typologie retenue dans les deux premières éditions publiées en 1974 et 1976. Dans les troisième et quatrième éditions publiées en 1982 et 1988, M. Merle distingue les moralistes, les « politiques », les juristes, les « philosophes », les économistes, les scientistes. Les deux typologies ont le mérite d'exister, même si les catégories proposées sont surprenantes*

les approches behavioriste, fonctionnaliste et systémique. Une fois ces différentes théories résumées, il s'interroge sur leur utilisation, et c'est à ce moment-là qu'intervient la rupture.

Estimant d'un côté que les théories existantes sont difficilement « réductibles à l'unité », posant de l'autre que cela ne sert à rien de choisir l'une d'entre elles tant elles ont toutes leurs mérites, ni de se lancer dans la « voie aventureuse » qui consisterait à en élaborer une autre, Merle en arrive à la conclusion qu'il faut se contenter d'une « hypothèse de travail ». Se réclamant du scepticisme de Raymond Aron envers la possibilité d'une « théorie pure des relations internationales » et de sa conclusion que « la seule approche possible des relations internationales est une approche socio-historique », il pose plus précisément comme hypothèse de travail que les relations internationales, conçues comme « l'ensemble des transactions ou des flux qui traversent les frontières ou même qui tendent à traverser les frontières », forment un système international, défini comme « l'ensemble des relations entre les principaux acteurs que sont les États, les organisations internationales et les forces transnationales ». Et pour rendre compte de son objet ainsi défini, il recourt à la méthode d'investigation proposée par « l'analyse systémique », dont il estime qu'elle est « la plus féconde, à condition d'être adaptée à son objet, qui est l'étude de la société internationale contemporaine dans son ensemble ». Concrètement, les deux tiers restants de son ouvrage consistent « à décomposer les éléments du problème, en étudiant le milieu (ou l'environnement du système) international, les acteurs qui constituent les éléments du système, enfin le

---

par rapport à l'histoire et de la théorie internationale (cf. chap. 2) et des Relations internationales (cf. chap. 3).

système lui-même (c'est-à-dire les relations qui s'établissent entre les acteurs placés dans un environnement spécifique) »[45].

L'attitude de Marcel Merle à l'égard de la discipline des Relations internationales est ambiguë. Bien qu'il souligne l'importance des théories existantes pour rendre intelligibles les phénomènes internationaux, il finit par se passer d'elles pour préférer ce qu'il appelle une simple hypothèse de travail guidant sa propre analyse ; alors qu'il dit qu'il n'est pas judicieux de choisir l'une des théories existantes, il opte pour le systémisme qu'il a rangé quelques pages auparavant parmi les « conceptions sociologiques d'inspiration anglo-saxonne », même s'il dit se démarquer de David Easton à l'origine du systémisme en science politique et de Morton Kaplan qui l'avait introduit en relations internationales ; s'il rend hommage à Raymond Aron en estimant que « si l'on excepte l'œuvre, magistrale, mais presque complètement isolée de Raymond Aron, la problématique de la sociologie n'a pratiquement pas pénétré, en France, dans l'étude des phénomènes internationaux », sa sociologie des relations internationales n'en est pas moins entreprise « dans une perspective qui diffère sensiblement [...] de celle de Raymond Aron »[46].

En fait, Marcel Merle rompt en tous points avec Raymond Aron : alors que la sociologie de ce dernier renvoyait à une épistémologie compréhensive d'inspiration wébérienne, celle de Merle est synonyme de systémisme d'obédience positiviste ; alors qu'Aron cherchait à comprendre par interprétation les relations interétatiques en vue de les expliquer causalement, Merle retient la méthode systémique « en tant que procédé de présentation ordonnée et synthétique des faits internationaux les plus significatifs », et ces derniers

---

45. Ibid., *p. 129-143.*
46. Ibid., *p. 1-2.*

sont tout autant interétatiques que transnationaux. Bref, Marcel Merle, sans le dire, choisit les modernistes contre les traditionnalistes pour ce qui est du deuxième débat relatif à la méthode, tant son choix de ce qu'il appelle une hypothèse de travail rejoint le programme behaviouraliste consistant à délaisser les *grand theories* au profit des *middle-range theories* (cf. chap. 3), et il opte pour le transnationalisme contre le stato-centrisme pour ce qui est du troisième débat relatif à l'objet d'étude, car le fait de dire que les relations internationales sont constituées par l'ensemble des interactions internationales et que les flux transnationaux sont *a priori* aussi significatifs que les relations interétatiques implique le rejet de l'hypothèse réaliste de la primauté de ces dernières (cf. chap. 6).

En résumé, après avoir affiché les théories et débats prévalant au sein de la discipline, Merle finit par adhérer à une conception empiriciste des réalités internationales et proposer des analyses exclusivement descriptives de celles-ci, en dehors de toute référence aux débats théoriques de la discipline. La tendance sera accentuée dans ses publications ultérieures, comme par exemple celles portant sur la politique étrangère, car aussi bien l'ouvrage *La Politique étrangère*[47] que le chapitre « La politique étrangère » paru dans le *Traité de science politique*[48] ignorent les analyses produites depuis les années 1950 dans le cadre de la *Foreign Policy Analysis* (cf. chap. 10) : il y fait un seul renvoi au modèle bureaucratique de Graham Allison ; ni les travaux de Richard Snyder, Henry W. Bruck et Burton Sapin, ni ceux de Robert Jervis ne sont cités une seule fois.

---

47. *M. Merle,* La Politique étrangère, *Paris, PUF, 1984.*

48. *M. Merle, « La politique étrangère », dans M. Grawitz et J. Leca (dir.),* Traité de science politique, *tome 4 :* Les Politiques publiques, *Paris, PUF, 1985, p. 467-533.*

Ces ambiguïtés, et les choix tant épistémologiques qu'ontologiques qu'elles véhiculent, on les retrouve chez ses successeurs. La cause de cette filiation nous est donnée par John Groom qui, dans l'une de ses analyses de l'état des Relations internationales en France, souligne que c'est Marcel Merle, et non pas Raymond Aron, qui a eu un effet structurant sur les Relations internationales françaises contemporaines : « À partir des années 1960, un certain nombre de chercheurs ont atteint une renommé internationale. Le plus célèbre d'entre eux est sans doute Raymond Aron, une personnalité importante du circuit américain et international. Pourtant, sa contribution théorique au domaine des relations internationales est restée limitée. Fermement ancré dans l'école réaliste, il n'a guère nourri le débat. Le cas de Marcel Merle se situe, en quelque sorte, à l'opposé. S'il n'a pas beaucoup participé aux conférences et aux groupes de recherches internationaux, sa contribution théorique a été plus importante que celle de Raymond Aron dans la mesure où il a questionné les postulats de la politique de puissance étatique et a copieusement puisé dans la sociologie – ironiquement, plus que Aron lui-même, pourtant sociologue de formation. Mais, malgré son caractère innovant, le travail de Marcel Merle n'a pas connu une large diffusion internationale, même en anglais. Peut-être parce qu'il remettait en cause le paradigme dominant[49]. »

---

49. J. Groom, « Les relations internationales en France. Un regard d'outre-Manche », La Revue internationale et stratégique, *47, automne 2002, p. 108-117. On peut se demander si, au-delà de M. Merle, J. Vernant ne pourrait pas être considéré comme le véritable précurseur de la sociologie française des relations internationales incarnée tant par Merle que par les successeurs de celui-ci, vu sa conception des relations internationales comme des faits sociaux et son appel à une méthode utilisant les mêmes outils que la sociologie générale. Mais*

Plus précisément, les sociologues des relations internationales héritiers de Marcel Merle vont faire franchir un nouveau pas à l'autonomisation des Relations internationales françaises par rapport au « circuit international », en rejetant d'emblée le bien-fondé d'une quelconque inscription dans la discipline. Écoutons à ce sujet ce que dit Marie-Claude Smouts dans sa recherche sur l'écologie politique intitulée *Forêts tropicales, jungle internationale* : « La discipline des relations internationales [...] est en crise. Pour une grande part, elle souffre d'être figée depuis plusieurs décennies selon des lignes de partage qui la divisent en écoles concurrentes entretenant peu de dialogue mutuel et tournant sur elles-mêmes *ad nauseam*. Venus principalement des États-Unis (et, dans une moindre mesure, du Royaume-Uni), ces clivages se sont imposés à toute la communauté académique. Pour être pris au sérieux et s'insérer dans les réseaux qui comptent dans la discipline, tout internationaliste se voit sommé d'annoncer à quel courant il se rattache d'après la nomenclature retenue par les manuels anglophones. Lorsque les questions d'environnement ont pénétré sur la scène mondiale, les courants préexistants ont tout bonnement appliqué à ce domaine nouveau leurs schémas favoris. Pour analyser la politique mondiale de sauvegarde des forêts tropicales humides, il suffirait donc de puiser dans le stock d'approches disponibles et l'on aurait la réponse avant même d'avoir mené l'enquête. Si l'on est réaliste, on verra la forêt comme une ressource naturelle relevant de la souveraineté de l'État. Si l'on est néo-institutionnaliste libéral, on verra dans la question un problème collectif à gérer. Si l'on est structuraliste et d'un néomarxisme propret, on expliquera la dégradation de la forêt par les structures de l'économie mondiale. Et si l'on veut être vraiment chic, on

---

l'article de J. Vernant n'a pas eu d'écho et n'est jamais cité par les internationalistes français contemporains.

s'auto-proclamera post-moderne et l'on trouvera dans les traductions anglophones de morceaux choisis de Michel Foucault et de Jacques Derrida quelques citations pertinentes justifiant de construire le discours déconstruisant les discours ayant construit la forêt tropicale humide en instrument de domination sur les populations. » Désireuse de « sortir de ces carcans », Marie-Claude Smouts préfère explorer « les voies d'une sociologie des relations internationales appropriée au contexte de la mondialisation et à son cortège de défis nouveaux, dont celui des menaces planétaires »[50].

Alors que chez Merle, les théories sont encore (présentées comme) des lunettes susceptibles de mieux saisir les réalités, alors que pour lui les faits étudiés sont réputés n'exister comme tels que parce que reconnus comme importants par les théories au moins implicitement sous-jacentes aux choix des chercheurs, chez Marie-Claude Smouts l'enquête porte sur des faits considérés comme existant en tant que tels, indépendamment de toute grille de lecture théorique, et dont il s'agit de rendre compte car ils s'imposent à l'observateur : dirigé par Marie-Claude Smouts, l'ouvrage *Les Nouvelles Relations internationales*, qui réunit pour l'essentiel des chercheurs du CERI dont fait partie Marie-Claude Smouts, « vise à retracer les grandes évolutions de la scène internationale » en dehors « des cadres imposés par les fameux débats [...] dans lesquels a été enfermée la théorie des relations internationales et, qui, de toute façon, n'ont jamais beaucoup intéressé les internationalistes français[51] ».

Une telle épistémologie empirico-inductive avait déjà présidé à l'ouvrage *Le Retournement du monde*, co-écrit avec Bertrand Badie.

---

50. M.-C. Smouts, Forêts tropicales, jungle internationale. Les revers d'une écopolitique mondiale, *Paris, Presses de Sciences Po, 2001, p. 51-52.*

51. M.-C. Smouts, « Introduction. Les mutations d'une discipline », art. cité.

La lecture des premières lignes de cet ouvrage permet de révéler « l'idéologie inavouée », pour reprendre les termes de Marcel Merle, le paradigme implicite autrement dit, qui sous-tend la sociologie des relations internationales contemporaine française : « Le système international est devenu le plus instable de tous les systèmes politiques. Composé d'une infinité d'unités toutes en évolution, il se transforme sous nos yeux sans que l'on sache en dégager les lois ni en tracer le devenir. Le terme en vogue pour parler des relations internationales sont actuellement "chaos", "turbulence", "îlots de stabilité" ». Regrettant que « l'application par les sciences sociales des premiers acquis des "sciences dures" sur la dialectique de l'ordre et du désordre n'en est qu'à ses balbutiements et [que] l'on ne s'entend pas encore sur la façon de penser l'ordre mondial », ce qui revient à endosser le postulat positiviste selon lequel les sciences sociales caractérisées par des débats contradictoires finiront par laisser la place à des consensus à l'image de ceux auxquels sont parvenus les sciences de la nature cumulatives, ils ne désespèrent pas pour autant de rendre le monde contemporain intelligible. En vue d'identifier « les grandes tendances à l'œuvre et la manière dont elles se relient », ils partent alors du fil conducteur de « la crise de l'État-nation », menacé dans son universalisme, dans sa souveraineté, dans son identité, pour cause d'éclatement culturel, de montée des flux transnationaux, d'émergence de biens communs[52].

Au vu de ces quelques phrases, il apparaît clairement que dans la continuité des travaux de Merle[53], dont l'un des chapitres de

---

52. *B. Badie et M.-C. Smouts,* Le Retournement du monde, op. cit., *p. 11.*

53. *Cette continuité n'empêche pas la critique : B. Badie et M.-C. Smouts,* Le Retournement du monde, op. cit., *p. 163, ne se réfèrent plus au systémisme qui, d'après eux, est devenu une*

l'ouvrage *Forces et enjeux dans les relations internationales* portait justement sur « La crise de l'État-nation »[54], la recherche de Bertrand Badie et de Marie-Claude Smouts s'inspire de l'approche transnationale, entre-temps mise à jour par James Rosenau à qui renvoie directement l'utilisation de la notion de « turbulences ». L'approche post-internationale de Rosenau sera d'ailleurs approfondie à Sciences Po Paris tout au long des années 1990, en premier lieu par Bertrand Badie[55]. Après que Rosenau avait parlé de bifurcation du monde (cf. chap. 6), Badie affirme que c'est à un « détriplement » de la scène mondiale que l'on assiste : à côté de l'État-nation suscitant une allégeance citoyenne et offrant une représentation politique émergent, d'un côté, des entrepreneurs transnationaux dont la représentation est fonctionnelle et envers lesquels l'allégeance est utilitaire, et, de l'autre, des entrepreneurs identitaires réclamant une allégeance primordiale et offrant une représentation communautaire[56]. Et, de même que pour Rosenau le monde mixte est synonyme de turbulences, le « monde sans

---

approche « ésotérique au point de faire perdre de vue [son] principal intérêt [...] : sa capacité descriptive ». Elle n'empêche pas non plus des sensibilités partiellement différentes, dues à l'apport, par Bertrand Badie, des concepts et méthodes de la politique comparée, différents de celle du droit international qui avait été la discipline de départ de M. Merle.

54. *M. Merle,* Forces et enjeux dans les relations internationales, *Paris, Economica, 1981, p. 148-157.*

55. *Voir, par ordre chronologique : B. Badie,* La Fin des territoires. Essai sur le désordre international et sur l'utilité sociale du respect, *Paris, Fayard, 1995 ; B. Badie et M.-C. Smouts (dir.), « L'international sans territoire »,* Cultures et Conflits, *numéro spécial double de la revue, 21-22, printemps-été 1996 ; B. Badie,* Un monde sans souveraineté, op. cit.

56. *B. Badie, « Le jeu triangulaire », dans P. Birnbaum (dir.),* Sociologie des nationalismes, *Paris, PUF, 1997, p. 447-462.*

souveraineté[57] » de Badie se caractérise par un « jeu triangulaire[58] » belligène entre l'État et le pôle transnational dont les relations ont pour enjeu la souveraineté de l'un et l'autonomie des autres, entre l'État et le pôle identitaire dont les relations opposent contrat social et lien communautaire, et entre pôle transnational et pôle identitaire dont les relations s'articulent autour de la rivalité entre solidarité inclusive/ouverte et appartenance fermée/exclusive.

Cela dit, cette inscription paradigmatique dans le transnationalisme se fait, contrairement à la posture proclamée par Merle, à l'écart de toute exposition explicite à la discipline[59].

---

57. B. Badie, Un monde sans souveraineté, op. cit.

58. La notion de « jeu triangulaire » rappelle aussi celle de « diplomatie triangulaire » forgée par S. Strange et J. Stopford, Rival States, Rival Firms. Competition for World Market Shares, *Cambridge, Cambridge University Press, 1991, mais elle est différente : chez Strange et Stopford, il y a deux types d'acteurs (États et firmes multinationales) considérés comme unitaires et nouant trois sortes de relations entre eux ; chez Badie, il y a trois sortes d'acteurs (États, acteurs transnationaux, communautés identitaires), considérés à partir du critère des relations d'allégeance qu'entretiennent à leur encontre les individus qui en sont membres, et établissant des relations à la fois entre eux et avec les individus membres des uns et des autres : les États peuvent ainsi être amenés à instrumentaliser l'identitaire, les entrepreneurs identitaires peuvent jouer la carte transnationale en recourant aux réseaux religieux et diasporiques, etc. Cela dit, à côté de J. Rosenau, S. Strange est l'autre figure qui, dans les années 1990, inspire la sociologie des relations internationales française en général, et l'économie politique internationale en particulier. À ce dernier sujet, voir C. Chavagneux,* Economie politique internationale, op. cit.

59. Sauf, dans le meilleur des cas, à affirmer l'existence d'une pensée française des relations internationales, prétendument fondée par R. Aron et ipso facto *distincte de ce qui se fait ailleurs, et notamment outre-Atlantique. Voir à ce sujet B. Badie, « Raymond Aron, penseur des relations internationales. Un penseur "à la française" ?, »* Études du CEFRES, *5,*

Particulièrement symptomatique à ce sujet est l'utilisation au sens commun du concept d'anarchie. Évoquant parmi les différentes analyses proposées du monde contemporain Hedley Bull, Marie-Claude Smouts et Bertrand Badie écrivent qu'« on [il s'agit de Bull à qui renvoie la note de bas de page] a pu soutenir que le monde revenait à une situation de type féodal, renouait avec une forme d'anarchie, voire d'état de nature. Sans aller jusque-là, il est pourtant vrai que l'ordre international va plutôt vers des manifestations d'éclatement que vers l'idéal d'une communauté policée[60] ». Or, si Hedley Bull parle effectivement de « nouveau médiévalisme[61] », chez lui un tel médiévalisme, synonyme d'avènement d'une autorité comparable à celle de l'Église romaine, signifie le contraire de ce que lui font dire Badie et Smouts, à savoir la fin des États souverains et donc de l'anarchie ou de l'état de nature, vu que l'anarchie, au sens fort, caractérise justement le monde interétatique contemporain depuis Westphalie (cf. chap. 1)[62]. Tout aussi révélateur est le chapitre sur « L'ébranlement des théories » qui se livre à une critique de « la théorie des relations internationales [...] incapable de proposer des paradigmes rendant compte de cette explosion du système mondial sous l'effet de la transformation des

---

2005, accessible sur : http://www.cefres.cz/publications/etude5.pdf.

60. *B. Badie et M.-C. Smouts,* Le Retournement du monde, op. cit., *p. 12.*

61. *H. Bull,* The Anarchical Society, op. cit., *p. 245.*

62. *B. Badie et M.-C. Smouts ne sont pas les seuls à refuser le critère de l'anarchie : on l'a vu, c'est le cas aussi des post-positivistes tels que R. Ashley (cf. chap. 8) ou des constructivistes-libéraux tels que M. Barnett et K. Sikkink (cf. chap. 17). Ce qui fait la spécificité de Badie et Smouts, c'est l'absence de discussion théorique de leur rejet du critère de l'anarchie, alors que les auteurs pré-cités situent leurs critiques à l'intérieur de la discipline.*

acteurs et du choc des cultures[63] » : dire cela, c'est oublier que les débats de la discipline ont pour la moitié d'entre eux porté sur la question de savoir comment tenir compte des évolutions en cours (cf. chap. 3) ; en déduire que « la sociologie des relations internationales est encore à construire », c'est passer par pertes et profits les théories en question parce qu'elles ont tort de ne pas relever de la sociologie des relations internationales telle que définie en France depuis Marcel Merle[64].

Bref, Bertrand Badie et Marie-Claude Smouts ne conçoivent pas « le fait de participer aux, et de contribuer à façonner les débats théoriques centraux en vogue dans la discipline, comme constituant le noyau dur de leur activité[65] ».

On ne peut pas dresser un tel constat à propos du principal représentant d'une autre forme française de sociologie des relations internationales, représentée par Didier Bigo et sa sociologie politique internationale. Tout au contraire. Si la sociologie en question souhaite elle aussi se démarquer des approches *mainstream* de la discipline et

---

63. *B. Badie et M.-C. Smouts,* Le Retournement du monde, op. cit., *p. 145.*

64. *G. Devin se revendique de la même sociologie des relations internationales dans son ouvrage éponyme,* Sociologie des relations internationales, *Paris, La Découverte, 2007 [2e éd.], p. 4 : circonspect envers la nécessité de poursuivre dans « l'accumulation de nouvelles théories », il se dit convaincu que « l'exploration proposée par la "sociologie des relations internationales" », qui consiste, notamment, à accorder « une attention aux faits plus qu'aux événements, aux données recueillies plus qu'à un grand récit, [...] requiert aussi et surtout un développement des études empiriques ».*

65. *H. Breitenbauch,* Cartesian Limbo. A Formal Approach to the Study of Social Sciences : International Relations in France, *Copenhague, University of Copenhagen/Department of Political Science, 2008, p. 34. Précisons, pour éviter tout risque de malentendu, que Breitenbauch applique son affirmation à l'ensemble des Relations internationales en France.*

rompre avec les frontières disciplinaires institutionnalisées, elle n'a rien à voir ni avec le systémisme de Merle, ni avec la sociologie de Durkheim dont se réclame Badie, ni *a fortiori* avec celle de Weber qui inspirait Aron : la sociologie de Didier Bigo, c'est celle de Pierre Bourdieu, combinée à la pensée de Michel Foucault et appliquée aux études de sécurité dans une approche critique différente de, et complémentaire à, celles proposées à Copenhague et Aberystwyth (cf. chap. 14).

À la tête d'un programme de recherche très productif se traduisant par la publication de monographies, d'un côté, de la revue *Cultures et Conflits* et d'ouvrages collectifs, de l'autre, Didier Bigo s'est engagé dans des enquêtes empiriques détaillées des pratiques des agences de sécurité pour montrer, et dénoncer, au nom d'un intérêt cognitif émancipatoire, les pratiques de ceux qui sécurisent en sécuritisant. Partant du refus de la coupure entre sécurité intérieure et extérieure, Didier Bigo, par ailleurs très critique envers la notion de sécurité sociétale, tant d'après lui les conséquences pratiques des politiques de sécuritisation des identités nationales ne concernent pas la survie d'une société mais l'intolérance à l'égard des différences, affirme que dans la foulée du 11 septembre s'est développé au sein des démocraties occidentales un *quasi* état d'urgence permanent synonyme de politiques publiques liberticides, une forme de gouvernementalité – au sens foucaldien – par l'inquiétude, consistant à exacerber la peur des populations par un discours du risque et de la suspicion en vue de les amener à obéir. Ces pratiques sont le résultat de stratégies d'acteurs analysés comme autant d'agents au sein d'un champ – au sens bourdieusien – de sécurité dans lequel les tâches traditionnelles des forces de police, des militaires et des douanes sont engagées dans des processus accrus de privatisation, de déterritorialisation et de technologisation[66].

66. *Voir, notamment, D. Bigo,* Polices en réseaux. L'expérience européenne, *Paris, Presses de Sciences Po, 1996 ; D. Bigo*

Surtout, l'inscription dans les débats en cours de la discipline, et plus particulièrement dans le quatrième débat, est recherchée, avec pour objectif un dépassement de la conception classique, d'un point de vue tant épistémologique qu'ontologique, de l'objet « relations internationales » au profit d'études internationales fondées sur la théorie sociale. Cette stratégie a été un succès, comme le prouve la création, en 2007, de la revue *International Political Sociology* qu'il co-dirige avec Robert Walker et qui publie les recherches de la fine fleur des post-modernistes et post-structuralistes tant européens que nord-américains : cinquième revue de l'International Studies Association[67], cette revue a permis aux travaux concernés d'être diffusés et connus dans le monde anglophone où ils jouissent d'une réception remarquée parmi les initiés.

Conséquence, à première vue surprenante, mais en fait logique au vu des lois de fonctionnement des champs scientifiques, de cette insertion réussie dans la discipline mondiale des Relations internationales : Didier Bigo s'est éloigné – et à été éloigné – des Relations internationales françaises dominées par la sociologie des relations internationales, à cause de l'originalité assumée de son positionnement post-positiviste *hard* directement branché sur les débats d'outre-Manche et d'outre-Atlantique. Seul internationaliste

---

et A. Tsoukala (eds), Terror, Insecurity and Liberty : Illiberal Practices of Liberal Regimes after 9/11, *Londres, Routledge, 2008 ; D. Bigo et al. (eds),* Europe's 21st Century Challenge : Delivering Liberty, *Farnham, Ashgate, 2010.*

67. *Comme son nom ne l'indique pas, l'ISA est l'association américaine d'études internationales, même si ses membres viennent du monde entier. Elle publie 5 revues :* International Studies Quarterly, International Studies Review, International Studies Perspectives, Foreign Policy Analysis *et* International Political Sociology.

français contemporain à être parfaitement intégré dans les circuits internationaux, il est l'exception qui confirme la règle qu'est « l'auto-suffisance[68] » largement choisie des Relations internationales françaises.

Il n'est pas impossible qu'il soit un jour rejoint par de futurs internationalistes français en gestation dans les jeunes générations et férus de théorie des relations internationales. À moins que ce ne soit la discipline des Relations internationales qui se rapproche des études internationales à la française, en proclamant la fin de la théorie[69]...

Bibliographie

La nature particulière des Relations internationales françaises est soulignée par l'ensemble des états des lieux dressés à leur sujet, qu'elles soient le fait d'universitaires français... :

CHILLAUD (Matthieu), « International Relations in France. The "Usual Suspects" in a French Scientific Field of Study ? », *European Political Science*, 8, mai 2009, p. 239-253.

RAGARU (Nadège) et CHAOUAD (Robert) (dir.), « Relations internationales. La tentation d'exister. État d'une discipline en France », *La Revue internationale et stratégique*, 47, automne 2002.

---

68. J. Friedrichs, « International Relations Theory in France », art. cité.

69. Allusion au panel sur « The End of International Relations Theory ? », organisé par la revue European Journal of International Relations *au congrès 2012 de l'ISA à San Diego.*

Roche (Jean-Jacques), « L'enseignement des relations internationales en France. Les aléas d'une discipline-carrefour », *La Revue internationale et stratégique*, 47, automne 2002, p. 100-107.

Smouts (Marie-Claude), « Entretien. Les relations internationales en France. Regard sur une discipline », *La Revue internationale et stratégique*, 47, automne 2002, p. 83-89.

... ou étrangers :

Breitenbauch (Henrik), *Cartesian Limbo. A Formal Approach to the Study of Social Sciences : International Relations in France*, Copenhague, University of Copenhagen/Department of Political Science, 2008.

Friedrichs (Jörg), « International Relations Theory in France », *Journal of International Relations and Development*, 4 (2), juin 2001, p. 118-137.

Friedrichs (Jörg), *European Approaches to International Relations Theory. A House with Many Mansions*, Londres, Routledge, 2004.

Giesen (Klaus-Gerd), « French Cancan zwischen Positivismus, Enzyklopädismus und Historismus. Zur Struktur und Geschichte der vorherrschenden französischsprachigen Ansatzforschung », *Zeitschrift für internationale Beziehungen*, 2 (1), 1995, p. 141-170.

Groom (John), « Les relations internationales en France. Un regard d'outre-Manche », *La Revue internationale et stratégique*, 47, automne 2002, p. 108-117.

Jørgensen (Knud), « Continental International Relations Theory. The Best Kept Secret », *European Journal of International Relations*, 6 (1), mars 2000, p. 9-42.

Jørgensen (Knud) et Knudsen (Tonny) (eds), *International Relations in Europe. Traditions, Perspectives and Destinations*, Londres, Routledge, 2008.

Waever (Ole), « The Sociology of a Not So International Discipline. American and European Developments in International Relations », dans Peter J. Katzenstein, Robert O. Keohane et Stephen D. Krasner (eds), *Exploration and Contestation in the Study of World Politics*, Cambridge, MIT Press, 1999, p. 47-87.

Cette nature particulière s'explique par la prédominance de la sociologie des relations internationales dont on peut trouver des présentations d'ensemble chez les auteurs suivants :

Badie (Bertrand) et Smouts (Marie-Claude), *Le Retournement du monde. Sociologie de la scène internationale* [1992], Paris, Presses de Sciences Po, 1999 [3e éd.].

Devin (Guillaume), *Sociologie des relations internationales* [2002], Paris, La Découverte, 2007 [2e éd.].

Merle (Marcel), *Sociologie des relations internationales* [1974], Paris, Dalloz, 1988 [4e éd.].

Smouts (Marie-Claude) (dir.), *Les Nouvelles Relations internationales. Pratiques et théories*, Paris, Presses de Sciences Po, 1998.

Vernant (Jacques), « Vers une sociologie des relations internationales », *Politique étrangère*, 17 (4), 1952, p. 229-232.

Se positionnent explicitement par rapport aux théories des relations internationales les écrits, parmi d'autres, de :

Aron (Raymond), *Paix et guerre entre les nations* (1962), Paris, Calmann-Lévy, 2004 [8e éd.].

Aron (Raymond), « Qu'est-ce qu'une théorie des relations internationales ? », *Revue française de science politique*, 17 (5), octobre 1967, p. 837-861.

Bigo (Didier), *Polices en réseaux. L'expérience européenne*, Paris, Presses de Sciences Po, 1996.

BIGO (Didier) et TSOUKALA (Anastassia) (eds), *Terror, Insecurity and Liberty : Illiberal Practices of Liberal Regimes after 9/11*, Londres, Routledge, 2008.

BIGO (Didier) *et al.* (eds), *Europe's 21st Century Challenge : Delivering Liberty*, Farnham, Ashgate, 2010.

Bibliographie générale

La meilleure façon d'aborder les théories des relations internationales consiste à commencer par des manuels établissant un lien entre les théories et les grands problèmes internationaux contemporains. Voir notamment :

BAYLIS (John), SMITH (Steve) et OWENS (Patricia) (eds), *The Globalization of World Politics : An Introduction to International Relations*, Oxford, Oxford University Press, 2010 [5e éd.], 680 p. (version française adaptée par A. Benessaieh, *La Globalisation de la politique mondiale. Une introduction aux relations internationales*, Montréal, Modulo, 2011, 603 p.).

BLANTON (Shannon) et KEGLEY (Charles), *World Politics : Trend and Transformation*, Belmont (Mass.), Wadsworth Publishers, édition 2011-2012, 584 p.

DEVETAK (Richard), BURKE (Anthony), et GEORGE (Jim) (eds), *An Introduction to International Relations*, Cambridge, Cambridge University Press, 2012 [2e éd.].

VIOTTI (Paul) et KAUPPI (Mark), *International Relations and World Politics*, Longman, 2012 [5e éd.], 576 p.

Ce premier pas franchi, il faut passer aux manuels exposant les différentes théories qui, sauf exceptions, sont anglo-américains. Parmi ceux-ci, certains, bien que anciens, gardent un intérêt indéniable :

BRAILLARD (Philippe), *Théories des Relations internationales*, Paris, PUF, 1977, 460 p.

DOUGHERTY (James) et PFALTZGRAFF (Robert), *Contending Theories of International Relations*, New York (N. Y.), Longman, 2000 [5e éd.], 720 p.

KORANY (Bahgat) (dir.), *Analyse des relations internationales*, Montréal, Morin, 1987, 362 p.

OLSON (William) et GROOM (John), *International Relations Then and Now*, Londres, Routledge, 1992, 358 p.

SULLIVAN (Michael), *International Relations : Theories and Evidence*, Englewood Cliffs (N. J.), Prentice Hall, 1976, 386 p.

TAYLOR (Trevor) (ed.), *Approaches and Theories in International Relations*, New York (N. Y.), Longman, 1978, 314 p.

VIOTTI (Paul) et KAUPPI (Mark), *International Relations Theory*, International Édition, Harlow (Iowa), Pearson, 2011 [5e éd.], 480 p.

Quant aux plus récents, sept, classés par ordre chronologique de parution de leur première édition, méritent le détour, d'autant plus qu'ils sont complémentaires.

Le premier présente de façon pédagogique l'ensemble des approches générales, *mainstream* et critiques :

BURCHILL (Scott) *et al.*, *Theories of International Relations*, Basingstoke, Palgrave-Macmillan, 2009 [4e éd.], 382 p.

Le deuxième réunit des chapitres très denses consacrés à des questions méta-théoriques et d'autres appliquant les théories existantes à des enjeux contemporains :

CARLSNAES (Walter), RISSE (Thomas) et SIMMONS (Beth A.) (eds), *Handbook of International Relations* (2002), Londres, Sage, 2012, [2e éd.], 750 p.

Le troisième illustre de façon originale les théories des relations internationales à partir d'une mise en perspective critique de la production cinématographique :

WEBER (Cynthia), *International Relations Theory. A Critical Introduction* (2002), Londres, Routledge, 2009, 240 p.

Le quatrième montre à quoi servent les théories des relations internationales en les appliquant à tour de rôle à un même événement récent – la guerre au Kosovo :

STERLING-FOLKER (Jennifer) (ed.), *Making Sense of International Relations Theory*, Boulder (Colo.), Lynne Rienner, 2006, 422 p.

Le cinquième confie à des auteurs représentatifs des différentes théories la présentation de celles-ci tout en étant d'inspiration post-positiviste :

DUNNE (Tim), KURKI (Milja), et SMITH (Steve) (eds), *International Relations Theories : Discipline and Diversity* (2006), Oxford, Oxford University Press, 2010, 400 p.

Le sixième est un excellent manuel collectif québécois aussi complet que critique envers les approches *mainstream* américaines :

MACLEOD (Alex) et O'MEARA (Dan) (dir.), *Théories des relations internationales. Contestations et résistances* (2007), Outremont (Québec), Athéna Éditions, 2010, 662 p.

Le septième est un véritable traité représentatif de l'ensemble des réflexions en cours dans les champs des Relations internationales des États-Unis et des pays du Commonwealth :

REUS-SMIT (Christian) et SNIDAL (Duncan) (eds), *The Oxford Handbook of International Relations*, Oxford, Oxford University Press, 2008, 772 p.

Plutôt que de résumer des théories, certains ouvrages présentent des théoriciens :

CHAN (Stephen) et WIENER (Jarrod) (eds), *Theorizing in IR. Contemporary Theorists and Their Critics*, Lewiston (Me.), Mellen, 1997, 168 p.

GRIFFITHS (Martin), ROACH (Steven) et SOLOMON (Scott), *Fifty Key Thinkers in International Relations*, Londres, Routledge, 2009 [2e éd.], 404 p.

KRUZEL (Joseph) et ROSENAU (James) (eds), *Journeys Through World Politics : Autobiographical Reflections of Thirty-Four Academic Travelers*, Lanham (Md.), Lexington Books, 1989, 534 p.

NEUMANN (Iver) et WAEVER (Ole) (eds), *The Future of International Relations. Masters in the Making ?*, Londres, Routledge, 1997, 380 p.

THOMPSON (Kenneth), *Masters of International Thought. Twentieth Century Theorists and the World Crisis*, Bâton Rouge (La.), Louisiana State University Press, 1980, 250 p.

Alors que des dictionnaires détaillent les concepts fondamentaux de la discipline :

BATTISTELLA (Dario), PETITEVILLE (Franck), SMOUTS (Marie-Claude) et VENNESSON (Pascal), *Dictionnaire des Relations internationales. Approches, Concepts, Doctrines*, Paris, Dalloz, 2012 [3e éd.], 572 p.

DIEZ (Thomas), BODE (Ingvild) et FERNANDES DA COSTA (Aleksandra), *Key Concepts in International Relations*, Londres, Sage, 2011, 280 p.

EVANS (Graham) et NEWNHAM (Jeffrey), *The Penguin Dictionary of International Relations*, Londres, Penguin, 1998, 624 p.

GRIFFITHS (Martin), O'CALLAGHAN (Terry) et ROACH (Steven), *International Relations. The Key Concepts*, Londres, Routledge, 2007 [2e éd.], 424 p.

MACLEOD (Alex) *et al.*, *Relations internationales. Théories et concepts*, Outremont, Athéna, 2004 [2e éd.], 302 p.

Enfin, il existe de nombreuses compilations d'extraits de livres et d'articles de Relations internationales, parmi lesquelles :

DER DERIAN (James) (ed.), *International Theory. Critical Investigations*, Basingstoke, Macmillan, 1995, 408 p.
LITTLE (Richard) et SMITH (Michael) (eds), *Perspectives on World Politics. A Reader*, Londres, Routledge, 2005 [3e éd.], 448 p.
WILLIAMS (Phil), GOLDSTEIN (Donald) et SHAFRITZ (Jay), *Classical Readings and Contemporary Debates in International Relations*, New York (N. Y.), Wadsworth, 2005 [3e éd.], 744 p.
MINGST (Karen) et SNYDER (Jack), *Essential Readings in World Politics*, New York (N. Y.), Norton, 2008 [3e éd.], 614 p.

Méritent une mention à part, les anthologies en plusieurs volumes de :

CHAN (Steven) et MOORE (Cerwyn) (eds), *Theories of International Relations*, Londres, Sage, 2006, 1616 p.
LINKLATER (Andrew) (ed.), *International Relations. Critical Concepts in Political Science*, Londres, Routledge, 2000, 2178 p.

Index des noms

L

N

R

S

Index des concepts

Domaine Mondes

Dirigé par Alain Dieckhoff et Ariel Colonomos

Comment s'organise la scène mondiale ? Quels sont les acteurs, les logiques, les dynamiques qui l'animent ? Ce domaine recouvre l'ensemble des questions liées à la compréhension des faits internationaux et de l'espace mondial dans ses multiples dimensions : articulation du local et du global, évolution propre aux différentes aires culturelles, transformation des notions fondamentales de puissance, de sécurité, de coopération ou de développement.

Dernières parutions

Le Cambodge de 1945 à nos jours
2e édition augmentée et actualisée
Philippe Richer
Collection Académique
2009 / ISBN 978-2-7246-1118-2

Faire la paix
La part des institutions internationales
Guillaume Devin (dir.)
Collection Références
2009 / ISBN 978-2-7246-1117-5

La Norme sans la force
L'énigme de la puissance européenne
2e édition entièrement refondue
Zaki Laïdi
Collection Références
2008 / ISBN 978-2-7246-1088-8

La Politique étrangère des États-Unis
Fondements, acteurs, formulation
2e édition revue et augmentée
Charles-Philippe David, Louis Balthazar et Justin Vaïsse
Collection Références
2008 / ISBN 978-2-7246-1080-2

La Société chinoise vue par ses sociologues
Migrations, villes, classe moyenne, drogue, sida
Jean-Louis Rocca (dir.)
Collection Académique
2008 / ISBN 978-2-7246-1073-4

Milices armées d'Asie du Sud
Privatisation de la violence et implication des États
Laurent Gayer et Christophe Jaffrelot (dir.)
Collection Académique
2008 / ISBN 978-2-7246-1002-4

Achevé d'imprimer par Corlet, Imprimeur, S.A.
14110 Condé-sur-Noireau
N° d'Imprimeur : 146268 - Dépôt légal : juillet 2012

Imprimé en France